T3-BLC-265

MEUBLES ET OBJETS D'ART

MEUBLES ET OBJETS D'ART

DU MONDE ENTIER

Secrets de fabrication, critères d'authenticité

Sous la direction

d'Elisabeth Drury

Bordas

Edition originale
© 1986 Roxby Art Publishing Limited,
a division of Roxby Press Limited,
98 Clapham Common North Side,
Londres SW4 9SG
ISBN 0-333-42103-5

Direction de l'édition : **Elizabeth Drury**
Direction artistique : **Raymond Gautier Design**
Maquette : **Hilary Krag**
Illustration : **Aziz Khan** et **Simon Routstone**
Recherche iconographique : **Mary-Jane Coles**

Auteurs
Introduction : **Philippa Glanville**
Le bois : **Philip Astley-Jones, Frances Collard,
Elizabeth Drury, Carolyn Eardley,
Ian Hedley** et **Yvonne Jones**
Le verre : **David Watts**
La céramique : **Henry Sandon**
Le métal : **Judith Banister, Dorothy Bosomworth,
W.K. Gale, Philippa Glanville,
Anthony North, Shelley Nott** et **David Watts**

Adaptation française : **Guillemette Belleteste, Jeanne Mettra,
Paola Miglietti-Saulnier, Nicole Judet**
Réalisation : **Dominique Sabrier**
Fabrication : **Christine Callard**

L'éditeur remercie
Michel Bavoux, orfèvre à Orléans,
Dany Sautot, Centre du verre, Musée des Arts décoratifs,
Véronique Nansenet, Cristalleries de Baccarat
pour leurs conseils.

Edition française :
© 1987, Bordas, Paris
ISBN 204-012926-X
Dépôt légal : Août 1989
Dépôt légal 1re édition : Août 1987

Achevé d'imprimer en août 1989
par I.M.E. - 25110 Baume-les-Dames (France)
N° imprimeur : 7325

«Toute représentation ou reproduction, intégrale ou partielle, faite sans le consentement de l'auteur ou de ses ayants-droit, ou ayants-cause, est illicite»
(loi du 11 mars 1957, alinéa 1er de l'article 40).
Cette représentation ou reproduction, par quelque procédé que ce soit, constituerait une contrefaçon sanctionnée par les articles 425 et suivants du Code pénal.
La loi du 11 mars 1957 n'autorise, aux termes des alinéas 2 et 3 de l'article 41, que les copies ou reproductions strictement réservées à l'usage privé du copiste et non destinés à une utilisation collective, d'une part, et, d'autre part, que les analyses et les courtes citations dans un but d'exemple et d'illustration.

Sommaire

AVANT-PROPOS 7

INTRODUCTION 9

LE BOIS 15
Le bois d'œuvre 16
La menuiserie 20
Le tournage 22
La confection de chaises 24
La tapisserie d'ameublement 28
L'ébénisterie 32
La confection de la carcasse 34
Le placage 36
L'incrustation et la marqueterie 39
La marqueterie Boulle 42
La sculpture 44
La peinture et le décor au pochoir 48
La teinture et le vernissage 50
La dorure 52
Le laquage et le vernis « façon de la Chine » .. 54
Le laquage industriel et le papier mâché 58

LE VERRE 60
Le four à verre 64
Le verrier et ses talents 66
Le soufflage dans le moule et le moulage à la presse 68
Les verres à jambe en balustre 70
Les verres à filigrane d'air 72
Le verre craquelé 73
Le verre coloré 74
L'opaline et le verre opaque 76
Le verre mosaïque et le verre millefiori 78
Le verre en filigrane 82
Les verres torsadés opaques 83
La taille 84
La gravure 86
La gravure au sable 89
La gravure à l'acide 90
Le doublage et la taille des camées 92
L'émaillage sur verre 94
La dorure 96
Le verre argenté 98
Le verre irisé 100

LA CÉRAMIQUE 102
La terre cuite 104
Le grès 106
La porcelaine orientale 108
Les pâtes tendres européennes 110
La porcelaine en pâte dure europénne 112
Le façonnage à la main 114
Le métier de sculpteur modeleur 118
La fabrication de la céramique industrielle 120
La cuisson 122
La fabrication de la porcelaine réticulée 124
Le décor à la barbotine 126
L'émaillage 128
Les fonds de couleur 130
Le métier de l'artiste décorateur sur porcelaine 132
La décoration au transfert 134
La dorure 136

LE MÉTAL 138
L'or et l'argent 140
Le recuit 142
Le soudage 143
La retreinte et le cambrage 144
Le tournage et le repoussage au tour 146
Le matriçage, le pressage et le forgeage à la main 148
Le moulage 150
Le polissage, le brunissage et la finition 152
Le bosselage et le repoussage 154
Le repoussage à plat et le matage 155
La gravure 156
La fabrication du fil de métal et du filigrane . 158
Le reperçage et les découpes appliquées 160
Le poinçon 162
La joaillerie 164
La dorure 168
L'argenture à la feuille et le plaqué 170
Le plaqué Sheffield 171
L'argenture galvanique ou électrochimique ... 174
Le fer 176
Le métier de l'armurier 182
L'épée 184
Le plomb 186
La ferblanterie 188
Le cuivre 190
La galvanoplastie 194
L'émaillage 195
Le bronze 200
L'or moulu 204
Le laiton 206
Le métier du serrurier 210
L'étain 212
Le métal anglais 216

BIBLIOGRAPHIE 218

REMERCIEMENTS 219

CRÉDITS PHOTOGRAPHIQUES 219

INDEX 220

Appareil servant à découper le bois destiné à la marqueterie.
Illustration extraite de l'ouvrage L'Art du Menuisier
d'André-Jacob Roubo, 1772.

Avant-propos

Cet ouvrage est destiné à tous ceux qui souhaitent connaître les techniques employées autrefois pour façonner et décorer le bois, le verre, l'argile et la porcelaine, l'or, l'argent et d'autres métaux comme l'étain, le cuivre et le laiton. Les artisans qui, suivant les traditions de leur métier, tournaient le bois, modelaient l'argile pour faire des pots, martelaient des plaques d'armures ou les planches de gravures qui seraient attaquées par l'eau-forte créaient les produits que nous désignons aujourd'hui sous le nom d'« objets d'art ».

D'un point de vue pratique, le propos de ce livre est de clarifier la signification de termes techniques tels que « marqueterie », « chrysocale », « bosselage » ou « emboutissage », et de bien d'autres. Ces mots peuvent être familiers aux habitués des salles de vente et de leurs catalogues, ou à ceux qui, dans les musées, lisent les descriptifs des objets exposés, sans que pour autant leur sens soit suffisamment clair pour que ces amateurs d'art puissent s'en servir avec exactitude. Les illustrations de cet ouvrage et leurs légendes en faciliteront la compréhension.

Surtout, ce livre se propose de montrer comment, à travers les siècles, les artisans ont pratiqué leur art et exercé leurs talents ; comment ils coulaient le bronze, et fixaient l'émail au métal par cuisson ; comment ils réalisaient et ornaient leurs poteries avec l'argile fluide de l'engobe; quels étaient leurs outils, et leur posture de travail : assis, debout, et même, pour les fabricants de lames, couchés.

Si l'on feuillette les pages qui suivent, on remarquera de grandes similitudes dans le traitement des différentes matières. On pouvait, par exemple, les peindre et les dorer, ou les ciseler en profondeur, comme dans certaines œuvres en bois, ou très finement, en un motif linéaire, comme dans la gravure sur verre ou dans le travail du métal.

On notera également d'importantes différences : ainsi, le type de verre désigné sous le terme de « cristallo » est fort différent, par sa densité et son aspect, du verre de plomb tardif, et le vernis « façon de la Chine » offre une autre texture que celle de la laque orientale qu'il prétendait pourtant imiter.

Des comparaisons de ce type peuvent nous conduire à déterminer la date de réalisation et l'origine d'une pièce , et à la situer dans son contexte historique et géographique. Elles nous permettent surtout de mieux appréhender la nature de très nombreux objets tant appréciés aujourd'hui, et de mieux fonder l'admiration que nous vouons aux artisans qui les ont réalisés.

Elizabeth Drury.

Introduction

L'accord de l'œil et de la main, la connaissance intime de la matière et du savant dosage de douceur et de force qu'exige son façonnage sont les conditions essentielles du travail harmonieux de tout artisan. Pour toutes les techniques décrites au cours des pages suivantes, l'action de la chaleur — qui, en modifiant la matière première, permettait de lui donner forme — et l'adéquation parfaite de leurs outils, simples d'aspect mais aux effets subtils et infiniment variés, furent pour ces travailleurs manuels de précieux alliés.

Le désir de donner à leurs articles — qu'il s'agît de meubles, d'armures, d'objets de porcelaine ou de verre — la richesse des métaux précieux amena les artisans à agrémenter toutes les matières évoquées dans ce livre par l'emploi de la dorure, de l'argenture ou de l'incrustation. La surface de ces objets pouvait aussi être décorée selon d'autres techniques telles que l'eau-forte, le bleuissage de l'acier, le brunissage et la peinture sous toutes ses formes. Le verre et la poterie se prêtaient tout particulièrement à de somptueux effets décoratifs, et, au cours du XIXe siècle et au début du XXe, Tiffany ou Gallé, par exemple, fournissaient à une clientèle de masse comme à l'amateur éclairé de magnifiques articles de verre multicolore.

Le mode de production fut de tout temps marqué par la coexistence de deux systèmes différents. Le premier, qui fonctionnait à petite échelle, fournissait à une clientèle noble et riche des objets de luxe réalisés à partir de matières premières très coûteuses et qui exigeaient un important travail de main-d'œuvre. Les artisans qui s'engageaient dans ce type de commandes, tout en se montrant de fervents partisans des techniques traditionnelles, se pliaient aux caprices de la mode et n'hésitaient pas à rechercher de nouveaux modèles. Les ateliers de Boulle, à Paris, travaillaient ainsi pour un nombre fort restreint de commanditaires.

Le second système de production était organisé de manière à fournir au moindre coût des articles qui mobilisaient le moins possible l'attention de l'artisan. Les maîtres d'œuvre de ce système se montraient souvent avides d'innovations technologiques qui, en facilitant le remplacement de matières premières onéreuses, permettaient de réduire le prix de revient et d'augmenter la marge bénéficiaire du producteur. Le fabricant de cuillers du XVIe siècle qui soudait sur ses couverts des fleurons moulés en série fournis par des travailleurs à domicile n'agissait pas autrement que le fabricant de carreaux de faïence de Delft qui décorait au pochoir plusieurs centaines de carreaux par jour ; en revanche, ce dernier n'avait guère de points communs avec les peintres à main levée employés dans les fabriques de porcelaine de Meissen, Chelsea ou Copenhague.

Certains professionnels très spécialisés pouvaient cumuler les avantages de ces deux organisations du travail. Seddons, d'Aldersgate Street, fabricant de meubles londonien très en vogue vers 1750, employait quatre cents apprentis pour la confection même de ses meubles, mais il disposait également, dans le même bâtiment, des services de doreurs, de mouleurs de chrysocale, de miroitiers et de tapisseurs, capables de réaliser des pièces uniques dans ce style franco-anglais choisi par Henry Holland pour le Prince de Galles.

Les progrès technologiques s'imposaient cependant plus lentement dans le domaine de l'artisanat de luxe ; alors que Matthew Boulton, grâce à ses laminoirs, découpait sous pression, dans de minces feuilles d'argent, des séries de bougeoirs à bon marché, sa clientèle aristocratique continuait d'exiger des objets personnalisés au lourd décor réalisé à la main.

Dans chacune des branches de l'artisanat, les dessinateurs jouaient un rôle essentiel qui consistait à interpréter les désirs du client et à fournir un projet à l'artisan. En effet, quelles que fussent la matière et la technique employées, il fallait tout d'abord recourir aux talents de quelqu'un qui fût capable de dessiner ou même de créer le modèle original de l'article. Les modeleurs demeuraient généralement anonymes : Johann Joachim Kändler, de Meissen, et Frederick Kändler, modeleur et orfèvre à Londres vers 1727, dont les noms sont parvenus jusqu'à nous, sont des exceptions. La recherche de dessinateurs, dont la nécessité se faisait surtout sentir dans la production

A gauche : détail d'une fresque du studio de François Ier de Médicis, au Palazzo Vecchio de Florence, achevée en 1570-1572 d'après le projet de Giorgio Vasari (1511-1574). Bijoutiers et orfèvres sont ici représentés côte à côte (ce qui ne reflète pas la réalité). Leurs œuvres sont rangées sur une sorte d'étagère, sous laquelle sont épinglés croquis et modèles ; des outils sont accrochés au-dessus et sur les côtés des fournaises. Cette fresque, qui fait partie d'une série de représentations d'artisans au travail, témoigne d'une attitude et d'une curiosité nouvelles envers les activités techniques.

Ci-contre : détail d'une lithographie représentant le travail du verre dans les verreries de William Ford à Edimbourg, vers 1840. Les méthodes traditionnelles de soufflage du verre étaient peu à peu remplacées par l'usage de moules en deux ou trois parties et, à partir de 1850, par le moulage en presse, afin de produire de la verrerie moins coûteuse destinée à un marché de masse. Cependant, le travail à l'ancienne, illustré ici par deux artisans, se perpétua dans certaines verreries anglaises pendant une grande partie du XXe siècle.

d'objets de luxe, fut facilitée par l'instauration d'écoles de dessin à partir de la fin du XVIIe siècle.

Néanmoins ce besoin de recherche et de nouveauté était loin d'être partagé par l'artisan, pour qui l'originalité devait être évitée et qui voyait dans le moindre changement de modèle une source de désagréments. De son point de vue, les meilleures techniques étaient celles qui lui permettaient d'économiser temps et argent; il lui fallait surtout être capable de reproduire à la perfection des modèles ou des moules achevés dans leurs plus petits détails.

Etant donné l'extrême variété des sujets moulés, la connaissance des pratiques de moulage était essentielle à tous les métallurgistes, tant pour la réalisation d'articles entiers que pour celle d'ornements qui seraient ensuite appliqués sur des objets en bois. Que ce fût pour réaliser une série de simples contre-feux en fer, des médailles de pèlerinage en plomb ou des ensembles de ferrures en chrysocale destinés aux horloges ou au mobilier, des moules étaient nécessaires. En matière de porcelaine ou de poterie de grès, on avait aussi recours à des moules complexes, en plusieurs parties, pour produire figurines et accessoires de table. A la fin des années 1750, Aaron Wood créa des modèles de moules pour les manufactures de grès émaillé du Staffordshire, qui furent également employés dans les fabriques de porcelaine de Liverpool, de Worcester et de Bow.

Les moules et leurs modèles avaient, en effet, une grande valeur, et ils étaient souvent échangés et réutilisés par différents ateliers. Des modèles de bois sculptés pour Wedgwood se trouvent encore à Barleston. Au cours du XVIe siècle, les dessins de Peter Flötner, dont s'inspirèrent à la fois les orfèvres de Londres et les potiers d'étain de Nuremberg, se répandirent aisément dans toute l'Europe du Nord sous forme de plaquettes de plomb.

La nécessité de disposer de bons modèles constituait un handicap pour les artisans, au point qu'en Amérique certains durent parfois réaliser des moulages de pièces importées d'Angleterre. Au XIXe siècle, avec la coopération du Musée des Arts et des Sciences de Londres (l'actuel Victoria and Albert Museum), la firme Elkington développa la technique de la galvanotypie pour fournir des modèles aux jeunes artisans. Des objets de toutes les époques, et particulièrement de la période romaine et des XVe et XVIe siècles, alors considérés comme l'apogée de l'art européen, furent ainsi copiés et distribués à bas prix comme modèles pour les écoles de dessin.

Presque tous les métiers d'art traditionnels européens décrits dans ce livre ont été stimulés par des facteurs extérieurs. Le commerce avec l'Inde et la Chine fut l'un des plus importants, qui introduisit des matières premières, des techniques et des idées décoratives nouvelles.

Les matériaux exotiques offrirent de nouvelles possibilités à l'ébéniste, qui put utiliser le rotin antillais ou des essences en provenance des Antilles ou d'Amérique du Sud. Le vernis « façon de la Chine », qui imitait la laque à peu de frais, fut une conséquence de l'engouement des amateurs européens pour les arts décoratifs d'Extrême-Orient. Les principales innovations techniques se rapportèrent cependant à la fabrication de la porcelaine, jusque-là imparfaitement imitée en Perse puis, à partir du Moyen Age, en Europe occidentale par la faïence à l'étain; le secret en fut finalement percé par Böttger de Meissen. L'apparition de boissons jusqu'alors inconnues (thé, café et

Ci-contre: feuille de modèles d'ornements pour argenterie, Allemagne, vers 1720-1740. Le graveur a ici accumulé le plus grand nombre possible de variantes ornementales à partir de modèles destinés aux orfèvres. Ce type d'ornements ne connaissait pas de frontières, et l'on trouve des motifs semblables à ceux-ci sur de l'argent ciselé et gravé en France et en Angleterre aux alentours de 1720. Ces gravures paraissaient souvent bien après que les motifs eurent été créés et reproduits sur de la vaisselle: ces idées décoratives étaient colportées par les artisans, par des croquis et par les objets eux-mêmes, qui étaient alors copiés.

Ci-dessus : projet gravé pour un plateau de table en marqueterie à la manière d'André-Charles Boulle (1642-1732), France, début du XVIIIe siècle.
A gauche : pochoir anglais découpé dans une lettre, pour un plateau vernis « façon de la Chine ».
A droite : motifs décoratifs de laquage, extraits de A Treatise of Japanning and Varnishing *de John Stalker et George Parker, 1688. Ce manuel, publié à Oxford, témoigne de la rapidité avec laquelle les apports techniques et ornementaux étrangers pouvaient être assimilés. La* East India Company *commença à importer la laque orientale au cours des années 1660, et dès 1680 on en trouvait de nombreuses imitations.*

chocolat) prit une importance plus grande encore pour le potier et l'orfèvre, car elle impliquait la création de tout un assortiment de produits nouveaux, ainsi qu'une classe nouvelle de clients.

Avant le XVIIe siècle, on considérait que la connaissance particulière des matières et des techniques de chaque métier d'art devait demeurer secrète et qu'il ne fallait pas la transmettre par écrit. Les guildes refusaient souvent de prendre pour membres des étrangers ou des personnes qui n'étaient pas du métier. A l'inverse, la connaissance de nouvelles technologies était précieuse et ne circulait qu'entre initiés, de sorte que, lorsque Henri VIII d'Angleterre voulut fonder un atelier de confection d'armures, il dut importer ses armuriers d'Innsbruck ; en effet, ceux-ci possédaient le secret d'un acier spécial qui ne fut connu des forgerons anglais qu'au XVIIe siècle. Plus tard, il fit venir de Murano, contre la volonté des autorités de Venise, des verriers qui savaient réaliser le « cristallo » vénitien.

Le passage de pratiques artisanales transmises oralement, et de ce fait difficiles à retracer aujourd'hui, à une technologie aux fondements scientifiques se produisit dès le XVIe siècle pour certaines branches de l'artisanat. La métallurgie se trouva au premier plan de ce mouvement, les princes ayant pris conscience qu'il leur était essentiel, pour s'assurer la stabilité économique et politique, de contrôler la production des fusils et de la monnaie. Biringuccio écrivit ainsi, avant la fin du XVIIe siècle, des manuels techniques de métallurgie, de verrerie, d'orfèvrerie, et beaucoup d'autres ouvrages de ce type devaient voir le jour, au cours des XVIIe et XVIIIe siècles, sous l'impulsion de l'esprit scientifique des Lumières. En Angleterre, par exemple, les gentlemen de la Royal Society se consacrèrent à l'étude de techniques industrielles, entre autres la fabrication du cuivre, du fer et de la poudre à canon, l'émaillage, le vernissage, l'affinage ou le maniement de la presse à cylindre. Dans son *Encyclopédie*, Diderot s'adressait à une classe active de gentilshommes entrepreneurs, désireux d'investir et de tirer profit de l'expansion de l'économie française. Des sociétés comme la Lunar Society de Buckingham, qui comprenait des scientifiques tels qu'Erasmus Darwin, Joseph Priestley et James Watt, constituaient des tribunes où étaient échangées, par exemple, des idées sur les applications de la vapeur en mécanique.

La spécialisation des ateliers, due à la pression économique, amena une baisse générale de la qualité de l'apprentissage. Fabricants de meubles ou de porcelaine, verriers et orfèvres se servaient couramment des mêmes modèles stéréotypés, qu'ils trouvaient sur des gravures de motifs ornementaux telles que celles de Lock et Copland. L'originalité coûtait cher et pouvait se révéler difficile à vendre.

Cette tendance à la spécialisation était particulièrement sensible dans l'industrie de la poterie. En 1790, Wedgwood employait dans sa manufacture de Stoke-on-Trent (Angleterre) cent soixante personnes environ, réparties en différents services selon le type d'article fabriqué. A lire la longue liste de ces tâches très spécialisées — presseurs de vaisselle en faïence, tourneurs de vaisselle plate, manutentionnaires, personnel des fours à biscuit, brosseurs, fondeurs, chauffeurs, broyeuses de couleurs, peintres, émailleurs, doreurs, etc. — on s'aperçoit que la réalisation d'un article exigeait un nombre considérable de manipulations, même si l'introduction de machines permettait d'en accélérer certaines étapes.

Comme l'organisation traditionnelle de l'artisanat tendait à devenir trop contraignante, les innovations techniques se développèrent en parallèle. Boulton, par exemple, s'établit délibérément hors de l'influence de la Compagnie des Orfèvres de Londres et se refusa à prendre des apprentis selon l'usage établi ; il préféra engager des jeunes gens doués pour le travail manuel, dont il assurait la formation. Dès la fin du XVIe siècle, l'image consacrée de l'orfèvre travaillant aux côtés de ses compagnons n'avait certainement plus cours en Angleterre ; les orfèvres, ou tout au moins les meilleurs d'entre eux, s'étaient alors transformés en marchands, hommes d'affaires ou banquiers, plus occupés de spéculations immobilières et financières que de leurs ateliers, confiés à des gérants. Le travail de la céramique et du verre vit l'émergence d'un phénomène similaire : les hommes qui investirent les premiers dans les fabriques de faïence de Delft de Londres étaient des hommes d'affaires plus que des artisans ou des créateurs. Quant à Ravenscroft et Dwight, gentilshommes épris de science, ils se passionnèrent davantage pour la recherche de matières nouvelles que pour les applications commerciales de leurs découvertes techniques ; le fait que l'industrie de la poterie de grès se soit rapidement déplacée de Londres vers Nottingham est également significatif. Il est plus aisé, en ce domaine, de citer des exemples anglais dans la mesure où l'Angleterre fut aux avant-postes de la transformation de l'organisation artisanale en une structure industrielle clairement définie. Cela s'explique par la structure économique très centralisée de ce pays, par l'existence, au moins à Londres, d'une importante communauté capable d'investir et d'un vaste marché pour les biens de consommation, et enfin par la présence de sources d'énergie peu coûteuses, l'eau et le charbon, largement exploitées à partir de la fin du XVIIIe siècle dans l'intérêt même de ces métiers traditionnellement organisés autour de la structure de l'atelier.

Ci-dessus : saucière en porcelaine tendre, Longton Hall, Staffordshire, vers 1760.
Ci-contre : saucière en porcelaine de grès émaillée, Staffordshire, vers 1759-1765, et moule de saucière en grès, modelé par Aaron Wood (1717-1785), vers 1757-1765. C'est à partir de ces moules que l'on composait les moules de plâtre ultérieurement employés dans les manufactures de porcelaine et de poterie de grès.

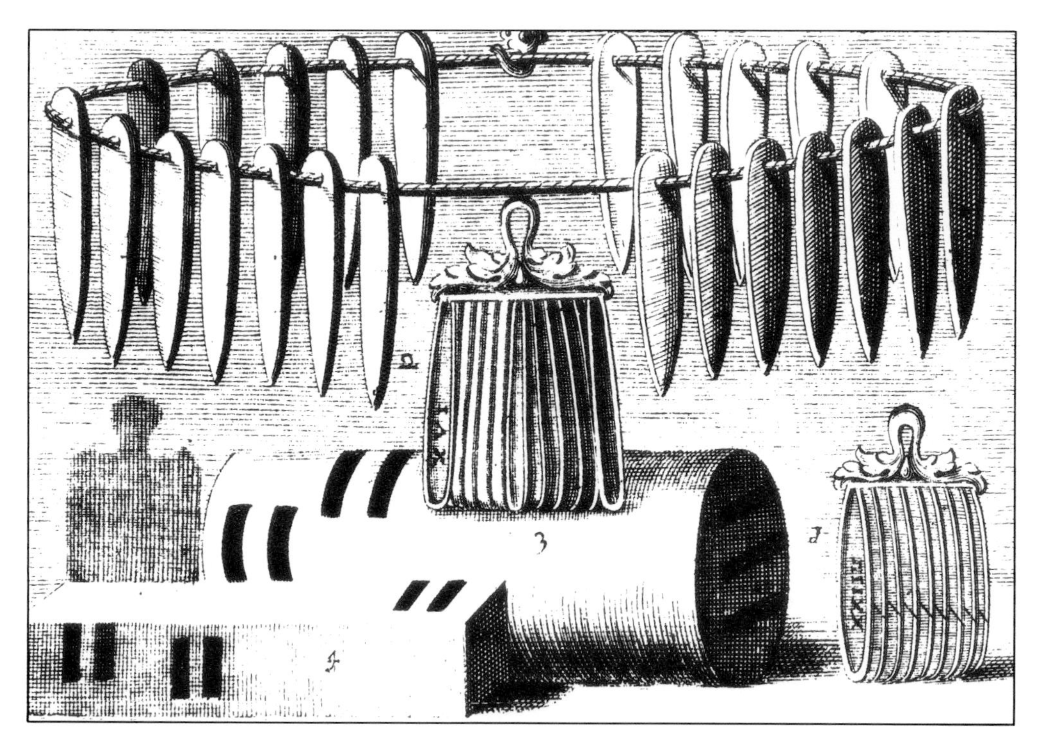

Ci-contre : détail d'une illustration présentant le matériel nécessaire au titrage des métaux extraite de Description of Leading Ore Processing and Mining Methods *de Lazarus Ercker, 1574. Le degré d'or contenu dans les 24 aiguilles d'or enfilées sur l'anneau de fer variait d'un carat d'or mêlé à 23 carats d'argent jusqu'à 24 carats d'or pur, tandis que les séries d'aiguilles de cuivre et d'argent, plus petites, servaient à titrer l'argent. La pièce était frottée contre la pierre de touche, et le trait de couleur ainsi déposé était alors comparé à celui des aiguilles qui s'en rapprochaient le plus, ce qui permettait d'en évaluer le titre.*

Ci-dessous : l'atelier d'un orfèvre, frontispice de A New Touchstone for Gold and Silver *de W. Badcock, 1679. Le martelage de la vaisselle, le raffinage du métal dans la fournaise, le titrage des pièces et leur poinçonnage par les membres de la Compagnie des Orfèvres de Londres sont ici représentés.*

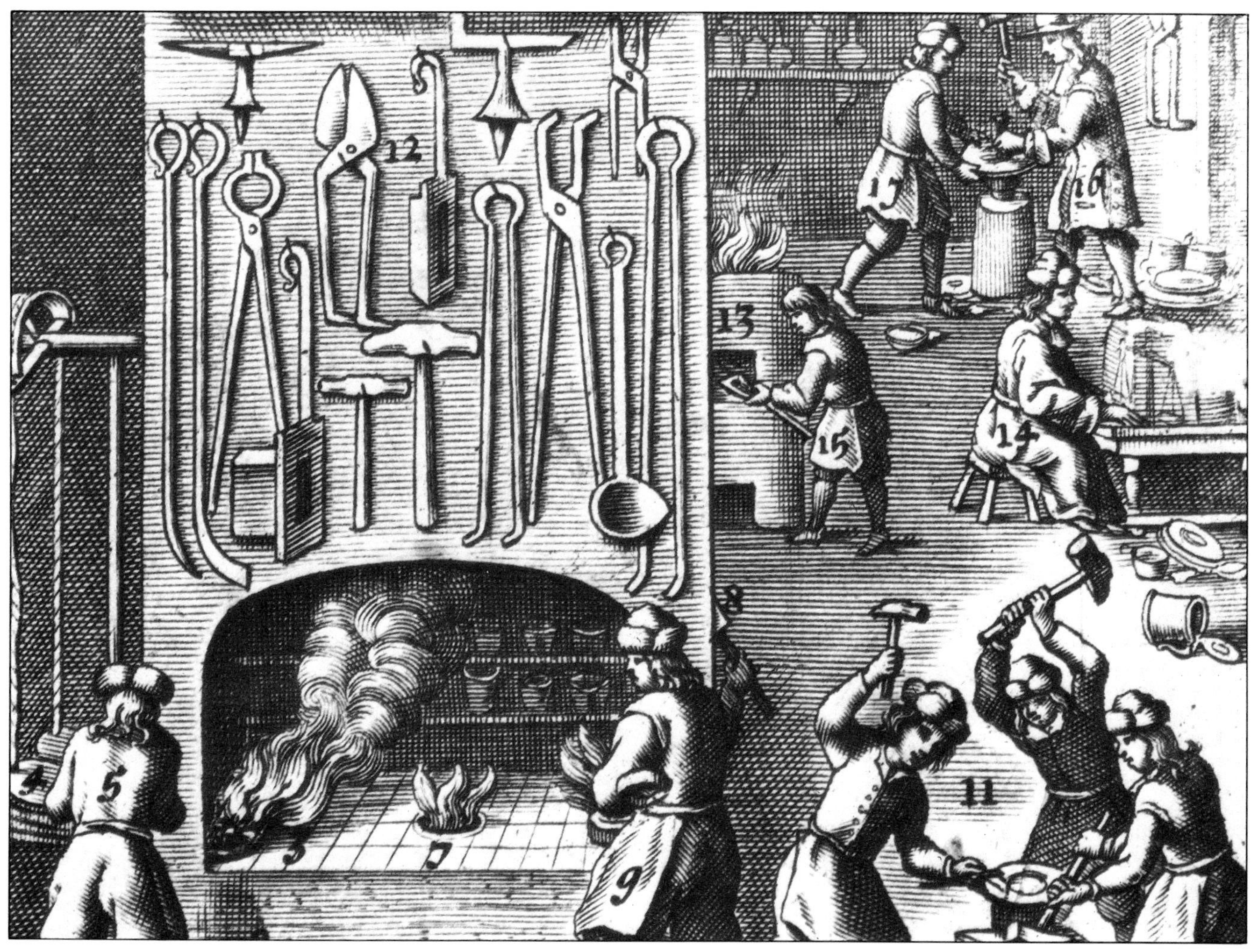

Le bois

A la fin du Moyen Age, lorsque apparut le système des corporations, les ouvriers du bois s'étaient déjà spécialisés selon des compétences particulières : le tonnelier ne pratiquait pas le même métier que le fabricant d'arcs ou le fabricant de flèches ; de même, le menuisier s'engageait dans un autre travail que le charpentier, qui fabriquait les structures de bois des bâtiments. Apprentissage et salaire étaient distincts.

Avec le développement de l'artisanat du bois, cette tendance à la spécialisation s'accrut. Vers le milieu du XVIIe siècle, les diverses techniques utilisées pour réaliser et décorer le mobilier, pour menuiser, façonner au tour, sculpter, plaquer, dorer, tapisser, étaient confiées à des artisans différents.

L'histoire du mobilier est liée au développement du décor et du confort de la maison, ainsi qu'au désir de donner aux objets utilitaires un caractère ornemental ; c'est aussi l'histoire de la connaissance et de la maîtrise progessives, par les artisans, de leur matière première : le bois.

On divise les arbres en deux principales catégories : les bois durs, à contexture ferme et à grosse fibre, et les bois tendres, plus légers. Les conifères, à feuilles persistantes ou en forme d'aiguilles, sont considérés comme des bois tendres, tandis que l'on regroupe parmi les bois durs les arbres à larges feuilles le plus souvent caduques, provenant de pays tempérés, comme le chêne et le noyer, ou exotiques, comme l'acajou et le bois de satin. Quelques exceptions toutefois à cette classification : le tilleul est un bois tendre, tandis que l'if a une contexture dure. Le plus souvent, ce sont des bois durs qui servent pour le mobilier, sauf le pin, particulièrement utilisé pour la carcasse du meuble (v. p. 34) ou pour le mobilier à bon marché.

En général, on se sert du bois de cœur ou bois parfait plutôt que de l'aubier qui sépare le cœur de l'arbre de l'écorce, car celui-ci, jeune et tendre, risque davantage de pourrir et de travailler.

Jusqu'au début du XIVe siècle, les meubles tels que les coffres étaient faits de lourdes planches dégagées du tronc dégrossi et fendu. On introduisait de force un coin de fer au cœur de la bûche, en s'alignant à peu près sur les rayons médullaires partant du centre de l'arbre, puis on ouvrait la fente ainsi obtenue, par un jeu d'autres coins, sur toute la longueur de la bûche, jusqu'à ce que celle-ci se sépare en deux. On refendait ensuite ces deux parties pour obtenir des planches de l'épaisseur désirée. Ce procédé donnait aux planches une section en forme de coin, et il fallait les équarrir à l'herminette avant de les utiliser.

A gauche : secrétaire surmonté d'un cabinet à tiroirs en vernis « façon de la Chine », Angleterre, vers 1725. La vogue de la laque occidentale débuta en Europe à la fin du XVIIe siècle, et aux Etats-Unis au milieu du XVIIIe siècle ; les laqueurs tentèrent d'imiter la laque orientale en utilisant des ingrédients différents.

Ci-contre : coupe tournée anglaise en Lignum vitae. *Cette coupe a été formée sur un tour en l'air à pédale. A l'inverse de la technique courante, on a réalisé ce motif en pétales de rose en maintenant l'ouvrage tandis que l'on découpait le motif avec une lame mobile.*

Le bois d'œuvre

On obtenait des planches moins épaisses en sciant les troncs plutôt qu'en les fendant. Les fosses des scieurs de long de la fin du Moyen Age furent utilisées pour fournir du bois d'œuvre aux artisans des campagnes jusqu'au milieu du XIXe siècle, où l'on équipa les scieries d'outillage à vapeur, et même plus tard. On posait la bille sur des planches fixées au sol de chaque côté de la fosse; deux hommes la sciaient en tirant alternativement sur une scie à deux poignées. L'ouvrier placé en position supérieure, en général propriétaire de la fosse, travaillait au-dessus du sol, tandis qu'à son aide était dévolue la pénible tâche de scier en dessous de la bille, à l'intérieur de la fosse.

Il existait deux méthodes pour scier une bûche. On pouvait la scier sur toute sa longueur en coupes parallèles, ou la débiter en quartiers, que l'on sciait ensuite selon des techniques très diverses : en s'alignant, par exemple, sur les rayons médullaires de l'arbre, comme lorsqu'on le fendait, ou encore en suivant les tangentes du cercle de section de la bûche. La technique de coupe des planches déterminait à la fois la résistance et l'apparence du bois.

Les cellules des arbres vivants et du bois d'œuvre fraîchement coupé sont constituées de beaucoup d'eau libre, qui peut représenter 50 pour 100 et, pour certains arbres ayant poussé dans des terrains marécageux, jusqu'à 200 pour 100 du poids réel de l'arbre. Avant de pouvoir être travaillé, le bois d'œuvre doit être séché jusqu'à ce que son taux d'humidité corresponde approximativement à celui du lieu où le meuble prendra place. Le séchage renforce le bois, le protège du pourrissement et diminue sa tendance à se rétrécir ou à se dilater après sa mise en forme et son assemblage. En général d'ailleurs, on abat les arbres en hiver, lorsque leur taux d'humidité est le plus bas.

Le séchage du bois s'effectue traditionnellement en plein air. Les planches sont mises à l'abri et empilées les unes sur les autres, séparées par des liteaux de bois, qui permettent la libre circulation de l'air; elles sèchent ainsi uniformément et de manière suffisamment progressive pour que les fibres du bois ne travaillent pas. Dans un premier temps, l'eau libre s'évapore, puis, lorsque le point de saturation de la fibre est atteint, l'humidité contenue dans la membrane des cellules commence à s'évaporer à son tour, et le bois prend du retrait.

Ce retrait se produit de manière différente selon que l'on considère l'axe radial ou l'axe tangentiel. Le retrait tangentiel, qui se produit le long des cernes annuels, est toujours plus important, en général deux fois plus élevé que le retrait radial. Le grain ou fil du bois, c'est-à-dire le sens des fibres à travers lequel monte la sève, n'est pas soumis à ce retrait.

Le bois séché est hygroscopique, c'est-à-dire que sa teneur en humidité est fonction du degré d'humidité de l'atmosphère ambiante. Il s'ensuit des variations, et, dans la mesure où celles-ci sont plus sensibles le long des anneaux annuels qu'entre eux, les planches sciées suivant les tangentes (ou sur dosse) sont plus affectées par les variations atmosphériques que les planches sciées selon le sens radial. Pour ces dernières, les variations se répercutent uniformément dans le bois, tandis que pour les premières, elles peuvent conduire à d'importantes distorsions, et gauchir le bois.

Les planches sciées selon le sens radial sont non seulement plus

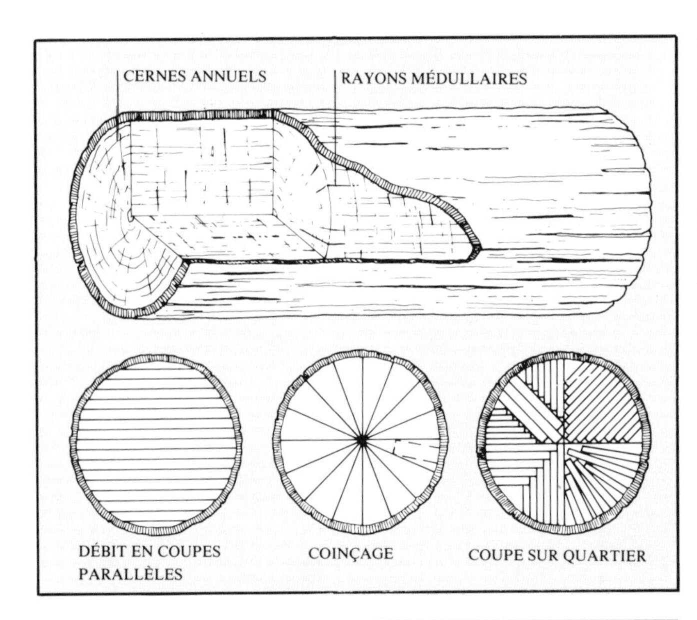

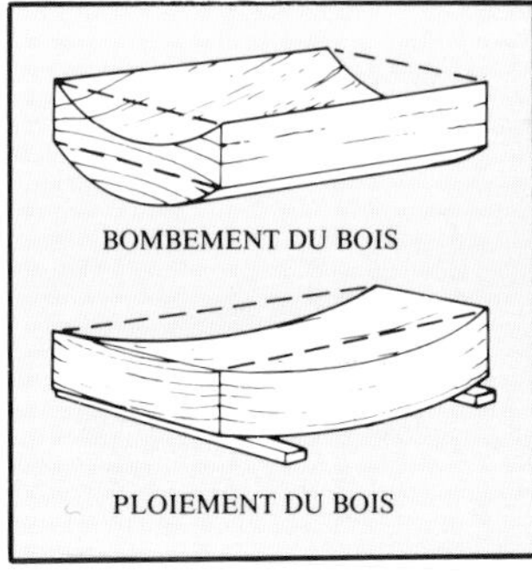

Ci-dessus: section d'une bûche et techniques de coupe du bois. Le bois fendu ou scié en quartiers donne des planches sur maille, qui suivent le sens radial. En coupe parallèle, les planches seront soit sur maille, soit sciées tangentiellement.
Ci-contre: le bombement du bois est causé par le retrait des cernes annuels, et le ploiement de la planche sous son propre poids est dû à l'absence de liteaux de bois disposés pour le séchage.
A droite: fosse de scieurs (1839).

stables, mais offrent aussi une plus grande diversité de dessin de surface. Les anneaux annuels se composent de cercles foncés et denses, qui représentent la croissance hivernale, et de cercles plus larges et plus clairs, qui marquent la croissance rapide de l'été: cela produit un jeu de rayures claires et sombres. Les rayons médullaires d'un chêne scié radialement se présentent comme des mouchetures. Les planches débitées sur dosse se caractérisent par des rayures en forme de U ou de V, que l'on remarque, en particulier, dans l'acajou ou le bois de satin.

On obtient d'autres motifs en sciant au travers d'anomalies de croissance de l'arbre. Le bois d'œuvre est alors assez instable, et l'on s'en sert le plus souvent sous forme de minces feuilles de placage (v. p. 36) plutôt qu'en pièces massives.

Comme le poids des planches et des grumes rendait leur transport difficile, les menuisiers se servirent d'essences locales jusqu'au milieu du XVIIe siècle. Le mobilier prit alors une nouvelle importance: les coffres, les chaises et les tables devenaient les éléments essentiels d'un mode de vie de plus en plus orienté vers le calme, le confort et le raffinement. On consacrait davantage de temps et d'argent à leur confection, et l'on n'hésitait pas à acquérir des matières de provenances plus éloignées, ni à mettre au point des techniques plus complexes.

En Angleterre, le chêne était l'une des essences locales les plus communes. Grâce à la finesse de son grain, il était facile à fendre, et sa résistance le faisait apprécier des menuisiers. La plupart des meubles anglais du Moyen Age au XVIIe siècle qui nous sont parvenus sont en chêne. Le sombre chêne de tourbière provenait d'arbres très vieux ou immergés dans l'eau, particulièrement

Ci-dessus: table de petit déjeuner anglaise en parquetage, XIXe siècle. Son plateau se compose d'un placage de losanges d'essences diverses telles que le bois de rose, le bois satiné, la calamandre, le bois de satin et la ronce de noyer.

Ci-contre: bureau à niche centrale et à face dite « back front » en acajou, Etats-Unis, 1760-1785. Ce type de meubles à panneau central en retrait sur la face, aux courbes aplanies et au décor de coquilles sculptées, est tout particulièrement lié à la ville de Newport, dans le Rhode Island, et aux noms des célèbres familles d'ébénistes Goddard et Townsend.

dans celle des tourbières. Aux XVIe et XVIIe siècles, on s'en servait en marqueterie (v. p. 39) avec d'autres espèces locales telles que le houx, le buis et l'if.

Partout ailleurs en Europe, on employait tout autant le châtaignier que le chêne, qui furent, à partir du XVIe siècle, supplantés par le noyer pour les pièces de grande qualité. La forte texture du noyer permettait de le sculpter avec finesse, et, dès le milieu du XVIIe siècle, il fut très recherché pour les placages, en raison de la beauté de sa couleur et de ses dessins. Il était moins aisé d'en trouver en Angleterre qu'ailleurs, bien que beaucoup d'arbres eussent été décimés par le rigoureux hiver de 1709. En 1720, l'exportation de noyer français fut interdite à cause de la pénurie de bois d'œuvre et, dès lors, l'Angleterre importa une variété de noyer en provenance de Virginie, du Maryland et de Pennsylvanie.

L'Amérique suivait, en général, les usages anglais en matière de mobilier, avec un retard d'une dizaine d'années. Ainsi, le noyer y supplanta plus lentement le chêne, que l'on utilisa encore pendant tout le premier quart du XVIIe siècle; de même, l'acajou ne supplanta le noyer que tardivement.

L'acajou devint populaire en Europe lorsque les réserves de noyer séché s'amenuisèrent, dans les années 1730 à 1740. Travailler l'acajou offrait de nombreux avantages: c'était un bois robuste et imputrescible, dont la couleur rouge soutenu variait du clair au sombre; excellent matériau pour le sculpteur, il convenait aussi au plaqueur; la grande taille des arbres permettait d'obtenir de larges planches dont on se servait pour les plateaux de tables ou les côtés massifs des cabinets (meubles à compartiments où l'on rangeait des objets de valeur).

L'acajou fut importé en Angleterre des Antilles: d'abord de la Jamaïque, puis de Saint-Domingue et de Cuba. A la fin du XVIIIe siècle, il provenait surtout du Honduras, en Amérique centrale. Le sol et le climat propres à chacun de ces pays étaient à l'origine des particularités des diverses variétés. L'acajou cubain, qui offrait les plus beaux dessins, était l'un de ceux que l'on employait le plus fréquemment pour le placage. Il était très apprécié également pour la confection de chaises (v. p. 24) et la sculpture, de même que la variété de Saint-Domingue. En revanche celle-ci présentait des dessins moins attrayants, comme d'ailleurs l'acajou du Honduras, plus clair et plus tendre. L'acajou employé en France provenait d'Orient, de Ceylan et de Malabar. On utilisait aussi comme placage une variété d'acajou désignée sous le nom de « bois satiné », qu'il ne faut pas confondre avec le bois de satin.

Le bois de satin ne fut jamais utilisé en Amérique autant qu'en Europe, où sa couleur jaune clair fut très appréciée à partir de 1765 environ. On l'importait d'Inde, de Ceylan et des Antilles. Sa vogue coïncida avec l'introduction en marqueterie d'un grand nombre de bois exotiques (v. p. 39), parmi lesquels on dénombrait: le bois de rose, noir ou brun pourpre, qui offrait souvent un aspect bigarré; le bleuet, qui s'en rapproche; le bois de violette ou amarante, de la même famille que le bois de rose,

Ci-contre: chaise convertible américaine en chêne, XVIIe siècle. Le dossier de chaise se rabat et sert de plateau de table. Les quatre planches supérieures du dossier présentent des rayons médullaires fortement mouchetés, caractéristiques du chêne scié sur maille. Sur les deux planches inférieures sciées sur dosse, les rayons médullaires, dont seule la tranche apparaît, sont peu visibles.

Ci-dessus: armoire allemande en noyer, milieu du XVIIIe siècle. Le noyer est ici utilisé sous une forme massive et en placage appliqué en minces feuilles.

Ci-contre: coffre espagnol en chêne et noyer, XVIIe siècle. Le grain plus serré du noyer le rend plus adapté pour la sculpture que le chêne. Ces motifs géométriques en rosace sont caractéristiques de ce type de décor sculpté.

Ci-dessous: secrétaire français à abattant, au dessus de marbre gris et aux ferrures de chrysocale, vers 1810. L'abattant qui caractérise ce type de secrétaire droit est ici plaqué d'acajou au dessin élégant.

Ci-contre: encoignure française estampillée G. Durand, XIXe siècle. Le panneau de la porte est plaqué selon un frisage en croix en bois de violette, essence importée d'Amérique du Sud.

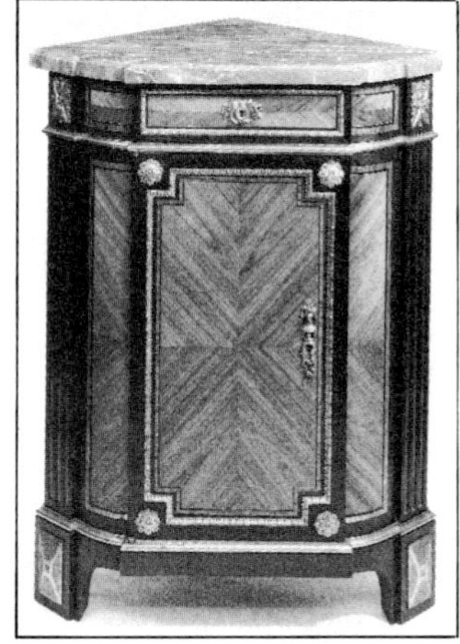

et le tulipier. Le bois dur et noir de l'ébène fut utilisé au cours du XVIIe siècle pour la confection des premiers cabinets (v. p. 32); ensuite, on l'employa pour les bandes d'encadrement, que l'on pouvait également réaliser avec un bois teint ou ébéné.

Avec l'expansion du commerce international, au début du XIXe siècle, le choix de bois exotiques disponibles augmenta considérablement. Alors que les bois clairs tels que l'érable et le hêtre devenaient à la mode pour le mobilier des chambres à coucher et, parfois, des salons, on préférait des bois plus sombres, dont le bois de rose et le bois de calamandre aux rayures fortement marquées, pour les bibliothèques et les salles à manger.

La menuiserie

Au XVe siècle, le coffre, où l'on rangeait vêtements et objets de valeur, était la pièce la plus importante du mobilier d'intérieur. On s'était jusqu'alors contenté, pour monter un tel meuble, de clouer des planches les unes aux autres; pour ce travail, le charpentier était aidé du forgeron, qui réalisait les gonds et les ferrures destinés à maintenir les planches. Cependant, le retrait en travers du fil qui affectait le bois amenait les ais cloués à se fissurer. On mit donc au point une nouvelle technique: des panneaux étaient maintenus dans un bâti, ou carcasse, composé de larges planches verticales — les montants — et horizontales — les traverses —, réunies par un assemblage dit à tenons et à mortaises. L'artisan qui réalisait ce type de mobilier était désigné sous le nom de menuisier.

La mortaise est une entaille pratiquée dans une pièce de bois, où vient s'ajuster le tenon, partie saillante ménagée sur l'autre pièce de bois. Cet assemblage à tenons et à mortaises était déjà connu des Egyptiens, qui avaient inventé nombre des techniques fondamentales de confection et de décoration du mobilier; il fut redécouvert en Italie, et son usage se répandit dans toute l'Europe. Le type le plus simple d'assemblage à tenons et à mortaises comportait un tenon à vif. La mortaise traversait la pièce de bois de part en part, laissant ainsi visible l'extrémité du tenon — elle était alors «ouverte» —, ou bien elle ne se prolongeait pas sur toute l'épaisseur de la pièce, dissimulant alors le tenon, et était alors dite «borgne». Le tenon à vif pouvait être arasé sur sa partie supérieure ou sur sa partie inférieure, ou sur les deux, ce qui permettait de soustraire au regard les éventuels défauts dans la découpe de la mortaise. L'arasement de la partie supérieure augmentait la résistance de l'assemblage; cela était particulièrement utile pour les assemblages à angle droit. Le terme «assemblage à enfourchement» désigne un type d'assemblage dont le tenon arasé s'ajuste dans une mortaise pratiquée jusqu'à l'extrémité de la pièce de bois, et qui n'a donc que trois parois. On s'en servait fréquemment pour les cadres des miroirs, en particulier ceux pourvus de coins à onglet (c'est-à-dire dont l'angle droit était formé de la réunion de deux pièces découpées selon un angle de 45°), et pour joindre des parties annexes à la structure principale d'un meuble.

On pouvait également araser les côtés du tenon, ce qui avait les mêmes conséquences que l'arasement de ses parties supérieure ou inférieure; l'arasement des quatre côtés du tenon augmentait la résistance et la stabilité de l'assemblage.

Avec cette nouvelle technique de construction, les panneaux de bois étaient maintenus par le bâti grâce à des assemblages à rainures et à languettes ou embrèvements. Lorsqu'on devait ménager une rainure sur l'une des pièces à joindre, on avait recours à un assemblage à tenon à mordâne, ou à tenon et mortaise avec épaulement et ravancement. On dégageait un tenon dont l'épaisseur devait correspondre à la largeur de la rainure; puis on donnait au ravancement une profondeur égale à celle de cette même rainure, qui se trouvait parfaitement dissimulée une fois le tenon ajusté dans la mortaise. Les panneaux insérés dans le bâti pouvaient avoir la même épaisseur que les rainures ou être plus épais, pour affleurer ainsi les

Ci-dessus: coffre anglais en chêne, début du XVIe siècle. Les panneaux étaient insérés dans des rainures découpées dans le bâti, constitué de traverses et de montants réunis par des assemblages à tenons et à mortaises. La disposition horizontale du décor en plis de serviette est assez inusitée.
A gauche: Le Travail *de J. Bourdichon, XVe siècle. On voit ici un menuisier aplanir la surface d'un panneau. Les panneaux au décor sculpté en plis de serviette, tels ceux représentés au premier plan, firent leur apparition aux Pays-Bas au cours du XVe siècle.*
Ci-contre: détail d'une armoire hispano-flamande, début du XVIe siècle. Bien qu'elle soit ornée d'un décor sculpté et appliqué plus complexe que celui du coffre ci-dessus, cette armoire est construite selon le même principe, à partir de panneaux fixés sur un bâti.

Ci-contre: armoire anglaise en chêne, vers 1660. Cette armoire à deux tiroirs et à quatre portes illustre à nouveau le mode de confection à partir d'un bâti et de panneaux.
Ci-dessous: confection à partir d'un bâti et de panneaux d'un coffre semblable à celui qui est présenté sur la page de gauche. Les assemblages à tenons et à mortaises du bâti sont consolidés à l'aide de chevilles, et les panneaux sont insérés dans des rainures. Ce mode de construction permet au bois du meuble de jouer.
En bas: quatre moyens de réunir le panneau au bâti, et divers types d'assemblage employés dans la confection à partir d'un bâti et de panneaux.

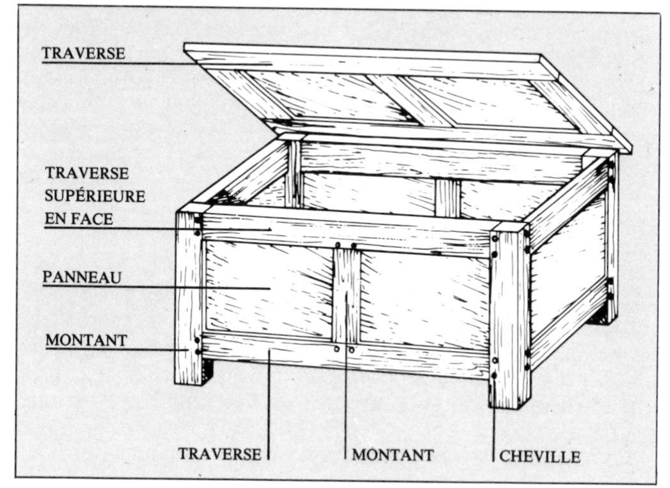

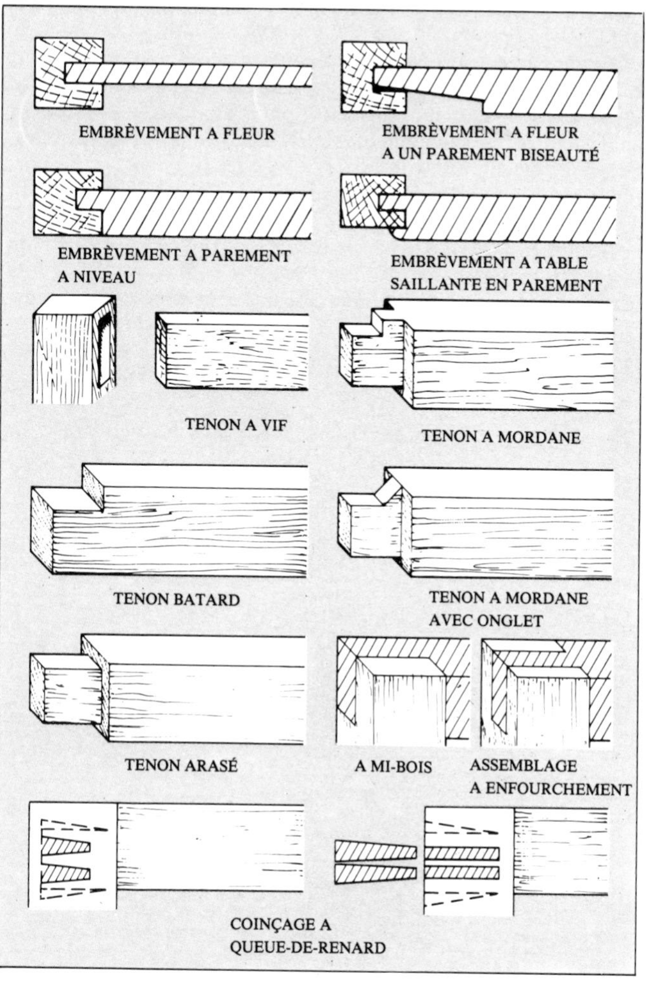

montants et traverses; leurs côtés pouvaient également être biseautés, de façon que leur partie centrale, plus épaisse, s'enrichisse, par exemple, d'un décor sculpté; enfin, ils dépassaient parfois le niveau de la carcasse.

A la même époque, la fin du XVe siècle, on assembla également la carcasse selon le procédé du coinçage. Il existait deux méthodes. Le coinçage simple consistait à préparer un assemblage à tenons et à mortaises; on élargissait ensuite légèrement la mortaise sur les deux côtés extérieurs pour lui donner une forme trapézoïdale, et l'on faisait à la scie deux encoches dans le tenon; une fois que l'on avait encastré le tenon dans la mortaise, on enfonçait deux coins dans les encoches: cela écrasait les bords ou champs du tenon contre les parois évasées de la mortaise, et bloquait les deux parties du joint. On donnait, en général, aux coins et au tenon une longueur supérieure à celle exigée par l'assemblage, pour les aplanir après les avoir mis en place. Dans un souci décoratif, on sciait parfois les coins dans un bois dont la couleur contrastait avec le reste de l'assemblage.

La seconde méthode était semblable, dans son principe, à celle décrite ci-dessus, mais le coinçage à queue-de-renard comportait une mortaise borgne; par conséquent, on devait insérer les coins dans les encoches du tenon avant d'enfoncer celui-ci dans la mortaise à coups de marteau, ce qui forçait les champs du tenon contre les parois de la mortaise. Si les coins étaient trop épais, le tenon se coinçait dans la mortaise avant d'être véritablement en place; par contre, si les coins étaient trop petits, l'assemblage, trop lâche, risquait de jouer.

Scies, planes et ciseaux étaient les principaux outils du menuisier. La colle ne fut guère employée avant le début du XVIIIe siècle et, pour donner aux assemblages une résistance optimale, on forait les deux parties à joindre et l'on y insérait des chevilles de bois vert. Dans le chevillage à tire, les trous de la mortaise étaient légèrement décalés par rapport à ceux du tenon, de sorte que lorsqu'on enfonçait la cheville, on forçait le tenon à pénétrer davantage dans la mortaise. Certains menuisiers protégeaient parfois l'assemblage d'un morceau de bois de rebut lors de la découpe de la mortaise.

Le tournage

Le tournage permet de façonner et de décorer une pièce de bois entraînée par le mouvement d'un tour en y appliquant un outil de coupe. Cette technique très ancienne fut employée par les Egyptiens dès le XIIe siècle avant J.-C. et, plus tard, par les Grecs et les Romains. En Allemagne, les tourneurs de Cologne fondèrent en 1180 leur propre guilde, marquant ainsi leur indépendance vis-à-vis des autres artisans du bois. Dès lors, le tournage a toujours été pratiqué même si, depuis le XVIIIe siècle, en Amérique et en Europe, on y a surtout recours en milieu rural.

L'un des modèles de tours les plus simples, le tour à perche, était manœuvré grâce à l'élasticité d'une large perche d'inégale épaisseur. Lorsqu'on montait le tour à l'air libre, dans un endroit boisé, on pouvait prendre pour perche la branche vive d'un arbrisseau ; le cas échéant, on maintenait la perche par un crochet scellé au plafond de l'atelier. A l'extrémité la plus mince de ce balancier, on liait le bout d'une corde; on enroulait celle-ci autour d'un axe ou mandrin, qui recevait la pièce de bois, ou autour de la pièce elle-même, maintenue à l'horizontale par une poupée et une contre-poupée verticales ; l'autre extrémité de la corde était attachée à une pédale. On tendait la corde de manière à faire plier la perche. Quand on appuyait sur la pédale, la corde faisait tourner la pièce en direction du tourneur, tandis que lorsqu'on la relâchait, la corde se détendait et libérait la perche qui, par son élasticité, éloignait la pièce de l'artisan. Pour assurer une meilleure prise, la corde était parfois remplacée par une courroie de cuir.

On entaillait le bois pendant qu'on appuyait sur la pédale, puis, lors du mouvement ascendant de celle-ci, on éloignait l'outil de coupe. D'une main, le tourneur guidait l'outil retenu par un support, tandis que de l'autre, il le maintenait en place.

Avant l'invention des tours à roue, manœuvrés par un aide, et des tours à vapeur, le tour à la perche était le plus fréquemment utilisé pour le façonnage d'objets dont le diamètre était inférieur à la longueur, tels que pieds et barreaux de chaises et de tables, balustres et colonnes de lits, bobines de fil et pièces de jeux d'échecs. La pièce était parfois dégrossie par le tourneur avant d'être achevée par le sculpteur (v. p. 44).

On utilisait souvent le hêtre pour ce type de travail. On fendait la bûche en deux, puis en quartiers que l'on équarrissait à la hache et à la plane, de manière que la forme obtenue soit aussi proche que possible de celle de l'objet. Le bois vert était plus facile à fendre et à tourner que le bois sec. Jusqu'à la fin du XVIIe siècle, on se servit de bois de chêne sec pour réaliser une grande partie du mobilier tourné, bien qu'il fût extrêmement difficile à travailler.

Pour le façonnage d'objets dont le diamètre était supérieur à la longueur, par exemple un bol, on employait un tour à perche d'une structure sensiblement différente. L'espace entre le banc de tour et les pointes qui maintenaient la pièce de chaque côté était plus grand, de façon que l'on pût y insérer une pièce de bois plus haute. La contre-poupée était abaissée afin que le tourneur pût découper sans gêne la base de la pièce. Pour tourner un objet très large, comme un plateau de table, la poupée était basculée en face de la structure principale du tour, ce qui préservait la liberté de mouvement de l'artisan.

La découpe de bols de taille décroissante à partir d'une même pièce de bois exigeait une grande habileté. On formait d'abord l'extérieur du premier bol, le plus grand, puis on retournait la pièce pour séparer par une rainure l'intérieur de ce bol du reste du bloc. Lorsqu'on avait donné à cette rainure une épaisseur suffisante, on retirait la pièce du tour; à l'aide d'un coin recourbé et d'un marteau, on finissait de dégager le bol, que l'on réservait alors, pour l'achever ultérieurement. On procédait de la même manière pour former les autres bols.

Les bois les plus divers, dont le hêtre, l'orme, le houx, le buis et, au XVIIe siècle, le *Lignum vitae* importé des Antilles, servaient à la confection d'objets d'usage quotidien. On réalisait fréquemment les récipients destinés aux produits laitiers en sycomore, car ce bois n'en dénaturait ni le goût ni l'odeur. A partir du XVIe siècle, les accessoires de table les plus luxueux furent tournés de manière à imiter les formes de la poterie d'étain (v. p. 212).

A gauche: illustration extraite d'un livre des métiers publié à Zurich en 1548 par Johan Stumf, représentant un tourneur au travail sur un tour en l'air, qui découpe un bol au ciseau à partir d'une pièce de bois entraînée par le mouvement de rotation. La pression du pied sur la pédale faisait plier la perche et enroulait la corde, rapprochant la pièce de bois du tourneur; lorsque celui-ci levait le pied, l'élasticité de la perche entraînait la corde, éloignant la pièce. Les articles terminés sont ici disposés par terre et sur le banc, à côté du tourneur.

Ci-contre: moulin à café et à épices anglais en Lignum vitae, *composé de trois parties réalisées au tour, vers 1760.*

Ci-contre: coquetiers sur un porte-coquetiers, Angleterre, vers 1800. Ce type d'objets était généralement en acajou, mais celui-ci est en bois fruitier.

Ci-dessous: coupe anglaise et son couvercle, en érable tourné, vers 1800. Des animaux héraldiques et des versets pieux y sont finement ciselés.

La confection de chaises

Durant tout le Moyen Age et jusqu'au début du XVIe siècle, la chaise fut un symbole de préséance et d'autorité. Son usage était réservé au maître de maison et à ses hôtes de marque, alors que les personnes de rang inférieur devaient se contenter de tabourets, de bancs ou même de coffres.

L'un des premiers types de chaises destinées à un usage quotidien dérive justement du coffre. Les montants arrière furent prolongés jusqu'à la hauteur de la tête, et le dossier et les côtés ainsi constitués furent munis de panneaux. Le couvercle du coffre devint ensuite un siège fixe, tandis que ses panneaux disparaissaient : la chaise ainsi formée était maintenue par quatre pieds.

La chaise à piétement droit provient de l'escabeau, au piétement constitué de deux panneaux verticaux, et du tabouret ; celui-ci se composait d'un siège chevillé et de quatre pieds assemblés par tenons et mortaises à l'assise et aux barreaux. Le tabouret à dossier anglais, dont les pieds se prolongent en hauteur à l'arrière pour recevoir un panneau ou une traverse, en est directement issu.

La chaise à piétement en X, quant à elle, dérive du « ployant », siège léger et pliant que l'on trouve représenté dans les manuscrits du Xe siècle. A partir du XVIIe siècle, l'écartement de certaines chaises de ce type devint fixe.

Au cours du XVIe siècle, on commença à accorder de

Ci-contre : chaise à bras d'apparat en chêne à piétement en X, peinte et recouverte de tapisserie, Angleterre, vers 1610. La chaise à piétement en X dérive d'un type de pliant médiéval au dossier et au siège de cuir ou de tapisserie. Celle-ci était à l'origine assortie d'un repose-pieds et de deux tabourets recouverts de même tissu.

Ci-dessous : tabouret anglais en chêne tourné et sculpté, à pieds en forme de balustre, XVIe siècle. On voit ici les chevilles qui renforcent les assemblages à tenons et à mortaises.

l'importance à la notion de confort, qui alla croissant, et le développement de la tapisserie d'ameublement concourut grandement à cette évolution (v. p. 28). L'inclinaison vers l'arrière du dossier jusque-là vertical, qui donnait à la chaise une forme plus propice au repos, constitua une première amélioration ; ce mouvement fut généralement contrebalancé par le basculement des pieds arrière vers l'extérieur. Le façonnage du dossier de manière à épouser la courbe dorsale amena un nouveau progrès.

La forme du siège subit également des modifications, et la largeur de l'arrière en fut réduite. L'un des premiers exemples de cette évolution fut une chaise française du XVIe siècle, qui reçut le nom de « caquetoire » parce que, semble-t-il, les dames aimaient à y caqueter. Les sièges ronds des chaises hollandaises dites « Burgomeister » datent du XVIIe siècle.

Sièges et dossiers étaient cannés de rotin fendu, que l'Europe importait de la péninsule malaise. Les Hollandais, dont les relations commerciales avec l'Orient s'avérèrent fructueuses à partir du XVIIe siècle, furent les premiers à en répandre l'usage.

Depuis le XVIe siècle, un grand nombre de types de sièges ont été créés. Les diverses techniques de menuiserie, de tournage, de sculpture et de cintrage du bois (v. p. 26) concouraient à leur confection. Les différences qui les caractérisent d'un pays ou d'une région à l'autre tiennent essentiellement au choix des essences employées, à certains détails structurels — tels que l'agencement des diverses parties du dossier, la manière dont les pieds sont assemblés aux montants du dossier —, à l'assise ou à la présence éventuelle de taquets renforçant l'intérieur du cadre d'assise, ainsi qu'au type de décoration choisi.

On accordait une attention particulière à la forme du dossier et des pieds. Le pied de biche, qui fit son apparition au XVIIe siècle et connut un grand succès en Europe comme en Amérique au cours du XVIIIe siècle, ressemblait à la patte postérieure d'une biche et s'incurvait par deux fois pour former une sorte de S inversé. Les pieds pouvaient se terminer en forme de sabot ou de patte, en serre et boule, en volute. On découpait le pied à partir d'un morceau de bois de section carrée, ce qui entraînait une perte considérable de bois. Les contours de la courbe étaient reportés sur les quatre côtés à l'aide d'un gabarit. On commençait par dégager le pied à la scie, en suivant les tracés ainsi déterminés, puis on achevait de la façonner à la vastringue et à la râpe, avant d'en sculpter les détails.

Ci-dessus : caquetoire à la française, fin du XVIe ou début du XVIIe siècle. Cette chaise à bras est en acajou du Brésil. La caquetoire se caractérise par son siège de forme trapézoïdale, dit « en forme de tallemouze », son dossier étroit et ses accotoirs inclinés.

Ci-contre : canapé américain en acajou, 1800-1815. Les canapés cannés qui s'inspirent de modèles anglais sont typiques du siège américain du début du XIXe siècle. Celui-ci, dont les pieds, dossier et accotoirs sont finement sculptés, devait à l'origine être pourvu d'un long coussin disposé sur le siège, et de deux autres coussins plus petits, de forme cylindrique, placés le long des accotoirs.

L'une des techniques de façonnage employées dans la confection des chaises consistait à courber le bois ; cette méthode offrait l'avantage de gâcher moins de bois que lorsqu'on dégageait une forme incurvée à la scie, au ciseau ou au tour à partir de bois massif, et de préserver la résistance de l'objet, puisque le fil du bois, qui suivait la courbure de la pièce, n'était pas contrarié.

A l'origine, on employa du bois tendre, en raison de sa souplesse. Les extrémités de la pièce à courber étaient attachées l'une à l'autre et déliées une fois le bois bien sec. Plus tard, on s'aperçut qu'il était possible d'utiliser du bois plus vieux, à condition de le faire préalablement bouillir ou étuver. On le pliait autour d'une forme maintenue à l'aide de chevilles sur une planche percée de petits trous ; on pouvait alors le laisser autour de la forme jusqu'à ce qu'il soit sec, ou bien en lier les extrémités et le retirer de la forme pour le mettre à sécher.

Coins et chevilles furent ultérieurement remplacés par une courroie d'acier pourvue de deux poignées que l'on plaçait autour de la pièce de bois pour la maintenir contre la forme. Cette méthode réduisait les risques de rupture du bois, car la courroie exerçait une pression égale sur toute la longueur de la pièce.

On courbait habituellement le bois à l'état brut, et on le dégrossissait une fois sec à la vastringue ou à la plane. Les variétés qui se prêtent le mieux à cette opération sont le frêne, l'orme, l'if, le bouleau, le hêtre, le hickory et le noyer. Il était parfois nécessaire de s'y reprendre à deux ou trois fois pour donner au bois la courbure désirée.

La courbure du bois permettait, par exemple, de façonner le dossier arqué de certaines chaises Windsor. En Angleterre, il faut remonter à la fin du XVIIe siècle pour qu'il soit fait mention de ce type de chaises. La simplicité de leur forme et la modicité de leur coût de revient les différenciaient des chaises au riche décor sculpté de l'époque. Elles étaient réalisées à partir d'essences locales ; il n'était pas rare que trois ou quatre sortes de bois fussent employées à la confection d'une même chaise. Au fur

Ci-dessous : modèles anglais et américains de chaises Windsor. A droite : chaise Windsor américaine à dossier à peigne, pourvue d'un tiroir sous accotoir et d'un autre sous le siège, attribuée à E. B. Tracy, Connecticut, vers 1780-1800. Cette chaise était peinte en vert, couleur traditionnelle.

L'UN DES PREMIERS DOSSIERS A PEIGNE

CHAISE WINDSOR A DOSSIER EN EVENTAIL

CHAISE WINDSOR AMERICAINE A DOSSIER A PEIGNE

A LARGE DOSSIER A PEIGNE

AMÉRICAINE A DOSSIER A FLÈCHES

AMÉRICAINE A DOSSIER CINTRÉ

CONFECTION D'UNE CHAISE CAMPAGNARDE
1. L'ouvrier, tout en maintenant la pièce de bois avec ses pieds, évidait le siège à l'herminette, la lame dirigée vers lui.
2. Le bois d'œuvre destiné au dossier était bouilli ou étuvé, puis courbé autour d'une forme.
3. Le cadre courbé, les fuseaux verticaux et le panneau central étaient insérés dans les trous percés dans le cadre du dossier et dans le siège.

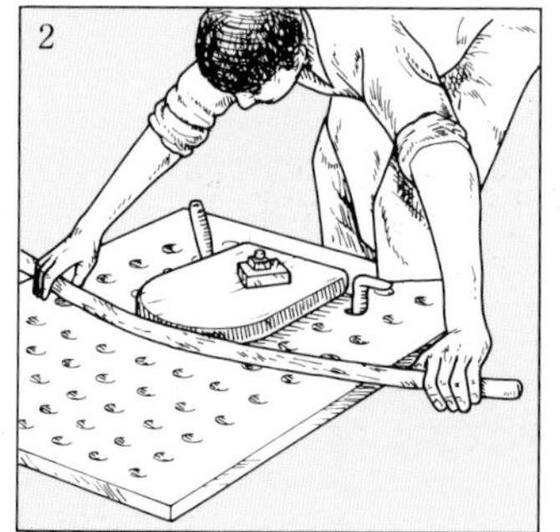

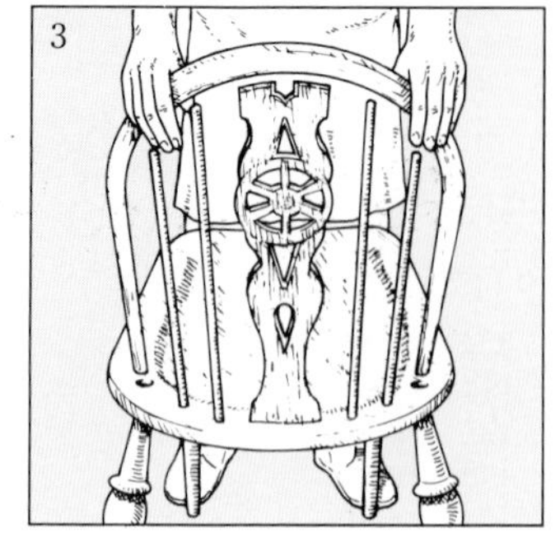

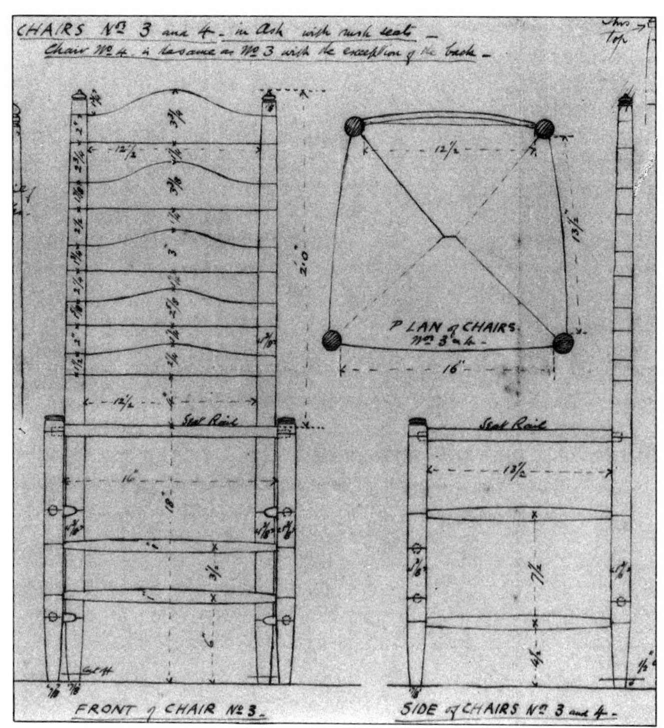

Ci-contre: fauteuil américain provenant d'une communauté Shaker, milieu du XIXᵉ siècle. Le mobilier de ces communautés religieuses était limité et d'une grande sobriété; le dossier à barreaux, que l'on retrouve dans la plupart des chaises produites en série, s'inspire d'un modèle traditionnel de siège campagnard anglais.

Ci-dessus: schéma de chaises tournées à siège paillé d'Ernest W. Gimson (1864-1919), Angleterre, 1904. Ce plan coté aux exactes proportions est réalisé à l'encre sur papier calque et précise tous les détails de confection de ces chaises. Si Gimson fit peu de meubles lui-même, ses plans lui permirent de faire appliquer ses idées par les artisans de son atelier de Sapperton, dans le Gloucestershire.

et à mesure que leur popularité s'accrut, on produisit des modèles de chaises Windsor de meilleure qualité en if et en acajou.

Bien que les chaises Windsor aient été connues en Amérique dès le début du XVIIIᵉ siècle, elles n'y furent véritablement à la mode qu'aux alentours de 1850. Réservées en Angleterre aux classes pauvre et moyenne, elles ne furent pas dédaignées par les riches foyers américains.

L'une des caractéristiques de la chaise Windsor est son siège de bois massif, qui pouvait atteindre 5 centimètres d'épaisseur et représentait le point d'appui de la chaise tout entière. Ses deux faces étaient percées de trous destinés à recevoir l'extrémité supérieure des pieds, les fuseaux du dossier et les montants des accotoirs. Comme ces trous étaient ronds, l'assemblage de la chaise relevait de la même technique que le chevillage. Les trous traversaient parfois toute l'épaisseur du siège, et le bout des pieds et des fuseaux était assujetti à l'aide de coins qui garantissaient la solidité de l'assemblage. On pouvait aussi coincer les trous en queue-de-renard; dans ce cas, leur profondeur était moindre, et les coins étaient insérés dans les pièces de bois avant que celles-ci ne soient engagées dans les trous à coups de marteau. Le centre du siège ou selle était creusé en forme d'auge à l'aide d'une herminette.

Si certains modèles de qualité étaient pourvus de pieds de biche, la plupart des chaises Windsor avaient des pieds tournés, en général vasiformes et ornés, en haut et à la base, d'un motif de perle. Ce piètement était parfois renforcé d'entretoises, plus épaisses en leur centre qu'aux extrémités qui, au nombre de trois, formaient un H. L'entrejambe en crinoline réunissait les deux pieds antérieurs de la chaise; sa forme largement incurvée vers l'arrière était particulièrement adaptée aux larges jupons.

Les chaises Windsor se différencient surtout par la grande variété des formes données aux dossiers (qui n'étaient pas tous de bois courbé) et aux «splats», c'est-à-dire aux planches dorsales encastrées au centre du dossier à la place d'un ou deux fuseaux. Ces panneaux, aux contours souvent vasiformes, étaient ornés de découpes décoratives. On en dégageait les motifs à la scie à chantourner à partir d'un patron de bois ou de papier.

La confection de chaises Windsor fut d'abord une activité artisanale: la chaise tout entière était réalisée par la même personne. Ensuite, le travail fut partagé entre plusieurs artisans: un tourneur façonnait les pieds, les entretoises et les fuseaux du dossier; un deuxième artisan formait le siège; un troisième assemblait les diverses parties de la chaise, tandis qu'un quatrième était chargé de la finition. Ce mode de division du travail se transforma, au XIXᵉ siècle, en une production de masse.

La tapisserie d'ameublement

Les sièges du Moyen Age étaient souvent recouverts de tissu, que l'on clouait au cadre ou dont on laissait flotter les pans en un effet de drapé. Au début du XVIe siècle, la tapisserie d'ameublement connut un important développement; les garnitures des sièges étaient désormais fixes, et des passements, des franges courtes et de larges clous à tête bombée contribuaient à maintenir en place le tissu de couverture. La qualité du tissu l'emportait sur le travail du bois: tapisseries, damassés, satins, velours, taffetas, draps d'or et d'argent étaient réservés pour les sièges d'apparat, tandis que les sièges plus simples étaient recouverts d'une grande variété de tissus de laine et de laine peignée. Le «Turkeywork», un tissu à poils fabriqué en Angleterre à l'imitation des tapis d'Orient et exporté en Europe et en Amérique, fut à la mode dès le début du XVIIe siècle; à partir de 1640, le cuir fut également en vogue.

Assortis aux tissus de couverture, les ornements de passementerie se composaient de franges et de galons de soie, d'or, d'argent ou d'or et d'argent mêlés pour les sièges les plus luxueux, et de laine pour les plus simples. Les clous, en cuivre le plus souvent, pouvaient être dorés et disposés selon des motifs décoratifs pour les fauteuils d'apparat.

Sous l'influence des nouvelles exigences de confort qui se développaient en France et en Hollande vers le milieu du XVIIe siècle, la tapisserie et la passementerie connurent une évolution notable. On employa des soieries luxueuses, des damassés, des brocarts, des velours ciselés d'Italie, assortis de franges raffinées, de glands tressés d'or ou d'argent et de galons. Grâce à une meilleure maîtrise des techniques de tapisserie, il fut possible d'obtenir des effets plus élaborés et, suivant une mode qui débuta en France, de coordonner la garniture des sièges aux rideaux de lits des appartements de cérémonie.

De 1680 à 1730 environ, on superposa aux couvertures permanentes des sièges d'apparat des housses somptueuses, aux complexes ornements de passementerie, composées de deux parties amovibles. Glissées sur le dossier et le siège, elles étaient maintenues par des agrafes et des œillets fixés en leurs coins ou, plus tard, par des attaches que l'on accrochait à des clous à grosse tête disposés sous l'assise. A l'époque, la stricte étiquette de la Cour de France régissait la pose et le report des housses selon le rang des personnalités présentes. Les housses de ce type, que l'on enlevait et rangeait afin de les protéger lorsqu'on n'utilisait pas le mobilier, devaient évoluer pour devenir les housses flottantes qui protégeaient le mobilier de la fin du XVIIe siècle; réalisées dans de superbes tissus, celles-ci étaient destinées à être superposées aux couvertures permanentes.

La vogue croissante des couvertures en tapisserie coïncida avec l'introduction, au début du XVIIIe siècle, des fauteuils à oreilles. A partir de 1730, de nouvelles variétés de tissu en laine peignée, tels les satins et les damas de laine, firent leur apparition. Les sièges à dossier ajouré furent recouverts, vers 1750, de crin tissé, de cuir — particulièrement pour le mobilier de salle à manger — ou de chintz pour les chaises peintes. Des livres de modèles, qui se répandirent entre 1750 et 1760, donnaient les principales directives en matière de tapisserie d'appartement et, plus spécialement, en matière de cloutage et d'ornements de glands.

Si, au début du XVIIe siècle, on fixait la couverture par un simple rang de clous disposés le long des bords du cadre, vers 1650 il devint à la mode d'ordonner les clous en deux rangs serrés qui soulignaient les traverses du siège et le cadre du dossier. Pour ne pas abîmer la couverture, on fixait ces clous par-dessus un galon. Les clous anglais étaient le plus souvent à tête bombée, tandis qu'en France on en trouvait une grande variété de formes.

Ci-dessus: fauteuil français recouvert de velours vert, orné de clous décoratifs argentés et de glands de soie rouges, jaunes et verts. C'est un très bel exemple de ce type de fauteuils si fréquents dans les portraits de la période jacobine.

Ci-contre: canapé anglais recouvert de tapisserie, vers 1745. On accordait souvent une valeur plus grande aux tissus qui recouvraient les sièges qu'au travail du bois qui les composait.

Une autre solution, utilisée aussi bien en France et en Angleterre qu'en Amérique, consistait à clouer une bande décorative en métal sur les bords du siège.

En Angleterre et en Amérique, on commença à dissimuler les points de piquage qui maintenaient le rembourrage en place à l'aide de bouffettes ou de boutons semblables à ceux des matelas. Ces derniers ne créaient pas le même effet de moelleux et de profondeur que les capitons, dont ils étaient les précurseurs, mais bosselaient légèrement la surface du dossier et du siège. Les garnitures boutonnées étaient généralement d'une seule couleur; quant aux couvertures en tapisserie, on n'y adjoignait aucun bouton, car cela aurait provoqué une distorsion du motif.

Au cours du Moyen Age, on atténua, grâce à des coussins, la dureté des sièges de bois ou de pierre; ceux-ci furent ensuite pourvus, en Italie et en Espagne, de garnitures fixes dont les points de piquetage formaient des motifs décoratifs. Avant 1600, on recouvrait déjà les sièges de couvertures piquées retenues par des galons ou des rubans, et c'est au XVIIe siècle que le rembourrage devint une pratique courante.

Il existait alors deux types de sièges : la chaise à piétement en X, plus solide que les modèles du Moyen Age dont elle s'inspirait, pourvue à l'arrière d'une traverse résistante et rembourrée de manière encore rudimentaire; la chaise ou chaise à bras au cadre quadrangulaire porté par quatre pieds droits, qui avait à l'origine un dossier recouvert d'un simple tissu tendu entre les montants, sur lequel était parfois glissée une légère embourrure. La technique assez simple de la garniture à pelote consistait à rassembler sur le siège un amas de bourre (de paille, de crin ou de plumes) maintenu par un tissu de couverture cloué : cela créait un effet de bombement, parfois corrigé, au XVIIe siècle, par la pose aux quatre coins de formes rigides. La

Ci-contre : fauteuil français « à la reine », au siège surbaissé, recouvert de tapisserie, milieu du XVIIIe siècle.
Ci-dessous : lit de repos anglais tapissé de velours de Gênes.
Ci-dessus : fauteuil anglais à la française, garni de soie damassée rouge, vers 1760. Les boutons, qui dissimulaient les points de piquage maintenant la bourre, jouaient aussi un rôle décoratif. On les disposait d'ordinaire en quinconce, par rangées de deux et de trois; le bouton central de la rangée supérieure était parfois surhaussé, comme ici, pour suivre la ligne sinueuse du dossier.

séparation du dossier et du siège était clairement marquée par le maintien d'un espace vide; si les montants du dossier étaient dissimulés d'un tissu assorti au tissu de couverture, le piétement n'était pas recouvert, bien qu'il fût quelquefois peint ou doré pour les sièges de luxe.

A partir de 1660, de grands progrès techniques furent réalisés, et dès 1700 toutes les techniques de tapisserie d'ameublement employées jusqu'au début du XXe siècle, excepté les ressorts, étaient au point. Les méthodes demeuraient cependant rudimentaires, et ce n'est pas avant la fin du XVIIIe siècle que l'on put obtenir des effets élaborés grâce au capitonnage.

Si le rembourrage d'un siège admettait quelques variantes selon les pays, on commençait généralement par constituer un treillis de sangles ou plancher que l'on clouait en maintenant la sangle sous tension à l'aide d'un tendeur ou d'une tenaille à sangler, afin de lui garder une certaine raideur. La sangle se présentait sous forme de bandes de chanvre tissé, auquel on laissait sa couleur naturelle, bien qu'au XVIIIe siècle on y mêlât parfois des fils de couleur. La sangle anglaise, qui avait le plus souvent 5 centimètres de large, était disposée en un treillis à claire-voie. En France, les bandes de sangle, qui atteignaient 10 centimètres de large, étaient entrelacées sans interstices; ce procédé, dit sanglage en plein, était plus solide. Ces différences, qui sont assez manifestes sur le mobilier assis du XVIIIe siècle, peuvent fort bien avoir existé avant 1700. En Amérique, on remplaça parfois la sangle par des lanières de cuir, tandis que l'on trouve un sanglage de corde sur certaines pièces campagnardes européennes.

On disposait une couche plus épaisse de bourre — en général du crin bouclé, mais parfois aussi de la laine de mouton, de la balle d'avoine, du fourrage, de la paille ou des copeaux — le long de la ceinture, soumise, plus que le reste du siège, aux chocs et aux pressions. Pour ce faire, on fixait et piquait à la ceinture un bourrelet de bourre enroulée dans de la toile. On plaçait ensuite de plus petits bourrelets le long des autres bords du cadre, et l'on remplissait le creux central de crin que l'on assujettissait au sanglage. Enfin, on recouvrait le tout de toile d'embourrure en lin ou en canevas, que l'on clouait d'abord à l'arrière du siège pour achever de modeler le crin, puis sur les côtés et autour de chaque accotoir et, pour finir, sur la ceinture. Bien qu'au XVIIIe siècle, en Angleterre, on ait parfois disposé deux couches de bourre, chacune protégée de toile ou de canevas, l'introduction de bourre disposée directement sous la couverture, qui permettait des ajustements de dernière minute, fut une innovation du XIXe siècle.

Le dos des chaises et des sofas était tapissé de la même manière mais exigeait un sanglage de moindre importance; la bourre était alors fixée à une toile ou à un canevas cloué au dos du cadre.

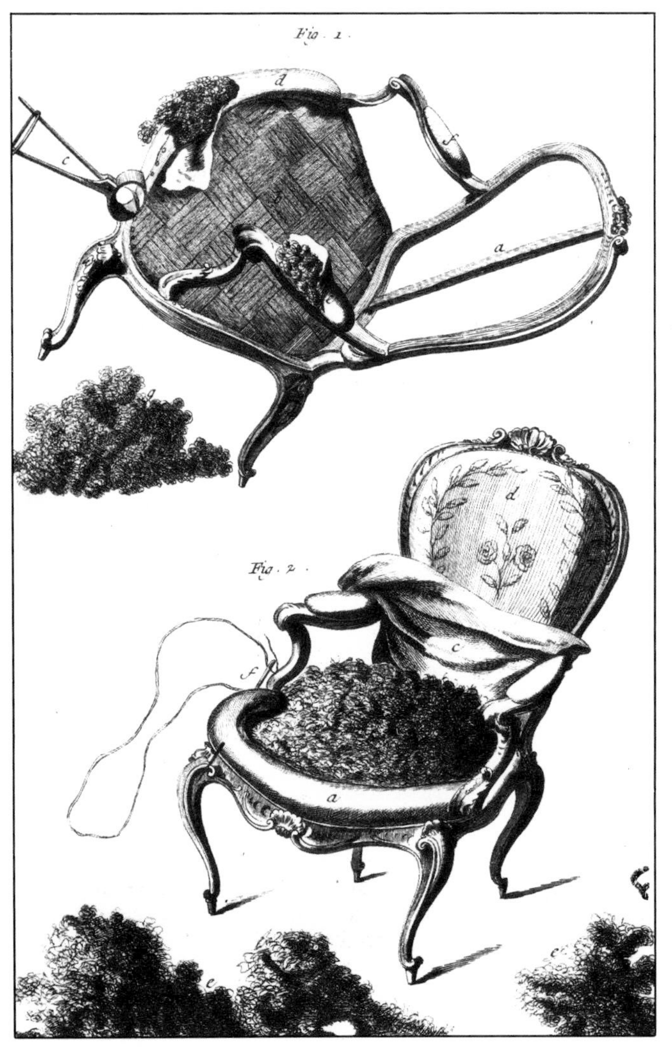

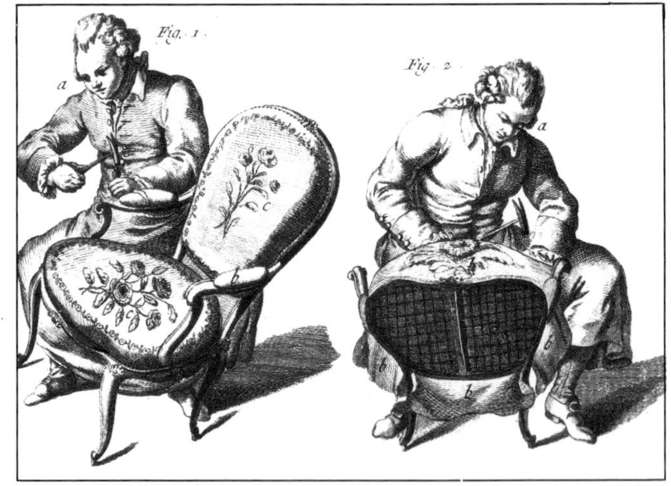

*A gauche: illustration extraite de l'*Encyclopédie *de Diderot, 1751-1772. La sangle, clouée au bâti, est entrelacée de façon à former un «plancher» solide, et le crin bouclé, recouvert de toile, sert à rembourrer l'assise, soumise aux plus fortes pressions (fig. 1). Le crin, que l'on recouvre ici d'une toile, sert aussi à rembourrer le creux central (fig. 2).*
*Ci-dessus: illustration extraite de l'*Encyclopédie*; les tapissiers clouent la garniture d'un fauteuil.*
A droite: chaise anglaise, vers 1760. La découpe partielle du siège met en évidence le rembourrage d'origine. Le bourrelet d'assise recouvert de toile est en paille; au centre, le crin a été repoussé et découvre le sanglage. La couverture de crin et le cloutage sont des copies modernes.

Ci-dessus: dessous d'un fauteuil français, fin du XVIIIe siècle. Les larges sangles de chanvre tressé disposées côte à côte, sans vide entre elles, sont caractéristiques du sanglage à la française. On remarque également le tissu tendu sur le dossier, qui en dissimule le sanglage et en soutient l'embourrure et la couverture.

Ci-contre: fauteuil français recouvert de tapisserie au petit point, vers 1690. La longue frange disposée autour de la ceinture, les gros clous et le galon sont caractéristiques de cette époque. Les tapisseries à larges motifs s'adaptent parfaitement aux vastes dossiers de ces fauteuils.

A partir de 1700, un type de siège quelque peu différent devint populaire; les couvertures, amovibles, étaient montées sur châssis et retenues par des taquets. On les rembourrait de façon identique, mais on n'y introduisait pas de bourrelet d'assise, dans la mesure où la tapisserie s'emboîtait dans le cadre du dossier et du siège. En France, vers 1750, la coutume se répandit, dans les milieux élégants, de changer à chaque saison ces couvertures montées sur châssis.

L'invention du ressort fut le principal progrès que connut le XIXe siècle en matière de tapisserie d'ameublement. De nombreux brevets avaient déjà été déposés dès 1707. En Angleterre, en France et en Autriche, les ressorts à spirale furent adoptés à titre expérimental pour le rembourrage des sièges autour de 1820 et, au cours de la décennie suivante, ils remplacèrent la méthode traditionnelle de rembourrage.

L'ébénisterie

Le cabinet est un type de meuble apparu au XVIe siècle en Italie. Sous l'une de ses formes les plus anciennes, c'était une boîte oblongue, garnie de tiroirs et fermée par des portes, que l'on posait sur une table. La petite taille des tiroirs permet de penser que l'on s'en servait pour ranger des bijoux et autres objets précieux.

En Italie et aux Pays-Bas, le cabinet, dont la forme et le décor s'enrichissaient progressivement, devint un objet d'art à part entière autant qu'un meuble servant à ranger des objets de valeur. Il était désormais soutenu par un piétement, et sa partie supérieure, fermée de portes, comportait des tiroirs et de petits casiers. Les modèles des Pays-Bas étaient parfois ornés de sculptures, de panneaux peints, ou d'un décor intérieur dont les portes, une fois ouvertes, révélaient la richesse. Les cabinets italiens étaient plus souvent rehaussés d'incrustations d'argent, de cuivre et de laiton, d'ivoire ou d'écaille de tortue, et de panneaux de *pietre dure* (pierres dures). Ceux-ci étaient réalisés par l'*Opificio delle pietre dure* de Florence et se composaient de petits morceaux de pierres dures telles que le cristal de roche, le lapis-lazuli et la calcédoine, découpés et assemblés selon un motif décoratif.

A partir du milieu du XVIIe siècle, d'habiles artisans italiens, flamands et allemands maîtrisèrent la technique du placage (v. p. 36), qui consiste à coller de minces feuilles de bois ou d'autres matières sur la carcasse de l'objet, et celle de la marqueterie (v. p. 39), placage dont les divers éléments s'emboîtent pour former un motif décoratif. Le placage permettait d'économiser des essences rares et coûteuses et de se servir de bois qui, par leur nature ou la manière dont on les débitait, ne pouvaient pas être utilisés pour composer des meubles massifs. Il fut alors possible, par exemple, d'exploiter les qualités décoratives des feuilles, minces et fragiles, découpées en travers du grain, selon une technique appelée « placage en coquille d'huître ».

Ces cabinets furent ultérieurement importés en France. Des commandes furent passées à des artisans italiens et flamands, en particulier par Richelieu et Mazarin, tandis que des Français étaient envoyés auprès d'artisans étrangers pour en acquérir le savoir-faire. Le type de meubles qui résulta de ces apports nouveaux était souvent plaqué en ébène ; c'est la raison pour laquelle on désigna les artisans qui les fabriquaient sous le nom d'ébénistes.

Avec la restauration de la monarchie en 1660, l'Angleterre s'ouvrit aussi à l'influence des Pays-Bas. Les artisans qui réalisaient ce mobilier nouveau et luxueux, dont la principale caractéristique était d'être plaqué en noyer, prirent le nom de « cabinet-makers ». Ceux-ci effectuaient un travail semblable à celui des ébénistes, travail qui dépassait les compétences d'un simple menuisier, même si en France cette distinction ne fut pas officiellement reconnue avant 1745 : jusqu'à la Révolution, menuisiers et ébénistes appartinrent à la même corporation.

Un ébéniste prospère employait plusieurs aides dans son atelier. André-Charles Boulle en France, Thomas Chippendale en Angleterre et Duncan Phyfe en Amérique faisaient ainsi travailler des artisans spécialisés : compagnons et apprentis

Ci-dessus : cabinet flamand à piétement en ébène sculpté et bois ébéné (bois teinté en noir imitant l'ébène), fin du XVIIe siècle. L'ébène, lourd bois tropical, était aussi employé sous forme de placage.

Ci-contre, à droite : cabinet français en marqueterie, vers 1690. Ivoire et étain étaient associés aux bois les plus divers pour créer des effets proches de la peinture.

tourneurs, menuisiers, doreurs et plaqueurs. Il est difficile de dire dans quelle mesure ces trois maîtres d'œuvre étaient impliqués dans la confection même d'une pièce. Dans son *Cabinet Dictionary* de 1803, Thomas Sheraton observait que la qualité d'un travail d'ébénisterie dépendait de l'état du bois d'œuvre utilisé, de l'habileté des artisans et des ordres qui leur étaient donnés. Il revenait certainement au maître d'œuvre lui-même de discuter de la commande avec le client en faisant sans doute référence, dans le cas de Chippendale, aux modèles présentés dans *The Gentleman and Cabinet-Maker's Director*, qu'il publia pour la première fois en 1754, et, après acceptation du devis, c'était lui qui donnait à ses compagnons les instructions nécessaires.

A partir du XVIIe siècle les ébénistes trouvèrent matière à inspiration dans des catalogues de modèles. La ressemblance éventuelle d'une pièce avec un modèle publié par Boulle ou Chippendale, par l'ébéniste allemand Johann Michael Hoppenhaupt ou l'Italien Giovanni Battista Piranesi par exemple, n'implique donc pas pour autant que ce meuble ait été réalisé par l'un de ces créateurs, ou dans son atelier. Ces livres servaient surtout à illustrer les modes en matière de forme et de décoration de meubles, même si le livre de Sheraton *The Cabinet-Maker and Upholsterer's Drawing Book*, de 1791-1794, donnait des instructions précises sur le mode de fabrication des pièces. En fait, il est peu probable que Sheraton, Hoppenhaupt et Piranèse aient jamais exercé en tant qu'ébénistes.

Ci-dessus: secrétaire-bibliothèque romain plaqué de bois de violette, milieu du XVIIIe siècle. La technique qui consiste à appliquer de minces feuilles de bois sur la surface des meubles est fort ancienne; reprise aux Pays-Bas au cours du XVIIe siècle, elle représentait l'une des compétences essentielles de l'ébéniste.

Ci-contre, à gauche: cabinet français à ferrures en chrysocale et panneaux de pietre dure *florentines de Claude Charles Saunier, vers 1780. Les* pietre dure *étaient des pierres dures telles que le lapis-lazuli, la chalcédoine, le jaspe et le porphyre, assemblées en une sorte de mosaïque. Vers 1580 s'ouvrit à Florence un atelier réunissant des artisans florentins et milanais qui fournirent des panneaux de ce type à de nombreux pays d'Europe; sa production se poursuivit jusqu'au XIXe siècle.*

Confection de la carcasse

En ébénisterie, la forme d'un meuble de rangement était déterminée par le mode de construction de la carcasse, ou bâti, c'est-à-dire la structure sur laquelle serait appliqué le placage. Cette carcasse était le plus souvent en pin ou en chêne, ce dernier étant plus spécialement choisi pour les côtés des tiroirs à cause de sa dureté et de sa résistance aux frottements.

La carcasse devait constituer une base stable et lisse pour le placage; en particulier, les ajustements devaient être parfaits, ce que permettait l'assemblage « à queue-d'aronde ». Celui-ci servait à réunir, à angle droit le plus souvent, deux planches épaisses et planes. On y eut d'abord recours au XVIe siècle, pour joindre dos et face aux côtés des meubles massifs, puis, à partir du XVIIe siècle, pour confectionner des tiroirs et unir les côtés au dessus et au fond de la carcasse.

L'assemblage à queue-d'aronde comprend deux parties qui s'emboîtent: les queues, dont la découpe évoque la forme en éventail d'une queue d'hirondelle, et les tenons, plus étroits. La partie biseautée des queues et des tenons variait selon la dureté du bois et la résistance que l'on devait donner à l'assemblage: plus le bois était tendre, plus l'assemblage devait être résistant, et moins l'angle du biseau devait être aigu.

Pour les tiroirs, les premiers assemblages comportaient deux queues par côté, souvent chevillées pour plus de solidité, mais on augmenta progressivement le nombre de queues. A partir de ce simple assemblage, dit « à queue découverte », on mit au point les queues-d'aronde recouvertes ou à recouvrement, les queues recouvertes sur les deux faces, dites « à queues perdues », la queue-d'aronde « à onglet masqué », ainsi que les diverses variantes de ces types de base.

L'une des variantes de la queue-d'aronde recouverte était l'assemblage pour bâti de meuble, destiné à stabiliser l'assemblage complexe qui, à la hauteur d'un pied de table, unissait la traverse latérale, fixée par tenons et mortaises, à la traverse frontale sur laquelle s'appuierait le tiroir. A cause de la présence, au cœur du joint, de la tête de la traverse latérale, on donnait aux deux queues une épaisseur différente, et on les décalait. Enfin, une autre variante de la queue-d'aronde servait à fixer solidement des plinthes, des cadres ou des corniches, lorsque leur assemblage devait être dissimulé sur un côté.

En général, la traverse arrière des tiroirs était assemblée « à queues apparentes » tandis que la traverse frontale était « à recouvrement » ou « à queues perdues ». Comme l'adhérence d'un placage était bien moindre sur le grain de bout, l'assemblage « à queues perdues » s'avérait préférable lorsqu'on devait plaquer les deux parties à réunir. On n'employait l'assemblage « à onglet masqué » que pour les travaux dont la finition revêtait une grande importance. En effet, il fallait le découper avec beaucoup de soin pour éviter qu'un interstice n'apparaisse une fois l'objet monté. A la fin du XIXe siècle, certains décorateurs se servirent des queues-d'aronde découvertes découpées à la main comme d'un élément décoratif, et firent varier la taille des queues et des tenons. Les queues-d'aronde découpées à la machine datant de cette époque sont aisément reconnaissables au fait que queues et tenons sont de la même taille, et que le biseau en est plus aigu que pour ceux qui sont réalisés à la main.

On montait généralement la carcasse de meubles à face cintrée, onduleuse (au centre convexe et aux extrémités concaves) ou galbée (convexe selon deux axes ou plus) avec des alaises de bois massif. On assemblait les unes sur les autres de petites pièces de bois en forme de brique, en prenant soin de maintenir le grain du bois sur les tangentes à la courbe, puis on les ponçait selon la forme désirée et l'on en plaquait la face extérieure. Cette technique permettait d'éviter les problèmes que posait le grain de bout, et de perdre moins de bois que si l'on avait scié la forme de la courbe dans du bois massif.

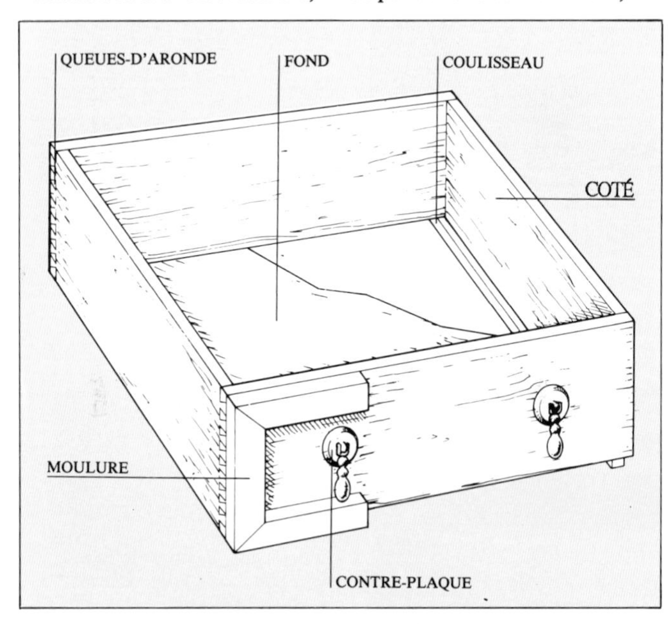

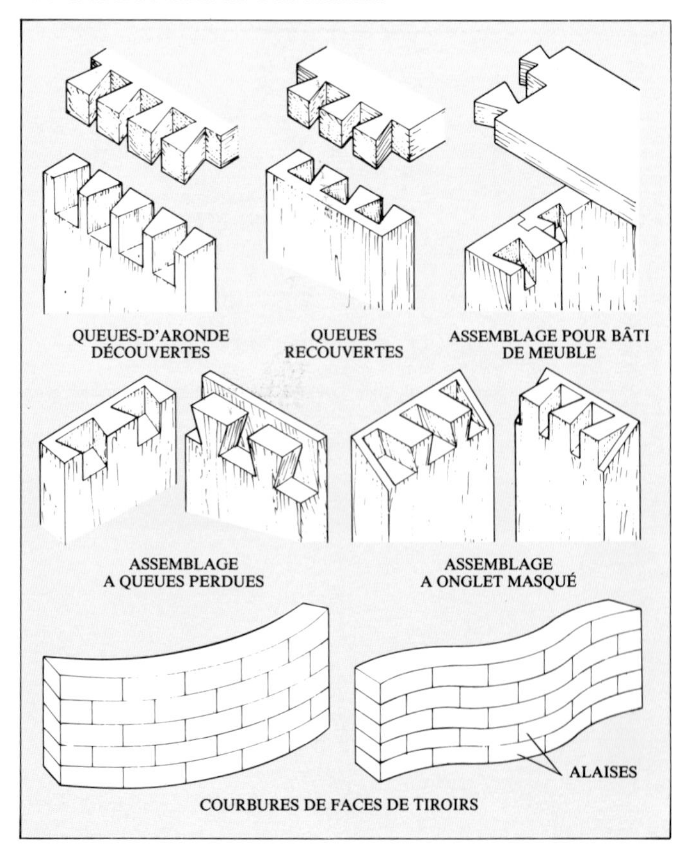

Ci-dessus: mode de construction d'un tiroir anglais, vers 1790. La face est plaquée, soulignée d'une moulure appliquée, et pourvue de deux poignées en forme de goutte. Les côtés sont assemblés à la face par des queues-d'aronde à recouvrement, et à l'arrière par des queues découvertes.
Ci-contre, en haut: modes d'assemblage à queues-d'aronde utilisés en ébénisterie.
Ci-contre: construction de la carcasse de meubles cintrés ou galbés. Au lieu de scier la courbe dans du bois massif, on peut superposer des rangées de petites pièces de bois suivant la courbe souhaitée; l'ensemble est ensuite plaqué sur la face et sur l'arrière.

Ci-contre, à gauche: queues-d'aronde découvertes réunissant le côté à la face d'un cassone intagliato *italien en bois de cyprès, XVIIe siècle; le décor en bas-relief est redessiné à la plume; les vis sont des ajouts ultérieurs.*
Ci-dessus: commode demi-lune américaine de Thomas Seymour (1771-1848), inspirée d'un modèle de Sheraton, 1809. La carcasse de ces pièces plaquées à face fortement bombée était généralement composée d'alaises.
*Ci-dessous: illustration extraite de l'*Encyclopédie *de Diderot représentant l'atelier d'un ébéniste.*

Le placage

La technique qui consiste à recouvrir de minces feuilles de bois précieux un fond de bois plus grossier fut connue dès l'Antiquité égyptienne et romaine: en 77, Pline recommandait le placage comme moyen d'utiliser avec modération des bois coûteux.

Aux XVIIe et XVIIIe siècles, on débitait des bûches en feuilles de 1 à 2 mm d'épaisseur, ce qui entraînait la perte en sciure d'une partie du bois. Dans *l'art du Menuisier* (1772), André-Jacob Roubo représente ainsi deux coupeurs de placage qui scient une bûche maintenue à la verticale.

Lorsqu'on sciait la bûche selon le fil du bois, on réalisait un placage en longueur; on obtenait cependant des motifs plus attrayants en la sciant en travers du grain, ce qui provoquait une plus grande perte de bois, ou près des fourches, là où le grain se ramifie (placage frisé ou à moustache). On pouvait aussi débiter, selon un angle de 45°, des branches ou des troncs minces (placage à coquille d'huître), ou scier, à travers les excroissances du tronc ou des racines, des arbres tels que le noyer, le frêne, l'orme, l'érable ou l'if (placage appelé ronce). Pour ces derniers types de placage, il était plus difficile de pénétrer le bois; on augmentait légèrement l'épaisseur des feuilles sciées afin de leur donner la résistance nécessaire, et leur

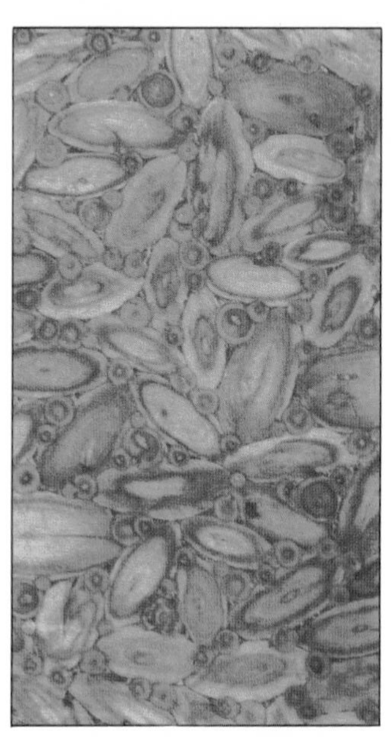

Ci-dessus: détail de la face d'un bureau français plaqué d'acajou et de bois fruitier en coquille d'huître, à la manière de Hache de Grenoble. On obtenait des feuilles de placage aux dessins ovales qui rappelaient des coquilles d'huître en découpant à l'oblique les petites branches de l'arbre.

Ci-contre, à gauche: commode anglaise plaquée de bois de violette, vers 1685. Ses tiroirs sont bordés de bandes d'encadrement au fil perpendiculaire, tandis que sur la carcasse en façade où ils s'emboîtent est une moulure en forme de bourrelet.

taille était en général plus réduite que celle des feuilles sciées en longueur. Tout cela contribuait à l'augmentation du coût des placages les plus décoratifs. Aussi les ébénistes utilisaient-ils des placages en longueur ou même, pour les meubles en acajou, du bois massif pour les côtés des meubles, réservant les placages les plus onéreux pour le dessus et la face.

Lorsqu'on débitait plusieurs feuilles successives à partir de la même pièce de bois, les différences de dessin étaient minimes, et l'on pouvait créer des motifs très variés par frisage, c'est-à-dire en juxtaposant ou inversant, redoublant ou quadruplant le motif. Les plateaux de table et les faces de tiroirs étaient souvent bordés de bandes d'encadrement. On découpait celles-ci en suivant le fil du bois, disposé en longueur ou en travers du fil du placage; pour les encadrements « en arête de hareng », on plaçait côte à côte deux bandes de placage dont le fil était à 45° et s'opposait.

Avant de se servir d'une feuille de placage, on la trempait dans l'eau durant plusieurs heures, puis on la pressait entre deux planches, chaque face étant protégée par une couche de papier. Au bout de deux ou trois jours, la feuille était sèche et plate.

On préparait le fond à plaquer en le rabotant à l'aide d'une varlope équipée d'un fer à grosses dents, qui en éliminait les plus graves irrégularités tout en laissant une surface un peu rugueuse. On y appliquait alors une fine couche d'apprêt à la colle de peau (solution très étendue d'eau et de colle animale) pour faciliter l'action ultérieure de la colle. On mettait cet apprêt à sécher durant plusieurs heures avant d'enduire le placage de colle très chaude, et d'étaler la feuille sur le bâti.

Pour réunir de manière imperceptible deux feuilles de placage, on les découpait et on en collait les extrémités de façon qu'elles se superposent, puis on coupait au travers de cette superposition à l'aide d'une scie à découper. On enlevait les chutes de bois, on réencollait le bord des feuilles et on les étalait côte à côte sur la carcasse.

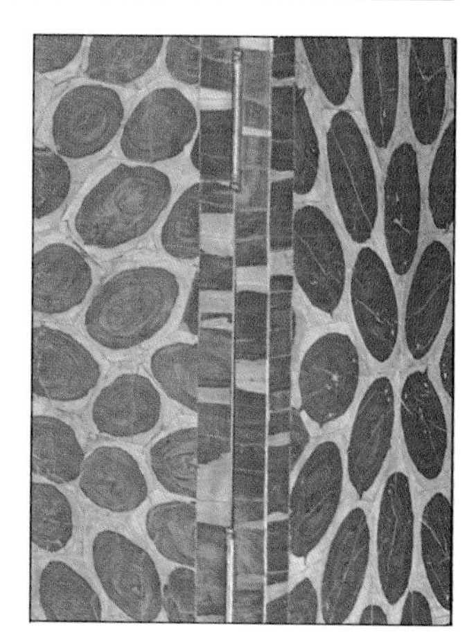

Ci-dessus: secrétaire cartonnier français plaqué de bois de violette et de tulipier, vers 1740. Sa face en « tambour » est composée de « lattes mouvantes » fixées sur un fond de toile. La carcasse est en chêne, et l'abattant est plaqué d'un frisage en croix.
Ci-contre, à gauche: table de petit déjeuner anglaise plaquée de bois de rose avec incrustations de cuivre, vers 1820. La partie centrale est plaquée de quatre feuilles provenant du même arbre.
Ci-contre, à droite: détail d'un cabinet anglais plaqué de cytise, vers 1685. La jonction des différents morceaux de placage est à peine visible.

Pour éliminer le surplus de colle ou les bulles d'air qui se formaient entre le fond et le placage, on en parcourait la surface selon un mouvement de zigzag avec un marteau à plaquer, dont la tête était pourvue d'une lame de métal perpendiculaire au manche. Lorsque le placage était appliqué sur un bâti aux formes bombées, on évitait tout décollement éventuel en le maintenant à l'aide de sacs de sable. Une fois la colle parfaitement sèche, on ébarbait les bords et l'on ponçait la surface du placage, prête alors à être vernie (v. p. 50).

On étalait aussi le placage selon une autre méthode pratiquée surtout en marqueterie, celle du « coiffage » ou placage « à la cale ». La cale était une planche, légèrement plus grande que la surface à plaquer, que l'on chauffait et que l'on resserrait sur le placage grâce à des serre-joints et des coiffes, à face intérieure convexe. La pression la plus grande s'exerçait donc au centre du placage, et la colle, liquéfiée par la chaleur de la cale, était refoulée vers les bords.

*Ci-contre, à gauche: illustration extraite de l'*Art du menuisier *de André-Jacob Roubo, 1772. Ci-dessus :cabinet plaqué d'olivier en coquille d'huître supporté par des pieds tordus en bois tourné, Angleterre, XVIIe siècle. Le report du motif, puis la découpe et la mise en forme des placages prenaient un temps considérable.*

LE PLACAGE
1. On préparait la surface du bâti avec un rabot à coller; les pores du bois étaient ensuite recouverts de colle.
2. On étalait deux feuilles de placage de façon qu'elles chevauchent; on appliquait alors au pinceau de la colle animale.
3. On parcourait la surface avec un marteau à plaquer, en chassant vers les côtés bulles d'air et excès de colle.
4. On achevait l'assemblage des feuilles en les coupant au travers des deux épaisseurs et en guidant la lame à l'aide d'un morceau de bois bien droit, puis on retirait l'excédent de placage.
5. Le « frisage » consistait à réaliser un motif par juxtaposition d'au moins quatre feuilles de placage identiques.
6. On fixait au bâti les motifs les plus complexes par « coiffage » ou « placage à la cale ». Celle-ci était une planche de bois plane que l'on chauffait et que l'on disposait par-dessus le placage; on la maintenait à l'aide de serre-joints et de coiffes.

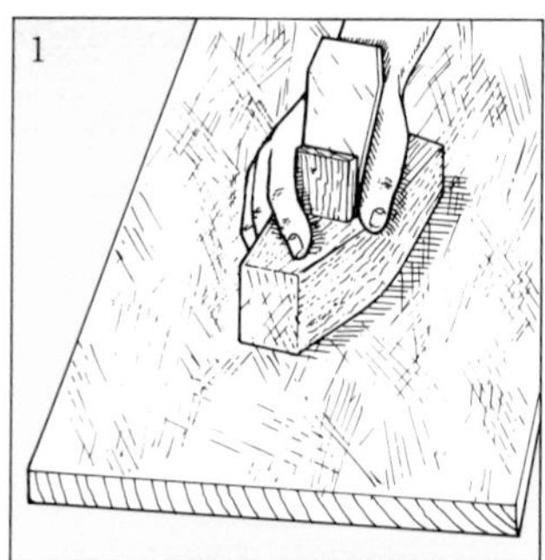

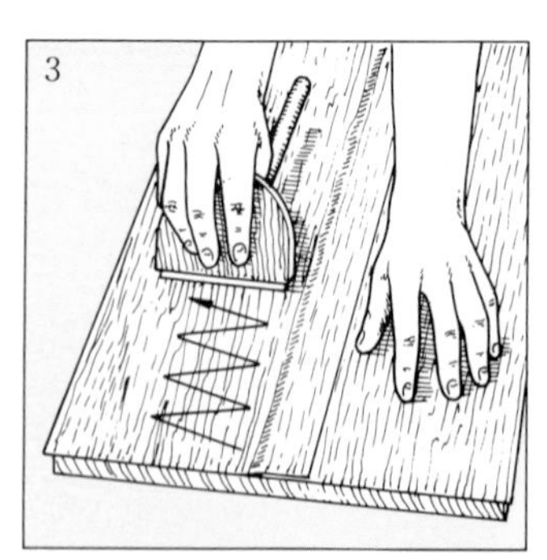

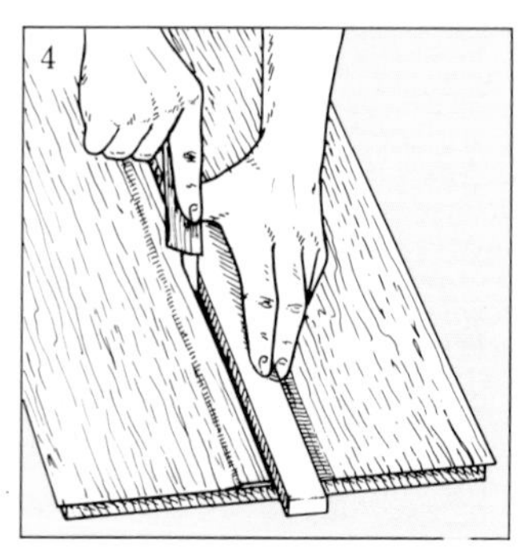

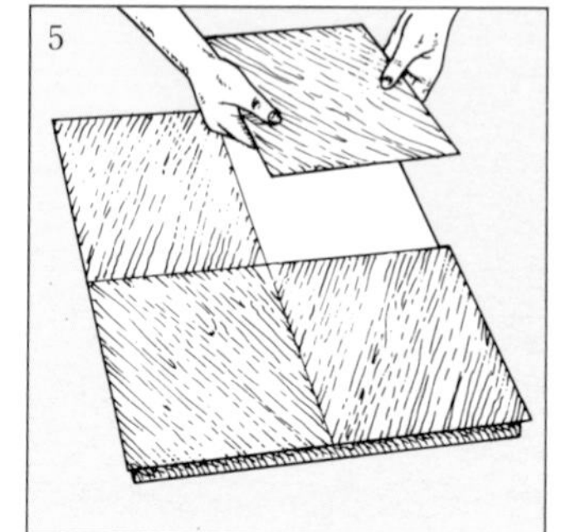

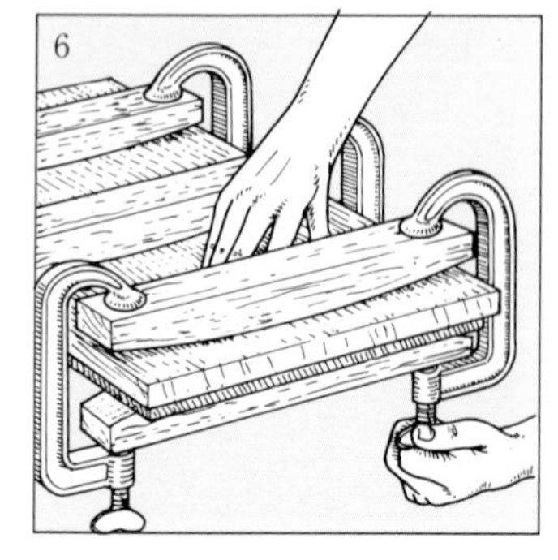

Incrustation et marqueterie

La marqueterie est un placage de pièces de bois et, parfois, d'autres matières telles que l'ivoire, l'écaille de tortue ou le métal qui s'emboîtent en un motif décoratif. La qualité de cette technique dépend du motif et du choix des bois de placage : ceux-ci doivent former, une fois posés côte à côte sur une surface, un beau contraste de couleurs.

Les techniques de découpe et de pose de la marqueterie étaient totalement différentes de celles de l'incrustation telle qu'on la pratiquait aux XVe et XVIe siècles dans de nombreux pays européens. Pour cette dernière technique, on entaillait le bois massif à l'aide d'un couteau à embase et à long manche, puis on remplissait ces indentations de petits morceaux de bois de diverses couleurs, découpés de façon appropriée.

De remarquables effets de perspective et de trompe-l'œil furent ainsi obtenus, notamment par les moines de Monte Oliveto, près de Sienne. Pour la technique de « Certosina », exécutée en Lombardie et à Venise, on sertissait des petits morceaux d'os selon des motifs géométriques. En Angleterre, on utilisait le houx, le buis, l'if, le sycomore et d'autres essences locales pour incruster des motifs de caractère architectural sur des coffres dits « de Nonsuch », du nom du palais d'Henri VIII que ces motifs étaient censés représenter. On pense que les artisans qui les réalisaient venaient d'Allemagne, où l'on trouve, sur le mobilier, une décoration similaire.

Pour réaliser une marqueterie, il fallait tout d'abord faire des copies du dessin original. On piquetait directement les contours du dessin sur une feuille de papier ; on pouvait aussi piqueter le dessin et projeter de la poudre noire sur la feuille de papier à travers ce piquetage. On répétait l'opération pour obtenir le nombre requis de copies.

Les placages choisis étaient collés ou cloués les uns au-dessus des autres ; on intercalait souvent une couche de papier entre les feuilles de placage pour pouvoir ensuite les séparer aisément. On collait, sur les deux faces du bloc, une planchette de bois bon marché, pour éviter que la scie ne déchiquette les placages exposés ; enfin, une copie du dessin était collée sur la face supérieure.

Le bloc ainsi constitué était maintenu à la verticale dans l'étau commandé par une pédale, d'un « âne » (v. p. 6) ; au lieu de manœuvrer sa scie, le marqueteur la maintenait à l'horizontale et déplaçait le bloc. L'âne avait remplacé la table à scier, plus rudimentaire, qu'on avait utilisée jusqu'au milieu du XVIIIe siècle ; la scie à découper, introduite un peu plus tard, était une variante de l'âne. On guidait la scie avec plus de précision grâce à son châssis fixe. En inclinant légèrement la scie pendant que l'on découpait les contours du motif, on réduisait les interstices qui sépareraient les différentes pièces lorsqu'elles seraient emboîtées.

*A l'extrême gauche : panneau incrusté de plusieurs bois exécuté par Fra Raffaelle da Brescia d'après un modèle de Giovanni Battista da Imola, Italie, 1521-1525. Les artisans italiens du XVIe siècle créèrent de remarquables effets d'illusion grâce à la technique de l'incrustation, l'*intarsia*. Ce panneau fait partie de la décoration d'une stalle du chœur d'une église de Bologne.*
Ci-dessus : coffre anglais en chêne incrusté de chêne de tourbière et de cerisier, fin du XVIe siècle. Ce type de coffres est connu sous le nom de « coffre de Nonsuch » car le décor architectural qui le caractérise était censé représenter, par ses créneaux, son toit pentu, ses coupoles et ses flèches, le palais de Nonsuch qu'Henri VIII possédait à Ewell, dans le Surrey.
Ci-contre, à gauche : détail du décor en incrustation de ce coffre.

Après les avoir découpées, on séparait les feuilles avec un couteau fin. A chaque élément du dessin correspondait une seule feuille de placage. Lorsqu'on avait assemblé toutes les pièces, on en encollait le dos, sur lequel on appliquait une feuille de papier; puis on collait le tout sur le bâti, le plus souvent par coiffage.

En marqueterie, la couleur des placages revêtait une grande importance. Si certains artisans choisissaient les bois en fonction de leurs teintes naturelles, d'autres étendaient encore leur gamme de couleurs en les teignant, les décolorant ou les ombrant pour accentuer les contrastes du motif. En France, à partir de la seconde moitié du XVIIIe siècle, on réalisa, à l'imitation des peintures de chevalet, des panneaux de marqueterie dits « peintures en bois », dont les remarquables effets d'illusion étaient dus à l'emploi de bois teints. Leurs couleurs, alors très vives, se sont adoucies après deux siècles d'exposition à la lumière du jour.

Lorsqu'on représentait ainsi, de manière réaliste, des scènes figuratives, des décors architecturaux ou des natures mortes, on devait respecter les règles de la perspective. Selon Roubo, les meubles marquetés devaient être disposés dans la pièce de manière à donner aux ombres qui y étaient reproduites l'apparence de la réalité. Si le meuble n'était pas destiné à une place particulière, Roubo conseillait de placer les ombres de chaque panneau en fonction de son centre, considéré comme une source de lumière fictive. Un réseau de hachures et de pointillés complétait l'illusion. On reproduisait aussi en deux dimensions, avec le même réalisme, des volumes géométriques. Ce type de motif est parfois désigné par le terme de « parquetage », employé d'ordinaire pour la pose de parquets.

A la fin du XVIIe siècle, on produisait en Angleterre et en Hollande une marqueterie d'un type entièrement différent; le dessin se composait généralement de la répétition d'un même motif exécuté en deux bois de couleurs contrastées sur fond clair; l'effet obtenu est comparable à celui de la marqueterie Boulle.

A Tunbridge, dans le Kent, on décorait des boîtes ou d'autres petits objets selon une technique typiquement anglaise. On constituait un gros bloc de feuilles de bois de couleurs variées en les collant les unes sur les autres de façon à composer un motif sur la tranche. En sciant ce bloc, on obtenait des feuilles au motif identique, que l'on utilisait comme placage.

Ci-dessus: couvercle d'une boîte de Tunbridge, Angleterre, début du XIXe siècle. On réalisait les motifs des articles de Tunbridge en collant les uns aux autres de petits morceaux de bois de l'épaisseur d'une allumette, et en les découpant transversalement. Cette technique permettait d'obtenir environ trente motifs identiques.

A l'extrême gauche: secrétaire à abattant anglais, plaqué de noyer et marqueté de noyer et de sycomore, vers 1690.

Ci-contre, à gauche: détail du travail de marqueterie de ce secrétaire.

Ci-dessus : plateau de table italien en marqueterie, vers 1850. Le même motif était reproduit quatre fois, ce qui permettait à l'artisan, en superposant les feuilles de placage, de découper ces quatre parties en une seule fois. La nacre et l'ivoire étaient employés au même titre que les plus diverses essences de bois, teintes ou naturelles.

Ci-contre, à gauche : miroir anglais mouluré et marqueté, vers 1680. Le placage était maintenu contre le bâti grâce au poids des sacs de sable chaud dont on le recouvrait jusqu'à ce que la colle fût sèche.

Ci-dessous : plateau de table de jeu en marqueterie de Luigi Galmelli, Italie, vers 1808. Comme le médaillon central ne comportait pas de motif répétitif, les éléments de placage qui le composent furent découpés séparément.

La marqueterie Boulle

Le nom d'André-Charles Boulle, maître ébéniste de Louis XIV, est associé à un type de marqueterie de cuivre et d'écaille de tortue assemblés selon un dessin intriqué, dont l'effet décoratif est rehaussé par le contraste de couleur et de texture des matières. Sans en être véritablement l'inventeur, Boulle porta cette technique à sa perfection, et elle a gardé son nom.

Dans la marqueterie « première partie », le dessin en cuivre se détache sur le fond en écaille de tortue; dans la marqueterie « contrepartie », cette disposition est inversée: le motif en écaille est pris dans un fond de cuivre. On plaquait ainsi de marqueterie des paires de commodes et de piédouches, l'une des pièces étant en « première partie » et l'autre en « contrepartie »; ces deux techniques pouvaient être également réunies sur une seule pièce. On pouvait aussi utiliser l'ébène et l'étain.

Deux commodes de Versailles, marquetées de cuivre et d'écaille, sont les seuls exemples du travail de Boulle parvenus jusqu'à nous pour lesquels nous disposions d'une documentation. Nous n'avons aucun témoignage d'époque sur les méthodes de travail de son atelier, ni d'aucun atelier parisien qui ait produit un travail similaire à la fin du XVIIe ou au début du XVIIIe siècle. On considère en général que les feuilles de cuivre et d'écaille de tortue, disposées l'une sur l'autre, étaient découpées simultanément. Ainsi, chaque matière aurait maintenu l'autre, et le métal aurait permis d'éviter que l'écaille ne se ploie et ne se fendille lorsqu'on découpait des formes complexes à la scie. Il est possible, cependant, que la différence de dureté entre les deux matières ait rendu cette méthode inapplicable jusqu'à la moitié du XVIIIe siècle, époque où la

Ci-dessus: détail de la partie convexe d'un encrier attribué à Boulle, 1710. Les traits de découpe du cuivre donnent une idée de la taille des feuilles du placage. Les motifs incisés étaient exécutés une fois les morceaux de cuivre et d'écaille incisés et collés.

Ci-contre, à gauche: dos d'un miroir de toilette attribué à André-Charles Boulle, début du XVIIIe siècle. Ce miroir, au cadre et au fond de chêne, est marqueté de cuivre gravé et d'écaille de tortue. Dans ce bel exemple de marqueterie « première partie », l'allégorie de l'Amour sous un dais, entouré de personnages, d'arabesques et de volutes, réalisée en cuivre, se détache sur fond d'écaille.

LA MARQUETERIE BOULLE
1. On préparait l'écaille en la faisant bouillir, puis en la pressant à l'aide d'une presse.
2. On grattait le dessous de l'écaille, et on le recouvrait d'une couche de colle colorée de la teinte que l'on souhaitait voir transparaître sous la pigmentation de l'écaille.
3. On superposait une feuille d'écaille, une feuille de cuivre, puis une copie de la partie du motif à reproduire. Sous l'écaille, on interposait une feuille de papier entre la couche de colle colorée et la colle qui fixerait la marqueterie à la carcasse.
4. L'ensemble était maintenu dans un âne, et l'on dégageait le motif à la scie à découper.
5. On séparait les feuilles, puis on emboîtait les pièces de cuivre et d'écaille composant le motif, que l'on collait à la carcasse.
6. Une fois que l'on avait incisé de nouveaux motifs de cuivre ou d'écaille, on polissait la surface à l'aide d'abrasifs d'une finesse croissante et, pour finir, avec du charbon de bois.

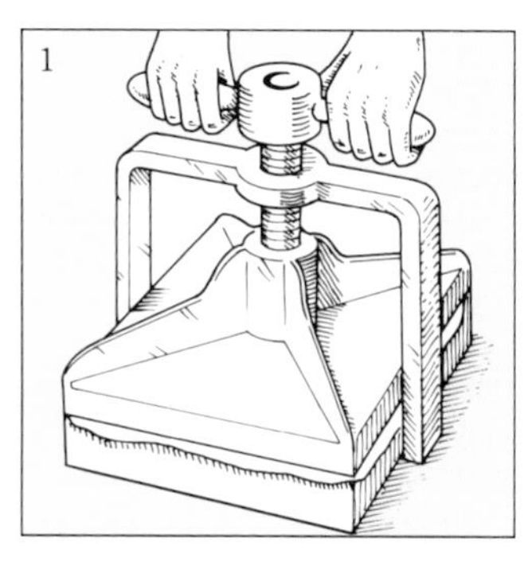

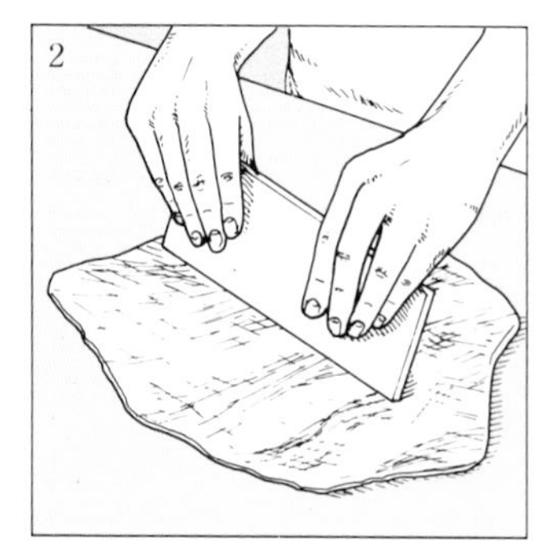

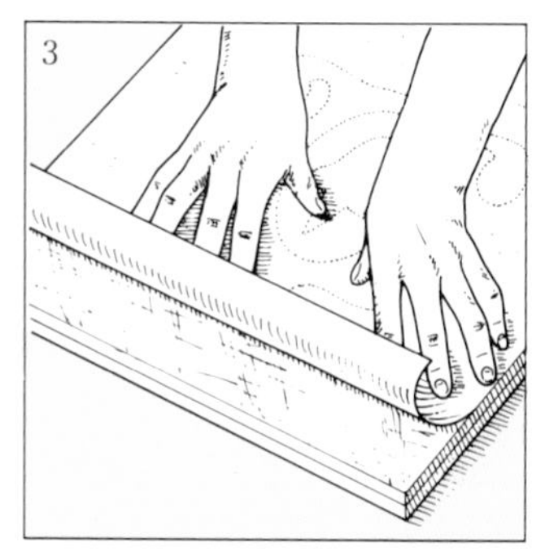

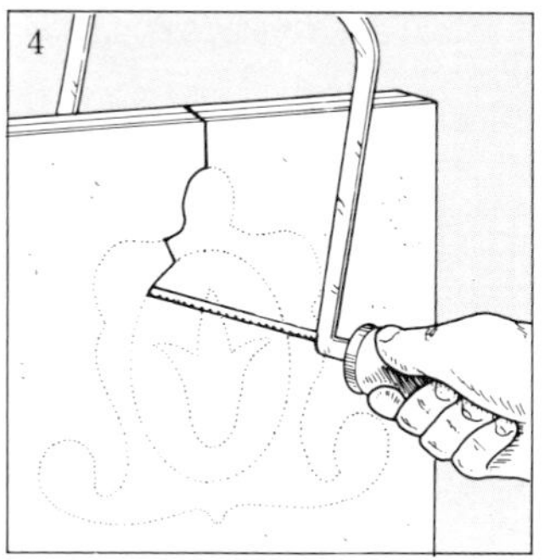

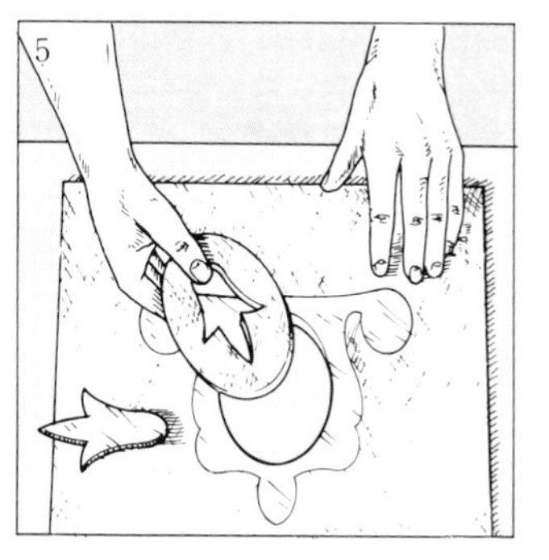

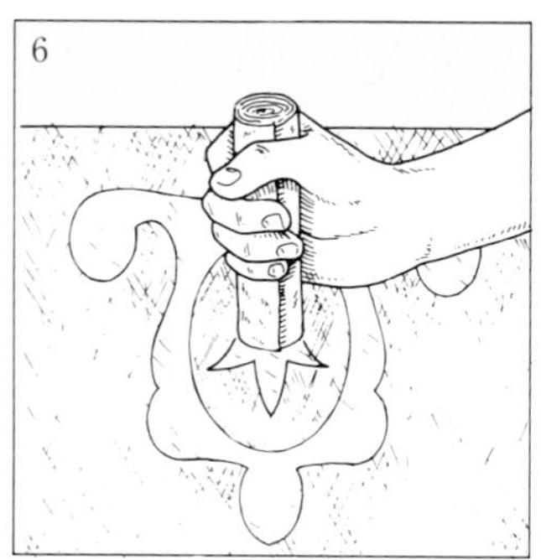

qualité de l'outillage s'améliora. Cependant cette technique fut certainement appliquée pour la confection de marqueterie Boulle tardive.

L'écaille provenait de la carapace et du plastron de la tortue, dont les meilleurs spécimens venaient de l'île de Coïba, dans le Pacifique. Les carapaces sèches étaient débitées en larges écailles, dont on sélectionnait, parmi les zones pâles, les plus translucides. On faisait bouillir ces écailles afin de les assouplir, puis on les séchait dans une presse : on obtenait ainsi une feuille plate. En général, les raccords d'écaille étaient cachés dans le motif, mais un trait droit ou sinueux est parfois visible à l'endroit où deux écailles ont été disposées côte à côte. Le dessous de l'écaille était gratté et parfois peint, la couleur transparaissant sous la pigmentation naturelle, surtout pour les écailles les plus pâles. On ajoutait d'ordinaire un renfort de papier qui permettait de coller plus facilement l'écaille à la carcasse du meuble.

Une fois les pièces assemblées, les interstices entre les deux matières, de l'épaisseur du trait de scie, étaient comblés de shellac noir. A partir du XVIIIe siècle, on utilisa des lames plus fines et ces interstices devinrent de plus en plus minces. Les pointes de cuivre que l'on voit parfois ont le plus souvent été ajoutées par un restaurateur pour maintenir le cuivre qui se soulevait. La détérioration de la surface est due, en général, à ce que les deux matières réagissent différemment aux changements de température et d'humidité.

Pour la finition, on limait et on regrattait la surface, puis on la polissait à l'aide d'abrasifs de plus en plus fins, le plus fin étant le charbon de bois. La dernière touche décorative était souvent apportée par un graveur, qui, sur certaines pièces, ciselait dans le métal et l'écaille des contours d'oiseaux exotiques, des silhouettes humaines ou des arabesques ; mais cette décoration n'a pas souvent résisté à l'usure.

Ci-contre, à droite : armoire attribuée à Boulle, début du XVIIIe siècle. Les panneaux les plus grands de cette armoire sont marquetés en « première partie », tandis que les petits panneaux horizontaux sont en « contrepartie ».

La sculpture

La sculpture est un moyen simple de décorer le bois et de lui donner forme avec un outil tranchant. Cependant, telle qu'elle était pratiquée par Grinling Gibbons en Angleterre, Andrea Brustolon en Italie et par les sculpteurs qui travaillaient à partir des modèles de dessins ou de gravures du XVIIIe siècle, cette technique demandait une grande dextérité ainsi que l'œil et l'esprit d'un artiste.

Presque toutes les essences employées dans la confection du mobilier pouvaient être sculptées; pour les pièces les plus raffinées, il fallait cependant se servir de bois à grain serré, comme le tilleul, le plus prisé pour son bois tendre. En revanche, le grain grossier du chêne, bois dur et résistant avec lequel ont été réalisés la plupart des meubles du Moyen Age au milieu du XVIIe siècle, ne se prête guère au rendu de détails. L'acajou de Saint-Domingue, au grain fin, était d'une dureté exceptionnelle; on devait le sculpter avec des outils en acier trempé, mais on pouvait obtenir des effets d'une délicatesse proche de celle du métal ciselé. Lorsqu'on comptait dorer la pièce, on employait souvent le pin et le hêtre.

On dégrossissait la pièce de bois à l'herminette, à la scie à découper ou au tour avant que ne commence le travail du sculpteur. Ses principaux outils étaient les ciseaux, à lame affûtée en biseau, et les gouges, dont la lame, creusée en canal, offrait un tranchant courbe. Si les progrès techniques ont peu à peu amélioré la résistance et la précision des lames, les formes des outils et la manière dont on s'en servait ont peu varié au cours des siècles. Pendant qu'on la sculptait, il fallait maintenir fermement la pièce dans un étau avec des serre-joints, ou à l'aide d'une vis anglaise; c'était une longue tige filetée dont une extrémité, pointue, était fichée dans la base de la pièce, tandis que l'autre, glissée dans un trou de l'établi, était assujettie avec un écrou à oreilles.

La sculpture pouvait être exécutée directement sur les diverses parties d'une pièce, les panneaux d'un coffre du Moyen Age ou le pied de biche d'un fauteuil par exemple, ou sur des éléments séparés que l'on rapportait à la structure principale, tels que les moulures sculptées qui servaient à dissimuler des assemblages. Il fallait suivre au plus près le fil du bois et surtout éviter de le contrer.

La sculpture permet d'obtenir trois types d'exécution : le bas-relief, le haut-relief et la ronde-bosse. Pour le bas-relief, on incisait dans le bois le dessin que l'on voulait reproduire; le décor de poinçons et de motifs géométriques était confié à un simple menuisier ou au forgeron qui faisait les outils plutôt qu'à un sculpteur spécialisé. Pour le haut-relief, on dégageait le motif en évidant le fond, que l'on travaillait parfois au poinçon pour lui donner une texture rugueuse qui contrastait avec les formes polies des motifs sculptés. La dimension des éléments d'un motif

Ci-contre, à droite: chaise anglaise en acajou sculpté, au dossier chantourné et au décor de frise à la chinoise sur la ceinture et sur une partie du piétement, vers 1670. L'ornementation que recevaient les chaises de cette époque s'inspirait le plus souvent d'exemples présentés dans des catalogues de modèles.
Ci-contre, à gauche: miroir anglais en citronnier sculpté, vers 1670. Le citronnier, bois tendre au grain dense, était particulièrement apprécié des sculpteurs anglais et français.
Ci-dessous: détail du miroir précédent. La finesse avec laquelle sont ici sculptées les armes et la devise royale anglaises est remarquable.

Ci-contre, à gauche: console en noyer et ébène supportant des vases, sculptée par Andrea Brustolon (1662-1732), Italie, fin du XVII*e siècle. C'est la seule pièce signée d'un ensemble de meubles de style baroque sculpté par Brustolon pour la famille Venier et actuellement conservé à la Ca' Rezzonico, à Venise. Les personnages noirs et les représentations classiques des dieux-fleuves, Charon, Cerbère et Hydra, sont des exemples exceptionnels de ronde-bosse intégrée au mobilier.*

Ci-dessous: détail d'un « cassone » italien en noyer, XV*e siècle. La décoration sculptée s'est, à toutes les époques, inspirée des formes architecturales. La sculpture reprend ici les gracieux entrelacs du gothique flamboyant.*

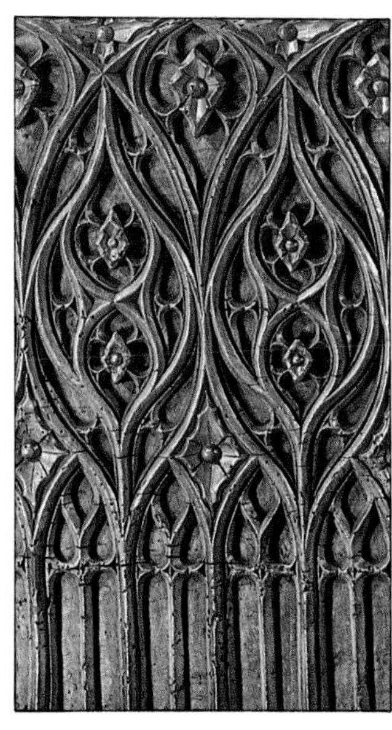

répétitif, par exemple une moulure d'oves et de rais-de-cœur, était déterminée par la largeur de l'outil avec lequel on en dégageait les premiers contours. La sculpture en ronde-bosse se développait, elle, en trois dimensions. Les colonnes de cabinets et les consoles de la fin du XVIe siècle et du XVIIe siècle, sculptées et dorées, témoignent de la dextérité d'artisans qui se consacraient exclusivement à cette technique.

Le décor sculpté du mobilier reproduisait le plus souvent les formes de l'architecture contemporaine. Les colonnes et les arcs en plein cintre de la Renaissance remplacèrent ainsi les arcatures brisées et les dentelures gothiques. Avec le style rococo, dont les artistes réinterprétèrent à l'envi les formes sinueuses et asymétriques, la sculpture devint un élément primordial du mobilier et de la décoration intérieure. En revanche, le talent des sculpteurs fut moins sollicité à l'époque néo-classique, bien qu'ils fussent chargés de réaliser des motifs d'appliques inspirés du répertoire gréco-romain tels que les anthémion, les feuilles d'acanthe ou les patères. A partir de 1850, une grande partie du décor sculpté était produite mécaniquement.

Ci-dessus: dressoir anglais en chêne sculpté, début du XVIIe siècle. Ce type de meuble qui se présente comme une étagère en deux parties ornée de frises décoratives et de balustres sculptés sur la face, et pourvue à l'arrière de simples montants, servait à présenter de l'argenterie.

Ci-contre, à gauche: panneau flamand en chêne sculpté en haut-relief, XVIe siècle. C'est l'un des premiers exemples d'utilisation en sculpture des formes architecturales classiques. La frise d'oves et de rais-de-cœur qui surmonte ici l'arcature semi-circulaire était fréquemment employée par les sculpteurs comme motif de bordure. Ce panneau représente Jésus parmi les Docteurs; détail inhabituel, l'un des personnages porte des lunettes.

Ci-contre, à gauche: trophée en citronnier symbolisant la musique, sculpté par Grinling Gibbons (1648-1721), Angleterre, vers 1695. Gibbons fut le plus grand sculpteur sur bois du baroque anglais. Dans ce magnifique exemple du travail de ce sculpteur, qui se trouve à Petworth House dans le Sussex, la sculpture est réalisée avec une minutie telle que l'on peut déchiffrer les notes portées sur la partition.

Ci-dessus: tabouret anglais en acajou aux pieds de biche terminés à serre et boule. Les parties de la ceinture situées au-dessus des motifs en coquille des pieds étaient façonnées dans la même pièce de bois que le pied, tandis que les autres parties étaient exécutées séparément et plaquées. Le pied de biche s'inspire d'une forme inventée par les Grecs pour les sièges de théâtre en marbre sculpté.

CONFECTION D'UN PIED DE BICHE
1. Les contours du pied étaient dessinés sur un bloc de bois rectangulaire de section carrée à l'aide d'un même calibre que l'on retournait.
2. Le pied, ici un pied à serre et boule, était dégrossi au tour.
3. Les quatre côtés du bloc étaient découpés à l'aide d'une scie à chantourner en suivant le tracé.
4. On façonnait la partie droite du pied avec une vastringue.
5. On sculptait les détails du pied au ciseau ou à la gouge.
6. On procédait de la même façon pour le haut du pied.

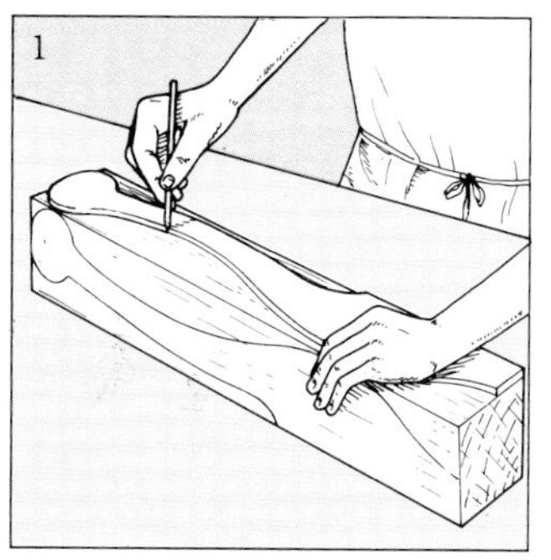

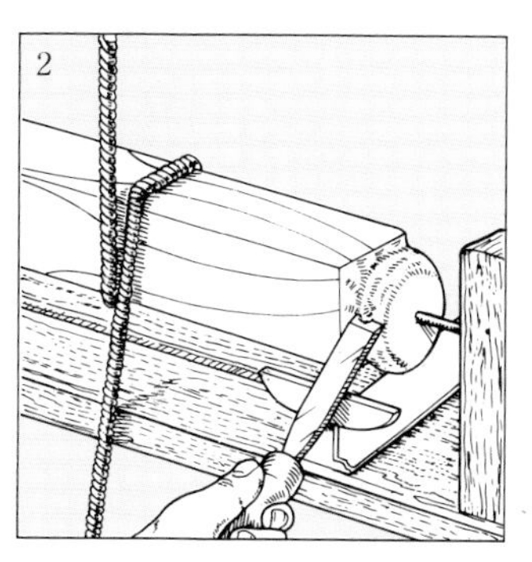

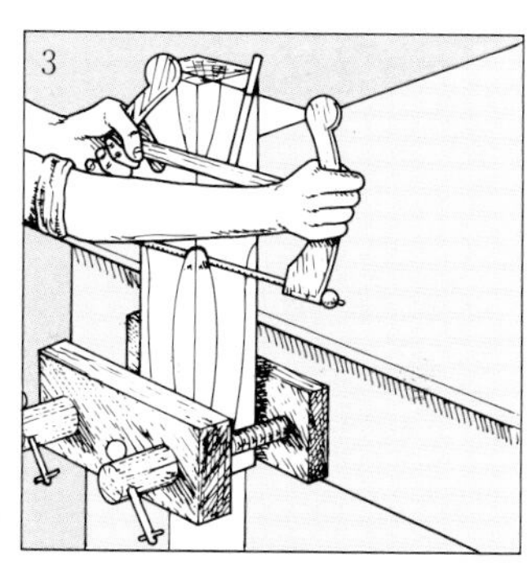

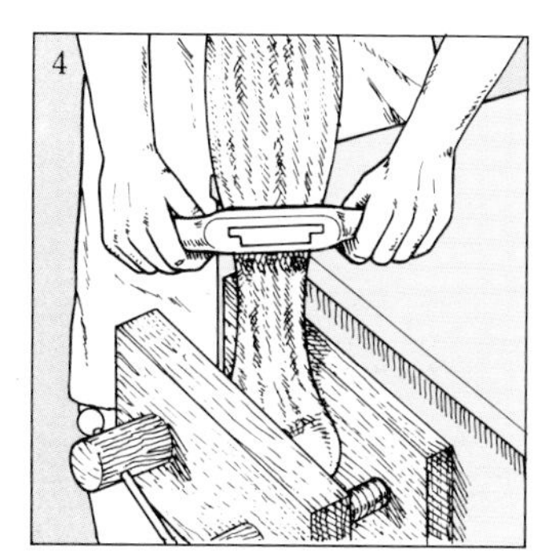

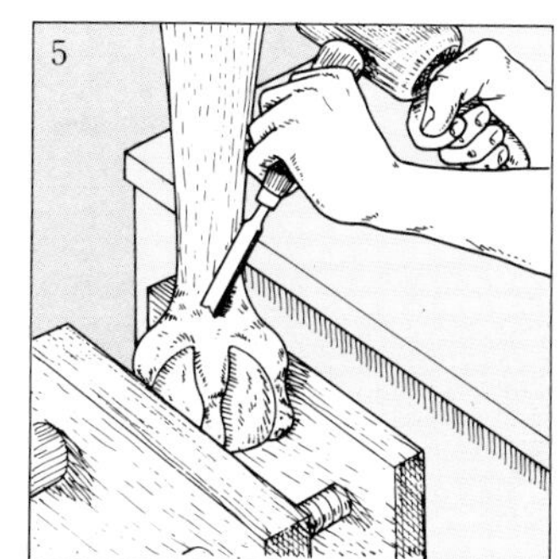

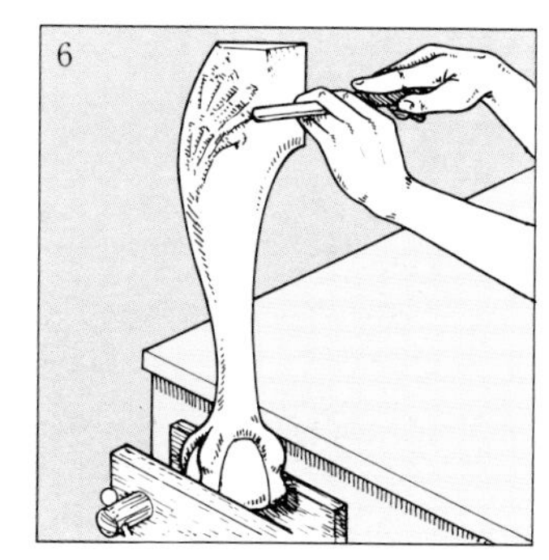

Peinture et décor au pochoir

Les *cassoni*, sorte de longs coffres, furent les pièces les plus imposantes et les plus coûteuses du mobilier d'intérieur italien de la Renaissance. Aux XVe et XVIe siècles, les panneaux de face, voire ceux de dessus et des côtés, étaient ornés d'un décor gravé, réalisé en « intarso » (incrustation), ou peint. On les peignait *a tempera*, c'est-à-dire avec des pigments réduits en poudre et mélangés à de la colle, du vernis ou du jaune d'œuf, sur du bois enduit de « gesso » (mixture de blanc de Meudon et de colle, appliquée en plusieurs couches). Tant par leur technique que par leur style, ces panneaux ressemblaient aux tableaux de chevalet de l'époque, et ils étaient souvent de grande qualité. Des peintres établis, dont Botticelli et Uccello, semblent avoir parfois réalisé des commandes de ce type.

Des peintres de métier furent aussi engagés pour la décoration d'élégants cabinets réalisés au XVIe et au XVIIe siècle dans le nord de l'Europe. Les panneaux étaient beaucoup plus petits que ceux des meubles italiens ; souvent entourés d'un cadre rappelant la forme d'une façade d'église baroque, ils pouvaient faire partie d'une présentation qui regroupait d'autres travaux d'art tels que des plaques en « pietre dure », des ornements de métal moulé et des sculptures en ivoire.

Vers la fin du XVIIIe siècle, un maître ébéniste français, Martin Carlin, conçut des pièces serties de médaillons de porcelaine de Sèvres peinte, tandis que se répandait en Angleterre une décoration similaire, comportant des plaques de porcelaine de Wedgwood et des peintures sur cuivre. Il était également à la mode de peindre à l'huile, sur la surface des placages de bois de satin et d'érable, en des coloris pastel et en grisaille (camaïeu de gris), des médaillons et des bordures d'encadrement, que l'on vernissait comme des tableaux.

Au milieu du XIXe siècle, cette conception du mobilier comme un moyen de présenter des œuvres picturales connut un regain d'intérêt en Angleterre. William Burges, William Morris et Dante Gabriel Rossetti, entre autres, décorèrent cabinets et armoires de peintures à caractère narratif qui présentaient des points communs avec les scènes dépeintes sur les *cassoni* italiens.

Cependant, la peinture du mobilier visait plus souvent à imiter la laque (v. p. 54) qu'à être une création à part entière. En Italie, le terme *lacca* désigne à la fois la laque proprement dite et le mode de décoration, plus simple, obtenu par la peinture du bois et l'application d'une couche de vernis. La *lacca contrafatta* était une spécialité vénitienne ; des gravures, dont les sujets étaient généralement des pastorales ou des « chinoiseries » (versions occidentales de motifs chinois), étaient peintes à la main, puis

Ci-contre, à gauche : fauteuil à bascule américain au décor peint à main levée et au pochoir, première moitié du XIXe siècle. Le panneau supérieur du dossier est peint à main levée d'un décor de fruits, de fleurs et de feuillage ; les deux panneaux inférieurs mêlent peinture à main levée et décor au pochoir.
Ci-contre, à droite : tabouret anglais de hêtre peint imitant du marbre blanc veiné de gris, 1800. Inspiré d'une illustration représentant un siège de l'Antiquité classique publiée par Charles Heathcote Tatham en 1799.
Ci-dessous : « cassone » florentin au décor peint, XVe siècle. Avant d'être peint a tempera, *le bois était apprêté d'une ou plusieurs couches de « gesso ».*

Ci-dessus: plateau florentin au décor peint représentant le Triomphe de l'Amour, *par l'atelier d'Apollonio di Giovanni (1415-1465), milieu du XVe siècle. Cet atelier était spécialisé dans la confection de « cassoni » peints. Ci-contre, à l'extrême gauche: bibliothèque anglaise peinte et dorée, vers 1785. Le médaillon du panneau central est peint à la manière d'Angelica Kauffmann (1741-1807), qui fut employée à plusieurs reprises par les frères Adam. Ce type d'ornementation peinte fut introduit en Angleterre par Robert Adam vers 1770. Ci-contre: détail du décor de cette bibliothèque. Ce décor était peint à l'huile sur le placage de bois de satin.*

découpées et collées au meuble. Une couche de vernis étalée sur toute la surface en complétait très heureusement l'effet.

Avec des essences telles que le hêtre ou le pin, qu'on utilisait particulièrement pour les meubles bon marché, on pouvait appliquer la peinture directement sur le bois, mais on obtenait une décoration plus durable avec un apprêt de *gesso*. On peignait le fond à l'aquarelle, et on le polissait parfois à l'aide d'une pierre dure telle que l'agate; les détails étaient peints à l'huile; enfin, l'ensemble pouvait être ciré.

Pour imiter les veinures du bois, on utilisait de la peinture à l'huile ou de l'aquarelle que l'on appliquait sur un fond uni avec des pinceaux fins ou des peignes de corne. Pour imiter le marbre, Stalker et Parker, qui écrivirent au XVIIe siècle un traité sur le laquage, conseillaient d'utiliser trois teintes de noir de vigne (des sarments de vigne brûlés et moulus) obtenues en le mélangeant, en quantités différentes, avec du blanc de plomb et de la colle diluée. On appliquait la teinte la plus claire sur le fond humide avec une brosse en poils de chameau; on dessinait les veines les plus fines avec la teinte intermédiaire, et l'on réservait la nuance la plus sombre pour les grandes veines, irrégulières et sinueuses, qui caractérisent le marbre naturel.

La technique du pochoir, qui permettait de répéter plusieurs fois le même motif, était économique et rapide. A l'aide d'une éponge ou d'un pinceau, on tamponnait une peinture assez épaisse à travers le pochoir. On obtenait des nuances différentes en jouant sur la quantité de pigments utilisés et sur la pression imprimée au pinceau. Lorsqu'un motif exigeait de nombreuses couleurs, on pouvait employer plusieurs pochoirs. Le mobilier campagnard américain témoigne, dans sa simplicité, d'une maîtrise particulière dans la pratique du pochoir.

L'utilisation de feuilles d'or et de poudres de métal (d'or pur, d'argent, de zinc ou de cuivre) était également fréquente. On enduisait la surface à décorer d'un fin badigeon de colle étendue de vernis et de térébenthine. Après une ou deux heures, on tamponnait la poudre de métal à travers le pochoir, à l'aide d'un tampon doux en velours de coton ou en peau de chamois, sur la surface un peu collante. On pouvait ensuite ombrer le motif en le ciselant avec un burin.

Teinture et vernissage

A plusieurs reprises depuis le XVIIe siècle, le bois teint a suscité l'engouement du public. En effet, teindre le bois d'une couleur plus attrayante que celle qui lui est naturelle met ses veinures en valeur et permet de donner à des bois bon marché l'apparence d'essences plus précieuses; on ébénait le sapin et le poirier, on colorait le hêtre pour imiter le noyer ou l'acajou. On désignait d'ailleurs parfois du nom d'érable le sycomore teint en gris-vert.

Les ingrédients utilisés étaient d'une très grande diversité, et la recherche de couleurs soutenues qui résistaient à une exposition prolongée à la lumière donna lieu à de nombreuses expérimentations. Plusieurs bases colorantes étaient extraites de bois, de plantes ou de leurs racines, qu'on faisait généralement bouillir dans de l'eau, du vinaigre ou de l'alcool jusqu'à ce que le liquide fût réduit et que toute la couleur fût exprimée.

Les principaux bois de teinture étaient le campêche (qui donnait des coloris noirs, rouges, jaunes, pourpres, gris et bruns), le fustet ou arbre à perruque (pour les jaunes, bruns et pourpres) et le bois rouge, ou bois de Brésil (pour les rouges et pourpres). D'autres colorants étaient extraits de la racine de la garance, l'alizari (rouges et jaunes), de l'indigo (bleus), de graines d'Avignon (jaunes et jaune-vert), ou d'autres substances dont le vert-de-gris (verts et bleu-vert), le smalt (bleus) et la résine de palmier rotang d'Asie orientale (rouges). Des produits chimiques courants ou d'autres additifs (potasse, alun, acide sulfurique, sel ammoniac, sulfate de fer, etc.) contribuaient à modifier ces couleurs.

Pour imiter l'acajou clair, on préparait une décoction de racine de garance et de fustet, ou l'on diluait dans de l'alcool un mélange de résine de rotang et de racine de curcuma. La décoction de garance et de campêche produisait une teinture d'une nuance plus foncée. On ébénait le bois, au XIXe siècle particulièrement, à partir d'un mélange de noir de fumée et de colle de peau.

Le vernissage était la phase finale de la confection d'un meuble. Le vernis préservait le bois et en assurait l'étanchéité; de plus, il en rehaussait la couleur et mettait en valeur l'aspect décoratif du veinage et du grain. On teignait parfois la pièce avant de la vernir; mais on pouvait aussi intégrer au vernis un colorant tel que le noir de fumée, la terre d'ombre brûlée ou l'orcanette.

Un meuble doit sa patine à l'usure que provoque le temps ainsi qu'au vernissage qui lui donne brillant et profondeur des couleurs. La poussière, qui se dépose au creux des défauts et des éraflures, sur les arêtes des moulures, dans les coins et aux points d'assemblage, adhère à la surface légèrement collante du vernis. Cette accumulation de poussière et de vernis, qui forme souvent des taches plus foncées, contribue à faire chatoyer la couleur du bois et à lui donner un aspect velouté très attrayant.

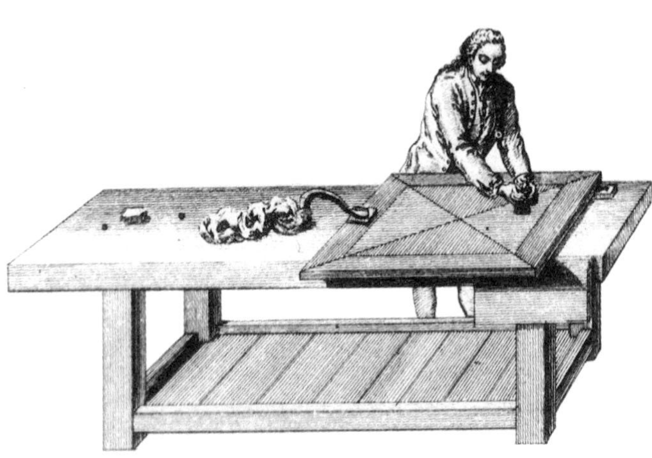

Ci-dessus: illustration extraite de L'Art du menuisier *de Roubo, montrant un vernisseur qui couvre de cire un panneau au frisage en croix à l'aide d'un faisceau de joncs fermement liés.*

Ci-contre, à gauche: secrétaire à abattant de style Biedermeier en frêne bordé d'ébène, Hongrie, vers 1825. Ce modèle devait être vernis au tampon. Ce vernis, dont l'éclat fut fort recherché au début du XIXe siècle, se composait de shellac plutôt que de cire.

Ci-contre, à droite: garde-robe américaine en cerisier ébéné, par les frères Herter, vers 1880. La mode du mobilier aux teintes sombres qui se répandit en Amérique vers 1870 et 1880 découlait du succès remporté par les meubles japonais.

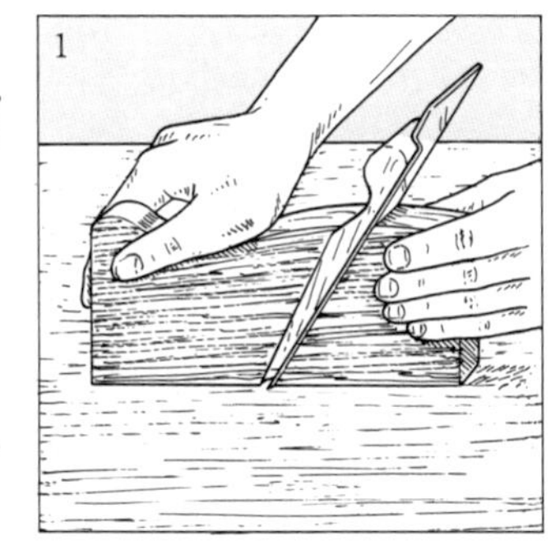

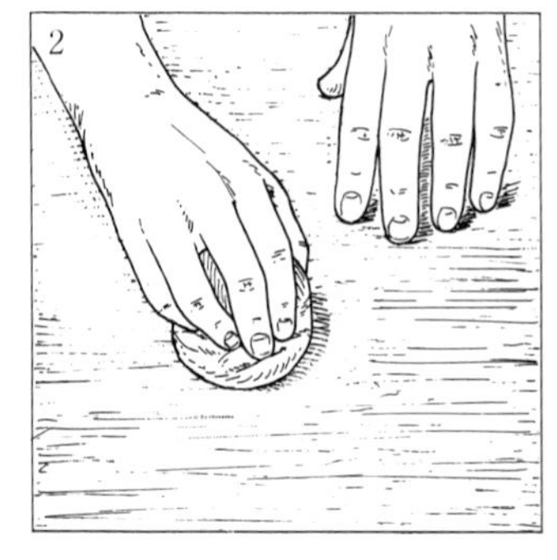

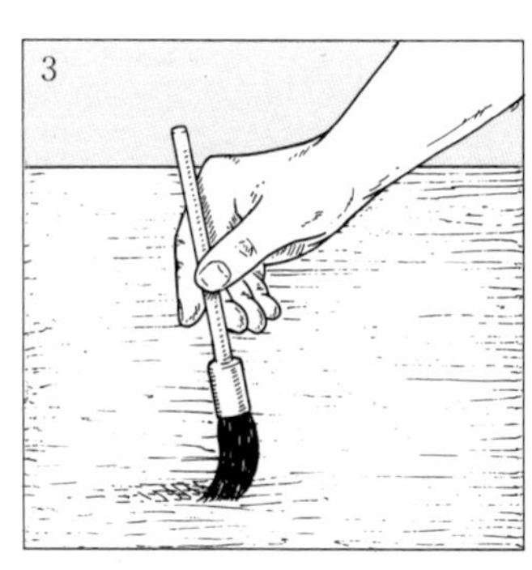

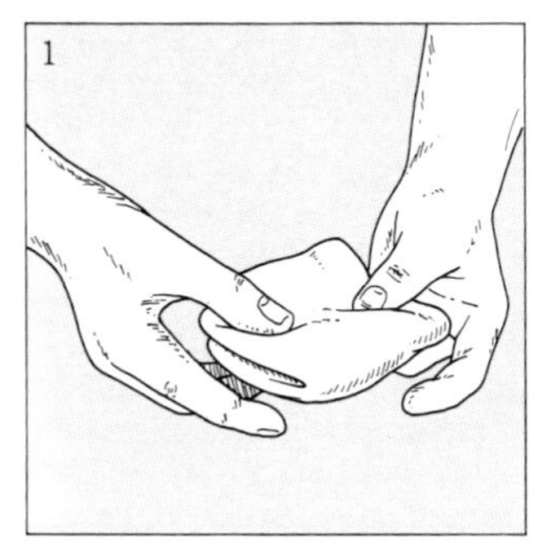

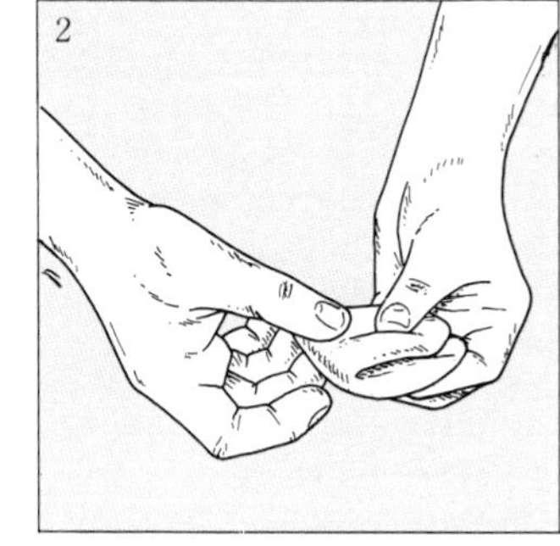

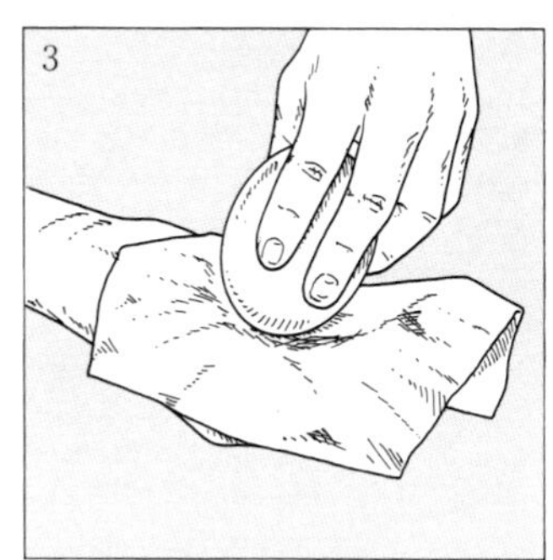

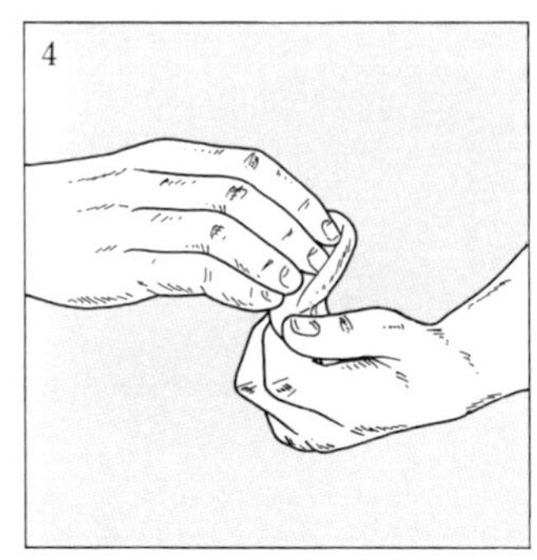

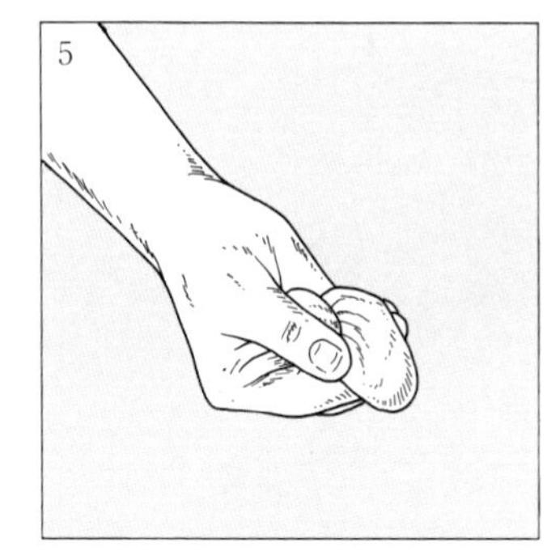

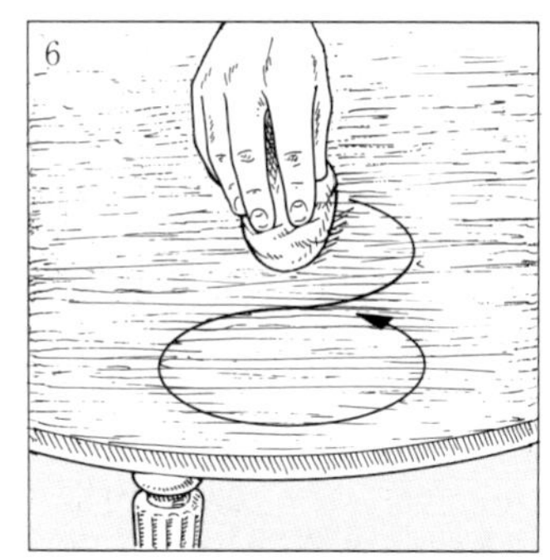

PREPARATION DE LA SURFACE
1. La surface, qui devait être lisse et plane, était passée au rabot et à l'ébarboir avant d'être poncée.
2. On comblait les porosités du grain avec du blanc de Meudon sec, foncé par des pigments. On pouvait appliquer une couche d'huile de lin.
3. Si la surface devait être teinte à l'eau, on commençait par l'imbiber d'eau pour faire gonfler le grain du bois, puis on la ponçait lorsqu'elle était sèche.

LE VERNIS AU TAMPON
1. On appliquait le vernis, composé de paillettes de shellac diluées dans du white-spirit, à l'aide d'un tampon. Celui-ci était confectionné à partir d'un morceau de chiffon, la « bourre », que l'on pliait d'abord en deux.
2. La bourre était encore pliée jusqu'à prendre la forme d'un œuf. On détrempait le bois avec du vernis, à l'aide de cette bourre.
3. La bourre était roulée dans un morceau de toile de lin ou de coton.
4. Le vernisseur maintenait dans le creux de sa main les coins de la toile enroulés en torsade.
5. On appliquait le vernis contenu dans la bourre en pressant le tampon sur la surface.
6. Le vernisseur parcourait la surface avec le tampon en dessinant des sortes de huit. De temps à autre, on rechargeait la bourre et on lubrifiait le tampon de quelques gouttes d'huile de lin. On achevait la finition au tampon en imbibant celui-ci d'une solution de shellac et de white-spirit, qui permettait de retirer l'excédent d'huile de lin et laissait un bel aspect brillant.

A partir du XVIe siècle, le vernissage à la cire devint une des finitions les plus courantes. On pouvait laisser la cire d'abeille à l'état solide et en frotter le bois, ou la dissoudre dans de l'essence de térébenthine et l'appliquer sous forme de crème. On traitait également le bois avec une dilution de résine et d'huile ou de white-spirit. Résine de copal, essence de térébenthine, huile de lin, d'olive, de noix, de genévrier ou d'œillette: la composition des vernis dépendait en partie des ingrédients dont on disposait. On polissait ensuite la surface au chiffon, à la brosse ou au tripoli (roche fine et absorbante), et l'on se servait de brique pilée pour remplir les irrégularités du grain et retirer l'excédent de cire.

Un procédé nouveau de vernissage, le vernissage au tampon, se développa en France dans les premières années du XIXe siècle. L'ingrédient de base de ce vernis, le shellac, était également le principal composant de la laque et, à ce titre, il était utilisé depuis plus d'un siècle sur le mobilier européen. Il était obtenu par dissolution de paillettes de shellac dans du white-spirit.

On appliquait le vernis à l'aide d'un tampon, composé d'une bourre, ou « charge », roulée en forme d'œuf et recouverte d'un morceau de fine toile de coton ou de lin, de manière à présenter une surface plane. On enroulait en torsade les coins de la toile, que l'on maintenait fermement au creux de la main. La bourre formait un réservoir pour le vernis, dont l'écoulement était contrôlé par la raideur de la toile et la pression des doigts.

Il fallait avant tout s'assurer que la surface était parfaitement plane et lisse car le vernissage en aurait accentué la plus légère irrégularité. Pour cela, on la passait au rabot et à l'ébarboir, puis on la ponçait; on comblait parfois les porosités du grain avec un mélange de blanc de Meudon et d'huile de lin. On pouvait ensuite teindre la pièce.

Commençait alors la première application du vernis qui, tamponné avec un chiffon, était rapidement absorbé par le bois. Puis, à l'aide du tampon, le vernisseur imbibait de nouveau la surface en une série de mouvements rectilignes, circulaires, puis en forme de huit, en faisant chevaucher les passages. Juste avant la fin de cette opération, il ajoutait un peu d'huile de lin pour lubrifier le tampon et donner une bonne finition. On retirait l'excédent d'huile en frottant la surface avec une solution à 50 % de shellac et d'esprit de méthylène ou, selon une autre méthode, avec une dilution d'acide sulfurique. On polissait ensuite la pièce jusqu'à lui donner un lustre étincelant.

Au XIXe siècle, la mode voulait que l'on retirât leur vernis aux meubles anciens, et qu'on le remplaçât par la finition brillante, soutenue, que donnait le vernis au tampon.

La dorure

Depuis au moins quatre mille ans, on utilise l'or pour la décoration du bois et, dès la plus haute antiquité, on l'a appliqué sous la forme de feuilles d'or martelé. Sa couleur variait du brun-rouge à une nuance proche du blanc, selon l'origine du métal précieux, et selon la nature et la quantité des autres métaux auxquels on l'associait. Le procédé pénible et délicat qui consiste à le rouler et le marteler jusqu'à l'obtention de feuilles d'environ 0,00008 mm est décrit à la page 168.

Au Moyen Age, la dorure était du ressort de l'artisan chargé de la peinture du mobilier. Au cours du XVIIe siècle, lorsque la dorure redevint une technique de finition appréciée, le travail du doreur fut associé à celui du graveur. A l'époque, on pratiquait deux méthodes de dorure: la dorure à l'eau et la dorure à l'huile.

La dorure à l'huile était la moins coûteuse et la plus durable. On l'employait pour le mobilier et pour des éléments architecturaux tels que les moulures, les corniches ou les frises. Cependant, la dorure à l'eau avait l'avantage d'offrir une surface qui pouvait être brunie, c'est-à-dire polie. Il était ainsi possible de donner à certaines parties du motif un lustre éclatant, qui contrastait avec la matité d'autres parties non polies.

L'apprêt de la surface à dorer à l'aide de *gesso*, semblable à celui utilisé pour les panneaux des *cassoni*, était essentiel pour la technique de dorure à l'eau. On le passait sur le bois d'œuvre bien sec — généralement, du pin, du sapin, ou du hêtre ou, pour les plus belles pièces, du citronnier ou du poirier — en plusieurs couches d'épaisseur croissante. On ménageait un temps de séchage entre les couches et, en fin d'opération, on ponçait cet enduit de plâtre pour obtenir une surface dure et lisse.

Afin de faciliter l'adhérence de la feuille d'or, on traitait cette surface avec un mordant, pour lequel existaient diverses formules : il était ainsi conseillé de préparer un mélange d'argile rouge (ou bol), de blanc d'œuf ou de « colle de brochette », faite avec du gros parchemin, et d'eau chaude, mélange que John Stalker suggérait, en 1688, de colorer à l'ocre jaune pour dissimuler les interstices que laisserait éventuellement l'application des feuilles d'or. Certains doreurs préconisaient l'utilisation d'un mordant bleu. L'ajout de plomb noir et de cire blanche était censé faciliter le brunissage.

Après avoir traité la surface au mordant, le doreur retirait une feuille d'or de son cahier à l'aide d'une brosse en poil de martre, qu'il frottait auparavant contre sa joue à une ou deux reprises pour la charger d'électricité statique et, ainsi, soulever plus aisément la feuille, qu'il étalait sur son coussin à dorer. Celui-ci se composait d'un morceau de bois rectangulaire rembourré de quelques épaisseurs de tissu formant une surface légèrement bombée, et recouvert de cuir de veau retourné. Comme la feuille d'or risquait d'être emportée au moindre souffle, ce coussin était protégé sur trois de ses côtés par un écran en parchemin rigide. On étalait la feuille sur le coussin en soufflant délicatement

A l'extrême gauche: glace en trumeau anglaise en bois sculpté et doré, vers 1760. On apprêtait de « gesso » le bois sculpté, et l'on y appliquait la feuille d'or à l'aide d'un mordant qui, dans le cas de la dorure à l'eau, se composait d'un mélange de pigments et d'eau, de blanc d'œuf ou de colle. Ci-contre: fauteuil anglais doré, vers 1730. Les éléments en haut-relief du motif étaient incisés dans le « gesso », puis dorés et brunis; les surfaces lisses sont dorées puis passées au poinçon. Ci-dessous: commode galbée en bois doré au dessus de marbre vert, Italie du Nord, vers 1750.

Ci-dessus: atelier de doreur, gravure extraite de Illustrations of Useful Arts *de Charles Tomlinson, 1867.*
Ci-contre, à gauche: commode vénitienne en bois doré et peint, vers 1780.

dessus, puis on la coupait au format désiré avec un couteau fin et aiguisé. On soulevait ensuite le morceau de feuille d'or avec la même brosse et on la posait sur la surface à dorer préalablement humectée d'eau (d'où le terme de dorure à l'eau). Certaines pièces recevaient deux couches de feuilles d'or. Pour l'obtention d'un effet mat, la surface était très légèrement polie; un brunissage prolongé donnait une finition brillante. Le brunissoir était souvent constitué d'une dent de chien montée sur un manche de bois, ou d'une pierre dure telle que l'agate.

Pour la dorure à l'huile, le mordant était en général de l'huile de lin séchée au soleil jusqu'à ce qu'elle se solidifie. On mélangeait cet ingrédient avec de l'ocre jaune ou de la terre de Sienne brûlée et, en ajoutant un peu d'huile de lin liquide, on obtenait une pâte fine et crémeuse. On l'appliquait sur un apprêt de plâtre, mais on pouvait aussi se servir d'une composition de blanc de plomb ou d'ocre rouge et d'huile, ou même de raclures de pots de peinture. Lorsque le mordant avait séché, on appliquait la feuille d'or de la même façon que pour la dorure à l'eau, mais en une seule couche. On associait parfois, sur une même pièce, ces deux types de dorure: les parties mates étaient dorées à l'huile, tandis que l'on dorait à l'eau celles que l'on souhaitait brunir.

Les principaux éléments du motif étaient sculptés dans le bois, puis on en modelait les détails en étendant au pinceau de nombreuses couches d'enduit de plâtre que l'on ciselait. On donnait du relief au fond du motif en le gravant avec des poinçons ou en saupoudrant le mordant de sable d'argent.

Le procédé mis en œuvre pour l'argenture était proche de celui de la dorure, mais la surface était généralement vernie afin d'éviter la décoloration causée par l'oxydation. L'argenture était surtout appliquée sur les piétements savamment sculptés des cabinets baroques.

Ci-contre, à droite: secrétaire anglais en chêne surmonté d'un cabinet dont certains éléments décoratifs sont soulignés de dorure à l'huile, vers 1720.

La feuille d'or était appliquée en une seule couche sur un mordant à l'huile. La dorure à l'huile ne pouvait pas être brunie.

Le laquage et le vernis « façon de la Chine »

L'éclat, l'aspect vernissé de la laque orientale faisait l'admiration des Européens, et sa popularité s'accrut avec le développement du commerce entre l'Orient et l'Occident au cours du XVIIe siècle. On disposait souvent des panneaux de paravents le long des murs de petites pièces désignées sous le nom de cabinets, comme dans les châteaux de Rosenborg à Copenhague, du Palazzo Reale de Turin et du château de Schloss Brühl à Cologne. On appliquait également sur les meubles, en guise de marqueterie, des panneaux plus petits, ou des morceaux de panneaux découpés. On exporta même vers l'Orient des meubles vierges de tout décor, pour qu'ils y soient laqués avant d'être réexpédiés en Europe où ils étaient vendus.

La matière première de la laque de Chine était la résine raffinée d'un arbre, le *Rhus vernicifera*. L'application de la laque, même sous sa forme la plus simple, exigeait beaucoup de temps et de minutie. On préparait la carcasse de l'objet à laquer en la ponçant jusqu'à ce qu'elle fût parfaitement lisse. On étalait ensuite la laque en couches très fines, chacune devant sécher plusieurs jours, puis être polie à la pierre ponce. On mélangeait les premières avec de l'argile pour assurer une surface plane et lisse, et les dernières à des pigments pour donner à l'objet la couleur souhaitée. En tout, il fallait étendre au moins trente couches ; pour des pièces au décor sculpté, on estime que près de deux cents couches étaient nécessaires. Une atmosphère fraîche et humide était indispensable au bon déroulement du séchage. Celui-ci devait être complet et uniforme.

Le travail des laqueurs chinois atteignit une très grande qualité, et de nombreuses techniques décoratives se développèrent, telles que la gravure, l'incrustation de nacre, d'or ou d'argent, et la sculpture de petits motifs.

Au XVIIe siècle, l'augmentation soudaine de la demande européenne a provoqué une accélération de la production de laque chinoise destinée à l'exportation, et entraîné son déclin. A l'époque, le Japon produisait également de la laque de bonne qualité pour le marché européen, ce qui fit naître une certaine confusion quant à l'origine de la véritable laque.

Les ébénistes occidentaux rivalisèrent alors d'ingéniosité pour tenter d'imiter de façon satisfaisante les productions orientales. Cependant, malgré tous leurs efforts, ils ne purent en identifier le principal composant, qu'ils croyaient être le shellac, ingrédient de base de la laque d'Inde et du Moyen-Orient. L'identité de l'arbre chinois ne fut connue en Europe qu'à partir de 1720, et l'on comprit qu'il ne s'acclimaterait jamais en Occident. L'importation de la résine s'avéra impossible : la longueur du voyage en mer provoquait son dessèchement.

Le shellac ou le seed-lac, produits similaires extraits de la sécrétion de certains insectes d'Inde et de l'Asie du Sud-Est, étaient le principal ingrédient des imitations de laque, dites

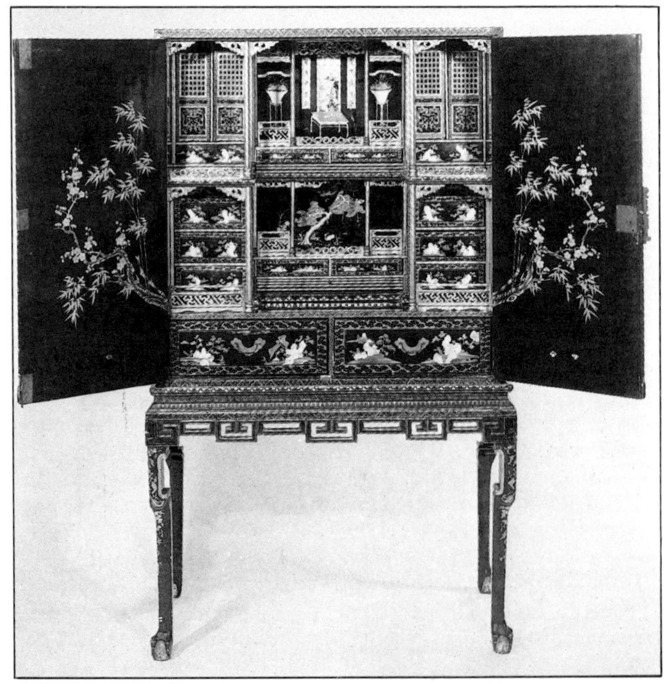

Ci-dessus : cabinet laqué chinois sur piétement destiné à l'exportation vers l'Europe, fin du XVIIIe siècle.
Ci-contre, à droite : détail d'un panneau laqué placé à l'intérieur de ce cabinet.
Ci-contre, à gauche : fauteuil anglais laqué rouge à pieds de biche. Le traité de laquage de Stalker et Parker, A Treatise on Japanning and Varnishing, *publié en 1688, contribua beaucoup au développement de la laque « façon de la Chine ».*

Ci-dessus: boîte chinoise en laque rouge au couvercle sculpté d'un motif de camélia, début du XVe siècle. La matière dense et dure de la laque convenait particulièrement bien à ce type de sculpture.

Ci-contre, à gauche: panneaux d'un paravent chinois en laque noire rehaussée d'or, XVIIIe siècle. La laque orientale était produite à partir de la résine d'un arbre, Rhus vernicifera, *qui ne poussait pas en Occident. Les laqueurs occidentaux la remplacèrent par du seed-lac ou du shellac, dont l'aspect n'avait ni la densité ni l'éclat de la laque orientale.*

« façon de la Chine ». Leur nature imposait, contrairement au procédé oriental, de les travailler dans une pièce chaude et sèche. On trouvait instructions et recettes dans *A Treatise on Japanning and Varnishing*, ouvrage consacré aux techniques de laquage et de vernissage écrit en 1688 par John Stalker, nom auquel fut adjoint, dans les éditions ultérieures, celui de George Parker ; ce traité fut particulièrement consulté par les laqueurs amateurs, alors fort nombreux. Stalker et Parker conseillaient de réaliser le corps de l'objet à laquer en un bois lisse au grain serré, comme le poirier ; si l'on se servait d'un bois plus grossier, comme le chêne ou le pin, il fallait tout d'abord le préparer en l'enduisant soigneusement, à l'aide de joncs, d'un apprêt composé de blanc de Meudon et de colle de peau.

Les auteurs recommandaient de composer le vernis-laque à partir de seed-lac plutôt que de shellac. Pour un laquage noir, on versait, dans un petit pot, un épais vernis de seed-lac auquel on ajoutait du noir de fumée. On appliquait alors trois couches de ce mélange, en attendant le séchage complet de chacune. On diluait ce vernis avec de la térébenthine pour les six couches suivantes, tandis que les douze dernières étaient simplement teintées de noir de fumée. On laissait ensuite reposer l'objet durant cinq ou six jours avant de le polir à l'eau et au tripoli ; après avoir renouvelé cette opération deux jours plus tard, il fallait encore compter cinq ou six jours avant d'effectuer un ultime polissage au noir de fumée et à l'huile.

Pour un laquage blanc, les premières couches étaient composées d'un mélange de blanc de Meudon et d'apprêt de poisson (colle de poisson bouillie et transformée en gélatine), que l'on recouvrait par la suite de couches de blanc de céruse en paillettes et de colle de peau. On obtenait plusieurs teintes de bleu en mêlant du smalt (verre bleu sombre pulvérisé) à du blanc de plomb et de la colle de peau diluée ; quant aux rouges, ils provenaient du mélange de vermillon et de seed-lac ou, le cas échéant, de colle de peau ; il était également possible de créer des couleurs noisette ou vert olive. On pouvait nuancer toutes ces couleurs en modifiant les dosages des divers additifs utilisés.

Les auteurs préconisaient aussi de décorer la laque à l'aide de poussière de métal, en particulier de poussière de cuivre, dite poussière d'or, dont la meilleure qualité provenait d'Allemagne. Dans le cas de décors en relief, on employait un mélange de gomme arabique (extraite de certaines espèces d'acacias), de blanc de Meudon et d'une terre rouge, le bol d'Arménie, moulu jusqu'à l'obtention d'une substance homogène. On en recouvrait le corps de l'objet, que l'on pouvait alors sculpter à volonté.

L'outillage du laqueur comprenait des tamis de flanelle ou de toile de lin, dont un pour le vernis blanc et un autre pour le vernis-laque, des pinceaux en poils de chameau, des joncs hollandais pour le polissage, du tripoli pour le ponçage, et des coquilles de moule pour y mélanger les couleurs.

*Ci-contre : cabinet chinois sur piètement en coromandel, XVIIIe siècle. Le coromandel était une laque gravée au fer jusque dans l'épaisseur de l'apprêt, et vivement colorée. En provenance du nord et du centre de la Chine, ces ouvrages en laque étaient exportés vers l'Europe par l'*English East India Company *dont les comptoirs se trouvaient en Inde, sur la côte de Coromandel.*

Les divers traités publiés en Europe au XVIIIe siècle s'accordaient en général avec Stalker et Parker sur les composantes du meilleur vernis-laque « façon de la Chine » ; il en existait cependant quelques variantes. L'ail, l'absinthe, le vinaigre et le sel faisaient ainsi partie de certaines recettes françaises, et l'on recommandait d'utiliser de la sandaraque comme ingrédient de base. Quelques-unes des méthodes employées par les artisans européens furent recensées dans le traité de Filippo Bonanni de 1720.

Les imitations les plus fidèles de laque orientale furent réalisées aux Pays-Bas. Spa, centre important du commerce de la fin du XVIIe siècle, situé près d'Aix-la-Chapelle, vit naître Gerhard Dagly, à qui l'on attribue certaines des plus belles pièces produites dans cette région.

L'Angleterre était renommée pour sa laque rouge, exportée en quantité vers l'Espagne et le Portugal. Les cabinets ainsi réalisés reposaient souvent sur un piétement argenté. En France, le travail des frères Martin était très réputé, et le terme de « vernis Martin » se répandit, désignant tant les œuvres des frères Martin eux-mêmes que celles de leurs imitateurs. Bien que leur recette, gardée secrète, ait été perdue, on sait qu'à partir de 1753 ils commencèrent à se servir de résine de copal du Brésil comme base, et l'on pense qu'il faut y voir l'origine de leur succès.

Ci-contre, à droite: détail de l'intérieur d'une porte de secrétaire anglais laqué de rouge et d'or, vers 1730. Personnages et autres motifs décoratifs étaient parfois copiés d'après des carnets de voyage illustrés.

Ci-dessus: secrétaire surmonté d'une vitrine en laque à la manière de Giles Grendey (1693-1780), Angleterre, vers 1750. Grendey, fabricant de meubles londonien, exportait certaines de ses pièces vers le reste de l'Europe.

Ci-contre, à gauche: coffre japonais en laque de la fin du XVIIe siècle, sur un piétement anglais de bois peint bordé de godrons, vers 1750. La confection de piétements destinés aux pièces orientales importées était une pratique courante pour les artisans européens. La place volontairement limitée laissée au décor peint est l'une des caractéristiques de la laque japonaise.

Le laquage industriel et le « papier mâché »

La technique industrielle de laquage du XVIIIe siècle se différencie nettement des premières imitations européennes de produits orientaux précédemment décrites. Désormais, d'épais vernis étaient appliqués sur des matériaux aussi variés que fer-blanc, fer, bois, ardoise, laiton et papier mâché, tant pour les protéger que pour les décorer.

Le papier mâché était souvent préparé par les laqueurs eux-mêmes. Selon la technique fort simple du pilon, on donnait au papier une consistance proche de celle de l'argile, ce qui permettait de le mouler par compression ; mais la surface ainsi obtenue était inégale et fragile. En fait, la majorité de ce qu'on appelle improprement le papier mâché était du papier stratifié, bien plus résistant, que l'on obtenait en comprimant des feuilles de papier étalées les unes sur les autres entre des planches de bois renforcées d'une plaque de fer. Une fois retirés de ces planches, les panneaux de papier stratifié pouvaient être façonnés avec la même facilité que le bois. On pouvait également obtenir des formes complexes en recouvrant de papier encollé des moules en fer ou en bois préalablement graissés. Suivant l'une des ingénieuses techniques alors mises au point, on formait ainsi des boîtes et leurs couvercles à partir d'un seul bloc que l'on partageait ensuite en deux. Pour ce faire, on se servait d'un papier spécial composé de chiffons qui avait la consistance du papier buvard mais qui ne se délitait pas une fois mouillé, et d'un mélange dissous puis bouilli de colle et de farine. Chaque fois que l'on avait ainsi encollé quatre ou cinq couches de papier, on mettait l'objet à sécher dans une sorte d'étuve, ou four à vernir, puis on le limait. Une dizaine de couches de papier encollé formait un panneau assez épais, mais il fallait parfois en compter jusqu'à cent vingt lorsqu'on souhaitait décorer l'objet de cannelures ou de godrons. Quand le corps de l'objet était achevé et séché, on le trempait dans l'huile et on l'étuvait à nouveau pour le durcir et l'imperméabiliser. On le divisait ensuite en deux, on en retirait le moule, puis, selon les cas, on le passait au tour, le limait, le rabotait ou le cannelait ; enfin, on le polissait à la peau de chamois avant de le laquer.

Quel que soit le matériau traité, le procédé de laquage était toujours le même. L'objet « nu » recevait d'abord quelques couches préliminaires de vernis, puis était séché au four. Le noir, la couleur la plus fréquemment employée, était obtenu par un mélange d'asphalte ou de noir de fumée et d'essence de térébenthine incorporé au vernis ; pour les autres couleurs, on mêlait des pigments à un vernis de shellac clair.

Contrairement aux apparences, le décor de nacre n'était pas incrusté au terme de la réalisation mais appliqué au cours du laquage selon la technique dite d'« incrustation noyée ». Après avoir tracé le motif à la pierre ponce suivant un patron piqueté, on recouvrait les parties à nacrer d'un apprêt à l'or ; on déposait avec soin le coquillage sur cette surface collante, puis on le chauffait pour le fixer ; l'objet entièrement reverni était alors passé au four avant d'être « poncé à la cale », c'est-à-dire frotté avec une pierre ponce humide, jusqu'à réapparition de la nacre. On renouvelait l'opération jusqu'à ce que la nacre fût au même niveau que son entourage de laque. Lorsqu'on ne désirait pas nacrer l'objet, on se contentait de le recouvrir de vernis jusqu'à ce que celui-ci eût acquis une densité suffisante.

Les articles laqués étaient fréquemment ornés d'un décor doré. La plus ancienne technique de dorure, la dorure « à la poudre », consistait à projeter de la poudre de bronze sur un fond apprêté et collant. Pour la dorure « au trempé », utilisée à partir de 1845 pour les fonds d'objets de luxe, on recouvrait des feuilles d'or de couches de vernis translucide teinté.

Cependant, les laqueurs avaient le plus souvent recours à la dorure « à la feuille » (v. p. 168). Pour obtenir un effet mat, on peignait le motif sur la surface laquée avec un apprêt à l'or coloré, on pressait la feuille d'or sur ce vernis collant, et on en retirait l'excédent une fois l'objet sec. Cette technique permettait de réaliser des motifs aussi délicats que de la dentelle. Pour des effets brillants, on recouvrait de feuilles d'or de la meilleure qualité la surface polie et humectée de l'objet, avant d'y peindre le motif à l'asphalte ; après avoir mis l'objet à étuver ou à sécher, on ôtait l'or et l'asphalte superflus. On pouvait aussi associer ces deux techniques pour produire des effets nuancés ; parfois on imprimait par transfert la feuille d'or selon un procédé

Ci-contre, à gauche : nécessaire en vernis Martin *serti d'argent, portant l'estampille de Paris de 1756-1762. Le* vernis Martin *était produit par les frères Martin, dont l'atelier parisien fut, au XVIIIe siècle, un grand centre de confection du papier mâché. Ci-dessus : canterbury anglais en papier mâché, vers 1860.*

Ci-dessus : plateaux anglais en papier mâché représentant des paysages de Cornouailles et bordés d'un motif doré, XIXe siècle.
Ci-dessous : sous-main anglais en papier mâché peint par Richard Stubbs et doré par Edwin Stubbs pour la compagnie Henry Loveridge, Wolverhampton, vers 1865.
Ci-contre : chaise anglaise laquée pourvue d'un dossier au cintre et au panneau central en papier mâché, milieu du XIXe siècle.

qui était également utilisé pour la céramique (v. p. 134).

On réalisait aussi des bordures dorées, moins coûteuses et d'une plus grande rapidité d'exécution, à l'aide de bouchons de liège trempés dans un mélange d'apprêt à l'or et de peinture jaune citron. On imprimait ainsi des motifs répétitifs qui pouvaient être recouverts de feuilles d'or ou d'autres métaux.

Aux motifs dorés des articles laqués s'ajoutait souvent un décor peint au pochoir ou au pinceau. Travaillant à l'huile, avec des brosses en poil de chameau et des pinceaux fins, les peintres reproduisaient des modèles accrochés devant eux.

On ornait parfois d'un filet les bords de l'objet doré et peint, et l'on protégeait les parties décorées avec un vernis au copal qu'il fallait faire sécher au four à vernir. On polissait ensuite l'article à la poudre de pierre ponce, à la poudre de sandaraque, puis au tripoli anglais mêlé à de l'huile ; enfin, du plat de la main, on frottait la surface entière avec du tripoli anglais. Une fois garni de serrures, de gonds et d'autres menus accessoires, l'objet était terminé.

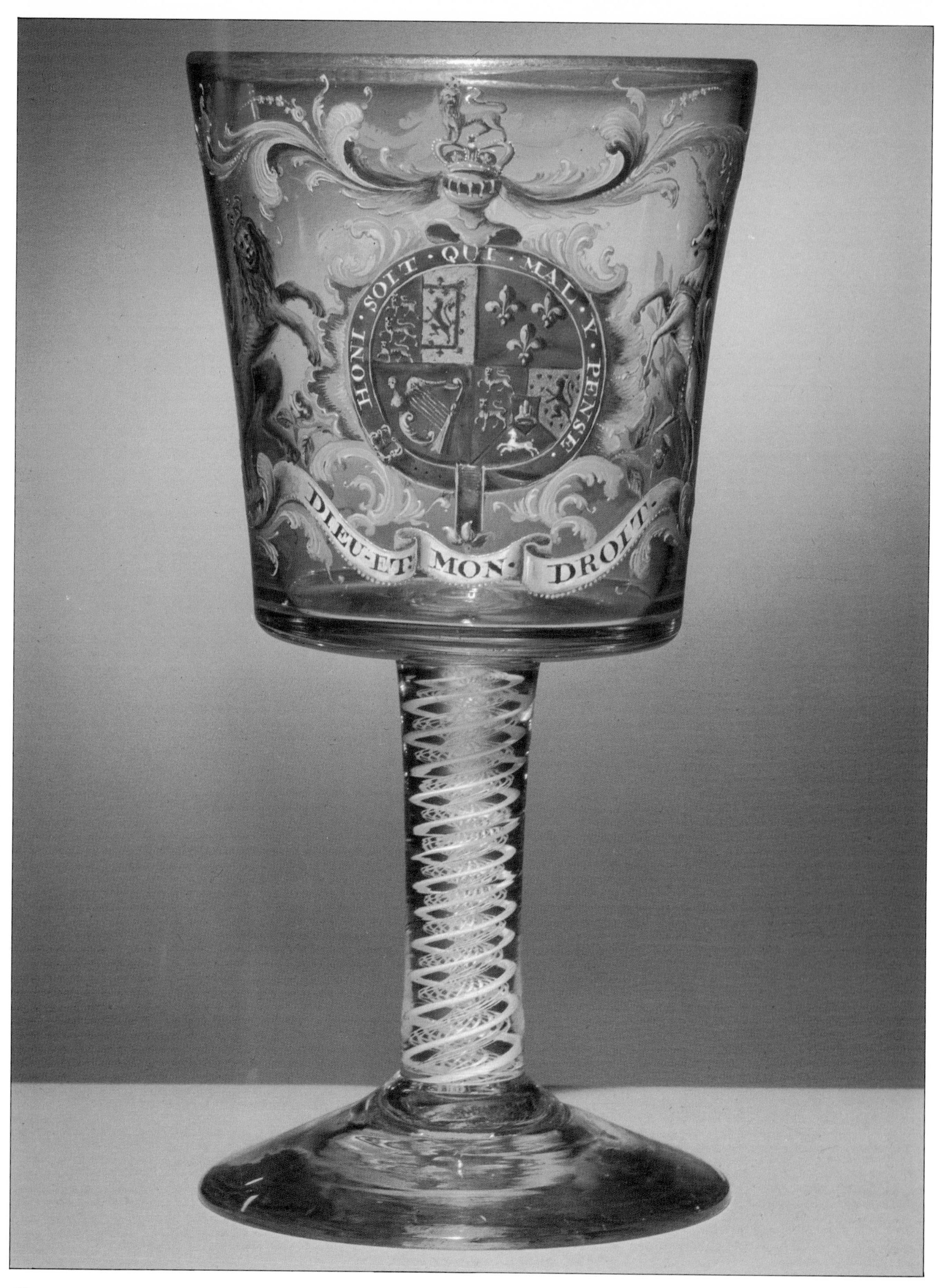
HONI · SOIT · QUI · MAL · Y · PENSE
DIEU · ET · MON · DROIT ·

Le verre

Le verre fut probablement découvert incidemment au cours de la fusion de métaux, la chaleur intense faisant fondre la paroi du four. Les premiers objets en verre fabriqués pour un usage précis furent des perles colorées faites en Syrie vers 3000 avant J.-C. et en Egypte un peu plus tard. Mille cinq cents ans passèrent avant que les premiers récipients en verre coloré obtenus par différents procédés de moulage et de fusion apparaissent dans ces régions. C'étaient des objets de grande valeur, et seules les personnes de haut rang pouvaient les posséder. Puis, au début de l'époque romaine, vers 64 avant J.-C., l'invention de la canne à souffler le verre en révolutionna la fabrication et, dès lors, l'usage du verre incolore devint le plus courant. Au cours des siècles qui suivirent, les souffleurs de verre découvrirent la plupart des motifs de décoration encore utilisés de nos jours. Le soufflage dans le moule permit la reproduction en série d'objets décoratifs populaires (une forme de production de masse avant la lettre) et fit ainsi entrer le verre dans la vie quotidienne.

Les meilleurs verres de cette époque étaient d'excellente qualité, mais la manufacture du verre demeurait empirique et, par conséquent, peu sûre. Ce n'est qu'au XVIIe siècle que l'on comprit les procédés chimiques impliqués dans la production du verre, lorsque l'on commença à utiliser des composants purifiés, mais la maîtrise de ces phénomènes n'atteignit sa plénitude qu'avec la naissance de la grande industrie allemande au XIXe siècle. La structure des fours à verre se perfectionna elle aussi très lentement. En 1800, la fabrication du verre dans l'usine de Baccarat était si hasardeuse que l'on faisait sonner une cloche pour prévenir les ouvriers lorsque le verre était prêt pour être travaillé et, en 1849, Apsley Pellatt, un maître verrier anglais, qui possédait le four le plus perfectionné de l'époque, se plaignait encore que la fabrication du verre fût difficile lorsque le vent soufflait dans le mauvais sens. Peu à peu de nouvelles techniques de manipulation souvent plus simples remplacèrent les anciennes.

On s'interroge encore beaucoup sur certains procédés anciens. L'étude des techniques qu'ils supposent force d'abord l'admiration pour les artisans qui ont soufflé et décoré ce verre, mais elle fournit aussi d'importantes indications concernant le pays d'origine et la date de fabrication.

Le principal composant du verre, la silice, fond à une température d'environ 2000 °C, bien au-delà donc de la chaleur maximale atteinte par les fours de verrerie (environ 1200 °C). La température de fusion peut être abaissée si l'on ajoute une substance alcaline — de la soude (carbonate de soude) ou du potassium (carbonate de potassium) — mais un excès d'alcalinité rend le verre instable et soluble dans l'eau. Cette tendance peut être corrigée par addition de calcium, généralement sous forme de pierre à chaux ou de craie. L'essentiel pour la fabrication du verre de soude est l'équilibre requis entre les proportions de sable, de soude et de chaux pour obtenir un « métal » homogène et stable.

Durant plusieurs siècles, la composition du verre n'a comporté que deux éléments : la silice et la substance alcaline. La première source alcaline connue fut le carbonate de soude cru, appelé « natrum » ou « nitrum », que l'on trouvait particulièrement à Ouadi Natrum, une oasis du désert occidental. Il contenait probablement un peu de chaux qui, selon Pline l'Ancien (Ier siècle avant J.-C.), pouvait être décelée au goût.

Dans la Mésopotamie ancienne, une forme de soude crue (qui contenait également de la chaux et de la potasse) était obtenue à partir des cendres de végétaux appelés « glasswort ». Le mot « alcalin » vient de l'arabe *kalati* qui signifie brûlé. Les cendres de végétaux, connues aussi sous le nom de « barilla » ou « cendres syriennes », restèrent la principale source alcaline utilisée en Europe jusqu'à la découverte de la synthèse chimique de la soude par le chimiste français Nicolas Leblanc à la fin du XVIIIe siècle.

Le cristal de roche est une forme naturelle de verre utilisée comme ornement depuis l'Antiquité. Tous les fabricants de verre enviaient sa transparence. Vers 1460, Angelo Barovier de

A gauche : gobelet anglais commémorant la naissance du prince de Galles, qui prit par la suite le nom de George IV, en 1762. Il fut fabriqué à Newcastle et décoré à l'émail par William Beilby (1740-1819). Entre 1763 et 1769, Beilby décora huit autres gobelets de ce type qui portaient les armoiries royales. Peintre habile et émailleur remarquable, Beilby venait d'une famille d'artisans de talent : son père était joaillier et orfèvre, son frère Ralph était graveur héraldiste et Mary, sa sœur, était aussi émailleuse sur verre.

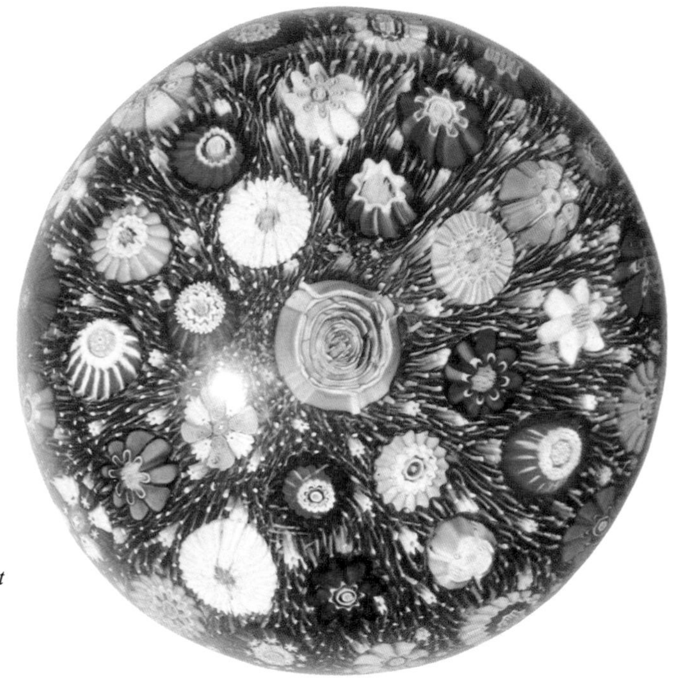

Ci-contre, à gauche : presse-papiers en verre millefiori *de Clichy, à fond de mousse. Vers 1850. La fabrication de verre à base de plomb se développa en Grande-Bretagne entre 1673 et 1683, grâce à George Ravenscroft (1632-1683), et le reste de l'Europe ne réussit à en produire qu'à partir de 1780. En France, vers le milieu du XIXe siècle, furent fabriqués dans les usines de Saint-Louis, Baccarat et Clichy des presse-papiers en verre massif pour lesquels on exploitait les qualités de réfraction du mélange au plomb. Le verre* millefiori *était obtenu par incorporation de segments de « baguette » colorée dans du verre clair en fusion.*

Murano inventa un nouveau type de verre, plus clair, à base de soude : le « cristallo » ; depuis lors, le verre clair de grande qualité est appelé « cristal ». Le *cristallo* était probablement fabriqué à partir de cendres syriennes et (ce qui est particulièrement important) de cailloux du fleuve Tessin finement broyés. L'utilisation de cailloux à la place du sable est à l'origine de la dénomination « flint » désignant le meilleur cristal.

Dans le nord de l'Europe, le verre était fabriqué à partir de cendres de bois (généralement du hêtre), de fougère ou de paille ; il était appelé *Waldglas* en Allemagne, et « verre de fougère » en France. Les cendres contenaient plus de potasse que de soude et donnaient un verre de bonne qualité bien que terne à cause des impuretés métalliques qu'il contenait.

Des tentatives pour purifier les cendres, par ébullition dans l'eau, filtrage du résidu insoluble et évaporation pour récupérer la substance alcaline, n'eurent qu'un succès partiel car on éliminait ainsi les indispensables sels de calcium ; on obtenait un verre moins stable. A la fin du XVIIe siècle, des verriers européens réussirent à produire un verre de potasse fin, incolore, connu sous le nom de « verre de craie », en ajoutant au mélange des dérivés du calcium et de cendres purifiées.

Cependant, même purifiées, les cendres étaient souillées par des chlorures de sodium et de potassium. Dans la fabrication du verre de soude et du verre de potasse, on les éliminait en préchauffant le mélange vitrifiable, à 700 °C durant parfois quarante-huit heures, dans un four spécial appelé carcaise. On obtenait ainsi une « fritte », sorte de verre cru granulaire. Les scories de chlorures pouvaient être drainées avant le séchage et la mise au creuset. Avec le développement de fours plus efficaces (v. p. 64), il devint possible de passer directement la « fritte » de la carcaise au four ; les chlorures remontaient à la surface du verre en fusion, formant une mousse appelée « gall » ou « sandiner » qui pouvait être retirée à la louche.

Le verre à base de plomb fut mis au point entre 1673 et 1683 par George Ravenscroft, marchand londonien qui connaissait bien l'industrie verrière vénitienne. Son premier brevet fut déposé en 1674; ce verre était instable à cause du haut pourcentage alcalin du mélange vitrifiable. Ce défaut, appelé « crisseling », était très fréquent dans les verres de cette époque. La surface présentait un fin réseau de fractures, devenait graisseuse au toucher et finalement se désintégrait. Ravenscroft réussit à résoudre ce problème et apposa son sceau personnel sur chaque verre sorti de son usine, comme garantie de qualité. Le métal était composé de silice, de potasse, de plomb rouge et de salpêtre ; le mélange vitrifiable obtenu à partir de ces éléments purifiés était directement jeté à la pelle dans le creuset.

La formule du cristal anglais pur plomb, constitué de 30 pour 100 de plomb, est pour l'essentiel restée inchangée. En 1780, les « Cristalleries de Saint-Louis » en France réussirent à reproduire le plomb anglais et assurèrent ainsi leur future prospérité. Au XIXe siècle, les verriers européens réduisirent la proportion de plomb ; ce « demi-cristal » est moins brillant et produit un son moins clair lorsqu'on le frappe.

Le mélange vitrifiable est un conducteur de chaleur très lent. On peut accélérer efficacement la fusion en ajoutant à ce mélange 50 pour 100 de verre finement broyé appelé « calcin » ou « groisil ». Le « calcin » doit être du même type que le verre que l'on fabrique. On l'achetait parfois mais, comme le verre était fabriqué à la main, on comptait de 30 à 50 pour 100 de perte dont la majeure partie pouvait être recyclée.

Le verre produit par Ravenscroft était particulièrement clair et incolore grâce à sa faible teneur en fer. Des traces de fer (de l'ordre de 0,05 pour 100) produisaient une indésirable couleur bleu-vert, particulièrement lors d'une cuisson en four enfumé (« réductive »). Cet effet pouvait être corrigé par addition, pendant la fusion, d'un « décolorant » qui « oxydait » le fer en lui donnant une couleur jaune pâle plus acceptable ou camouflait le bleu-vert en le transformant en gris neutre. Le dioxyde de manganèse, un composant secret du *cristallo* de Barovier, agissait dans les deux sens. D'autres décolorants furent utilisés plus tard, tels le cobalt, le nickel, l'arsenic et le sélénium.

Après ses débuts en Syrie et en Egypte, la fabrication du verre se répandit, dès le IIIe siècle avant J.-C., en Inde, en Russie, en Espagne et, grâce à la route commerciale établie de longue date, en Chine, où une petite industrie locale était déjà prospère. La naissance de l'Empire romain amena la fabrication du verre jusqu'à Rome, où, grâce aux arts de la taille et de la gravure, on produisait des camées raffinés. Dès le IIe siècle, le verre était

Ci contre, à gauche : vases syriens soufflés dans le moule, Ier ou IIe siècle après J.-C.. On pense que la technique de soufflage du verre fut inventée en Syrie. Pour fabriquer les premiers objets populaires de série, dont ceux-ci sont des exemples, on soufflait des bulbes de verre dans un moule d'argile composé de deux ou trois parties ; selon la complexité du modèle. Les moules pour les amphoriskos *(au centre), et le flacon à double face en forme de Janus, du nom du personnage mythologique bicéphale (à gauche), étaient composés de deux parties, le flacon de droite était en trois parties. Les anses des* amphoriskos *étaient rajoutées, et l'ouverture était renforcée par un bord tourné vers l'intérieur.*

Ci-dessus : timbale égyptienne en verre de soude, avec l'emblème de Thoutmosis III, vers 1450 avant J.-C. C'est l'un des trois vases les plus anciens parvenus jusqu'à nous; il fut probablement réalisé pour célébrer les conquêtes de l'empereur en Asie, commencées en 1481 avant J.-C. Il fut fabriqué en « marbrant » ou en roulant du verre bleu pâle sur un noyau de terre fixé à une canne en fer et traîné sur une décoration en verre coloré.

Ci-contre, à droite : amphoriskos et alabastron *de la Méditerranée orientale, VIe ou Ve siècle avant J.-C., modelés autour d'un noyau central. La décoration obtenue en traînant les objets est ici plus complexe et comporte des boucles et des motifs en forme de plume. Ces récipients étaient utilisés pour les onguents et les cosmétiques.*

aussi fabriqué en Gaule et au nord jusqu'à Cologne; il pénétra en Grande-Bretagne avant la chute de l'Empire romain en 475.

La fabrication du verre survécut en Europe durant le Moyen Age, avec la simple mais habile technique du « *Waldglas* », tandis que l'Islam, sous l'influence persane, produisit de magnifiques objets émaillés, jusqu'au sac de Damas par les Mongols conduits par Tamerlan, en 1402. Venise développa une industrie du verre florissante et en conserva la suprématie jusqu'à la fin du XVIIe siècle. A la même époque, les verriers d'Europe centrale avaient mis au point une technique qui permettait de produire de beaux objets émaillés et les verriers vénitiens émigrés aux Pays-Bas y développèrent des styles plus élaborés, à la mode de Venise. L'arrivée de verriers vénitiens et français en Grande-Bretagne fut à l'origine d'une industrie qui, avec la découverte du cristal à base de plomb, mit fin à la domination de Venise.

Dans le Nouveau Monde, la fabrication du verre suit l'évolution de l'immigration. Des tentatives furent d'abord faites en 1608 à Jamestown, en Virginie, mais ce ne fut qu'avec Caspar Wistar et H.W. Stiegel que cette industrie commença à prospérer. Au Canada, la forme des premiers objets en verre indique l'influence française, et des usines se créèrent à Malory, dans l'Ontario, vers 1850. Par la suite, les styles devaient s'influencer mutuellement car les verriers canadiens et américains passaient les frontières à la recherche de travail.

Ci-dessus : timbale gothique, Allemagne, vers 1500. Les pâtés de verre donnent un aspect de trognons de chou ou « krautstrunk », nom donné à ce type de récipients. Cette timbale est un exemple de « Waldglas » fabriqué dans les premières verreries forestières, utilisant des cendres de bois comme source de flux pour abaisser la température de fusion du sable.

Le four à verre

La fabrication du verre requiert un four très chaud pour permettre à la pâte de fondre et des pots ou creusets en argile assez solides pour contenir le métal fondu. Les premiers fours étaient probablement semblables aux fours utilisés pour la fusion du fer et comportaient un seul petit creuset chauffé par en dessous. Le feu était alimenté avec du bois sec et activé à l'aide de soufflets rudimentaires.

Le témoignage le plus ancien concernant la fabrication du verre fut écrit par le roi Assurbanipal en caractères cunéiformes, sur des tablettes d'argile. Il nous montre que déjà au VIIᵉ siècle avant J.-C., un progrès majeur avait été accompli avec l'invention du four à réverbération dont les côtés formaient un toit ayant la forme d'une coupole. Le verre était « cueilli » ou recueilli au bout d'une solide canne en fer appelée « pontil », par une petite ouverture : l'« ouvreau ». De nos jours encore, on voit ces fours, avec quelques petits perfectionnements, à Damas ou à Hébron, où ils sont généralement utilisés pour le brûlage de l'huile. Plus tard vint le développement de l'étuve en forme de cloche ou ruche à recuire, chambre séparée, chauffée plus doucement par le même feu, dans laquelle les objets finis étaient lentement refroidis pour éviter les tensions produites dans le verre au cours de la manipulation.

Aux XVᵉ et XVIᵉ siècles, comme le verre connaissait un succès grandissant, des fours plus grands, qui pouvaient contenir cinq ou six creusets, furent mis au point. Dans la « ruche » vénitienne, l'un des deux plus anciens types de four, l'arche à recuire était située sur la chambre à pots. Les pots ou creusets étaient placés sur une étagère circulaire avec un trou laissé au milieu pour le feu. Cet aménagement permettait de mieux utiliser l'espace, ce qui était important pour les verriers vénitiens qui avaient été relégués dans l'île de Murano en 1292 à cause du danger que représentaient les fours ; mais la chambre à recuire était fort mal placée. En revanche, le four en usage en Europe du Nord ressemblait au four arabe, mais il était de forme allongée, afin de pouvoir contenir un plus grand nombre de creusets et pour permettre d'accéder au foyer par les deux extrémités. Facile à construire et peu coûteux, il était abandonné lorsque les verriers étaient contraints de se déplacer pour rechercher de nouvelles provisions de bois. Cette forme de four resta pratiquement inchangée jusqu'au XVIIIᵉ siècle.

En Grande-Bretagne, deux innovations majeures dans la forme des fours contribuèrent à la prééminence de ce pays dans

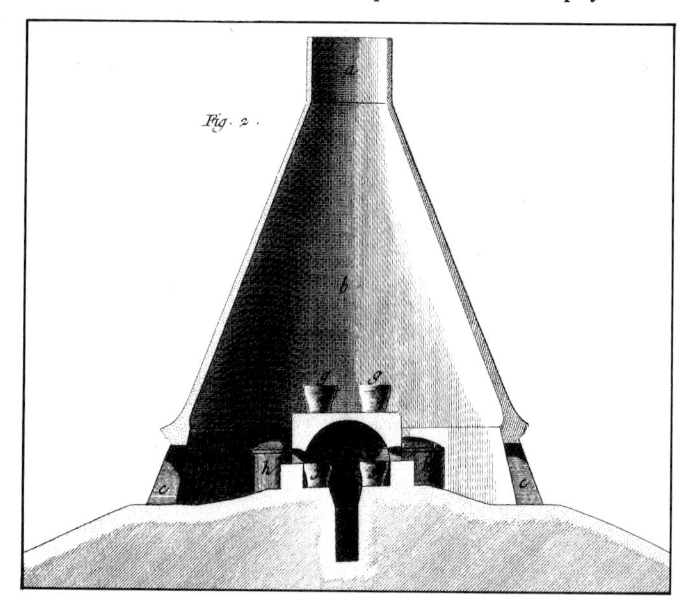

*Ci-dessus : illustration extraite de l'*Encyclopédie *de Diderot et d'Alembert, 1751-1772. Le « cône », ou cheminée conique, était érigé sur un four de type anglais pour créer un appel d'air. A l'extrême gauche : illustration extraite de* De re metallica *de Georgius Agricola (1494-1555), publié après sa mort en 1556, montrant un four de type vénitien alimenté au bois et, au sol, des « marbres » et des moules creux. Ci-contre, à gauche : détails de la construction d'un four en forme de ruche. Illustration extraite de* De re metallica *montrant un foyer inférieur avec l'ouverture pour le bois. L'arche centrale contient des pots ou creusets ouverts, que les flammes léchaient tout autour ; au-dessus se trouve « l'arche à recuire » dans laquelle les objets en verre étaient recuits pour supprimer les tensions dans le verre.*

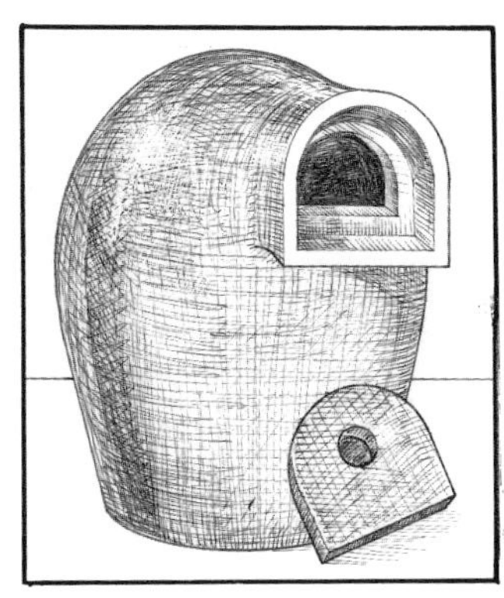

Ci-dessus: creuset de verrerie couvert dans lequel la pâte pour le verre de plomb était fondue, à l'abri des gaz de combustion.

A gauche: détail d'une peinture de l'école professionnelle du verre du Midland. Grande-Bretagne, vers 1875. Cette scène typique d'une usine de verre anglaise montre des ouvriers travaillant en équipe autour du plus qualifié: le «maître verrier». L'ouvrier du premier plan est en train de «marbrer» une «paraison», le premier bulbe de verre soufflé, la préparant pour que le souffleur la termine.

la production du verre au XVIIIe siècle. Le gouvernement interdit, en 1624, d'alimenter en bois les fours des verreries. Une seule usine verrière fut autorisée à brûler du bois, les verreries Savoy à Londres, où on n'aurait pu tolérer les émanations du feu de charbon. C'est là que plus tard Ravenscroft devait découvrir le cristal de plomb. Peu d'expériences avaient été tentées avec le charbon, mais cela devint la seule alternative possible. Bien que la qualité du verre ne fût pas très bonne à cette époque, les difficultés d'approvisionnement en charbon et l'impossibilité d'obtenir une température élevée avec ce combustible qui brûlait lentement en produisant beaucoup de fumée menèrent bien des verriers à la faillite.

L'huile de schiste fut utilisée pendant un certain temps sur les côtes du Dorset, apparemment avec succès; on utilisait un four à ailes latérales, dont l'une formait aussi l'arche à recuire, caractéristique habituelle à cette époque, et le combustible était disposé sur une grille pour permettre l'accès de l'air par-dessous. Finalement, ce furent Newcastle, pour son charbon, et Stourbridge, pour les creusets en argile, qui devinrent les principaux centres de production du verre.

Pour protéger le verre de la décoloration causée par la fumée, les pots étaient fermés en haut, mais on rencontrait encore des difficultés pour obtenir une chaleur assez forte pour fondre le verre. Cette difficulté fut résolue vers la fin du XVIIe siècle avec la deuxième innovation, probablement liée à la nécessité d'une température encore plus élevée pour obtenir le verre vert foncé des bouteilles. Une cheminée large et conique fut placée sur un four de type vénitien sans arche à recuire, qui devient plus tard une étuve séparée. L'appel d'air était provoqué par des tunnels souterrains et régulé par des portes aménagées à la base de la cheminée qui permettaient aussi l'accès des ouvriers qui travaillaient dans l'espace situé entre le four et le mur de la cheminée. Ces «cônes» de verre, d'une hauteur de 18 à 36 mètres, devinrent un des éléments typiques du paysage des régions productrices de verre en Grande-Bretagne. Ils furent utilisés encore pendant une grande partie du XIXe siècle, puis ils devinrent trop coûteux. Le cône, bien qu'efficace, ne pouvait utiliser de combustible. Son déclin fut amorcé en 1857 par la découverte par Friedrich Siemens des processus de régénération dans lesquels les gaz chauds étaient réutilisés pour préchauffer l'air qui entrait dans le four. Le XXe siècle apporta la combustion électrique et au pétrole, et l'introduction de grands réservoirs pour fondre le verre en tout genre, sauf le meilleur cristal de plomb. Vers 1850, l'apparition des premières bouteilles de gaz à un prix très accessible permit le retour, d'abord aux Etats-Unis, de petits fours artisanaux, menés par un ou deux ouvriers qui produisaient du verre d'atelier.

Pour fondre le mélange vitrifiable et pendant l'«affinage», pour éliminer les bulles, le four était chauffé à son maximum durant pratiquement quarante-huit heures. Ensuite la température était réduite à 900 °C, ce qui rendait le verre plus visqueux, et donc facile à travailler. Au XVIIIe siècle le contenu d'un creuset entier durait cinq jours: les ouvriers avaient deux jours de repos pendant que le maître verrier rechargeait les pots pour alimenter le four.

Le verrier et ses talents

Nous n'avons aucune connaissance certaine quant aux techniques utilisées avant l'invention du soufflage, mais l'analyse de récipients anciens et des reconstitutions en laboratoire nous donnent de précieuses indications.

De simples perles étaient fabriquées en travaillant une goutte de verre autour d'une canne de métal. Une fois terminées, les perles étaient placées sur un lit de cendres chaudes pour qu'elles refroidissent lentement. De petits objets de bijouterie et des incrustations décoratives étaient fabriqués en versant ou en pressant du verre en fusion dans des moules en argile. Les récipients creux étaient formés autour d'un noyau d'argile ou de sable avec une sorte de liant, fixé à une canne en métal. Un morceau de verre fondu était fixé sur une autre canne et traîné, comme un serpent, suivant une fine ligne continue sur le noyau central en le roulant constamment. On polissait l'objet en le chauffant à nouveau et en le roulant sur une surface plane en pierre, en marbre ou en fer appelée « marbre ». Ce procédé appelé « marbrage » constitue l'une des opérations essentielles de la fabrication du verre. Un petit pied était modelé par un nouveau passage du vase à la chaleur et par un travail simultané.

On terminait la décoration en roulant du verre de couleur différente sur le modèle dessiné en surface, en la laissant telle quelle ou en la « marbrant à niveau ». En peignant le verre successivement dans des sens opposés et perpendiculairement à la décoration obtenue en roulant, on créait un motif d'empennage caractéristique. L'habileté du verrier était telle que toutes ces manipulations étaient accomplies avec une seule main, pendant qu'il était assis ou accroupi devant le four.

L'invention de la canne à souffler, appelée précisément « fer à souffler », vers 64 avant J.-C., devait ouvrir des perspectives incommensurables à l'industrie du verre. Dans sa forme originale elle mesurait de 76 à 91 centimètres de longueur et environ 13 millimètres de diamètre; elle était souvent munie d'une partie isolante en bois à l'extrémité de laquelle le souffleur posait sa bouche; la pointe était légèrement évasée pour pouvoir maintenir le verre en état de fusion. Les autres outils du souffleur étaient le robuste pontil, d'une longueur analogue à celle de la canne à souffler, des pinces à ressort à bout carré appelées « pucelles » et une variété de moules et palettes en bois utilisés pour former l'objet en verre. On se servait aussi de grands fers, ou forces, pour maintenir le verre en le travaillant, de ciseaux pour rogner toute matière qui dépassait, et de simples instruments de mesure de toutes sortes.

Ces méthodes sont encore en usage de nos jours, par exemple dans l'usine d'Etat d'Abou Ahmad à Damas. Assis sur un escabeau en face du four, le souffleur est protégé de la chaleur qui sort du « pigeonnier » par un écran d'argile pivotant qui peut être soulevé par une pédale pour permettre l'accès au creuset. Un petit « œil » est aménagé sur le côté pour maintenir la canne et le pontil incandescent. Le « marbre » fait partie de l'étagère qui se trouve juste devant le pigeonnier, un peu au-dessus de la hauteur du genou. Le souffleur travaille d'une seule main, roulant le fer à souffler sur les forces posées sur sa cuisse droite; l'aide d'un assistant n'est nécessaire que pour l'aider à former le pied et pour porter l'objet terminé dans l'arche à recuire.

Ce travail à une seule main est resté la particularité de la fabrication du verre probablement jusqu'au milieu du XVIIe siècle. Puis, la diffusion en Europe de fours plus grands amena les souffleurs à travailler debout. Un tour, maintenu sur la cuisse droite par une courroie, remplaça les forces.

L'apparition d'une « équipe », découlant probablement de l'émergence d'un poste de maître verrier, est à l'origine de la structuration et de la hiérarchisation de cette profession. L'apprenti commençait vers l'âge de sept ans, on l'appelait le « gamin »; il portait les objets terminés dans l'arche à recuire et accomplissait de petits travaux. Il pouvait par la suite devenir « grand garçon » ou « faiseur de pieds » et, s'il était suffisamment doué, « souffleur » ou « maître verrier », c'est-à-dire celui qui, du banc où il était assis, supervisait l'équipe et se chargeait des travaux les plus complexes. Le « grand garçon » apportait le verre en fusion au « souffleur » pour différentes opérations, telles que la fabrication des anses ou l'application d'un motif de décoration; il lui arrivait de travailler assis sur le banc quand c'était nécessaire. La rémunération de chacun des membres de l'équipe était différente selon le type de travail effectué.

Pour permettre la manipulation de masses de verre plus importantes et pour faciliter le roulage sur les « bardelles » (ou bras) du banc, le fer à souffler et le pontil furent portés à une

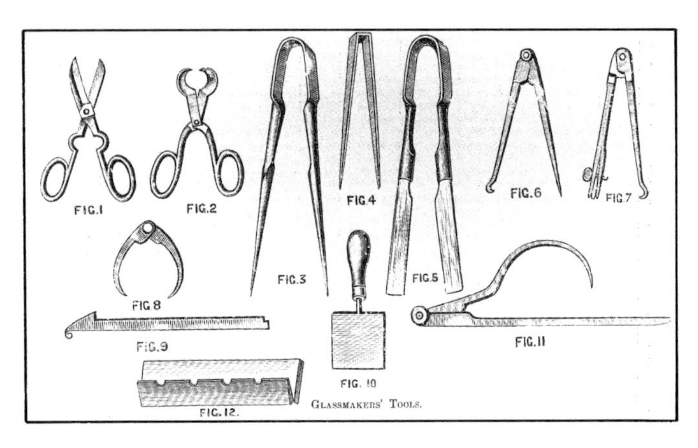

Ci-dessus: les outils du verrier au XIXe siècle. Les ciseaux (fig. 1 et 2), les pinces à bouts émoussés appelées « pucelles » (fig. 3 et 5), les forces ou fers (fig. 4), divers instruments de mesure (fig. 6 à 9 et 11), une palette pour aplatir et former (fig. 10) et un bord à pied pour le finissage du pied des verres à vin (fig. 12).

Ci-contre: soufflage de bouteilles dans un moule et marbrage, tels qu'ils étaient pratiqués au XIXe siècle. Un moule « ouvert-fermé » est actionné par le souffleur tandis que son assistant marbre une « paraison » pour préparer la prochaine bouteille. Le bord sera terminé à la main par le souffleur assis sur son banc.

longueur de 1,40 m. Ce changement était particulièrement adapté à la fabrication du lourd verre de plomb. En revanche, pour les cristaux de soude et de potasse, plus légers, souvent soufflés jusqu'à une extrême finesse et moulés jusqu'au bord, certaines opérations, en particulier le rognage, devaient encore être exécutées debout devant le four afin que le verre n'ait pas le temps de refroidir. Aujourd'hui peu de souffleurs sont encore assez habiles pour rogner en étant debout. En effet les objets sont soufflés dans un moule et l'excédent ou « sursoufflage » est éliminé par un appareil qui réalise aussi le finissage à chaud du bord, économisant ainsi le temps précieux du souffleur.

Deux importantes innovations apparurent à la fin du XVIIIe et au début du XIXe siècle : l'adoption de « pucelles » à bouts en bois évita les marques inesthétiques laissées auparavant sur le verre par les « pucelles » en métal, et le « gadget », un appareil à ressorts qui enserrait le pied et remplaçait en cela le pontil, permit la fabrication à cette époque d'objets en verre se présentant comme des boules lisses sans marque de pontil. Même lorsque le « gadget » n'était pas utilisé, il devint courant d'araser la marque du pontil, même sur des pièces ordinaires, et par conséquent les pieds devinrent beaucoup plus plats.

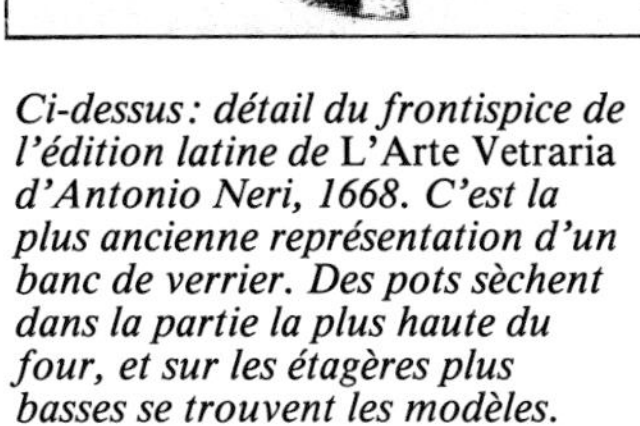

Ci-dessus : détail du frontispice de l'édition latine de L'Arte Vetraria *d'Antonio Neri, 1668. C'est la plus ancienne représentation d'un banc de verrier. Des pots sèchent dans la partie la plus haute du four, et sur les étagères plus basses se trouvent les modèles.*

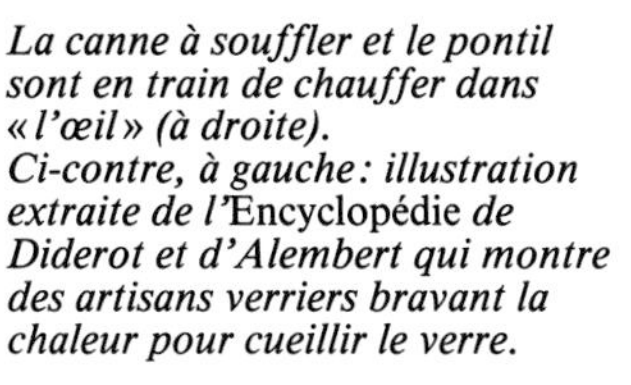

La canne à souffler et le pontil sont en train de chauffer dans « l'œil » (à droite).
*Ci-contre, à gauche : illustration extraite de l'*Encyclopédie *de Diderot et d'Alembert qui montre des artisans verriers bravant la chaleur pour cueillir le verre.*

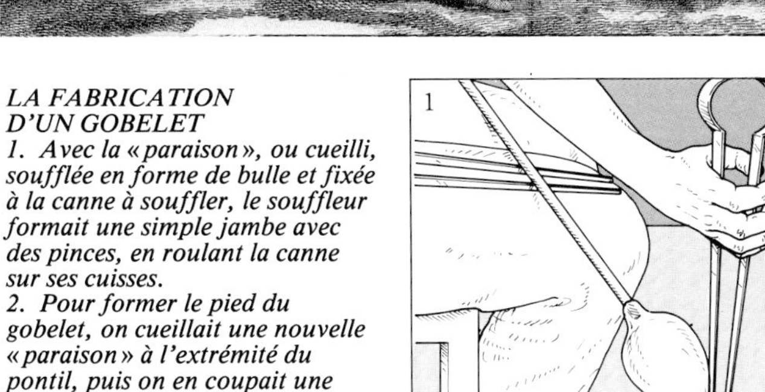

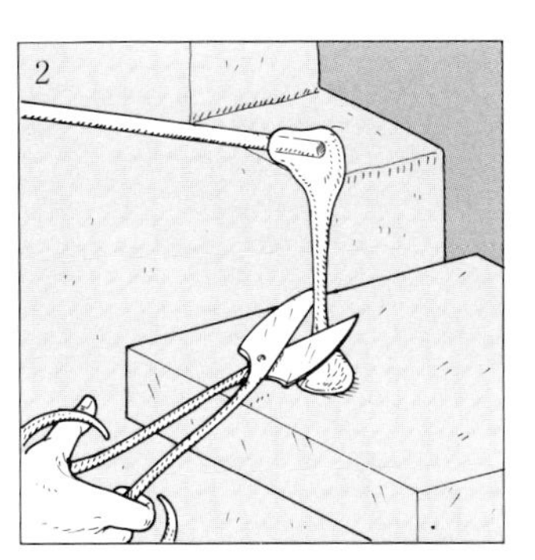

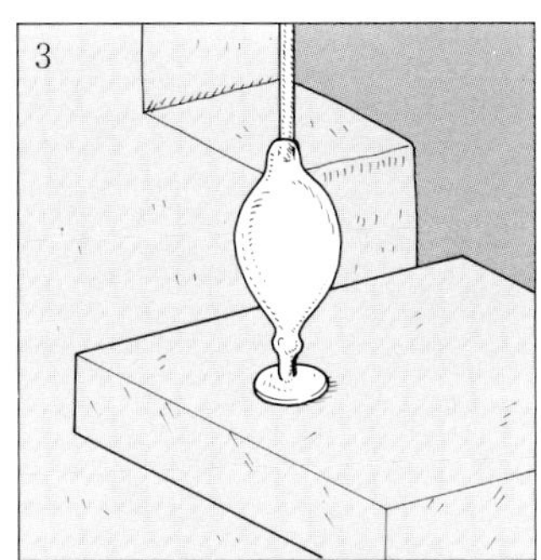

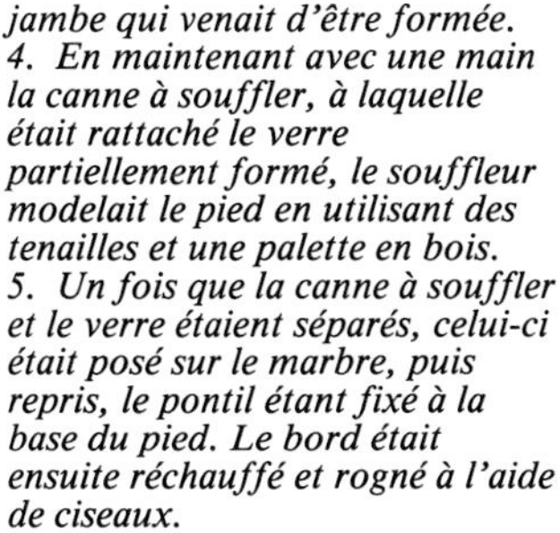

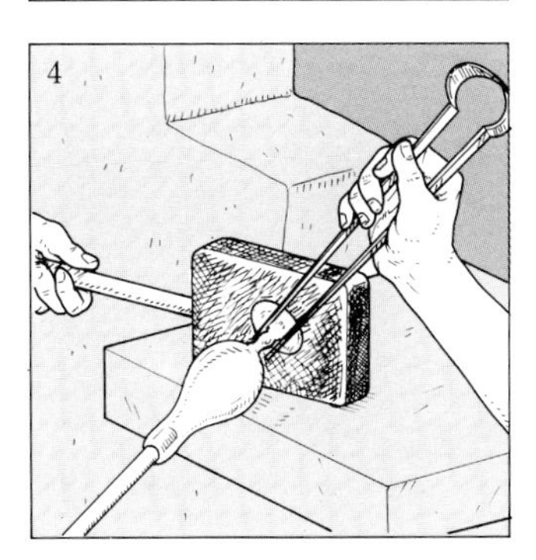

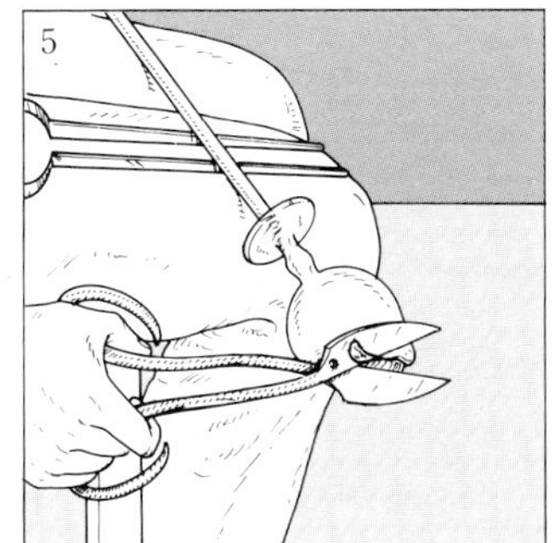

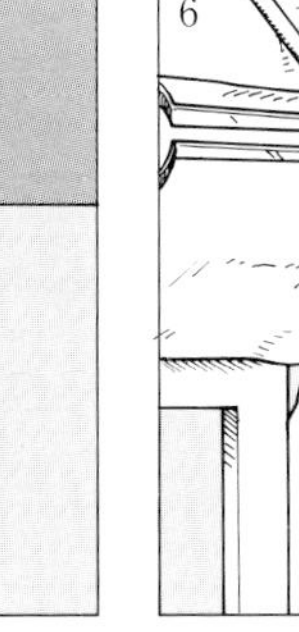

LA FABRICATION D'UN GOBELET
1. Avec la « paraison », ou cueilli, soufflée en forme de bulle et fixée à la canne à souffler, le souffleur formait une simple jambe avec des pinces, en roulant la canne sur ses cuisses.
2. Pour former le pied du gobelet, on cueillait une nouvelle « paraison » à l'extrémité du pontil, puis on en coupait une goutte sur le marbre.
3. Cette goutte de verre était cueillie du marbre à un bout de la jambe qui venait d'être formée.
4. En maintenant avec une main la canne à souffler, à laquelle était rattaché le verre partiellement formé, le souffleur modelait le pied en utilisant des tenailles et une palette en bois.
5. Un fois que la canne à souffler et le verre étaient séparés, celui-ci était posé sur le marbre, puis repris, le pontil étant fixé à la base du pied. Le bord était ensuite réchauffé et rogné à l'aide de ciseaux.
6. Le modelage final de la coupe était réalisé à la pince.

Le soufflage dans le moule et le moulage à la presse

La technique du verre soufflé dans le moule date des premières décennies du premier siècle de notre ère. Le procédé utilisé combinait la nouvelle invention du soufflage avec celle, plus ancienne, qui consistait à modeler le verre dans un moule. D'élégants objets moulus-soufflés, principalement à usage décoratif, apparurent à profusion comme souvenirs ou objets religieux. Quelques artisans verriers de l'époque romaine apposaient leur signature ou le lieu de fabrication dans le dessin. Les reproductions réalisées au Moyen-Orient sont généralement plus grandes et plus lourdes que les originaux et elles ont parfois été « vieillies » par des couches de boue et des morceaux iridescents rajoutés (v. p. 100).

Au début, les moules étaient en argile; ensuite on utilisa du bois puis du fer. Les moules étaient des objets précieux qui, avec les secrets de fabrication, se transmettaient de génération en génération dans les familles d'artisans verriers. Le type de moule offrant le plus de possibilités était une pièce creuse, ouverte au sommet et légèrement évasée pour faciliter le démoulage de l'objet en verre.

Le « diamantage » vénitien était obtenu en soufflant le verre dans un moule vertical strié et en pinçant ensuite les stries à la main. Ce motif de décoration, particulièrement prisé en Grande-Bretagne, fut connu sous le nom de « nipt diamond waies » (en diamant strié) vers la fin du XVIIe siècle.

Le moulage du verre fondu supposait l'usage d'un petit moule creux pour former une « paraison » solide, ou une goutte de verre fondu, sur le bout du pontil. On trouve des exemples typiques de cette technique dans les jambes de certains verres, les pieds de presse-citron et de petits objets d'ornement.

Pour des formes plus complexes, les moules pouvaient comporter deux, trois, ou même quatre sections articulées. Souvent celles-ci s'ouvraient et se fermaient mécaniquement par pression du pied pour laisser les mains libres.

En 1828, un Américain, Deming Jarves, fit breveter un

A l'extrême gauche: timbale soufflée-moulée assyro-palestinienne, seconde moitié du Ier siècle de notre ère. La technique du soufflage-moulage se développa vers le milieu du Ier siècle. La décoration moulée de ce vase représente les dieux et les saisons.

Ci-dessus: coupe à pied avec couvercle, française ou belge. Le premier appareil de pressage-moulage fut breveté en 1828 par l'Américain Deming Jarves (1790-1869). Son invention fut rapidement adoptée par les verriers européens pour la production de verre ordinaire.

Ci-contre, à gauche: bougeoir français pressé-moulé et taillé, vers 1830. En utilisant le verre au plomb, de brillants effets pouvaient être obtenus avec le pressage-moulage, particulièrement lorsque, comme dans ce cas, on renforçait par la taille le motif obtenu par pressage.

Ci-dessous : ensemble salière, poivrière, vinaigrier et huilier, américain, vers 1885-1895 (Mount Washington Glass Company). Les verreries du Massachusetts furent fondées par Deming Jarves en 1837 ; c'est dans ces usines que fut inventé, dans les années 1880, le verre « Burma ». Les objets de cet ensemble sont en verre « Burma » à reflets or rouge sur un fond opaque jaune uranium.

Ci-contre, à droite : illustration extraite de Curiosities of Glass-Making *d'Apsley Pellatt (1791-1863), 1849, montrant un des premiers appareils de pressage-moulage.*

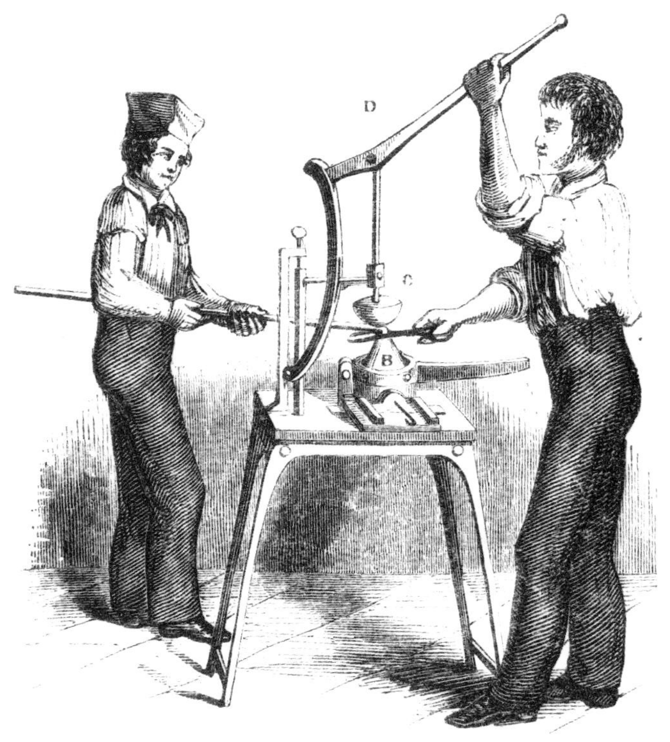

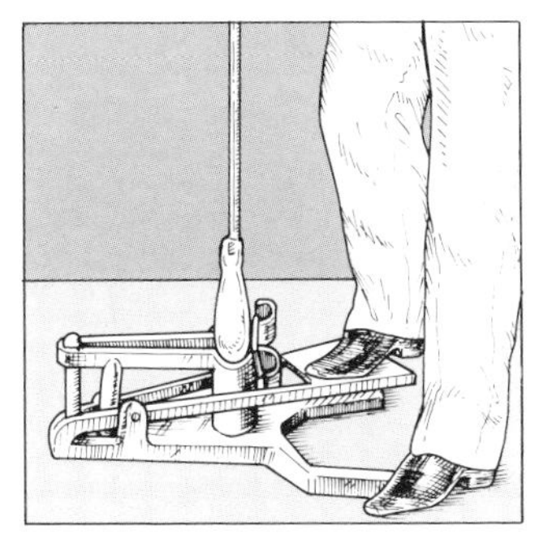

Ci-contre, à gauche : moule à deux parties articulées utilisé pour la fabrication de vases et de bouteilles, actionné par une pédale pour permettre au verrier de garder les mains complètement libres.

appareil pour presser le verre dans un moule et inaugura ainsi la production en série du verre. Les premiers objets ainsi produits furent de petites soucoupes avec un motif fin comme de la dentelle, au revers. On utilisait pour cela du cristal de plomb, ce qui renforçait le brillant du motif lorsqu'on le regardait de face. Il fallait un jugement sûr pour estimer les dimensions du morceau de verre en fusion versé dans un moule, mais excepté celle-ci le travail ne demandait plus de compétences particulières. Le moule pour une soucoupe était assez complexe, avec des sections séparées pour le centre et pour les bords. Cela permettait de modifier la section centrale sans changer les bords, condition idéale pour produire des séries de pièces commémoratives en évitant la dépense de nouveaux creusets.

Les premiers objets en verre obtenus par pressage dans un moule étaient entièrement en cristal de plomb ; malgré son épaisseur, le verre tintait lorsqu'on le frappait. Le contenu de plomb fut réduit par la suite et on expérimenta de nouvelles formules qui contenaient par exemple du baryum. Cela donnait un métal qui se stabilisait plus vite, rendant la production plus rapide, et permettant aussi d'obtenir un finissage plus brillant.

Les appareils guidés à la main pour le pressage-moulage ont été longtemps utilisés et le sont encore, dans la cristallerie du Val-Saint-Lambert en Belgique, l'une des premières d'Europe où fut introduite cette technique. Pour un meilleur travail, l'objet pressé est gravé et poli ou transféré sur un pontil et réchauffé à « l'ouvreau », soit pour enlever au feu les marques du moule, soit pour donner son originalité à la forme. Une équipe de trois hommes et de deux apprentis pouvait produire une centaine de verres polis au feu en une heure.

Vers le milieu du XIXe siècle, les motifs des verres pressés-moulés imitaient les méthodes traditionnelles de la décoration du verre, en particulier le verre à entailles profondes, souvent rehaussées par un traitement à la brosse rotative pour produire une surface au finissage mat.

Le verre pressé-moulé peut souvent être identifié par la marque de la manufacture qui l'a produit et par les numéros d'enregistrement des modèles. Les moules changeaient souvent de mains et les rééditions d'un même modèle étaient fréquentes ; des copies modernes peuvent aussi provoquer des confusions. Les éléments qui permettent de dater de manière assez fiable des pièces créées vers 1850 sont la présence de la marque du pontil qui ne pouvait être obtenue par le seul moule, et l'ajout d'une anse faite à la main, souvent appliquée au sommet du modèle pressé-moulé.

Les verres à jambe en balustre

Le *cristallo* vénitien était un verre qui se stabilisait rapidement avec lequel on pouvait parvenir à une très grande finesse en le soufflant. On pouvait donc obtenir les courbes délicatement dessinées qui le caractérisent, car les formes étaient affermies avant d'être modifiées par la gravité. Ce type de travail demandait un œil sûr et une main habile.

Le cristal de plomb fondait à une température inférieure et présentait une plus grande viscosité que le *cristallo* ; cela en faisait un matériau convenant pour des pièces plus épaisses, plus lourdes, dont la forme s'adaptait aux effets de la gravité. On laissait couler du pontil une cueillie qui formait spontanément une goutte allongée en forme de balustre. Si le verrier saisissait la cueillie avec des tenailles, une bulle d'air restait emprisonnée dans le balustre. Ce dernier, appliqué à la coupe, tournée vers le haut, d'un verre à vin, formait une jambe du plus simple type de balustre inversé, modèle caractéristique des premiers verres anglais qui rompaient avec la tradition vénitienne.

D'élégantes variantes du motif de la jambe étaient obtenues par adjonction de gouttes de verre ; une goutte était ajoutée juste au-dessous de la boule et une autre immédiatement au-dessus du pied. Certaines formes élaborées de jambes en balustre étaient fort réussies. On les obtenait en pressant et en travaillant la forme de base.

Une pièce de verre ronde en forme d'entonnoir était enfoncée dans la base pour équilibrer le poids de la jambe. Elle pouvait prendre différentes formes comme le « chardon » ou la « trompette » plus ou moins évasée, et sous elle le coussin pouvait être comprimé jusqu'à la dimension d'une fine lamelle. Le pied était rarement bombé, mais son bord était presque toujours lié vers le dessous. La beauté éclatante de ces verres doit beaucoup à l'indice de réfraction du métal.

Les autres verres européens de ce style ne sont que de pâles imitations des verres anglais. Les plus réussis furent produits dans la verrerie Lauensteiner en Allemagne, vers le milieu du XVIIIe siècle ; certaines de ces productions peuvent être identifiées grâce à un lion rampant ou à la lettre « C » gravés sous le pied. Il semble que l'on y ait utilisé un type de verre de potasse sans plomb.

De lourdes formes de verres en balustre réalisées en verre de craie, typiques de la région de Potsdam et de la Silésie, furent produites comme supports pour des tailleurs et des graveurs (v. p. 84-88) et c'est sur ces réalisations que repose aujourd'hui leur prestige.

Une variante populaire de la jambe en balustre, adaptée aussi bien au verre de craie qu'au cristal de plomb, vit le jour en 1714 ; elle est connue sous le nom de jambe « silésienne » ou en « piédestal moulé ». Une goutte de verre cueillie sur le pontil était pressée dans un petit moule creux comportant 4, 6 ou 8 facettes, puis étirée en une forme élégante. Des étoiles ou d'autres motifs taillés dans la base du moule apparaissaient en relief sur le haut de la jambe. Cette forme fut largement utilisée pendant une cinquantaine d'années ou plus pour des verres à bonbons, des tasses (coupes ornementales peu profondes), des porte-cierge et des bougeoirs ainsi que pour des verres à vin.

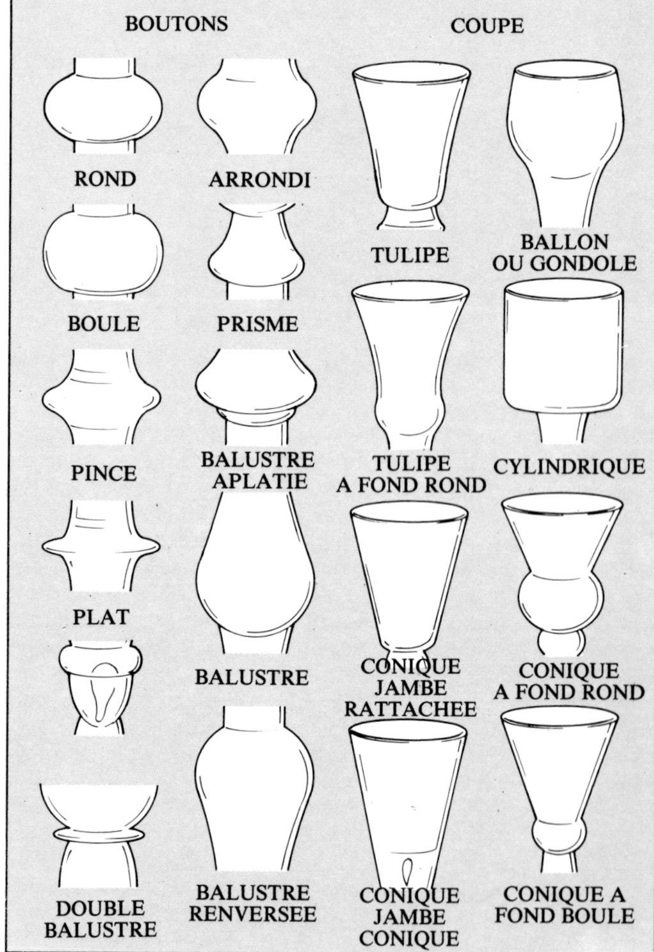

Ci-dessus : deux verres à jambe en balustre de l'usine de Lauensteiner. Allemagne, vers 1850. La verrerie de Lauensteiner fut fondée à Hanovre en 1701. On dit qu'elle employait des ouvriers anglais, et ce fut la première à essayer de produire le cristal de plomb à l'anglaise ; plusieurs de leurs pièces présentent un « crisseling », c'est-à-dire un réseau de fines fractures à la surface. Les modèles ici reproduits, en verre de potasse sans plomb, illustrent la tradition anglaise et allemande avec des bulles d'air dans la base épaisse du calice et un haut pied en coupole.

Ci-contre : verres à vin (bouton et coupe) du XVIIIe siècle. Les termes indiqués dans ce schéma sont toujours utilisés par les Cristalleries de Baccarat, qui nous les ont aimablement communiqués.

Ci-dessus : gobelet anglais à jambe en piédestal moulé, début du XVIIIe siècle. Le calice en forme de cloche, solide à la base, est monté directement sur la jambe, ce qui est une caractéristique des premiers de ces gobelets. Le piédestal octogonal ou « silésien » était décoré d'étoiles sur sa partie bombée. Le pied replié est typique de cette époque. Des verres similaires en cristal de plomb étaient fabriqués en Norvège, mais ils avaient en général moins de métal à la base du calice. Des versions en verre de soude, provenant de France et des Pays-Bas, présentent souvent un « crisseling ».

Ci-contre, à gauche : verre anglais à jambe en balustre, 1700-1720. Le « nœud » est en forme de gland avec la pointe dirigée vers le bas, obtenu par manipulation de la jambe en balustre.

Les verres à filigrane d'air

Pour les premiers fabricants de cristal, les bulles d'air constituaient un défaut, ce qui conduisit à mettre au point une méthode pour les éliminer. Le *cristallo* vénitien était lui aussi sujet à ce défaut. En revanche, le cristal de plomb possède d'excellentes qualités d'affinage, et l'absence de bulles d'air produites naturellement permit d'y introduire une seule grande bulle comme élément décoratif. (La présence de nombreuses petites bulles dans le verre indique de façon presque certaine l'absence de plomb.)

Vers 1730 la popularité des formes en balustre déclinait. Pour les usages domestiques ordinaires on fabriquait à cette époque de simples verres bon marché en étirant la base du calice pour former une jambe à laquelle était attaché un pied plat ou replié. L'aspect de ces verres en trompette étirée fut modifié en taillant un anneau de cavités dans la base du calice afin que, lorsqu'on étirait la jambe, elle englobe une série correspondante de fils d'air. Au début les entailles étaient faites avec un simple outil constitué d'un court goujon à l'extrémité duquel se trouvait un anneau muni de clous. L'effet de spirale dans la jambe était produit par la torsion et l'étirement exécutés simultanément. Cette technique pourrait être dérivée de la manufacture des verres en balustre dans lesquels une des sections était décorée par un anneau de bulles d'air qui s'étiraient légèrement au cours de la manipulation.

Des longueurs de jambes à torsades d'air étaient préparées à l'avance en continu, au mètre, et pouvaient être coupées, réchauffées et reliées à des calices de formes différentes.

Un groupe de verres insolites dit « en torsades mixtes » unit dans la même jambe des torsades en verre opaque et des torsades en filigrane d'air.

Une torsade particulière dite « torsade au mercure » était réalisée par un jeu d'entailles rainurées et par étirement du verre de façon à former des « rubans » d'air en torsades. L'effet de réfraction faisait apparaître la boule d'air comme remplie de mercure et on se demanda pendant très longtemps comment le mercure avait pu y être introduit.

Les verres à filigrane d'air torsadé sont typiquement anglais, bien qu'il en existe quelques exemplaires en verre de soude, datant de la moitié du XVIIIe siècle, dont l'origine est incertaine. Le filigrane d'air est à l'origine de la technique des torsades en verre opaque qui apparut vers 1745. Ce type de décoration connut une nouvelle vogue vers 1850. Sur ces verres plus tardifs, les fils d'air sont plus marqués, le pied est plat et aucune marque de pontil n'est visible. En 1950 les verreries Royal Brierley Crystal remirent à la mode le motif de la trompette étirée sous le nom d'« Edinbourgh », mais on reconnaît aisément ces verres de leurs élégants ancêtres fabriqués 200 ans plus tôt.

La technique du filigrane d'air est l'une des rares techniques de fabrication du verre qui n'aient pas été découvertes par les artisans de Rome ou de Venise; elle est directement liée à l'invention du cristal de plomb.

Ci-contre, à gauche: groupe de verres anglais à filigrane d'air, avec calices gravés, vers 1750-1760. A droite et à gauche, deux types de verre montrant des versions différentes de motifs populaires. La décoration n'avait pas nécessairement de rapport avec la boisson pour laquelle le verre était conçu, comme le montre la présence du même motif sur les deux verres à vin (deuxième et troisième à partir de la gauche). Le deuxième verre à partir de la droite, à petit calice, était un verre à cordial; sa jambe est décorée d'une double torsade au mercure.

FABRIQUER UNE TORSADE
1. Un morceau de verre était cueilli avec le pontil, puis légèrement étiré, et sa base est aplatie sur le marbre. Des entailles sont pratiquées.
2. Entre-temps, on a procédé au soufflage de la boule. Lorsqu'on fixe la jambe, des bulles d'air correspondant aux entailles se forment.
3. Pendant l'étirement de la jambe, à laquelle on imprimait en même temps un mouvement de rotation, les bulles d'air formaient une spirale de fils d'air.

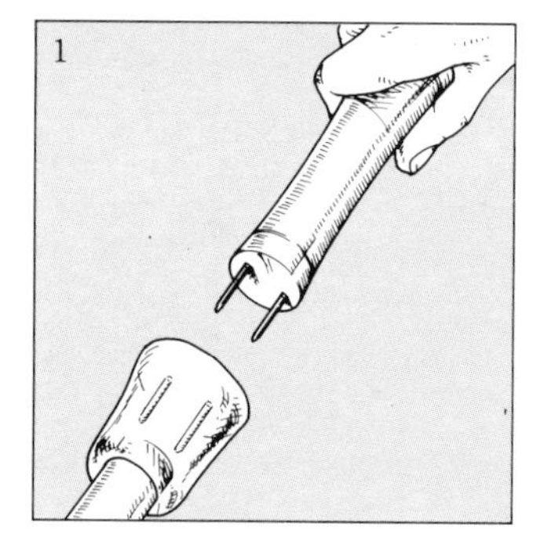

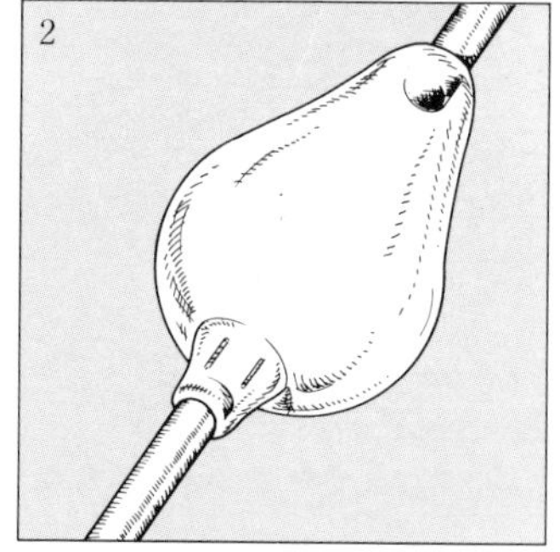

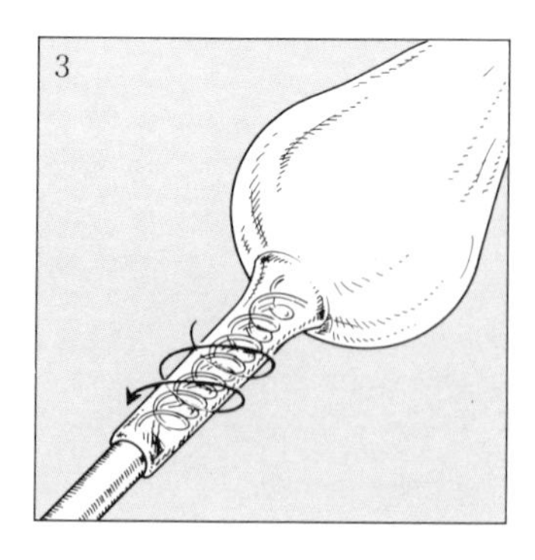

Le verre craquelé ou « givré »

La découverte du verre « givré » (*vetro a ghiaccio*) est attribuée aux verriers vénitiens de la Renaissance, et sa diffusion dans les autres centres européens de verrerie serait due à l'émigration de certains de ces artisans aux XVIe et XVIIe siècles. Selon Apsley Pellatt, auteur de *Curiosities of Glassmaking*, publié en 1849, cette technique s'était perdue ou tout au moins « n'était plus pratiquée par les verriers de Bohême ni par les verriers de France » jusqu'à ce qu'il la redécouvrît lui-même.

L'effet de « givré » était obtenu en plongeant l'objet partiellement soufflé et chauffé presque à blanc dans l'eau froide. Si on le réchauffait et le soufflait immédiatement après, le verre, présentant un réseau de fines craquelures, refondait. Selon la description de Pellatt, la surface du verre présentait « une veinure irrégulière, des fractures réfléchissant la lumière comme celles du marbre, et des fissures ». Il appella sa création « vieux verre vénitien perlé » ; en France cette technique fut connue sous le nom de « verre givré ». Il semble que l'étendue des craquelures dépendait autant de la composition particulière du verre que de la manière de le traiter.

Cette idée fut rapidement reprise par d'autres fabricants de verre, et des effets similaires furent obtenus par toute une série de moyens. Une autre méthode à chaud utilisée par Bacchus de Birmingham et par les verriers de Bohême consistait à étaler des fragments de verre écrasé dans un récipient plat posé sur le marbre et à rouler dessus le bulbe de verre incandescent. A la différence du givrage, cette décoration se limitait à la surface du verre, et les fragments ainsi incorporés présentaient parfois des bords coupants. Pour une plus grande variété, des fragments de verre de couleurs différentes étaient souvent mélangés sur un fond opaque beige ou blanc.

Vers la fin du XIXe siècle, des finissages perlés exécutés sur le verre refroidi impliquaient l'élimination de la couche superficielle de sorte que la décoration se trouvait au-dessous de la surface du verre. La méthode la plus courante, la corrosion à l'acide concentré sur une base de cristal de plomb (v. p. 90), produisait un effet moins fort que les méthodes à chaud, bien que Jean Daum et Maurice Marinot aient obtenu des effets étonnants en gravant profondément, à l'eau-forte, des blocs de verre épais. Un autre procédé consistait à enduire des objets en verre rendus mats par gravure au sable ou polissage (v. p. 89) d'une forte solution de colle chaude. En séchant, la colle se rétractait, et des fragments se déchiraient sur la surface du verre.

Pour les objets plus ordinaires on utilisait le pressage dans le moule, et au cours des années trente, on imita le finissage perlé en recouvrant la surface du verre d'émail que l'on passait au four.

Ci-dessous : timbale, gobelet et carafe, probablement du sud des Pays-Bas, seconde moitié du XVIe siècle. Ces récipients (le plus petit ayant 9,6 cm de hauteur et le plus grand 19,2) ont été réalisés à la manière du verre craquelé vénitien en plongeant le verre, incandescent et partiellement soufflé, dans de l'eau froide puis en le réchauffant rapidement avant de continuer à le souffler.

Le verre coloré

Les premiers objets et perles en verre connus étaient de couleur bleu opaque, blanche, turquoise et jaune. Au cours des derniers siècles avant notre ère, le vert et le rouge commencèrent à être utilisés, ce qui prouve que les verriers étaient déjà conscients de l'importance des conditions de fusion. L'utilisation de verre transparent était déjà fréquente mais, avec la découverte du soufflage, le verre coloré passa de mode sauf dans l'industrie égyptienne de mosaïque de verre (v. p. 78). Les colorants étaient probablement des sous-produits de l'industrie métallurgique — comme c'était encore le cas à une époque récente. Les déchets de bronze fournissaient un mélange de cuivre et d'étain produisant la couleur turquoise, alors que la poussière de fer provenant de la gravure était utilisée pour les nuances de vert et d'ambre.

Quelques colorants furent utilisés sporadiquement bien avant d'entrer dans la pratique courante. Ainsi, du cobalt fut trouvé, chose inhabituelle, dans une pièce de verre bleu provenant de la tombe de Toutankhamon, et l'usage de l'or qui fut fait pour la coupe de Lycurgue est, lui aussi, exceptionnel.

La manufacture de verres or-rubis et bleu cobalt devint régulière à partir de la moitié du XVIIe siècle. Pour la couleur rubis, on trouva un composé d'étain et d'or appelé « pourpre de Cassius » qui se révéla particulièrement efficace pour stabiliser la couleur. Cela était nécessaire car les minuscules particules d'or colloïdales qui produisaient la couleur se dilataient lorsqu'on réchauffait le métal à l'ouvreau ; si ces particules grossissaient trop, elles produisaient un reflet verdâtre clair, comme c'est le cas sur la coupe de Lycurgue. Le cuivre réagissait de manière semblable : des particules trop grandes produisaient des paillettes brillantes. Ce type de verre, appelé « aventurine », fut inventé par les verriers vénitiens au XVIe siècle. Sa formule, tenue rigoureusement secrète, ne se répandit qu'au XIXe siècle. Dans le verre de potasse, la couleur or-rubis tend vers l'orange chaud alors que, dans le verre de plomb, elle prend une tonalité prune qui tend vers le bleu froid. Le ton rubis-cuivre a une nuance brunâtre et se trouve exclusivement dans le verre sans plomb ; en raison de son fort pouvoir colorant, le rubis-cuivre était parfois utilisé par les verriers de Bohême en fine « surcouche » de brillant sur une surface de cristal clair (v. p. 92).

Le cobalt venait de Saxe sous la forme de poudre de verre de potasse appelée « smalt », et son exportation était sévèrement contrôlée. Au XVIIIe siècle, la distribution du « smalt » en Grande-Bretagne était dirigée par William Cookworthy, un fabricant de porcelaine de Bristol. C'est pour cette raison que le verre bleu cobalt est souvent appelé « bleu de Bristol » et non parce que le verre a été fabriqué à Bristol.

La suppression de l'impôt sur le verre en Grande-Bretagne, en 1846, permit à la production anglaise de verre coloré de rivaliser avec les autres verreries européennes. Quelques années plus tôt, vers 1830, le verrier de Bohême Joseph Riedel avait découvert que l'uranium, seul ou mélangé à du cuivre, pouvait être utilisé pour produire des verres en bichromie, jaune et vert, appelés « jaune d'Anna » et « vert d'Anna », du prénom de son épouse. La couleur jaune, dite aussi « jaune canari », est aujourd'hui universellement connue sous le nom de « vaseline ». L'uranium, associé à d'autres minéraux, fut aussi utilisé plus tard pour créer des couleurs variées et devint particulièrement populaire pour l'opaline veinée (v. p. 76).

A partir du milieu du XIXe siècle, il fut possible d'obtenir de nouvelles couleurs, comme le jaune citron et le vert brillant, grâce à l'utilisation du chrome, découvert en Sibérie. Vers la fin du siècle, un nouveau spectre de couleurs brillantes, comportant le jaune, l'orange et le rouge, fut obtenu en mélangeant des sulfures de cadmium et de sélénium en proportions différentes. Il importe de pouvoir distinguer ces couleurs modernes des anciennes, particulièrement pour la datation des verres *millefiori* vénitiens (v. p. 78).

Ci-contre, à gauche : coupe de Lycurgue, romaine, vers 400 après J.-C. Ici dans une lumière indirecte, le verre couleur rubis doré paraît vert ; en lumière directe, il paraît rouge lie-de-vin. Ci-dessus, à gauche : flacon rubis doré provenant du sud de l'Allemagne, gravé, avec monture en argent, début du XVIIIe siècle. Ci-dessus, à droite : flacon néerlandais bleu, seconde moitié du XVIIe siècle. Ces arêtes moulées-soufflées étaient réunies à la pince.

Ci-dessus : gobelet allemand en verre pourpre manganèse et en verre incolore avec couvercle, fabriqué à Nuremberg vers 1700. Ce modèle présente une jambe en balustre creux soufflé et à gouttes aplaties à la pince. Le manganèse mélangé à du cobalt donnait du verre noir ; utilisé en petite quantité il servait aussi de décolorant dans la fabrication du verre transparent incolore.

Ci-contre, à gauche : flacon, probablement d'origine syrienne, Ier siècle après J.-C. Les objets en verre les plus anciens que nous connaissions sont faits en verre opaque coloré. Les premiers colorants furent le cuivre (rouge et bleu), l'étain (blanc) et le fer (bleu, vert et jaune).

L'opaline et le verre opaque

Bien des formules ont été inventées pour fabriquer du verre opaque et semi-opaque, ou opaline. Les Romains utilisaient l'antimoine, ayant découvert que l'antimoniate de calcium était un opacifiant efficace pour le verre de soude. Un autre opacifiant pour le verre de soude, connu d'Agricola au XVIe siècle, était le spath fluor, minéral dont l'ingrédient actif est la fluorite de calcium. Au XIXe siècle en Grande-Bretagne, l'exportation de spath vers les Etats-Unis fut florissante jusqu a ce que ce minerai fût découvert sur place. Le feldspath (silicate de potasse et d'aluminium), employé également pour la manufacture de céramique (v. p. 103), fut utilisé pour la première fois à la fin du XVIIIe siècle tandis que la cryolite, découverte par les Danois au Groenland, ne fut largement adoptée que quelque cinquante ans plus tard. Les mélanges de ces composants étaient particulièrement appréciés pour la fabrication des opalines, aux couleurs chaudes et transparentes, utilisées à partir du XIXe siècle pour les abat-jour.

L'opacifiant du cristal de plomb le plus aisément reconnaissable est l'oxyde d'étain qui produisait un verre blanc très opaque, et une sensible augmentation de son poids. L'arsenic, également efficace en quantité suffisante, était largement utilisé pour la fabrication de l'« émail » des cadrans de montres.

Avant 1850, les verreries européennes, particulièrement en France, produisaient un beau verre d'opaline. Certaines couleurs connurent plus de succès : le turquoise, le vert, le jaune et le rouge rubis connu sous le nom de « gorge-de-pigeon ».

Les opalines veinées étaient fabriquées en incorporant de la cryolite dans le mélange vitrifiable. A une juste concentration, il donnait d'abord un verre clair ; en réchauffant l'objet dans l'arche à recuire, on provoquait l'opalescence, due à la formation de cristaux de fluorite d'aluminium. On utilisait un moule pour créer des parties d'épaisseur différente dans le verre, l'opacité se formant plutôt là où le verre était le plus épais et le plus lent à refroidir. Sur fond rubis doré, jaune uranium ou bleu cobalt, le résultat était particulièrement joli et devint très populaire pour des ornements soufflés et pressés dans un moule, et pour les abat-jour. La présence d'opacifiants à base de fluorine peut être décelée par le ton chaud « coucher de soleil » qui apparaît dans le verre devant une lumière. Leur usage est aujourd'hui interdit pour protéger la santé des ouvriers.

Le phosphate de calcium était couramment utilisé comme opacifiant pour tous les types de verre ; extrait des cendres d'os ou, en Amérique, du *guano* (qui contient un mélange de phosphate de calcium et de sulfate de calcium), il était souvent utilisé avec de la chaux et de l'arsenic.

Les opalines colorées étaient obtenues par addition d'oxydes de métal au mélange vitrifiable. On obtenait une couleur turquoise très populaire avec des filaments de cuivre. Des sels d'or donnaient une nuance de rubis sur fond opaque bleu et jaune ; au début l'objet ne présentait que la couleur de base opaque bleue ou jaune mais, en le réchauffant à l'ouvreau, on pouvait lui donner toutes les nuances rubis désirées. Le plus connu des verres à nuances est le « verre de Birmanie », dont le brevet fut déposé par la société Mount Washington Glass Co aux Etats-Unis et qui fut manufacturé sous licence par Thomas Webb et Fils à Stourbridge, en Angleterre, à partir de l'année suivante. Très apprécié par la reine Victoria, il fut rebaptisé

A l'extrême gauche : pichet vénitien en verre blanc opaque, fin du XVIe ou début du XVIIe. Ci-contre, à gauche : flacon à parfum de Bohême en lithyaline, fabriqué dans le laboratoire de Friedrich Egermann vers 1830-1840. Egermann fut l'inventeur de la lithyaline, verre opaque multicolore à la surface polie ressemblant à du marbre. Ci-dessous : coupe et soucoupe en hyalite de Bohême, fabriquées probablement dans une verrerie appartenant au comte de Buquoy (1781-1851). Vers 1830.

Ci-contre, à gauche: verre à lait allemand, en verre bleu opaque, XVIIe siècle. Ces récipients en verre étaient souvent décorés par des peintures à l'émail pour ressembler à la porcelaine.

Ci-dessous: caisse d'horloge française en opaline bleue avec montures en or moulu, vers 1825. Pour obtenir cette couleur, on utilisait du cuivre avec des traces de manganèse.

« verre de Birmanie de la reine » en son honneur. La décoration peinte ressortait nettement sur le fini satiné qu'on donnait généralement par un traitement à l'acide. Les lampes en opaline devinrent très populaires, car les magnifiques couleurs du verre étaient particulièrement belles à la lumière des chandelles.

Un verre nuancé similaire, en opaline rubis sur crème, était appelé « fleur de pêche ». Il était inspiré de la couleur fraise écrasée d'un vase chinois ancien célèbre parce qu'il atteignit 18000 dollars à une vente aux enchères en 1886. Plusieurs maisons en produisirent leur propre version, chacune essayant de circonvenir les brevets exclusifs des autres. En Grande-Bretagne, les verreries de Stourbridge expérimentèrent aussi des couleurs « fleur de pêche », mais les usines de Bohême proposèrent habilement des versions populaires.

Un verre opaque multicolore qui défia réellement toute imitation est la « lithyaline », créée par Friedrich Egermann en 1830 et produite seulement par les rares usines de Bohême qui à l'époque en percèrent le secret. On dit que cette matière merveilleuse était obtenue en une seule fusion. Elle fait l'effet d'un objet formé par couches successives d'un verre rouge foncé, brun et jaune-orange soufflé en une extrême épaisseur. Des facettes taillées sur le pourtour du verre le mettaient en valeur en révélant dans sa profondeur une série de marbrures. D'autres nuances furent également produites.

Vers la fin du XIXe siècle furent produites des opalines de très belle texture, ancêtres des « verres d'art » contemporains. Le plus connu est le verre « Clutha » produit par James Couper et Fils de Glasgow. Ce verre transparent, de couleur pâle, était roulé sur le marbre sur lequel avaient été répandus des produits chimiques, de la poudre de verre et des fragments de mica. L'ensemble s'accrochait au verre pour former au hasard des motifs nuancés de taches et de bulles de couleur de différentes tailles. Un autre verre fin, le « musc d'agate », était produit par les verreries Stevens et Williams de Stourbridge, en Angleterre.

Le verre à mosaïque et le *millefiori*

Une des caractéristiques du verre incandescent est sa ductilité ; la longue baguette obtenue en étirant la paraison est appelée la « canne ». Depuis 1500 avant J.-C., des segments de canne coupés transversalement étaient fabriqués autour d'un noyau d'argile puis fondus. Le nom de « verre à mosaïque » décrit bien ce mode de fabrication.

L'étape suivante fut la manufacture de « baguettes » (canne) comportant un motif de décoration dans sa section horizontale. Vers la fin du Ier siècle, des boules de verre à mosaïque fondu étaient fabriquées à partir d'une telle « canne ». Des segments de canne étaient mis en place dans un moule en argile, avec plus ou moins d'espace entre eux, et recouverts de verre ordinaire, le plus souvent de couleur pourpre ou verte. Après un passage au four pour fondre ensemble les segments de canne, la boule était chauffée à nouveau et pressée dans sa forme définitive, puis passée à la meule pour le polissage de sa surface.

Bien que les verriers romains aient déjà créé des motifs de décoration par assemblage de cannes, le terme *millefiori* (qui signifie mille fleurs) fut inventé à Venise au XVe siècle. Marcantonio Sabellico, bibliothécaire de Saint-Marc, rapporte que le verre *millefiori* fabriqué par les artisans de Murano enfermait « dans une petite boule de verre toutes les variétés qui fleurissent les prés au printemps ».

Le *millefiori* vénitien était formé sur le pontil, en marbrant et en travaillant des paraisons successives de verre coloré. Pour obtenir des motifs plus élaborés, la masse de verre en fusion déjà partiellement formée était préparée de façon à pouvoir englober un anneau de cannes colorées déposées à l'intérieur d'un moule creux. Le modèle final, fondu à l'ouvreau, était souvent aussi grand qu'il était long avant que la canne ne soit étirée. L'artisan devait avoir l'habileté nécessaire à la création des motifs de *millefiori*. Plus tard apparurent des spécialistes qui fournirent de la verrerie avec des cannes préformées.

Le mot *millefiori* est étroitement associé aux presse-papiers en verre. Ceux-ci furent d'abord produits à Murano, mais cet artisanat connut un regain d'intérêt et atteignit l'apogée de sa réussite dans les verreries françaises de Baccarat, Clichy et Saint-Louis vers le milieu du XIXe siècle. Modelé en cristal de plomb brillant, au lieu du *cristallo* utilisé par les Vénitiens pour leur *millefiori*, le *millefiori* français se distingue aussi par les motifs des baguettes qui comportaient parfois les initiales de la fabrique et par les motifs en facettes taillés sur la face du presse-papiers. Quelques-uns portent l'année de fabrication, les premiers étant datés de 1845.

Des presse-papiers en *millefiori* de moins bonne qualité furent produits en Bohême, en Grande-Bretagne et aux Etats-Unis. William T. Gillander, verrier anglais de talent, apprit cet art chez Bacchus et Fils à Birmingham. En 1853, il partit pour les Etats-Unis, où il travailla à la New England Glass Company, avant de fonder sa propre société. Un autre Anglais, Frederick Carder,

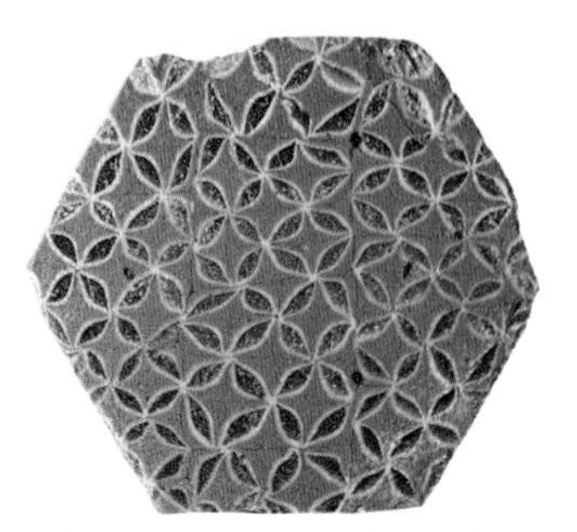

Ci-dessus : fragment d'une plaque de mosaïque romaine, Ier siècle avant J.-C. ou Ier siècle de notre ère. Des fragments de baguette de verre opaque coloré étaient assemblés et fondus, puis l'ensemble était coupé transversalement.

Ci-contre, à gauche : bol oriental en verre mosaïque, Ier siècle avant J.-C. ou Ier siècle de notre ère, des tronçons de canne ont été incorporés dans du verre translucide.

FABRICATION D'UNE CANNE EN VERRE MILLEFIORI
Pour incorporer un motif en étoile dans une canne, le verrier ajoutait des couches de verre superposées.
1. La paraison était marbrée en forme de cylindre, recouverte d'une deuxième couche de verre puis travaillée en forme d'étoile.
2. Procédé répété avec une paraison de couleur différente.
3. La forme en étoile était transformée en cylindre avec une quatrième paraison.
4. Par le même procédé, on rajoutait un bord concentrique à la forme.
5. Des baguettes cylindriques disposées dans un moule étaient incorporées à la masse de verre.
6. La paraison finale était marbrée de façon à englober la décoration. La canne, qui à ce stade était aussi large que longue, était alors prête à être étirée. Un assistant chargeait son pontil de verre incandescent et l'appliquait à l'extrémité de la masse préalablement réchauffée, puis refroidie à la bonne température. L'assistant étirait alors la canne en reculant rapidement. Un chemin fait de planchettes de bois permettait d'éviter le contact de la canne avec le sol.

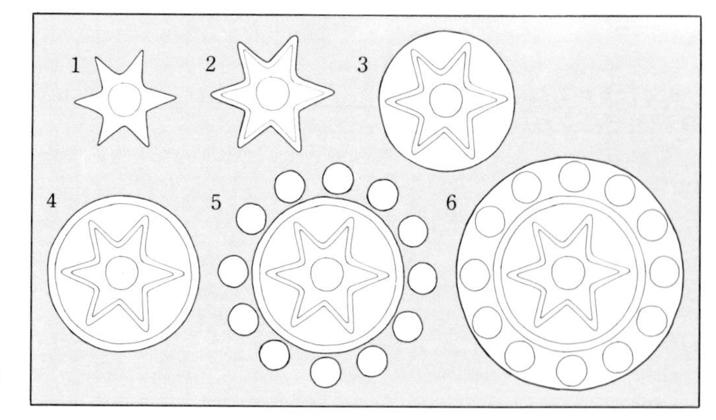

FABRICATION D'UN RECIPIENT EN VERRE MOSAIQUE
1. Une canne était réalisée par étirement d'une paraison. Des tronçons de cette baguette étaient disposés autour d'un modèle en argile et maintenus provisoirement par un adhésif.
2. Une couche extérieure d'argile maintenait les baguettes en place durant le passage au feu.
3. Le noyau et la couche extérieure d'argile étaient cassés et la surface de verre était polie.

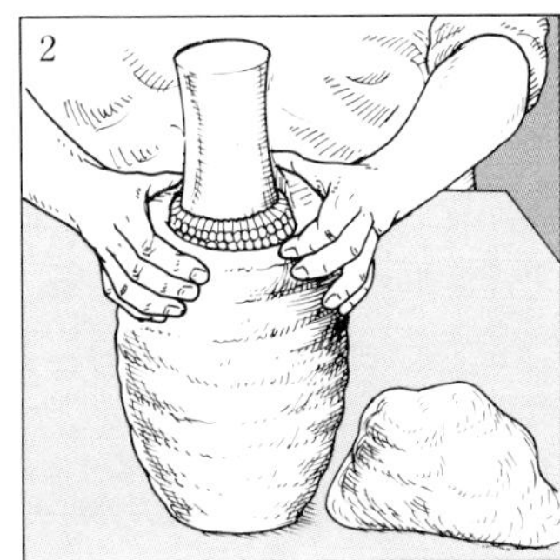

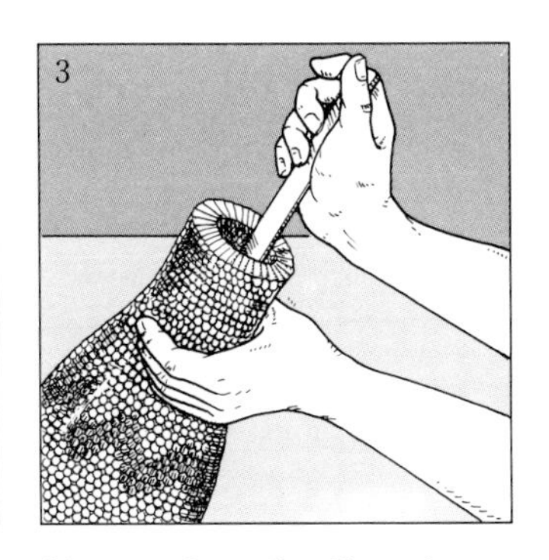

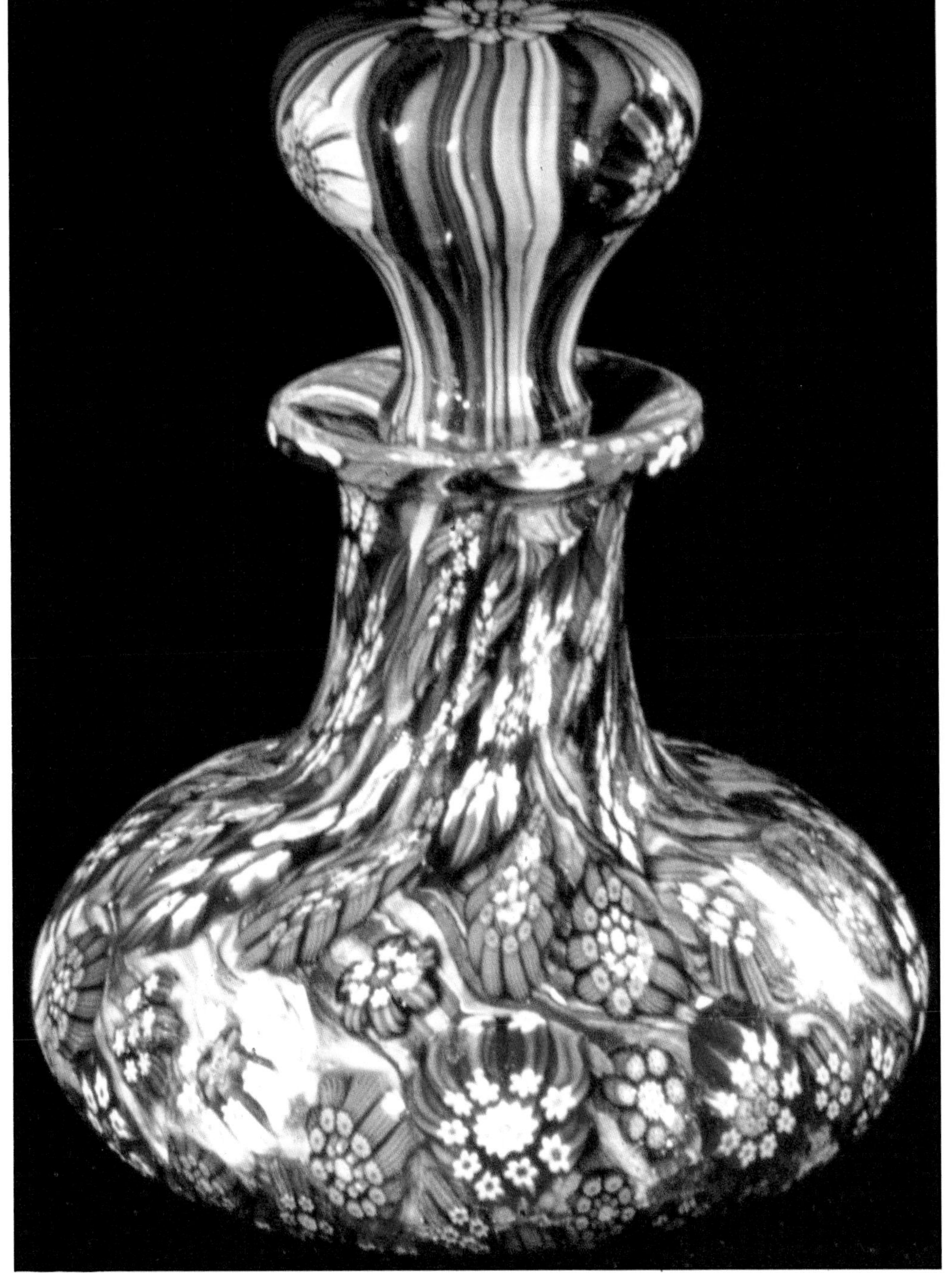

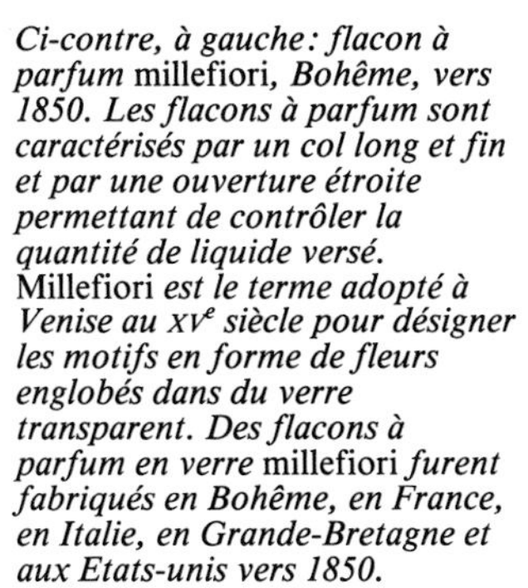

Ci-contre, à gauche : flacon à parfum millefiori, *Bohême, vers 1850. Les flacons à parfum sont caractérisés par un col long et fin et par une ouverture étroite permettant de contrôler la quantité de liquide versé.* Millefiori *est le terme adopté à Venise au* XVe *siècle pour désigner les motifs en forme de fleurs englobés dans du verre transparent. Des flacons à parfum en verre* millefiori *furent fabriqués en Bohême, en France, en Italie, en Grande-Bretagne et aux Etats-unis vers 1850.*

fonda la « Steuben Glasswork » à Corning, New York, en 1903. Il confectionnait des baguettes de *millefiori* par une méthode simplifiée. De courts segments de baguettes colorées étaient disposés à froid pour former le dessin et reliés les uns aux autres avec un fil de fer. On chauffait l'une des extrémités et un pontil était appliqué au faisceau de segments dont les attaches étaient lâches. Le fil de fer était ensuite retiré et le faisceau était chauffé à nouveau et marbré pour être introduit dans la canne.

Après la Seconde Guerre mondiale, Baccarat mit sept ans pour redécouvrir ces pratiques qui semblaient perdues. Chaque presse-papiers de la meilleure qualité contient environ deux cents baguettes et représente sept heures de travail.

Doyen de la nouvelle industrie de presse-papiers écossaise, Paul Ysart, un immigré espagnol, avait été apprenti dans les établissements Edinburgh et Leith Flint Glass Co (l'actuel Edinburgh Crystal) dès l'âge de 11 ans. La famille Ysart s'installa à Perth et commença à produire des presse-papiers ainsi que des opalines « Monart ». La société s'effondra en 1950 mais de ses cendres naquit la Perthshire Paperweights, firme prospère qui rivalisa de talent avec les verriers français.

Le verre *millefiori* soufflé est une invention vénitienne ; dans le monde romain, le verre soufflé de Syrie et le verre à mosaïque d'Egypte étaient des activités bien séparées. De courts segments de cannes de *millefiori* étaient éparpillés sur le marbre, recueillis avec une paraison de verre en fusion dans laquelle ils étaient incorporés et fondus ; l'objet était ensuite soufflé de façon que les pièces colorées fussent incorporées dans la paroi du récipient. Bien que de conception simple, cette technique était compliquée par la difficulté de trouver des types de verre qui pouvaient être travaillés ensemble et recuits sans produire de cassures ou de tensions en refroidissant. Les exemplaires datant du XVIe siècle sont rares, mais les lampes, les vases et les coupes du XIXe siècle sont nombreux. Des pièces modernes de toute qualité comportent souvent du rouge cadmium brillant et du jaune chrome dans la canne, mais les verres *millefiori* modernes de bonne qualité témoignent de la longue tradition de cet artisanat.

Ci-dessus : presse-papiers millefiori *de Clichy en forme de corbeille, vers 1845-1855. Cet objet est de forme plus complexe que celui, provenant de la même verrerie, représenté à la page 61 ; on y retrouve le motif caractéristique de Clichy : la rose ouverte.*

Ci-contre, à gauche : broc de toilette en verre millefiori, *Venise, XVIe siècle. Cette pièce, mesurant 12,6 cm de hauteur, présente un corps globulaire aplati à nervurage massif et des montures argentées.*

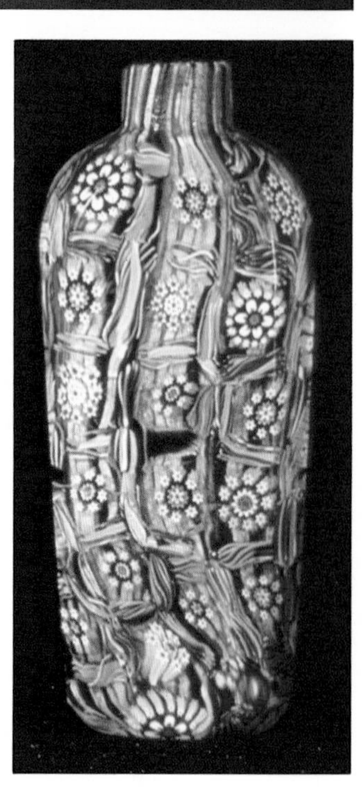

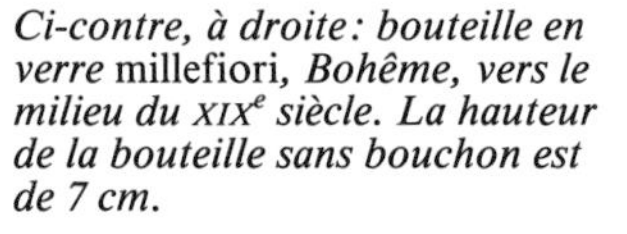

Ci-contre, à droite : bouteille en verre millefiori, *Bohême, vers le milieu du XIXe siècle. La hauteur de la bouteille sans bouchon est de 7 cm.*

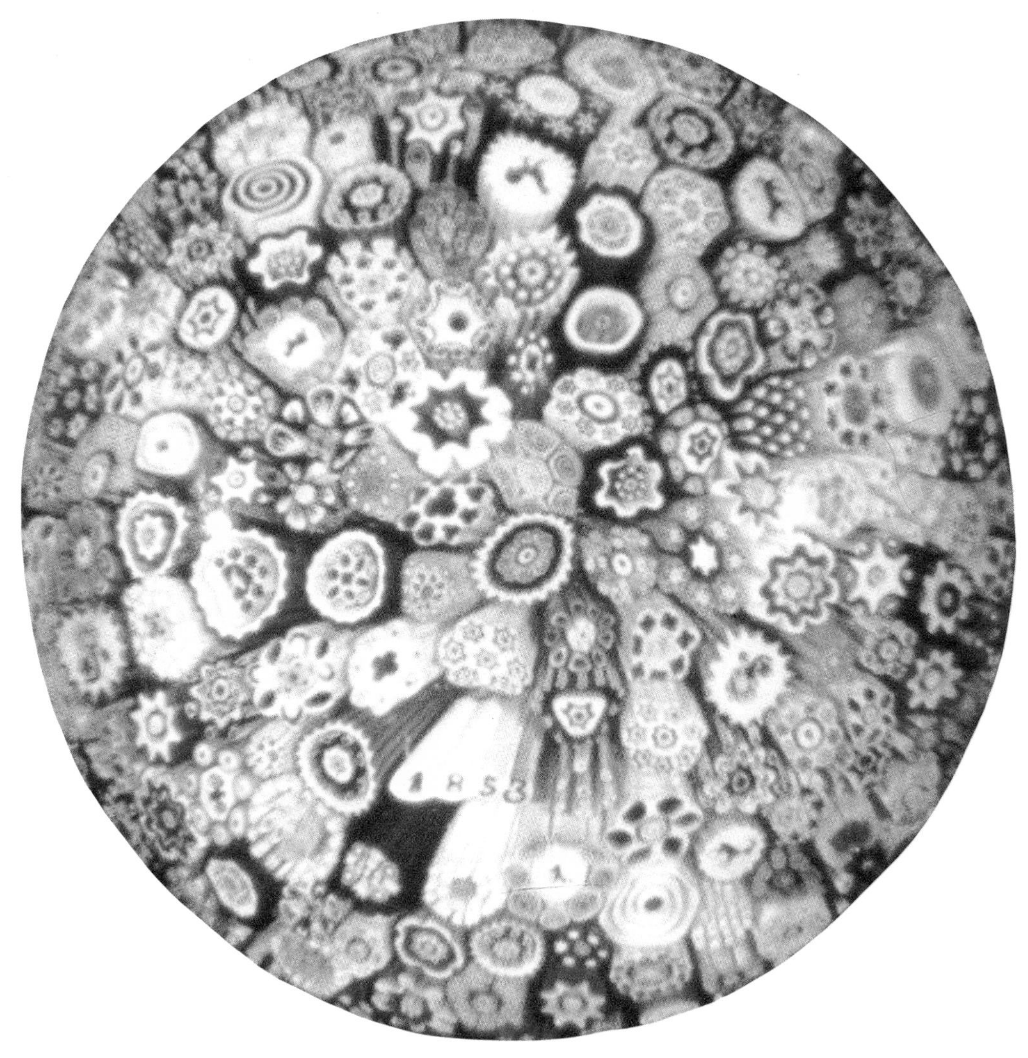

Ci-dessus : triple presse-papiers en verre millefiori*, Baccarat, vers 1845-1855. La « Compagnie des Cristalleries de Baccarat » fut l'une des trois principales manufactures de verre* millefiori *en France.*

Ci-contre, à gauche : presse-papiers en verre millefiori *de Baccarat, 1853. Son diamètre est de 7,8 cm. La coupole en verre transparent, modelée à l'aide d'un moule en bois, fait loupe pour agrandir le dessin formé par les sections transversales des baguettes colorées comportant chacune un motif différent.*

FABRICATION D'UN PRESSE-PAPIERS EN MILLEFIORI
1. Des segments de baguette millefiori *étaient disposés dans un moule en fonte et maintenus en place par un collier amovible.*
2. Ces segments, assemblés et chauffés juste au-dessous de leur point de fusion, étaient cueillis dans une paraison de verre transparent. Celle-ci formait la base du presse-papiers.
3. La partie des segments de canne dépassant de la paraison qui emprisonnait l'autre extrémité était chauffée à nouveau et aplatie. Un « col » était formé tout près du pontil.
4. Le verrier appliquait une autre paraison de verre clair sur les segments dépassant de la première pour former la coupole du presse-papiers, puis la coupait du pontil.
5. La coupole était modelée et polie sur un bloc de bois humide.
6. On laissait refroidir le presse-papiers, puis on cassait le « col » avec une canne en fer froide. La taille ou la gravure de la surface étaient exécutées une fois que le presse-papiers avait été recuit et poli.

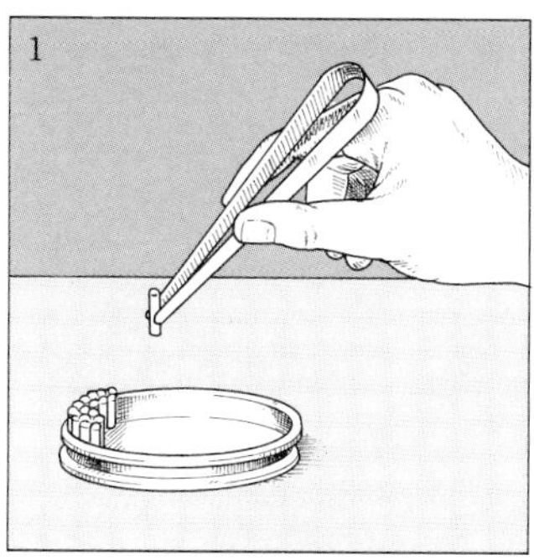

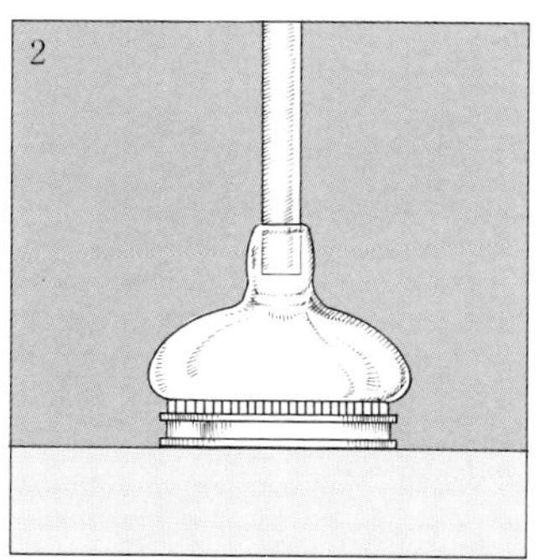

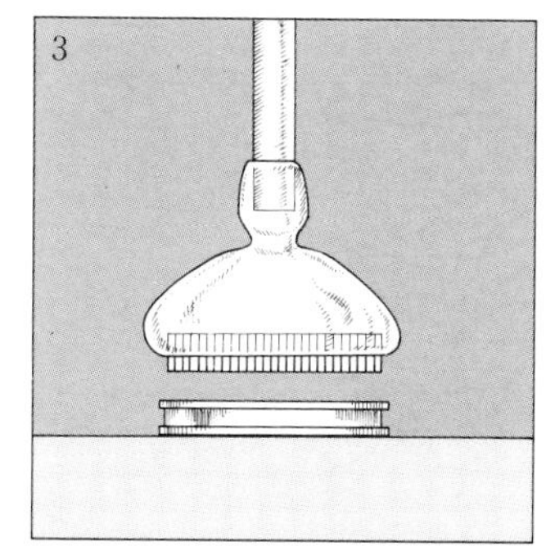

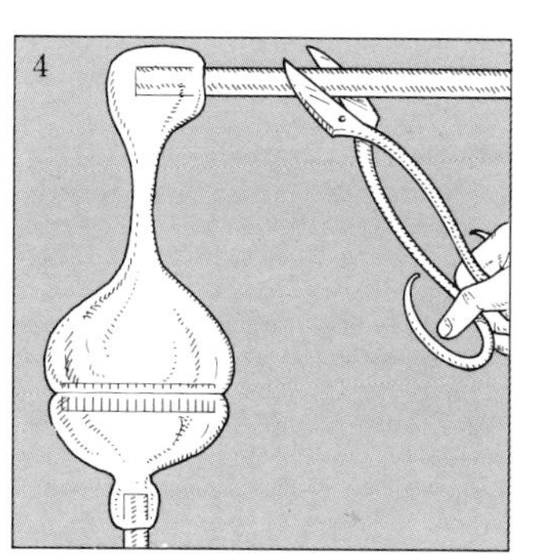

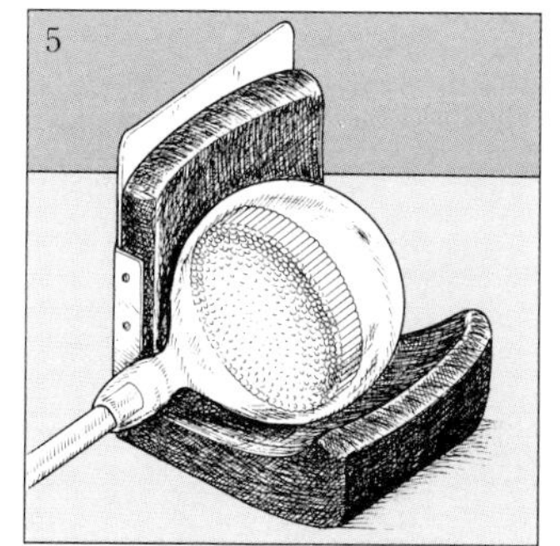

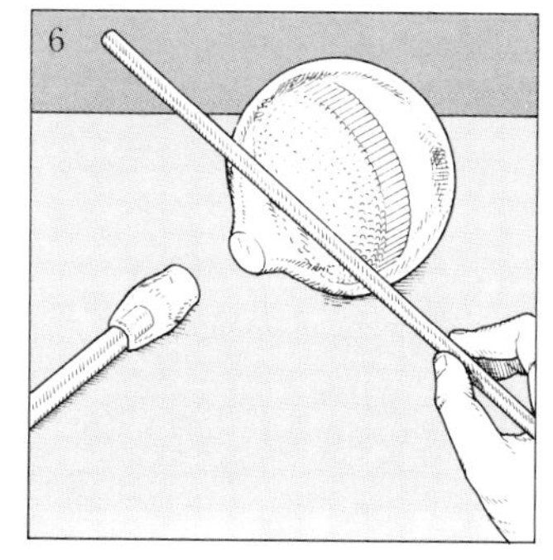

Le verre en filigrane

Vers 1525 les verriers vénitiens découvrirent les possibilités décoratives variées offertes par l'utilisation de baguettes d'émail blanc avec du verre soufflé. Ce type de travail est généralement appelé « filigrane », ou *vetro a filigrana.*

Vetro a fili est le terme désignant les récipients pour lesquels de simples fils de *lattimo* (blanc opaque) ont été introduits dans le verre; on alignait des segments de fines baguettes, aussi appelés « fils », en rang sur le marbre; puis on roulait sur eux un bulbe de verre en fusion; après un nouveau passage à la chaleur, les fils étaient marbrés dans la surface et le récipient était terminé de la façon habituelle.

Pour obtenir une distribution régulière des fils autour du bulbe, le *lattimo* et des baguettes de verre clair étaient disposés selon un motif alterné autour du bord intérieur d'un moule creux. On pouvait aussi varier la disposition des baguettes dans les parois du récipient, par rotation de la canne à souffler au moment où l'on retirait la masse chaude du moule. Les verriers italiens qui s'installèrent en Castille et en Calalogne au XVIe et au XVIIe siècle produisirent une forme typiquement espagnole de pichet fermé et de récipient à boire, connus respectivement sous le nom de *cantaro* et de *porron*, qui étaient décorés de cette façon.

On trouve une autre application de cette technique dans le *vetro a reticello*, appelé aussi *vetro di trina* et *Netzglas* en Allemagne. Deux bulbes de verre recevaient un motif incurvé de segments de canne disposés selon des orientations opposées. L'un des bulbes était ensuite ouvert et placé sur l'autre, pour produire un motif de fils croisés. Comme les fils formaient une légère saillie à la surface du verre, une petite bulle d'air restait captive dans chaque cellule du motif ainsi formé. Le plus remarquable dans ce type de travail était la précision presque géométrique avec laquelle était produit le motif par la réunion des deux bulbes.

Tout aussi remarquable était l'utilisation de cannes à décorations complexes, bien que moins élaborées que celles qu'on utilisait pour le *millefiori*. La torsade était produite au moment où on étirait le verre pour mettre en valeur le motif, et c'est pour cela que ce type de verre s'appelle *vetro a retorti* ou *retortoli*. Le travail était le même que pour le *vetro a fili*. Certains objets étaient entièrement construits avec des segments de canne. L'une de ces techniques consistait à disposer des segments de canne côte à côte et aussi serrés que possible sur le marbre; puis un disque de verre transparent, posé au bout de la canne à souffler, était roulé sur l'une des extrémités du rang de segments de façon à produire un cylindre de ces derniers avec une base en verre plein. En réchauffant et en marbrant le cylindre de tronçons de canne, on les fondait en un seul bloc. L'extrémité était alors pincée avec des tenailles pour former un bulbe qui pouvait être travaillé en forme de vase constitué d'une série de baguettes verticales préalablement aplaties, chacune portant le décor original de la canne.

Au XVIe et au XVIIe siècle, les cannes en *lattimo* étaient particulièrement prisées; dans ces pièces anciennes, le verre présente une nuance typiquement grisâtre. De nombreux verriers vénitiens s'expatrièrent dans d'autres pays d'Europe, en particulier aux Pays-Bas et en Belgique, à Liège. C'est pourquoi le pays d'origine d'un verre en filigrane étant souvent difficile à déterminer, on utilise pour le décrire l'expression « façon de Venise ». Les pièces les plus tardives sont en général plus blanches, et, à partir du XIXe siècle, on utilisa souvent du verre de plomb. Des nuances de bleu, de rose, de jaune et d'or, très en vogue au XIXe siècle, devinrent aussi très fréquentes. Les plus belles pièces modernes sont encore fabriquées à Murano; on rencontre parfois des pièces de moindre qualité qui présentent des bords irréguliers ou ondulés; cela est dû, en partie, aux inégalités de réaction à la cuisson des cannes utilisées.

Une version moderne du *vetro a retorti* dans la fabrication artisanale consiste à enrouler la canne en fusion autour d'une forme, de façon qu'elle forme un motif horizontal autour de la pièce.

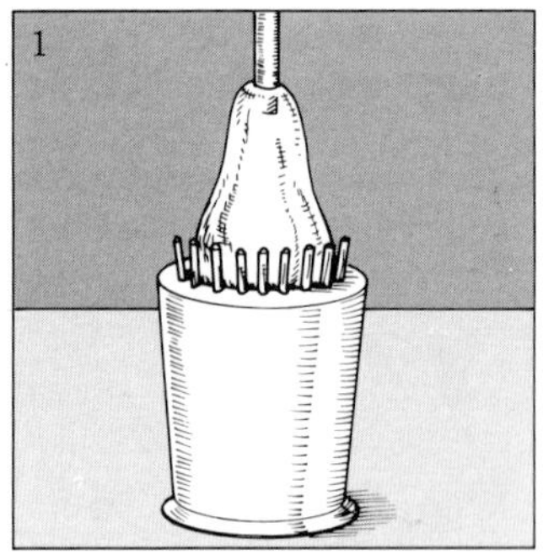

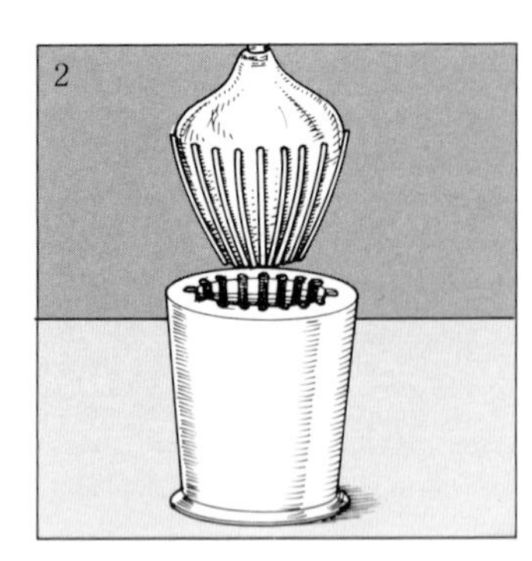

A gauche: seau en cristallo *vénitien* a retorti, *avec décorations soufflées dans le moule rajoutées et bord retourné, XVIIe siècle. Le décor en baguettes présente une alternance de torsades bleu et blanc et de « gaze » blanche, séparées par des zones pleines blanches. L'anse, réalisée avec une baguette épaisse tordue et trois fines baguettes blanches, prend appui dans des pastiles de verre transparent appliquées. La hauteur du seau, avec l'anse soulevée, est de 11 cm.*

FABRICATION DU VERRE EN FILIGRANE
1. La paraison, ou bulbe de verre partiellement soufflé, était plongée dans un moule creux à l'intérieur duquel étaient disposées des baguettes opaques blanches.
2. Les cannes adhéraient au verre en fusion, puis elles étaient elles-mêmes fondues par recuisson et marbrage. L'objet était ensuite formé par soufflage et modelage. Pour obtenir une jambe opaque torsadée (voir ci-contre), on recueillait les baguettes avec une goutte de verre solide plutôt qu'avec une paraison.

Les verres torsadés opaques

Les Vénitiens ont créé un type de verres à boire dont les jambes, de forme très élaborée, étaient réalisées avec des baguettes. Dans le nord de l'Europe, en particulier en Grande-Bretagne, vers 1750 -1780, on utilisa des baguettes pour décorer les jambes dites « en torsade opaque ». Ces jambes étaient relativement courtes et droites et les variantes se limitaient à un maximum de quatre ou, plus rarement, à l'application d'un collet à mi-hauteur de la jambe. Une variété considérable de motifs fut appliquée aux cannes ; parfois deux ou trois cannes étaient réunies pour former des torsades doubles ou triples. La jambe pouvait être faite à partir d'une canne prédécoupée, mais le plus souvent elle était réalisée par étirement de la première goutte de verre en fusion contenant le modèle.

Les « torsadés mixtes », dont les jambes présentaient des fils d'air et d'émail entrelacés, sont plus rares que les torsadés en verre opaque ; plus rares encore sont les torsadés à plusieurs fils d'émail. Les verres anglais sont toujours torsadés dans le sens des aiguilles d'une montre, alors que les torsades des verres des autres pays d'Europe peuvent aller dans les deux sens. Les verreries norvégiennes, sous la direction de maîtres verriers britanniques, produisirent quelques modèles de torsade opaque, de style anglais ; le pays d'origine de ces verres peut seulement être déterminé par leur provenance ou par d'autres éléments de la décoration, comme la gravure.

Vers le milieu du XVIIIe siècle, les verriers anglais produisirent des verres à boire avec une très grande variété de jambes « combinées ». Dans celles-ci, de courts segments de torsades opaques étaient combinés avec des sections de verre ordinaire décoré de gouttes ou de perles d'air. Ces gouttes pouvaient de plus être taillées en facettes (v. p. 84) s'étendant au calice.

Ci-dessus : verres à vin anglais rares, en cristal de plomb, avec jambes torsadées opaques de couleur, vers 1765. Dans les deux premiers verres en partant de la gauche, la torsade est constituée d'un seul ruban ; dans le troisième, le ruban est entrelacé avec un seul fil et dans celui de droite le ruban est entrelacé avec deux fils, un blanc et un rose ; le verre placé au centre présente une jambe décorée d'un ruban blanc bordé de rouge et de vert entrelacé avec une torsade de corde blanche ; à droite de celui-ci se trouve un verre dont la jambe comporte un motif « tartan » bleu, rouge, vert et blanc.

Ci-contre, à droite : verres à cordial en cristal de plomb avec jambe en torsades de verre coloré opaque et calice décorés à la manière de la famille Beilby. Vers 1765.

Ci-dessous : gobelet à jambe serpentine « façon de Venise », XVIIe siècle. Des verres à ailettes dans le style des pièces vénitiennes furent fabriqués en Allemagne et aux Pays-Bas, souvent par des verriers italiens. Leur lieu de fabrication n'est presque jamais connu avec précision. La jambe très élaborée présentée ici a été d'abord travaillée à la lampe (une lampe à pétrole alimentée en air par un système de soufflets), à partir d'une canne faite de fils blancs torsadés ; la crête enroulée et pincée ornant les bords extérieurs est en verre bleu cobalt, la coupe et le pied ont été ajoutés

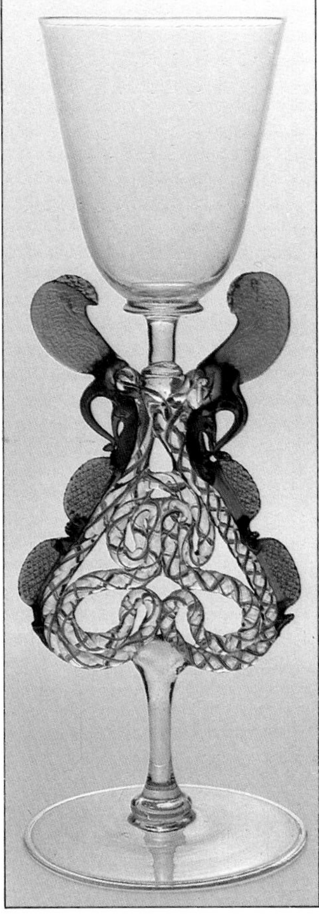

La taille

Le terme «verre taillé» est en fait impropre puisque cette technique consiste en réalité à abraser la surface du verre à l'aide d'une meule. La taille remonte à l'époque préromaine, lorsqu'on utilisait les roues en pierre. Au XIXe siècle, la découverte de la vapeur a permis l'usage de tourets en acier alimentés d'un filet continu de sable fin et abrasif; aujourd'hui, on utilise du carborundum synthétique ou des tourets à facettes de diamant. Selon les dimensions de l'objet, la taille des tourets allait jusqu'à 63 cm de diamètre et 5 cm d'épaisseur; on les utilisait toujours humides. Les tourets en pierre étaient livrés au tailleur à l'état brut et son premier travail consistait à les ajuster et à en façonner les contours selon le type de taille désiré.

Au début, les ateliers de taille étaient petits et indépendants des verreries, qui fournissaient les blocs à tailler. Le touret était actionné soit au pied par une pédale sur laquelle le tailleur appuyait, soit à la main par un assistant ou, plus rarement, par la force hydraulique. La taille était en général superficielle et légèrement irrégulière.

Avec l'avènement de la vapeur au début du XIXe siècle, les ateliers de tailleurs de verre se développèrent en annexe des verreries. On soufflait des blocs plus épais pour s'adapter à la nouvelle taille en profondeur qui était devenue possible, et le profil initial de l'objet disparaissait littéralement sous une profusion d'ornements. Un compte rendu de l'époque décrit ces ateliers comme étant longs et spacieux, avec des éclairages sous lesquels les ouvriers travaillaient à leur cadre. Chaque cadre portait entre ses deux supports latéraux des pivots amovibles auxquels les meules étaient fixées par de grands écrous. Les pivots étaient guidés par une courroie en cuir accrochée à une poutre. Mais l'élément le plus impressionnant, immédiatement perçu dans un grand atelier de taille du verre, était le bruit.

Le verre taillé est caractérisé par des motifs de prisme et de facettes de forme plus ou moins géométrique, en général de 4, 6 ou 8 côtés, et par une utilisation minimale des lignes courbes, difficiles à obtenir avec des tourets de grandes dimensions. Le tailleur de verre maintenait l'objet entre lui-même et le touret de sorte qu'il devait regarder à travers l'objet en transparence pour diriger la taille. Il travaillait à main levée avec une simple ébauche du dessin portée à l'encre imperméable, sur le verre. Après ce «dégrossissage», le dessin était achevé avec un touret plus lisse puis il était poli avec des roues en liège ou en bois lubrifiées à la pierre ponce ou avec un mélange de plomb et de mastic. Le polissage prenait souvent plus de temps que la taille elle-même et donnait à cette dernière une arête assez dure. On procédait alors à une dernière finition avec une brosse rotative et de la poudre de pierre ponce humide mélangée avec du corindon, ce qui pourrait expliquer la légère opacité que l'on remarque souvent autour de l'entaille des pièces anciennes.

Le polissage à la roue est encore utilisé pour les plus belles pièces des usines Waterford Crystal, par exemple. Mais la plupart des industries modernes utilisent le polissage à l'acide, avec un mélange d'acide fluorhydrique et d'acide sulfurique. Cette technique, découverte au début du siècle, agit en dissolvant la surface du verre; elle a pour résultat d'adoucir les angles de la taille et d'effacer une grande partie des marques laissées par la roue qui caractérisent les premiers travaux en verre taillé.

La Grande-Bretagne qui occupait la première place dans la production de cristal de plomb, matière tendre et très

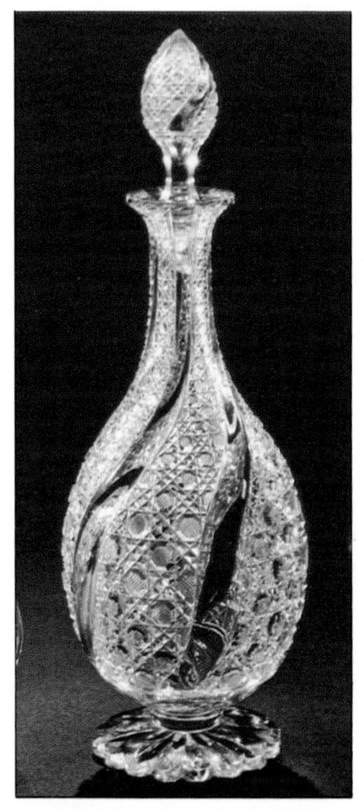

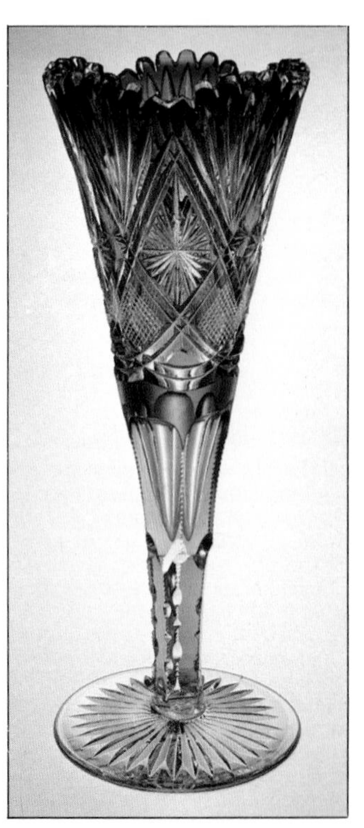

Ci-contre: atelier de taille équipé de machines à vapeur, au XIXe siècle; un ouvrier dégrossit une coupe.
Ci-dessus: carafe à porto en cristal de plomb, de Stevens et Williams, vers 1880. Des rubans de verre lisse séparent les panneaux de verre taillé en motif de cannage.
Ci-dessus, à droite: vase américain en cristal de plomb, étiré en forme de trompette, de C. Dorflinger et Fils, doublé de verre vert taillé en profondeur. Vers 1886-1890.

réfringente, idéale pour la taille, devint aussi la première dans l'industrie de la taille du verre, dans la seconde moitié du XVIIIe siècle. Au XIXe siècle une forte concurrence lui fut opposée par le reste de l'Europe, en particulier sur le marché d'objets populaires, tandis que les Etats-Unis développèrent vers la fin du siècle leur propre style de verre épais taillé en profondeur à angles aigus, et au polissage très brillant. La popularité de la taille anglaise déclina vers la fin du XIXe siècle à la suite des protestations de John Ruskin contre le « barbarisme » artistique que constituait à ses yeux l'ensevelissement d'un objet sous un décor taillé. Au XXe siècle des formes de décoration plus sobres remirent à l'honneur le verre taillé. Bien des motifs décoratifs produits aujourd'hui sont repris de modèles en vogue il y a un siècle ou plus.

De nos jours en Europe on travaille le verre taillé de qualité ordinaire en taillant un motif qui a déjà été pressé et moulé dans la surface du verre. Les marques du moule peuvent être enlevées par polissage mais un examen attentif révèle une modification de l'angle formé par la surface du verre et l'arête de la taille qui n'a pu être produite par la taille elle-même ; la décoration moulée peut également ne pas être totalement taillée ; les carafes à whisky carrées sont souvent fabriquées selon ce procédé.

En haut : coupe à punch et louche américaines en cristal de plomb, à taille brillante, selon le modèle « Koh-i-noor ». Vers 1900-1910. Il fallait une habileté et une force considérables pour manipuler une pièce comme celle-ci contre la roue. On notera particulièrement la taille du bord et du pied. La taille brillante, type de taille profonde et polie réalisée sur des blocs très épais, fut très à la mode aux Etats-unis à la fin du XIXe siècle.

Ci-dessus : compotier et soucoupe ovale en cristal de plomb, Irlande, vers 1825. Le compotier et le plat ont des bords dentés. Le compotier comporte plusieurs panneaux avec des diamants en forme de fraise, séparés par des rainures taillées en forme de flûte ; le plat a des diamants plats entre les flûtes en creux.

La gravure

Il est plus facile de décrire la gravure sur verre que de la définir, car elle comprend une grande diversité de techniques d'abrasion. Parmi ces procédés on trouve l'utilisation de pointes en diamant ou en métal actionnées à la main ou mécaniquement, et de roues en cuivre, en pierre ou en d'autres matériaux fixées à un tour ou maintenues à la main et guidées par une tige flexible actionnée par un moteur électrique. La gravure sur verre comprend aussi la gravure au sable et la gravure à l'acide (v. p. 89 et 90).

Bien que la dureté du diamant soit connue depuis l'Antiquité, la possibilité de l'utiliser pour graver des motifs sur du verre ne fut découverte que vers le milieu du XVIe siècle, très probablement à Venise. En Grande-Bretagne cette technique apparaît dans des verres fabriqués par Jacopo Verzelini qui, en 1574, avait obtenu le monopole de la production de *cristallo*. Très peu de verres de Verzelini sont parvenus jusqu'à nous ; leur décoration exécutée à la pointe de diamant est attribuée à un artisan français : Antony de Lysle.

Au XVIIe siècle le Hollandais Frans Greenwood découvrit la technique de la gravure au pointillé. Cette technique consistait à « picoter » le verre avec un éclat de diamant monté sur un simple manche. Il obtint de remarquables effets picturaux en espaçant les points ou en resserrant des marques plus légères pour former des ombres, le verre lui-même étant utilisé comme un canevas noir. Aux Pays-Bas la gravure au pointillé sur du cristal au plomb anglais atteignit un degré de perfection inégalé grâce à des amateurs de talent comme David Wolff et Anna Roemers Vischer. La calligraphie sur verre exécutée à la pointe de diamant était la spécialité de William Jacob van Heemskerk. Au XXe siècle, Laurence Whistler a été un remarquable graveur à la pointe de diamant.

La pointe d'acier, une forme de gravure moins raffinée, notamment pratiquée à Newcastle, en Angleterre, et à Alloa, en Ecosse, devint d'usage courant pour la décoration de bouteilles et d'objets souvenirs en verre de soude, vers 1850. Son exécution vigoureuse mais non dénuée de charme contraste avec celle, délicate et sophistiquée, de la gravure à la pointe de diamant.

La gravure sur verre par rotation de petites roues abrasives date sans doute de trois mille ans, avec les premiers sceaux cylindriques assyriens. A la fin du XVIe siècle, l'empereur Rodolphe II fonda à Prague un atelier pour la taille et la gravure des pierres précieuses, et c'est là, en 1609, que Caspar Lehmann reçut le premier brevet connu de gravure de verre à la roue.

Ci-contre, à droite : gobelet en cristallo*, fabriqué à Londres par le Vénitien Jacopo Verzelini (1522-1616) et gravé à la pointe de diamant par le Français Antony de Lysle. Daté de 1586. En 1574, Verzolini s'assura le monopole de la fabrication du* cristallo *en Grande-Bretagne, et sa manufacture fut la première de ce pays à décorer le verre par gravure à pointe de diamant.*
A gauche : illustration extraite du livre de Pellatt Curiosities of Glass-Making*. On y voit un graveur du XIXe siècle utilisant un tour actionné par une pédale.*
Ci-dessous : détail d'un verre à vin anglais en cristal de plomb, appelé verre « d'amitié ». Fabriqué à Newcastle et gravé à la roue par Jacob Sang (mort en 1783), 1761, il fut exporté à Amsterdam où Sang travaillait.

Ci-contre, à gauche: gobelet anglais en cristal de plomb, gravé en pointillé par Frans Greenwood (1680-1761), vers 1744.
Ci-dessus: détail du gobelet. Greenwood, qui travailla à Rotterdam, fut le premier à exécuter des gravures au pointillé, ou en petits traits, en utilisant un éclat de diamant.
Ci-contre, à droite: gobelet en verre de craie avec couvercle, gravé à la roue par Auguste Böhm (1812-1890), Bohême, 1840. La gravure fut réalisée d'après une peinture de Le Brun.

Nuremberg devint un centre de gravure sur verre florissant au XVIIe siècle, une des grandes périodes de la gravure sur verre. Au début, la décoration restait superficielle, mais avec l'amélioration de la qualité du verre et des procédés de recuisson se développèrent la gravure en creux et la gravure en relief.

La gravure à la roue en cuivre était exécutée sur un tour actionné par une pédale et, plus tard, par un moteur électrique. Pendant la gravure d'un objet, on utilisait des roues de différentes dimensions, variant en épaisseur, diamètre et profil. Ces roues étaient interchangeables, chacune pouvant être montée sur un manche effilé qui s'adaptait, au moyen d'une clé, à la cavité taillée en pointe sur le manche principal du tour. Le graveur se fabriquait un assortiment d'environ quarante roues, l'habileté nécessaire à la mise au point d'une roue adaptée à un besoin particulier faisant partie intégrante du métier. Pendant l'opération, un filet d'huile devait lubrifier en permanence la roue, coulant d'une languette en cuir fixée au-dessus. Le graveur manipulait l'objet derrière la roue, en le guidant des deux mains; mais, à des intervalles de quelques secondes, il devait enduire d'un peu de pâte de carborundum, avec son pouce, le bord de la roue afin de lui conserver son pouvoir abrasif. Les graveurs expérimentés travaillaient entièrement à main levée; les effets picturaux étaient réalisés progressivement, l'habileté consistant à réduire au minimum les changements de roues.

Pour la gravure en relief on utilisait un bloc plus épais; en taillant dans le bloc, on faisait ressortir le dessin. La gravure en creux est le procédé inverse: le dessin en négatif est incisé dans le verre. Un effet de positif en trois dimensions se créait lorsque la gravure était observée de l'autre côté du verre. Pour ce type de travail, on utilisait de petites roues en pierre en plus des roues en cuivre. L'invention d'un tour plus solide pour la gravure en creux, à la fin du XIXe siècle, est attribuée à un verrier de Stourbridge renommé, John Northwood.

Pendant la seconde moitié du XIXe siècle, on découvrit en France une méthode pour donner un poli brillant à l'ensemble du dessin gravé. Cette technique fut reprise en Grande-Bretagne, et particulièrement associée avec une sculpture préliminaire du verre. Celle-ci était quelquefois réalisée en soufflant un morceau de verre dans un moule de façon à obtenir un relief tridimensionnel sur toute la surface de l'objet. Pour des raisons évidentes, cette forme de décoration prit le nom de « gravure en cristal de roche », elle connut une grande popularité dans les vingt dernières années du XIXe siècle. Par la suite les coûts de production se révélèrent trop élevés et, si le verre gravé de très haute qualité a souvent reçu un polissage en cristal de roche, la sculpture préliminaire qui constituait la partie la plus coûteuse du travail fut abandonnée.

Ci-dessus, à gauche : pichet anglais décoré à Stourbridge avec gravure en cristal de roche, réalisée par William Fritsche. Terminé en 1886. Avec la gravure en cristal de roche on pratiquait une sorte de polissage brillant sur toute la surface du verre ; l'effet sculptural était souvent obtenu en soufflant le morceau de verre dans un moule. Ce type de décoration se répandit en Grande-Bretagne grâce à la firme de Thomas Webb, de Stourbridge. Il fut principalement utilisé par Webb, Stevens et Williams. Ce pichet, d'une hauteur de 38,5 cm, demanda à Fritsche deux ans et demi de travail à temps partiel. Le col est décoré de l'effigie d'une divinité fluviale en haut-relief. Le corps du pichet porte un motif gravé de dauphins, et le pied un motif de coquillages ; les lignes ondulées figurent les vagues, les courants et les fleuves.

Ci-dessus : gobelet en cristal de roche en forme de corne d'abondance, probablement issu de l'atelier Miseroni de Prague vers 1660, avec des montures du XIXe siècle. Pendant les premières décennies du XVIIe siècle, on décorait déjà le verre au tour utilisé pour le cristal de roche. La recherche d'un matériau de substitution du cristal de roche contribua probablement à la mise au point d'une nouvelle formule de verre de potasse à base de chaux connu sous le nom de « verre de craie ».

A gauche : gobelets en cristal de plomb anglais, de Thomas Webb et Fils, à décoration gravée en cristal de roche. Le verre couleur or rubis a été décoré par le graveur bohémien F.E. Kny en 1884 ; le verre au centre présente un décor de fleurs ; celui de droite, daté de 1906 et décoré d'abeilles et de fleurs, est gravé d'un lourd motif en spirale sur la jambe et le pied.

La gravure au sable

La gravure au sable date de 1870, lorsque Benjamin Tilghman fit breveter aux Etats-Unis un appareil à air comprimé qui dirigeait à grande vitesse un fin jet de sable sur un plat de verre. D'autres propulseurs, comme la vapeur, pouvaient aussi être utilisés. Benjamin Tilghman exposa son invention à l'exposition de Vienne de 1873 et étonna par la vitesse à laquelle il pouvait produire une quantité de motifs décoratifs différents.

Comme cet équipement était encombrant et très cher, un autre Américain, G.F. Morse, imagina un appareil à usage domestique dans lequel l'abrasif tombait d'une hotte dans un long tube (2,40 m) terminé par un orifice étroit au-dessous duquel le verre était exposé au jet de sable. On s'aperçut que la poussière produite par ces deux types d'appareils représentait un danger pour la santé, ce qui amena à construire des coffrets fermés à l'intérieur desquels l'objet et le sable pouvaient être manipulés en toute sécurité. Comme pour l'eau-forte, des peintures réfractaires furent utilisées pour délimiter la décoration et protéger les parties qui devaient rester intactes ; pour les pièces uniques, du papier épais, collé, suffisait.

Vers la fin du XIXe siècle, quantité d'articles assez grossièrement décorés furent produits pour les différentes expositions de commerce et d'industrie. Moyennant un petit supplément de prix, on pouvait les faire personnaliser et les offrir en cadeau ou les conserver en souvenir de l'exposition.

Pour des raisons d'économie, de nombreuses maisons préfèrent maintenant la gravure au sable, ou « eau-forte au sable », comme elle est parfois appelée, à la gravure à la roue pour la production d'objets commémoratifs en série. Le résultat, en général assez plat, peut être sensiblement amélioré en retouchant les reliefs à la roue. Une méthode donnant de beaux résultats est utilisée dans les cristalleries du Val-Saint-Lambert, en Belgique ; on applique une dorure à chaud sur un motif gravé au sable pour produire un effet de travail en relief. Ce type de travail, bien plus difficile et plus long que la gravure au sable, est par conséquent plus onéreux.

Les applications les plus sophistiquées de cette technique sont dues à David et à Chris Smith de Stourbridge, qui créèrent des camées aux nuances délicates (v. p. 92) en utilisant des blocs en verre à couches superposées produits par l'usine Webb-Corbett (devenue aujourd'hui la société Royal Doulton).

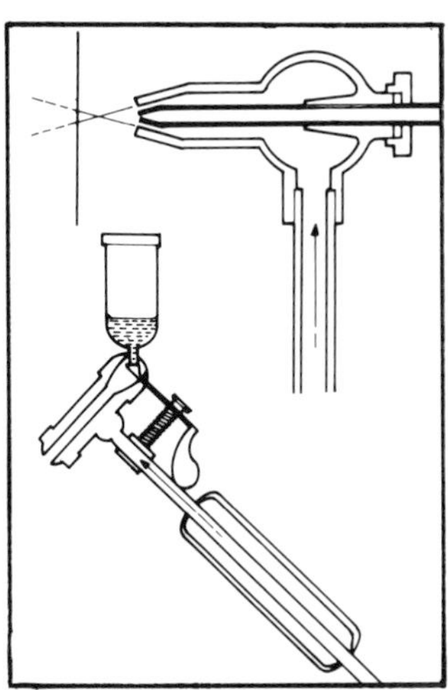

A l'extrême gauche : gobelet anglais pressé-moulé avec décor de feuilles de chêne entourant l'emblème de la reine Victoria, gravé au sable, 1887. Cette décoration commémore le jubilé du couronnement de la reine.

Ci-contre, à gauche : deux types de propulseurs utilisés pour la gravure au sable : marchant sous vide (en haut) et par effet de la force de gravité (en bas).

Ci-dessous : détail d'une timbale anglaise pressée-moulée avec une décoration commémorative gravée au sable de l'exposition de l'Industrie et des Beaux-Arts de Bristol en 1893.

La gravure à l'acide

Les alchimistes savaient déjà que certains minéraux rechauffés au vitriol (acide sulfurique) produisaient des vapeurs qui attaquaient le verre. De rares exemples de gravure à l'acide réalisés au XVIe siècle sont parvenus jusqu'à nous.

La gravure à l'acide fluorhydrique était connue depuis la fin du XVIIIe siècle, mais son exploitation commerciale ne commença qu'au XIXe; cependant il est très difficile aujourd'hui de trouver des pièces remontant à la première moitié du XIXe siècle. Vers 1835, la firme Dudley de Thomas Hawkes produisit des articles de présentation réalisés à la gravure à l'acide. John Northwood avait vu les expériences conduites par la société Richardson et s'associa avec T. Guest pour exploiter ce nouveau procédé. Cette société, sise à Stourbridge (Angleterre), se scinda au début des années 1860 en deux nouvelles sociétés spécialisées dans la gravure à l'acide : la J. et J. Northwood et Guest et la Guest Frères. A la même époque en France, la gravure à l'acide fut adoptée par les Cristalleries de Saint-Louis. De bonnes connaissances techniques étaient essentielles, de même qu'une solide structure financière car les investissements nécessaires à la production d'acides fluorhydrique et sulfurique sur place étaient très lourds. Cela explique certainement pourquoi la gravure à l'acide ne connut pas une large diffusion avant cette date.

Le verre destiné à la gravure à l'acide devait être recouvert d'une couche de peinture résistante, faite au début d'un mélange de colophane et de cire d'abeille. (Les encres résistantes et les peintures au bitume pour la reproduction des gravures ne se développèrent que plus tard.) Le dessin était tracé sur le vernis résistant avec un style en buis, mais cette manière de procéder se révéla longue et difficile et, pour accélérer la production, Northwood inventa un appareil à graver à patron. La taille des patrons qui guidaient automatiquement le style était difficile et demandait une grande habileté. Les difficultés furent surmontées en 1865 avec la découverte par Northwood de l'appareil à gravure géométrique avec lequel le style et l'objet en verre étaient actionnés par des roues à l'engrenage ajustable. Celle-ci conduisit à l'extension de la gravure aux articles de table les plus ordinaires dont les motifs les plus populaires étaient la « clé » et le « cercle ». On assistait à de semblables évolutions dans d'autres centres verriers d'Europe, particulièrement en France et en Bohême. La gravure à l'acide trouva une utilisation particulière dans la production de camées de verre (v. p. 92).

La gravure à l'acide consistait à immerger l'objet dans une solution d'acide dilué dans des proportions précises, que l'on découvrait par essais successifs, pendant un temps dépendant de la profondeur de taille désirée. Plus l'acide était fort, plus la taille était profonde et grossière. Pour des tailles très profondes, on avait recours à plusieurs immersions en ayant soin de protéger l'épaisseur des entailles par une peinture résistante à chaque nouvelle immersion. L'acide fluorhydrique et l'acide sulfurique laissent la surface du verre transparente ; en revanche, l'acide blanc, obtenu en neutralisant l'acide fluorhydrique avec de la soude et de l'ammoniaque, produit un fini opaque d'un blanc mat. Après ce traitement, on éliminait les résidus d'acide par un lavage et l'on retirait la peinture résistante pour faire apparaître la décoration. Bien que W.H. et B. Richardson aient breveté en 1857 l'usage d'un mélange d'acide fluorhydrique et d'acide sulfurique pour obtenir un fini brillant, son application au polissage du verre taillé, à la place de roues en liège et de pâte de pierre ponce, ne se répandit qu'à la fin du XIXe siècle. Des mélanges similaires sont utilisés de nos jours pour retirer les taches et les incrustations sur du verre ancien. Ces deux acides sont très dangereux et leurs vapeurs sont toxiques.

La gravure à l'acide fut largement utilisée pour décorer et pour enlever leur transparence à des vitres de locaux commerciaux, une technique connue sous le nom de « repoussage ». Pour le repoussage simple, le motif était gravé à une profondeur d'environ 2 cm, puis il était opacifié par abrasion à l'émeri et à l'eau. Le côté « repoussé » de la vitre était toujours monté à l'intérieur pour le protéger des intempéries. Dans sa forme la plus sophistiquée, appelée « repoussage à la française », un effet de profondeur était obtenu par le traitement de la surface du verre avec une série d'acides de plus en plus abrasifs ; des parties du motif étaient progressivement protégées par la peinture résistante à mesure que le travail avançait. Le repoussage à la française était souvent associé à une décoration taillée.

LA GRAVURE A L'ACIDE
1. A l'aide d'une loupe, le motif est gravé sur la plaque de cuivre que l'on recouvrira ensuite d'encre résistante.
2. Une empreinte du motif est transférée sur une feuille de papier.
3. Le motif est reporté sur le calice du verre.
4. Les parties non gravées du verre sont protégées par un produit résistant à l'acide.
5. Lorsque le calice est immergé, l'acide attaque le motif non protégé. La profondeur de la gravure dépend de la concentration de la solution acide et du temps d'immersion.
6. Après l'immersion, le verre est rincé à l'eau et légèrement chauffé afin que la couche de protection puisse être retirée.

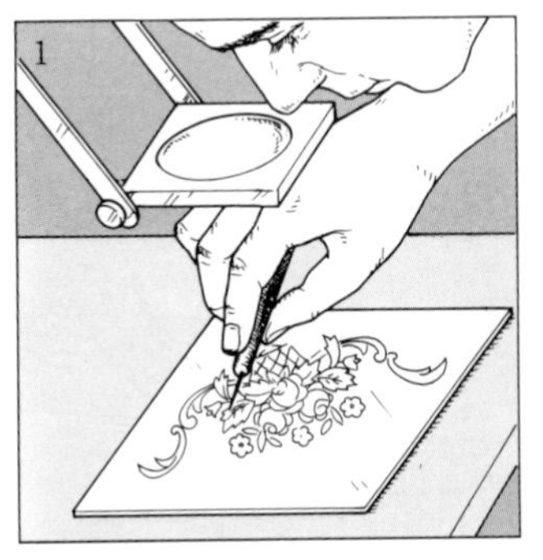

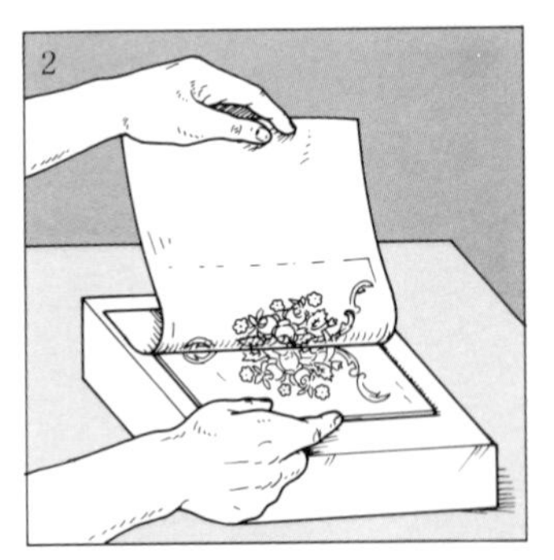

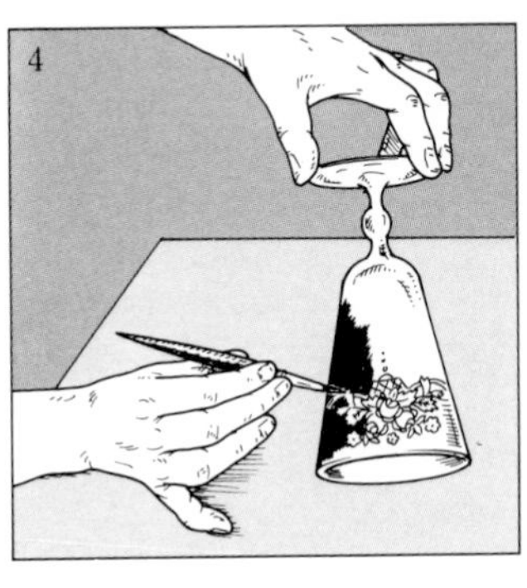

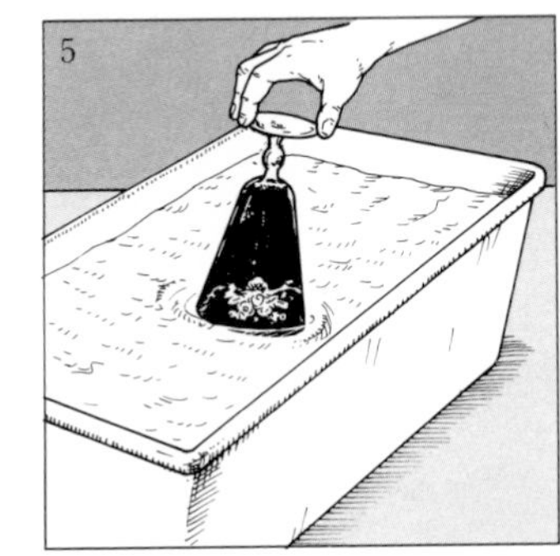

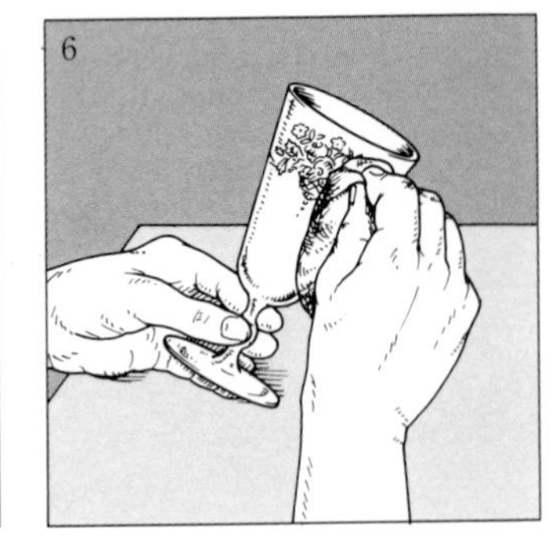

Ci-contre, à gauche: vase anglais de Stevens et Williams en verre clissé dont la gravure à l'acide et la dorure sont probablement dues à William Northwood (1858-1937), fin du XIXe siècle. La décoration, un motif d'oiseaux exotiques et de fleurs, est d'inspiration orientale.

Ci-dessous: carafe à bordeaux de Stevens et Williams, décoration gravée à l'acide. Pour cette scène inspirée de l'Antiquité grecque, la décoration mate en relief est associée à la gravure brillante au pointillé.

Le doublage et la taille des camées

Le verre à base d'or, de cobalt ou d'étain présentait des couleurs intenses ; c'est pourquoi il était souvent utilisé sous forme d'une fine « chemise » dont on recouvrait une base de verre de couleur différente, pour obtenir des contrastes. On réalisa de ravissantes décorations en taillant ce « doublage » et pour des travaux plus complexes on utilisa parfois plusieurs doublages de couleurs différentes. Cette technique est apparue en Bohême

Mais il n'était pas facile de trouver des types de verre dont l'expansion soit compatible. En 1874, par exemple, la firme Pargeter de Stourbridge, en Angleterre, rencontra d'énormes difficultés dans la préparation d'une base bleue et d'une « chemise » blanche qui devaient permettre à John Northwood de tenter de copier le célèbre vase de Portland. Pendant qu'il le sculptait, Northwood porta souvent son vase au British Museum pour le comparer avec l'original réalisé en Grèce au IVe siècle avant J.-C. Au bout de deux ans de travail, un jour de grand froid, le vase se brisa spontanément au moment où Northwood le sortait. Il était trop tard pour recommencer et cet échec resta comme symbole d'une faillite technologique.

Les camées en verre anglais suivaient la tradition grecque ; le doublage était finement entaillé pour créer des effets de nuances sur la base de verre du dessous. La pièce était d'abord rendue opaque par abrasion ou à l'acide pour faciliter la gravure du motif avec un petit ciseau métallique qui ainsi mordait mieux la surface de la « chemise ». L'objet était appuyé sur un coussin en velours et le ciseau devait être régulièrement aiguisé au cours de la taille. L'exécution était lente, pénible, et toute erreur était irrémédiable. Il fallut trois ans à Northwood pour sculpter sa copie du vase de Portland, en travaillant régulièrement plusieurs heures par jour.

La taille en camée devint plus rapide lorsqu'on commença à

Ci-dessous : vase en camée de verre de Thomas Webb et Fils avec décorations sculptées par George Woodhall (1850-1925). Angleterre, fin du XIXe siècle. Sur le verre clair a été ajoutée une « chemise » blanche. Celle-ci a été sculptée pour faire ressortir la décoration sur le fond rubis.

Ci-dessus: vase d'Emile Gallé (1846-1904) à triple doublage. France, fin du XIXe siècle. Des couches de verre vert, bleu et gris avec inclusions de feuilles de métal ont été gravées à la roue et sculptées pour représenter des poissons émergeant de vagues tumultueuses.

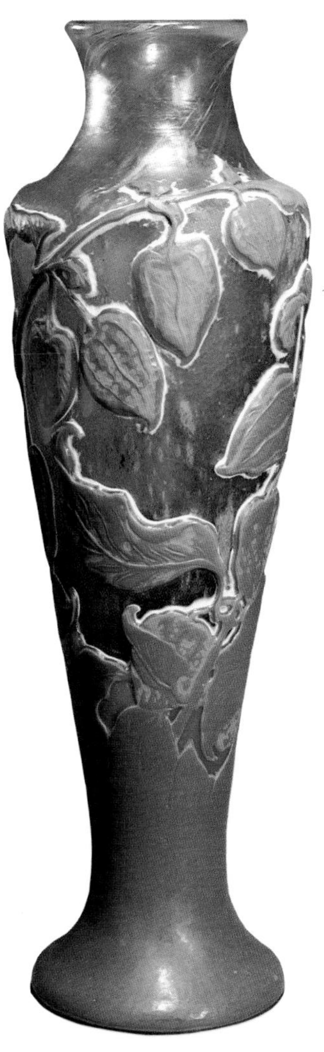

Ci-contre: vase de Gallé à quadruple doublage. Les épais doublages opaques de couleur crème et de différentes nuances de corail ont été gravés à la roue pour créer un motif floral qui contraste nettement avec le fond translucide de couleur turquoise strié, marbré et tacheté d'inclusions.

LA TAILLE DES CAMEES
1. Le vase était d'abord recouvert d'une couche de verre rendue opaque par l'acide, puis le dessin était grossièrement enduit d'un vernis de protection afin que l'acide ronge les parties choisies.
2. Le vernis de protection ayant été retiré, le vase était placé sur un coussin de velours, et la décoration était finement ciselée sur la surface avec un fin ciseau en acier qu'il fallait aiguiser.

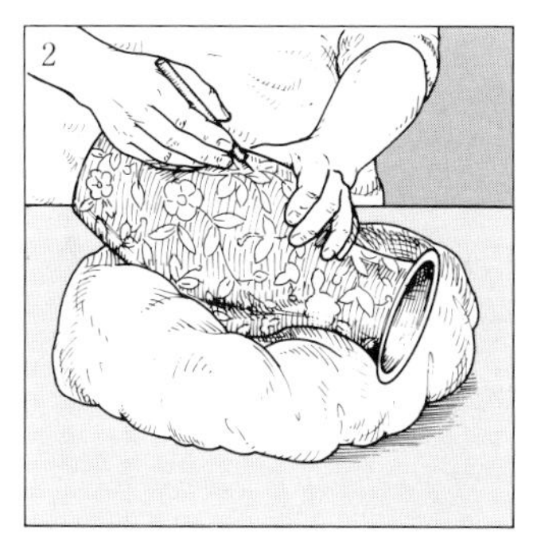

esquisser le dessin à l'acide fluorhydrique. Mais même ainsi la production restait limitée et par conséquent extrêmement chère. De nombreux camées de verre anglais furent produits par une équipe d'artistes dirigée par George Woodhall, qui travaillait pour la société Thomas Webb et Fils. Ils créèrent notamment un verre conçu pour les camées polychromes, avec des pastilles de verre colorées participant au motif. Un autre grand tailleur de camées, Joseph Locke, réalisa une deuxième copie du vase de Portland avant de partir rejoindre la « New England Glass Company » à Cambridge, dans le Massachusetts. D'autres sociétés produisirent des camées en verre aux Etats-Unis comme « Tiffany », la « Corning » et la « Mount Washington Glass Company ».

En France, Gallé et Daum possédaient à Nancy de grands ateliers, qui produisaient des camées de verre gravés à l'acide. Les dessins Art Nouveau étaient parfois rehaussés par la gravure à la roue. L'exceptionnelle habileté technique et artistique de Gallé est illustrée par l'art qu'il avait de faire épouser aux objets et aux doublages de verre des formes en trois dimensions.

Jusqu'au début du XXe siècle, plusieurs ateliers européens s'essayèrent à la difficile fabrication des camées de verre. Dans l'usine Orrefors, en Suède, on réchauffait le camée sur verre finement taillé et on le recouvrait d'une couche de cristal transparent ; cette variante, qui donnait au motif un aspect plus « fluide », était appelée verre « Graal ».

Les fabricants de verre chinois découvrirent la technique du camée de verre de façon tout à fait indépendante du reste du monde, après l'établissement des verreries du palais impérial à Pékin en 1680. La production fut prospère pendant le siècle qui suivit, avec en particulier la fabrication de flacons pour les essences parfumées. L'objet et le doublage étaient réalisés en verre de couleurs vives et opaques ; une des combinaisons les plus appréciées était le rouge cire et le jaune impérial.

Le verre coloré utilisé pour le doublage était fabriqué en petite quantité dans des pots superposés placés dans le four principal. Aujourd'hui la « chemise » toute prête s'achète à une fabrique spécialisée sous la forme d'une « carotte » courte et épaisse qui est chauffée à l'ouvreau et dont on prend une paraison avec la canne à souffler.

Un doublage rouge cuivre extrêmement fin sur une base de cristal clair, inventé par Friedrich Egermann, caractérise la verrerie de Bohême presque aussi sûrement qu'un poinçon. Ce doublage très fin était facile à graver à la roue pour faire ressortir le motif en verre clair sur le fond rouge rubis.

Par souci d'économie, on substituait parfois à cette fine couche de verre une coloration au cuivre, obtenue par application d'une pâte d'oxyde de cuivre sur le verre fini. Après un passage au four, la pâte retirée à l'eau laissait une couleur rubis profonde définitivement fixée au verre. Le nitrate d'argent produisait, lui, une couleur jaune.

L'émaillage sur verre

L'émaillage est la fusion de substances vitreuses (émail) de couleurs opaques ou transparentes sur une base de métal (v. p. 195). Ce procédé, avec quelques modifications dans la composition de l'émail, a été également utilisé pour la peinture cuite sur porcelaine (v. p. 132) et sur le verre.

L'émaillage sur verre remonte à l'époque romaine mais ne devint courant qu'au cours du XIIIe siècle dans les pays islamiques. Alep, Raqqa et Damas, en Syrie, en furent les centres les plus importants. De grandes lampes, des coupes et des flacons furent ainsi décorés de figures d'animaux ou de scènes peintes à l'émail bleu, rouge, jaune, vert et blanc. Ces pièces étaient ornées de bandeaux épigraphiques, portant des inscriptions en calligraphie arabe réalisées à la poudre d'or cuite au four (v. p. 97), souvent encadrées d'émail rouge. Des trophées, des souvenirs et des pièces d'exposition arrivèrent jusqu'en Europe et en Extrême-Orient.

Comme on l'a déjà vu pour la production du verre en général, après le sac de Damas en 1402, c'est Venise qui devint le centre de l'émaillage sur verre où se développèrent de nouveaux styles de décoration.

D'après les écrits de Théophile, on sait que l'émaillage sur verre était pratiqué en Europe centrale au début du XIIe siècle. Pendant la seconde moitié du XVIe siècle, les immenses chopes à bière connues sous le nom de *Humpen* étaient très souvent décorées ainsi. La grande surface plate de ces chopes se prêtait bien aux décors de motifs héraldiques très prisés en Allemagne du Sud ; en Bohême étaient particulièrement appréciées les scènes historiques, bibliques et allégoriques. En Espagne, l'émaillage en couleur servait à égayer le verre incolore. La pratique de l'émaillage du verre déclina vers la fin du XVIIe siècle : avec l'amélioration de la qualité du verre, les styles changèrent et la gravure devint la décoration de prédilection du verre.

Le *Schwarzlot* était une peinture à l'émail noir au plomb originaire des Pays-Bas que, vers 1660, un peintre de Nuremberg, Johann Schaper, appliqua aux objets en verre. Il fut probablement le premier à utiliser l'émail transparent, qui est très différent de l'émail opaque, sur verre.

En Bohême et en Silésie se développa la tradition du travail indépendant à domicile (*Hausmalerei*), et plusieurs artistes sont devenus célèbres à la fin du XVIIe et au début du XVIIIe siècle, comme Daniel Preissler et son fils Ignace.

La peinture à l'émail transparent polychrome, particulièrement en vogue pour les souvenirs de stations thermales, atteignit son apogée pendant la première moitié du XIXe siècle grâce à Samuel Mohn et à Anton Kothgasser.

En Grande-Bretagne, au XVIIIe siècle, l'émaillage sur verre fut lié à la ville de Newcastle et aux noms de William et Mary Beilby. L'émaillage polychrome réalisé par William Beilby pour des pièces commémoratives est particulièrement remarquable (v. p. 60). D'autres artistes anglais de cette époque pratiquèrent l'émaillage à la fois sur céramique et sur verre, ainsi James Giles à Londres, et Michael Edkins à Bristol. Les auteurs de la plupart des verres émaillés anglais de cette époque, qui présentaient souvent un décor floral sur fond opaque blanc, sont inconnus, mais ils contribuèrent à l'épanouissement d'une industrie florissante dans la région du Staffordshire.

Mais le plus grand émailleur sur verre, celui qui maîtrisait le mieux cette technique, fut sans doute, à la fin du XIXe siècle, Emile Gallé. Son père était propriétaire d'une petite fabrique de poterie et de verrerie, et Emile créait la décoration à l'émail sur ces deux matériaux. Après la mort de son père, il reprit l'usine de verrerie et mit au point de nouvelles méthodes pour utiliser l'émaillage dans ses propres créations. L'émail n'était plus seulement utilisé comme décoration de surface mais faisait partie

Ci-dessus : gobelet allemand avec décoration en Schwarzlot *de Johann Schaper (1621-1670), milieu du XVIIe. La technique de la peinture sur verre à l'émail transparent noir à base de plomb fut introduite à Nuremberg par Schaper qui l'avait découverte aux Pays-Bas. Elle se répandit en Bohême puis en Silésie.*

*Ci-contre, à gauche : chope allemande (*Humpen*) et son couvercle décorés à l'émail polychrome, 1656. En* Waldglas *de couleur verte, cette chope mesure, avec son couvercle à double talon, 35,5 cm de hauteur. Ci-dessous : détail de la chope, montrant l'empereur romain d'Occident, exécuté à l'émail peint.*

intégrante de l'objet. Son esprit inventif apparaît clairement dans le rapport qu'il soumit au jury de l'Exposition universelle de Paris en 1889, dans lequel il décrit les nouveaux émaux translucides qui donnaient le même effet sous n'importe quel éclairage. Ces émaux-bijoux étaient faits dans une nouvelle sorte d'émail translucide qui produisait des effets remarquables lorsqu'il était cuit sur une feuille de métal, pour le dos ailé d'un scarabée par exemple, ou encore l'œil d'une mouche. Cette technique était une extension de celle qui était connue au XVe siècle sous le nom d'« émail en résille sur verre » dans laquelle des émaux colorés étaient incrustés dans des cavités creusées dans le verre.

Ci-contre, à gauche: verre viennois décoré à l'émail transparent par Anton Kothgasser (1769-1851). 1812. Kothgasser était un miniaturiste et un décorateur de porcelaine et de verre. Pour le verre il choisissait souvent des motifs de fleurs, comme ici, avec des inscriptions en français ainsi que des paysages et des allégories.

Ci-dessous: vase avec un motif de papillons de nuit gravé à l'émail par Gallé, vers 1885-1890. Gallé, qui reprit l'entreprise familiale de poterie et de verrerie en 1874, fut l'un des créateurs du style Art Nouveau.

*Ci-dessus: chope allemande (*Humpen*) décorée avec des portraits de la famille Dobrich, en émail coloré. Cette pièce fut fabriquée après 1850, deux siècles après la date que l'inscription et le style de la décoration semblent indiquer.*

La dorure

Pour les amateurs de luxe, l'association de l'or et du verre dut apparaître comme le sommet du raffinement. Les Romains connaissaient déjà la technique pour fabriquer des feuilles d'or d'une telle finesse qu'il en fallait trois cent mille pour atteindre une épaisseur de 2,5 cm (v. p. 168).

On faisait adhérer cette feuille d'or à une surface de verre parfaitement propre à l'aide d'un « mordant ». F.S. Mitchell, en 1915, préconisait à cette fin l'utilisation d'une solution faite d'une petite cuillerée à thé d'ichtyocolle russe dissoute dans un demi-litre d'eau bouillante, filtrée puis appliquée chaude. D'autres solutions pouvaient être obtenues à partir de gélatine, de gomme adragante, de gomme arabique, de blanc d'œuf et même de whisky ou de gin dilué. Une fois sèche, la dorure était lavée à l'eau bouillante pour fixer la feuille d'or sur le mordant, et frottée doucement avec du coton. Les travaux les plus fins comportaient une double dorure, c'est-à-dire une feuille d'or appliquée de la même façon sur la première. Avec la dorure à des fins commerciales, comme l'enseigne d'un magasin, le contour de la dorure était protégé par une fine couche de laque qui faisait saillie sur le bord du verre.

Cette description diffère à peine, pour l'essentiel, de celle qu'en fit, en 1697, Haudicquer de Blancourt, qui préconisait

Ci-contre, à gauche : « coupe d'amour » anglaise fabriquée à Stourbridge et décorée à la feuille d'or par Jules Barbe, à la fin du XIXe siècle. Barbe, qui était français, se distingua tout particulièrement dans la technique de la dorure épaisse et dans l'émaillage cuit. Il travailla comme décorateur sur verre en Grande-Bretagne dans les années 1880.

Ci-dessous : flacon à parfum anglais en verre bleu cobalt, avec dorure attribuée à l'atelier de James Giles (1718-1780). Vers 1765. Giles dirigeait à Londres un atelier de décoration de verre et de porcelaine.

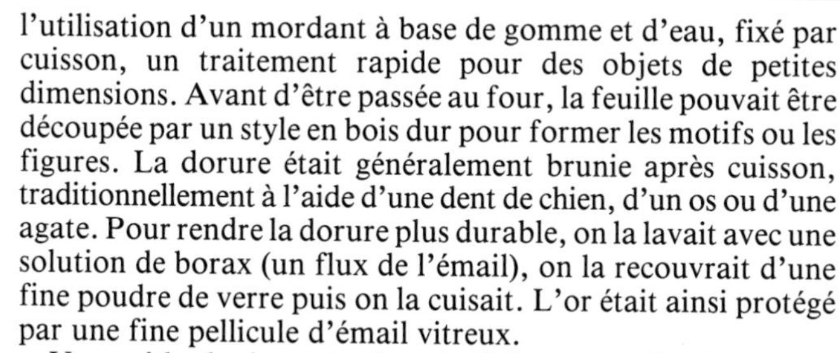

Ci-dessus: huilier anglais en verre bleu cobalt décoré de facettes et de dorure, attribué à Giles. Vers 1770. De nombreuses pièces ont été attribuées à Giles, mais il n'existe aucun exemplaire signé de son nom.

Ci-contre, à droite: gobelet allemand avec couvercle, XVIIIe siècle.

Ci-contre: détail du gobelet montrant la dorure. Le motif a été gravé, peint avec de la poudre à dorer, puis cuit.

Ci-dessous: illustration montrant un four à dorure, XIXe siècle. Les boutons en or étaient mis au four au travers d'un tambour perforé en acier que l'on faisait tourner.

l'utilisation d'un mordant à base de gomme et d'eau, fixé par cuisson, un traitement rapide pour des objets de petites dimensions. Avant d'être passée au four, la feuille pouvait être découpée par un style en bois dur pour former les motifs ou les figures. La dorure était généralement brunie après cuisson, traditionnellement à l'aide d'une dent de chien, d'un os ou d'une agate. Pour rendre la dorure plus durable, on la lavait avec une solution de borax (un flux de l'émail), on la recouvrait d'une fine poudre de verre puis on la cuisait. L'or était ainsi protégé par une fine pellicule d'émail vitreux.

Une méthode de protection similaire est expliquée dans la première description de la dorure qui nous soit parvenue. L'auteur en est l'Allemand Theophile (XIIe siècle) dont l'œuvre capitale *Diversarum artium schedula* a été traduite en français sous le titre *Traité des divers arts*. Des verres dorés de cette époque sont parvenus jusqu'à nous. Dans les œuvres plus anciennes, de l'époque romaine, la dorure était généralement protégée par une deuxième couche de verre, parfois de couleur différente, qui la prenait « en sandwich ». Cette technique de la dorure en sandwich, ou *Zwischergoldglas*, a trouvé toutes sortes d'applications pratiques et décoratives jusqu'à nos jours; l'une des plus communes était la protection des étiquettes dorées sur les bocaux de préparations en pharmacie.

Ces méthodes de dorure s'appliquaient facilement sur une surface de verre polie au feu, mais elles s'adaptaient moins bien à des surfaces laissées rugueuses par la roue du graveur. Cela explique sans doute l'apparition de mordants à base d'huile de lin, de craie et d'oxydes de plomb blanc et rouge et de térébenthine, utilisés pour la dorure d'autres matériaux. La dorure au pétrole à froid, typiquement anglaise, était peu résistante. Sur les verres du XVIIIe siècle, souvent seules des traces sombres dans la gravure attestent l'existence passée de cette dorure. La dorure fut cependant utilisée avec beaucoup de succès au XVIIIe et au XIXe siècle pour décorer les carafes en « bleu de Bristol », des pichets et d'autres articles. Les travaux de James Giles, de Michael Edkins et d'Isaac et Lazarus Jacobs sont particulièrement remarquables. Ailleurs en Europe, on préférait la dorure à la poudre d'or, qui utilisait une précipitation d'or obtenue chimiquement, dont une description détaillée est conservée dans un manuscrit de la société Nöstetangen, en Norvège, qui commença à produire des dorures sur verre à partir de 1760. La poudre d'or était mélangée avec de l'huile de lavande dont on avait retiré tous les gros grains. « La pose, était-il écrit, devait être réalisée par quelqu'un qui ait la main légère et de bons yeux et qui soit doué pour le dessin. » On passait trois couches, on mettait au four, puis le verre terminé était bruni.

D'autres méthodes de dorure à la poudre d'or, selon lesquelles l'or était mélangé avec de la poudre de verre et du borax pour apparaître en relief à la surface du verre, peuvent être considérées comme des variantes de l'émaillage. A la fin du XIXe siècle, la feuille d'or anglaise qui était fournie en livres de 25 feuilles carrées de 80 millimètres se généralisa pour les travaux destinés à la vente, qui représentaient la majeure partie de la dorure sur verre. Les miroirs des lieux publics et d'élégantes enseignes de boutiques, dont peu sont parvenus jusqu'à nous, furent souvent réalisés en repoussage, et à la contre-dorure d'argent ou de platine. L'or était gradué du blanc au rouge et son épaisseur était choisie en fonction du travail à réaliser.

Le verre argenté

Les premiers miroirs étaient faits en métal poli, mais on savait depuis très longemps que le verre doublé d'une couche de métal produisait une surface refléchissante. La difficulté résidait dans la fabrication d'un verre de surface plane et d'épaisseur régulière. Au XVIe siècle existaient déjà dans les pays islamiques et à Venise des miroiteries florissantes. En Grande-Bretagne, en 1621, Sir Robert Mansell se prévalait devant le Parlement d'être le premier à fabriquer des miroirs dans ce pays, mais les artisans qui travaillaient pour lui étaient vénitiens. A cette époque, les verres vénitiens y furent interdits et la guerre des importations fit rage jusqu'à la fin du siècle. Les importations se faisaient sous forme de feuilles soufflées, dites « plaques brutes », prêtes à polir, polies mais non « feuillées » (non argentées), ou sous forme d'objets terminés.

Vers 1665, le duc de Buckingham s'assura le monopole. Sa verrerie de Vauxhall, sur la rive sud de la Tamise, était réputée pour la manufacture de miroirs atteignant parfois 1,75 m de long. En 1691, la verrerie de Bear Gardens se vantait de pouvoir produire des plaques de verre soufflé mesurant jusqu'à 2,20 m de longueur.

Le verre soufflé fut utilisé pour les miroirs de la galerie des Glaces à Versailles, créée entre 1678 et 1689. Mais déjà les Français expérimentaient aussi la « glace coulée » que Bernard Perrot fit breveter en 1688. La célèbre usine de verre de Saint-Gobain alluma ses fours à bois en 1695, et la fusion de ces verres était un véritable spectacle à cette époque. Ce verre, d'abord de composition très proche de celle du *cristallo* vénitien, était un verre de soude pure peu sujet aux bulles et aux autres imperfections. A partir de 1760, on utilisa aussi un cristal de potasse contenant du carbonate de potassium, du salpêtre et du borax.

Ci-contre, à droite: illustration montrant la fonte et la fabrication de plaques de verre dans une usine française, extraite de l'ouvrage A New and Complete Dictionary of Arts and Sciences, *1754. Le verre moulé était coulé à la louche dans des boîtes en fer desquelles il était versé, à une vitesse contrôlée, sur la table de fusion puis aplati avec un rouleau en fonte polie. La plaque de verre refroidie était alors doucie.*

A l'extrême droite: doucissage et polissage d'une plaque de verre. On frottait l'une contre l'autre deux plaques de verre entre lesquelles on étendait une pâte abrasive. Une pression était exercée du haut vers le bas par des perches suspendues, et une roue facilitait la rotation de la plaque supérieure.

Ci-contre, à droite: taille d'une plaque de verre. Pour la taille et le biseautage, c'est-à-dire la découpe en angle des bords, d'une grande plaque de verre, on suspendait celle-ci à un système de cordes et de poulies muni de contrepoids, pour en permettre la manipulation.

Page ci-contre, en bas: pose de la feuille sur le verre. La table avait un rebord en gouttière pour recevoir le mercure éliminé de la plaque par des poids que l'on faisait glisser sur sa surface et que l'on rangeait sous la table. A gauche, on aperçoit la phase précédente de ce procédé.

En 1773, le succès commercial grandissant des glaces coulées conduisit à la création de l'usine anglaise de Ravenhead, près de Saint-Helens. Son hall de coulage devint le bâtiment le plus important du pays et son directeur venait de Saint-Gobain. Au début il y eut quelques problèmes, car la combustion du charbon affectait la couleur du verre; mais cet obstacle fut surmonté par l'utilisation de creusets fermés. L'industrie devint prospère, d'autant plus que les guerres napoléoniennes mirent fin à la concurrence française.

Au début les glaces étaient lissées et polies à la main: on faisait tourner une feuille de verre sur une autre. La feuille du dessous était recouverte de poudre de pierre ponce et celle du dessus fixée à un bloc de bois. Une pression était continuellement exercée sur cette dernière par une perche en bois suspendue à une poutre; l'artisan n'avait qu'à imprimer le mouvement de rotation et à ajouter la poudre abrasive lubrifiée avec de l'eau.

L'argentage proprement dit était appelé « foliage ». Une table plane recouverte d'un buvard fin était aspergée de chaux. Une fine feuille de tain était couchée par-dessus et recouverte d'une couche épaisse de mercure étendue à l'aide d'une patte de lièvre. Ensuite on posait soigneusement une feuille de papier sur le nouvel amalgame étain-mercure et la plaque de verre. Lorsqu'on retirait le papier, en ayant soin d'éviter toute formation de bulles d'air, le mélange se retrouvait en contact avec le verre. Enfin on essuyait l'excédent de mercure en chargeant la plaque de verre d'un poids (des sacs de sable ou de gravats) et en inclinant la table.

L'amalgame de tain ne pouvait être utilisé que pour des glaces plates; pour les miroirs convexes et pour les pièces creuses comme les globes en « œil de sorcière », on devait avoir recours à un autre procédé. On mélangeait du bismuth, du plomb et de l'étain dans les proportions respectives de 2, 1, 1 et on ajoutait 4 parts de mercure avant que le mélange ne soit complètement refroidi. Ce mélange se fluidifiait à une très faible chaleur et était versé dans une glace convexe soutenue par un moule en plâtre.

Comme cette industrie se développait, on découvrit l'extrême toxicité des vapeurs de mercure, dont parlaient certains écrivains du XIXe siècle. Cela explique sans doute l'apparition du traitement des glaces à l'argent, technique inventée en 1835 par Justus von Liebig, un chimiste allemand, mais dont l'exploitation commerciale commença en France.

L'argentage était bien plus rapide que le foliage et applicable à n'importe quelle forme et taille d'objets, et il était plus résistant, en particulier lorsqu'on le protégeait par une couche de vernis à base d'oxyde de plomb. Au début il était difficile d'en éliminer les taches, il donnait à l'image réfléchie une tonalité plus sombre et il était plus cher. Par conséquent pour les miroirs plats le foliage ne fut remplacé que lentement, en dépit du danger qu'il représentait pour la santé.

Les possibilités décoratives de l'argent pour la décoration d'objets creux furent rapidement exploitées par une invention dont le brevet fut déposé en décembre 1849 par F. Hale Thomson et Edward Varnish de Londres. Ce brevet concernait les objets à double paroi, argentés sur la face interne grâce à un orifice situé dans la base et scellé pour éviter que l'argent ne se ternisse. On pouvait produire de cette façon des encriers, des salières, des bougeoirs et autres objets utilitaires ainsi que des coupes ou des vases d'ornement. Le verre à couverture d'argent décoré par la taille ou la gravure de la couche externe colorée présente un brillant tout particulier.

L'industrie verrière de Bohême produisit de nombreux objets fins soufflés, souvent utilisés comme lots dans les foires; les plus belles de ces pièces étaient gravées à l'acide, avec des gravures légères, ou peintes à la main, et l'on mettait parfois un tain à l'intérieur pour produire un effet doré. Aux Etats-Unis la New England Glass Company déposa, en 1855, un brevet pour la fabrication de poignées de porte argentées, et de nombreuses autres fabriques se consacrèrent à cette production, mais cette vogue ne dura guère.

Le verre irisé

Le verre métallisé à l'extérieur, souvent appelé verre lustré, était généralement fabriqué au four. L'objet, encore incandescent, était placé sur un dispositif rotatif à l'intérieur d'une étuve en fer dans laquelle on pulvérisait des sels métalliques ; on procédait parfois à une nouvelle cuisson «réductrice», enfumée pour renforcer le fini métallique, qui était relativement durable. En Grande-Bretagne, le premier brevet pour le verre irisé fut déposé par la société Thomas Webb et fils en 1877. L'aspect irisé de ce verre ne doit pas être confondu avec celui que l'on observe sur certains objets d'époque romaine, provoqué, lui, par une dégradation de la surface du verre.

Les premières pièces lustrées islamiques, qu'elles soient en porcelaine ou en verre, étaient enduites, froides, de sels de métal puis repassées au four. Ce verre revint à la mode en 1875, d'abord en Bohême et probablement grâce à l'usine Lobmeyer, où l'on donnait souvent au verre clair un aspect de perle. On employait pour cela un mélange spécial fait de 90 parts de chlorure d'étain, 5 parts de nitrate de strontium et 3 parts de chlorure de baryum. En remplaçant le baryum par du chlorure de fer, on obtenait une teinte orange, dont on trouve un exemple typique dans le verre pressé-moulé américain dit «Carnival glass», dont la couleur variait selon la couleur du verre de base. Différents motifs pouvaient y être appliqués par pression sur les faces interne et externe de l'objet.

Pour les objets de luxe, les résultats les plus remarquables furent obtenus, dit-on, avec des sels d'or, d'argent et de platine, d'abord calcinés (c'est-à-dire réduits en poudre par le feu) avec du soufre, de l'essence de térébenthine ou de la colophane. Les cendres étaient finement broyées, mélangées à de l'essence de lavande, de romarin ou de fenouil et appliquées sur l'objet que l'on recuisait pour faire apparaître le fini métallique irisé. Arthur J. Nash, des ateliers Tiffany (Etats-Unis), excellait dans cet art et rendit cette maison célèbre dans le monde entier avec sa fabuleuse iridescence «Paon». De nombreuses usines spécialisées de Stourbridge produisaient des pièces irisées. Les «bronzes» de Webb et l'alabastron de Richardson méritent d'être particulièrement signalés. Vers 1905, Frederick Carder, à Steuben, produisit un «verre de soie» aux tons irisés pâles et soyeux qui connut un succès immédiat. On dit que le verre «Aurène» de Carder contenait des sels d'argent qui, «réduits», donnaient un brillant métallique à la surface de laquelle on projetait du chlorure de fer pour produire le fini irisé. Malgré son aspect doré, le verre «Aurène» ne contient pas d'or.

En France, Amédée de Caranza mit au point une peinture irisée qu'il cuisait tandis que Gallé utilisa les effets irisés au même titre que les autres composantes dans ses créations raffinées. L'usine Loetz, en Autriche, produisit aussi du verre iridescent de qualité exceptionnelle.

A l'extrême gauche : vase en verre de Chypre de Tiffany, Etats-Unis, 1898. Le verre de Chypre, mis au point par Arthur J. Nash (1849-1934), imitait l'aspect du verre ancien et les effets du vieillissement naturel et de corrosion de la surface. On l'obtenait en mélangeant des morceaux de verre cueillis sur le marbre avec un bulbe de verre en fusion afin de les incorporer à l'objet, et en appliquant ensuite une peinture irisée.

Ci-contre, à gauche : vase de Tiffany en forme de double calebasse, 1900. Des fils ont été traînés sur le verre puis peignés. Après le soufflage de l'objet dans sa forme définitive, on y appliqua une peinture iridescente.

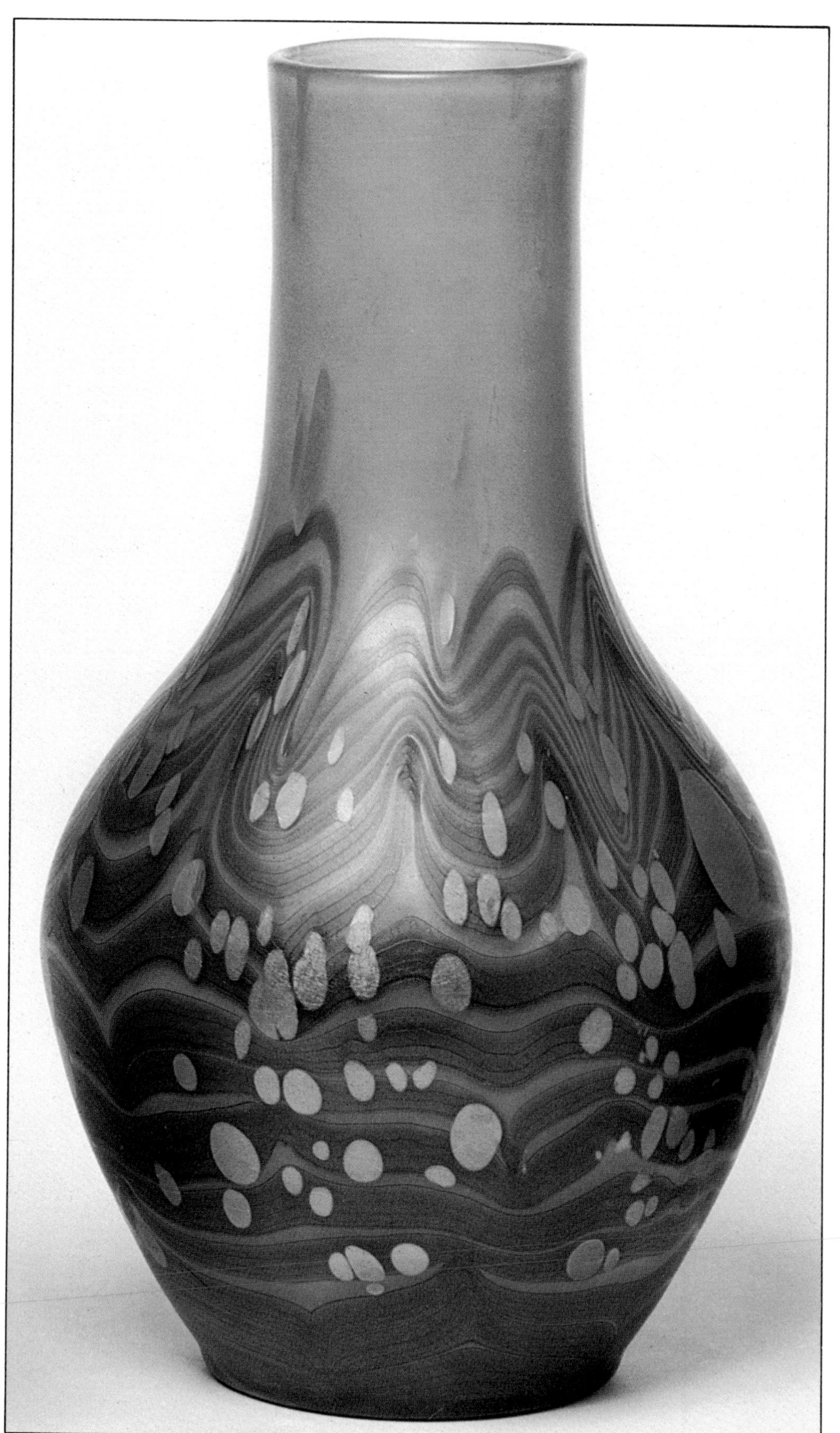

Ci-dessus : flacon moulé-soufflé en forme de tête provenant du Moyen-Orient, IVᵉ ou Vᵉ siècle. L'aspect irisé du verre ancien est le résultat de la disparition des sels au cours des siècles. Ces couleurs sont dues à la diffraction de la lumière sur les fines couches de verre dégradé, à la manière des couleurs de l'aile d'un papillon. On s'est probablement inspiré de ce type de verre pour réaliser le verre de Chypre.

Ci-contre, à gauche : vase autrichien en verre irisé, réalisé dans les usines Johann Loetz-Witwe vers 1900. Le verre irisé de ces usines fut présenté en 1893 à Chicago lors d'une grande exposition et devint extrêmement populaire.

Page ci-contre, en bas, à droite : coupelle à bonbons en verre pressé dit « Carnival glass », présentant une couleur orange irisée sur un verre de base vert. Fenton Art Glass Company, Etats-Unis, vers 1915.

La céramique

A la diversité des matériaux qui servent à faire les poteries répond celle des formes qu'on peut leur donner. Selon la Genèse, le premier homme aurait été créé à partir d'un peu de cette argile que l'univers recèle à profusion — manière implicite, peut-être, de reconnaître cette abondance. Deux des éléments que l'on trouve le plus souvent, les oxydes de silicium et d'aluminium (la silice et l'alumine), se sont formés lors du refroidissement de la Terre. L'argile pure est un composé de ces deux corps, intimement mêlés à de l'eau. C'est l'eau qui apporte à l'argile la plasticité permettant de la modeler. L'aluminosilicate le plus important est le feldspath, contenu dans le granit et autres roches primaires.

Les argiles se divisent en deux groupes: le groupe de type primaire et le groupe de type secondaire. Les argiles du premier type sont celles qui sont restées sur le lieu de leur formation et qui n'ont pas été arrachées de la roche mère par le vent, l'eau ou la glaciation. Elles sont relativement pures de tout autre matériau, mais sont plutôt difficiles à mouler. Dans ce groupe, on trouve les plus pures des argiles: les kaolins qui deviennent à la cuisson d'un blanc plus ou moins éclatant suivant leur nature. Les argiles du second type sont celles qui résultent de l'érosion qui les a entraînées loin de leur lieu d'origine. Elles sont constituées de particules plus petites, provoquées par l'usure des frottements qu'elles ont subis. Elles sont plus malléables ou « plastiques », car elles ont été imprégnées de minéraux, comme le fer, et elles virent à la couleur chamois, au brun ou au rouge à la cuisson.

Le kaolin est l'ingrédient principal de la porcelaine dure ou de la porcelaine tendre anglaise. On en trouvait d'importants gisements en Europe: à Limoges pour la France, et en Cornouailles pour l'Angleterre; mais aussi en Caroline du Nord, en Caroline du Sud et dans l'Ohio; et enfin, en Asie. Les Chinois apprirent à l'utiliser pour la porcelaine, au moins mille ans avant les Occidentaux. Au début ils en firent une poterie tendre mais, lorsqu'ils purent obtenir de très hautes températures, ils produisirent de la véritable porcelaine. Le kaolin à l'état naturel se trouve souvent dans des poches de terrain, où il est mélangé à du quartz et à du feldspath. Il faut utiliser de puissants jets d'eau pour débarrasser la terre de ses impuretés (quartz et feldspath) tout en la filtrant à travers des tamis dans des bassins de décantation, selon une méthode très ancienne.

Les argiles figulines, de type secondaire, sont plus plastiques que les kaolins, mais on ne peut les employer seules car elles se rétractent considérablement pendant la cuisson. On les extrait du sol sous forme compacte; on en trouve en abondance dans certains pays. On peut ajouter de l'argile figuline au kaolin pour augmenter sa plasticité, mais plus la quantité en sera importante moins translucide et moins blanc sera l'objet.

Parmi les argiles les plus importantes du second type, on trouve les grès, les glaises, les terres réfractaires, les terres à gazettes et à *terracotta*. Les grès possèdent une très grande plasticité et se vitrifient à des températures situées entre 1200 et 1300 °C. Ils sont d'un emploi extrêmement souple: on en fabrique soit des gazettes, soit, sans l'adjonction d'autres composants, des poteries faites au tour. On peut les laisser bruts ou les agrémenter de barbotines (pâtes liquéfiées). Ils peuvent être cuits tels quels, ou émaillés au sel. Les argiles à poterie sont les plus répandues et leur cuisson s'effectue entre 950 et 1100 °C. Leur couleur naturelle peut aller du rouge au gris, en passant par le brun et le vert, suivant la quantité et la nature des oxydes de fer qu'elles contiennent. A la cuisson, elles passent de la couleur chamois au rouge, au brun ou au noir. Cette « terre » est par excellence le matériau de base de la poterie locale; on peut tout en faire: de la brique à la tuile, en passant par certaines variétés de vaisselle. En général elle est trop malléable et trop liante pour être utilisée seule et on doit l'amaigrir à l'aide de sable ou d'autres argiles. Pour rendre plus résistants au feu les foyers de cheminée ou certaines parties des fours, fourneaux et creusets, on utilise des terres réfractaires. On les cuit à haute température (jusqu'à 1500 °C). Les gazettes sont employées pour faire des fourreaux de protection dans lesquels on met les pièces pendant la cuisson pour les protéger de la flamme directe.

A gauche: vase chinois de Suzhou, dynastie Song (960-1279). Cette superbe pièce a été faite au tour. L'écume et les papillons sont figurés avec une grande liberté par de vigoureux coups de pinceau. La décoration met en valeur la beauté et la simplicité de la forme.

Ci-contre, à gauche: plat en provenance de l'atelier de William de Morgan à Morton Abbey, près de Londres. Fin du XIXe siècle. Le dessin, de style mauresque, peint en lustré de couleur rubis, s'inspire probablement des travaux de William Morris, avec lequel Morgan fut associé quelque temps.

La terre cuite

Ce nom s'applique généralement à tous les pots en argile qui ne deviennent pas translucides à la cuisson. Les premières terres cuites étaient faites à la main et c'est encore ainsi dans certaines parties du monde. Au Mexique et dans bien des régions d'Amérique centrale, d'Amérique du Sud et d'Afrique, les potiers pratiquent toujours la technique séculaire du colombinage (v. p. 115). Dans ces cultures, ce sont les femmes qui, traditionnellement, étaient chargées de faire la poterie, alors que dans d'autres, ce sont au contraire les hommes. Actuellement, il semble que cette distinction a disparu: en Europe comme en Amérique du Nord les femmes sont aussi nombreuses qu'excellentes dans cet artisanat encore exclusivement pratiqué par les hommes dans certaines des régions du monde les plus «primitives».

En Afrique, la poterie était surtout fabriquée à des fins utilitaires bien que, dans certains cas, elle révèle un tel sens de la matière et des formes qu'elle reste en soi un art à part entière. Certaines poteries précolombiennes d'Amérique centrale ou d'Amérique du Sud sont parmi les plus belles qui aient jamais existé, et pourtant elles ont été faites avec les moyens les plus rudimentaires par des potiers qui ne savaient ni lire ni écrire, ni même se servir d'un tour. Ces poteries étaient entièrement faites à la main, souvent poncées à l'aide d'une pierre tendre avant d'être cuites au grand feu d'un four. Elles sont remarquables par leur légèreté et leur équilibre et se prêtent admirablement à l'emploi auquel elles étaient destinées.

Dans les civilisations les plus avancées, les potiers ont travaillé durant des millénaires à des objets ornementaux, chargés d'une signification religieuse, qui accompagnaient parfois les morts dans leur sépulture. De magnifiques exemples de poterie datant de plus de 6000 ans avant J.-C. ont été trouvés en particulier autour du Bassin méditerranéen: à Chypre, en Grèce, en Egypte, en Anatolie et en Chine. Ils sont décorés à la barbotine de dessins géométriques ou réalistes. En Grèce, des personnages en rouge et en noir apparaissent, aux Ve et VIe siècles avant notre ère, sur des vases où ils sont représentés avec une extraordinaire finesse, comme s'ils étaient peints sur une toile. Certaines de ces pièces portent même la signature des peintres dont les noms sont ainsi parvenus jusqu'à nous.

En Extrême-Orient, de grands potiers chinois ont créé pendant la période néolithique des vases incomparables qui, bien qu'exécutés plusieurs milliers d'années avant notre ère, sont restés inégalés et ont exercé une grande influence sur nos potiers modernes. Pendant la période où les dynasties se succédèrent — surtout pendant la dynastie Han (206 avant J.-C.-220 après J.-C.) et les dynasties Tang (618-907) et Song (960-1279) — l'art

Ci-dessus: pot péruvien, fabriqué à la main, culture Nazca, vers 600 après J.-C. L'argile est le matériau le plus employé à travers le monde, aussi bien à des fins décoratives qu'utilitaires. A la cuisson elle prend une couleur chamois, rouge, brune ou noire. Cette poterie précolombienne, dont une anse retient les deux becs, est décorée d'argiles polychromes représentant des oiseaux et des poissons.

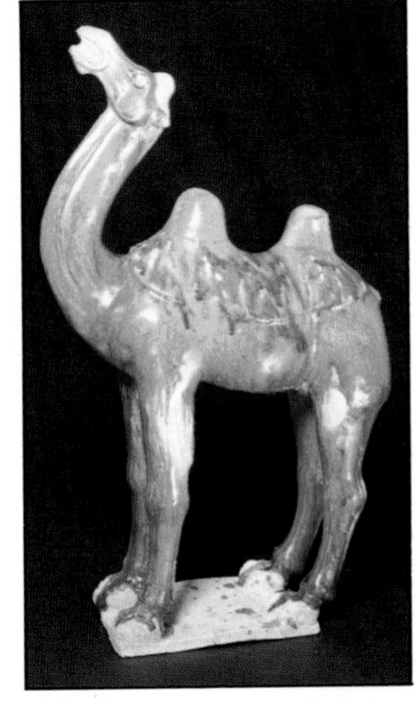

Ci-contre, à droite: chameau chinois, dynastie Tang (618-907 après J.-C.). L'art de la poterie atteignit son apogée à cette période. Les chameaux et les chevaux trouvés dans les tombes sont décorés d'une glaçure d'un somptueux jaune d'ambre et d'un vert éclatant.

*Ci-dessus: théière anglaise en faïence crème (*creamware*) exécutée par Wedgwood vers 1760. Ce procédé fut mis au point par Josiah Wedgwood (1730-1795) en 1760, en Angleterre d'où il gagna le reste de l'Europe. La pâte était constituée d'argile blanche mélangée à du silex calciné. Ce type de faïence fut créé pour contrecarrer la concurrence de la porcelaine qui commençait à menacer dangereusement le commerce des terres cuites. La théière que l'on voit ici présente un décor original à l'oxyde de métal.*

Ci-contre, à gauche: hydrie crétoise à figures noires. Seconde moitié du VIe siècle avant J.-C. La scène représente Héraclès et Iole terrassant l'hydre. Les Grecs se servaient des hydries pour conserver et transporter l'eau. Ces récipients sont caractérisés par les anses qui en facilitaient le transport.

Ci-dessous: récipient péruvien en forme de tête humaine, fait à la main. Culture des Mochicas, vers 300 après J.-C. On retrouve ce souci de donner à la poterie des formes de visage humain dans plusieurs civilisations.
Au bas de la page: pot égyptien, 4000 ans avant J.-C. Cet objet a été très simplement façonné à partir de colombins, puis cuit, à l'envers, sur un feu de bois.

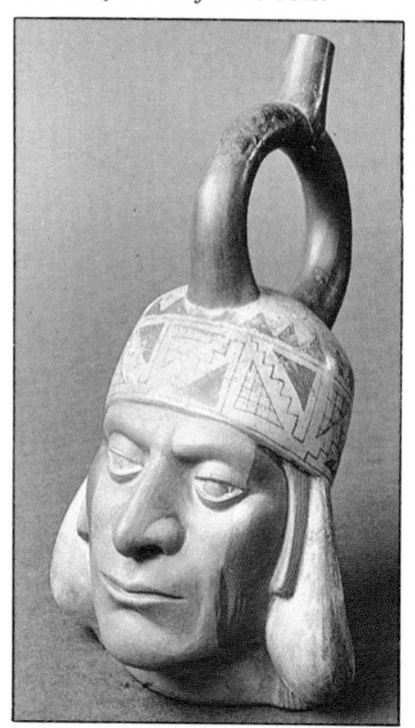

de la poterie atteignit son apogée, comme en témoignent les chevaux et les chameaux des sépultures Tang, étonnants de vigueur et de mouvement, avec leur glaçure flammée vert, ambre et jaune. Ils sont sans doute aussi beaux que les œuvres en grès ou en porcelaine — l'invention la plus remarquable de l'époque et de toute l'histoire de la céramique — produites sous la dynastie Song.

L'invention de la porcelaine (v. p. 110) fit naître le besoin d'une poterie qui puisse soutenir la comparaison. Au début de la seconde moitié du XVIIIe siècle, l'invention de la faïence crème, appelée *creamware*, et de la faïence *pearlware* (mélange de silex calciné et de cobalt), pâte blanche ayant l'aspect de la porcelaine, entraîna un désintérêt pour les terres cuites en tant qu'objets de table. Des terres cuites moins fines continuèrent néanmoins à être utilisées pour des sujets décoratifs tels que les garnitures de cheminées en «Staffordshire»; et William de Morgan mit à la mode les poteries «lustrées» (v. p. 129). Notre siècle connaît un renouveau de l'artisanat de la poterie grâce aux travaux de pionnier de Bernard Leach.

Le grès

Le grès est une substance céramique, à haute température de cuisson, qui reste imperméable aux liquides même en l'absence de glaçure. Les grès à glaçure au sel (v. p. 129) firent leur apparition vers la fin du XIVe siècle en Rhénanie. Leurs formes ressemblent à celles des terres cuites du Moyen Age : on retrouve ainsi les grandes chopes, les cruches et les pichets trapus aux surprenants visages humains, connus sous le nom de « bellarmines » à partir du XVIIIe siècle. Des gisements de grès des pentes de la Westerwald naquit une industrie florissante dont les productions furent exportées à travers toute l'Europe.

Des éléments en traces contenus dans les argiles et les sables de différentes régions donnent des teintes différentes aux pâtes. Ainsi les grès de Cologne et de Frechen sont d'un gris terne mais deviennent jaunes ou bruns quand ils sont enduits de barbotine. Les pièces de Siegburg présentent, elles, une pâte naturellement blanche tandis que le brun foncé est caractéristique de celles de Raeren. C'est dans l'atelier de Jan Emens Mennicken, dans cette même ville, qu'on appliqua pour la première fois, en 1587, les glaçures au bleu cobalt qu'on devait désormais associer aux poteries de Westerwald ou de Rhénanie. Les fabriques de grès à glaçure au sel allaient bientôt se répandre partout en Allemagne, puis gagner Beauvais et enfin l'Angleterre.

En 1671, John Dwight de Fulham, à Londres, reçut un brevet pour *Les mystères de la poterie transparente, connue sous le nom de porcelaine de Chine et de Perse, et aussi le mystère des grès, appelés vaisselle de Cologne.* Il fabriqua très certainement des grès à glaçure au sel, en particulier des « bellarmines » et autres pichets, des bouteilles de type germanique, sans compter des figurines et de beaux grès qui illustrent ses tentatives de fabrication de porcelaine.

Ci-contre, à gauche : grès exécuté en 1931 par Bernard Leach (1887-1979). Après avoir appris l'art de la poterie au Japon, Leach s'installa dès 1920 en Angleterre à Saint Ives. Là, il pouvait s'approvisionner en matériau brut dont la Cornouailles est riche. Selon lui, la création d'une poterie devait englober toutes les étapes, de l'extraction de l'argile à la cuisson. Il contribua au renouveau des techniques traditionnelles.

Ci-dessous : grès émaillé au sel, représentant un chat, Staffordshire, vers 1745. De l'argile brun et blanc a été employée pour ce sujet, exécuté au moule. Cet objet appartient à la catégorie des « agates », à cause de sa ressemblance avec la pierre du même nom.

Cependant, vers la fin du XVIIe, de nombreux potiers se mirent à produire, eux aussi, ce genre de poterie, ce qui conduisit Dwight à déposer plainte en 1693-1694 contre quelques-uns d'entre eux, entre autres James Morley de Nottingham, la famille Wedgwood de Burslem dans le Staffordshire, John et David Elers de Fulham. Morley s'était spécialisé dans la fabrication de belles chopes (qu'il appelait « moggs ») et de théières en grès rouge, souvent très délicatement sculptées. Ces fins grès rouges imitaient les grès de Yi-hing, de Chine, qui avaient été rapportés en Angleterre par les navires de la Compagnie des Indes pour répondre à la nouvelle vogue de consommation du thé. Les frères Elers déménagèrent à Bradwell Wood dans le Staffordshire et continuèrent leur production de grès rouges, non vernissés mais souvent décorés d'applications de « ramages » en argile. Lady Celia Fiennes notait, en 1689, dans son journal: « Je suis allée à Newcastle, dans le Staffordshire, pour voir fabriquer ces belles théières, tasses et soucoupes de terre rouge qui imitent celles de Chine, mais j'ai été déçue. Il ne leur reste plus de terre pour ce genre d'objets, ils sont donc partis ailleurs. »

Les frères Elers gardaient jalousement leurs secrets et n'employaient que des simples d'esprit comme ouvriers. On raconte que deux jeunes potiers, Astbury et Twyford, purent travailler pour les Elers pendant deux ans en se faisant passer pour demeurés, cela afin d'apprendre les techniques qui devaient leur permettre de s'installer à leur tour.

La fabrication des grès se répandit par l'intermédiaire des *Potteries*, à l'époque les *Five Towns*, fabriques regroupées qui font désormais partie de Stoke-on-Trent. Outre les grès rouges non vernissés, on mit au point une pâte blanche en ajoutant du silex calciné à de l'argile pâle. Les motifs gravés étaient parfois frottés de bleu de cobalt. Les théières aux formes contournées et aux ramages compliqués contribuèrent au succès de ces grès blancs. Parmi les pièces les plus intéressantes, on trouve de rares figurines, en particulier des groupes intitulés « bancs de paroisse ».

A partir de 1750 on peignit l'émail de touches de couleur produites par des oxydes métalliques. Ceux-ci, à la cuisson, réagissaient au contact de l'émail pour produire de splendides effets. On trouve aussi à cette époque les « agates », grès réalisés à partir d'un mélange d'argiles, imitant l'agate. Mais le succès immédiat des poteries crème (*creamware*) changea considérablement le style des « Potteries » et entraîna le déclin des grès à glaçure au sel. On continua à faire pendant un temps, dans des centres comme Nottingham, des poteries enduites d'un jus d'argile ferrugineuse, lequel donnait un brillant d'un brun métallique irisé caractéristique. En Amérique du Nord les potiers conservèrent cette tradition jusqu'au XXe siècle. En Angleterre, il y eut un renouveau d'intérêt pour les grès, dans la seconde moitié du XIXe, qui donna l'occasion de renouer avec les beaux vases et les chopes décorés de motifs appliqués, en particulier chez Doulton, fabrique de Lambeth à Londres.

Sans aucun doute, les grès à glaçure au sel les plus extraordinaires jamais produits proviennent de l'atelier de Robert Wallace et de ses frères Walter, Edwin et Charles, vers la fin du XIXe siècle. Parmi ceux-ci, les plus célèbres restent les pots à couvercle, en forme d'oiseaux, de légumes et de sujets anthropomorphiques. Ces œuvres ont le mérite d'avoir entretenu la tradition du grès, et elles restent une source d'inspiration pour nos potiers.

Ci-contre, à gauche: vase de Portland, Wedgwood. Du grès mat à fine texture, dit « grès jaspé », fut utilisé pour la reproduction de cette célèbre pièce romaine du British Museum.

Ci-dessus: théière rouge d'Elers. Angleterre, vers 1700. Les grès rouges, mats, furent créés par John et David Elers pour imiter les grès chinois de Yi-Hing. Les applications moulées étaient désignées sous le terme de « sprigs » (ramages).

La porcelaine orientale

Les Chinois sont non seulement les inventeurs de la porcelaine, mais aussi, il faut le reconnaître, les plus grands porcelainiers que la Terre ait portés. Les Européens, à leur suite, se sont efforcés d'imiter cette admirable matière blanche, dure et translucide que les Anglais ont baptisée « China » pour rendre hommage à leurs précurseurs.

Les Chinois fabriquaient leurs « pâtes dures », ou vraies porcelaines, à partir de deux substances fusibles : le kaolin et le pétunsé, ou argile et variété de feldspath. Le kaolin, argile blanche réfractaire, gardait la forme qu'on lui avait imprimée pendant la cuisson, tandis que le pétunsé, roche feldspathique, donnait une glaçure naturelle. Il était ainsi possible, en une seule cuisson à très haute température, d'obtenir une pièce entièrement émaillée. Mais on pouvait aussi commencer par une première cuisson à feu moins fort pour obtenir un « dégourdi », si cela était nécessaire. On a noté l'absence de décor sur les premières porcelaines, excepté quelques pièces comportant des dessins en creux. Il semble que les artisans ont privilégié la pureté des formes au détriment des couleurs ou des décors. Au début de la dynastie Ming (1368-1644), les pièces furent peintes à l'oxyde de cobalt et celles-ci, avec leur décor bleu et blanc, très raffiné, acquirent rapidement une immense popularité en Occident. Le cobalt était acheminé de Perse vers la ville de Jingdezhen, le grand centre de fabrication de porcelaine. On peignait la forme en terre crue, puis elle subissait une seule cuisson à très haute température qui avait pour résultat de vitrifier la pièce. Le décor devenait inaltérable car il était pris dans la glaçure au cours de la même opération. Au XVe siècle, on avait coutume d'inscrire sur le fond des pièces les six caractères correspondant au règne de l'époque. Il faut cependant traiter ces inscriptions avec la plus grande circonspection, car les Chinois des générations suivantes ont imité à la fois le style et les caractères de la porcelaine Ming.

A la même époque que les fameux vases bleu et blanc apparaissent les porcelaines à décor rouge cuivré sous couverte, auxquelles on rajoutait différentes couleurs obtenues à partir d'oxydes métalliques. Ces dernières s'intégraient au précédent décor par des cuissons successives. Quelquefois le décor bleu est protégé d'une « couverte » aux teintes délicates. Vers la fin de la dynastie Ming s'installa un commerce grandissant de la porcelaine avec l'Extrême-Orient et les Indes par l'intermédiaire de la Compagnie hollandaise des Indes orientales. Des bouleversements secouant l'ensemble du pays à l'époque de la chute de la dynastie Ming et au début de celle des Qing (1644-1912), les Hollandais durent faire venir la porcelaine du Japon. Cependant, au cours des règnes de Kangxi (1662-1722), de Yongzheng (1723-1735) et de Qianlong (1736-1795), les difficultés ont disparu, et la production de Jingdezhen a atteint de nouveaux sommets, à la fois en quantité et en qualité. On dit

Ci-dessus : bol chinois du XVIe siècle. Les pâtes dures ou « vraies » porcelaines furent inventées par les Chinois au VIIe ou au VIIIe siècle. Elles étaient faites à partir de kaolin blanc et de pétunsé qui produisaient une glaçure naturelle. Les pièces étaient tournées, coulées ou modelées. Les premières porcelaines étaient généralement unies. Les décors bleus à base d'oxyde de cobalt connurent un grand succès au début de la dynastie Ming (1368-1644). Les décors peints du début de cette période sont particulièrement remarquables.

Ci-contre : chope en porcelaine de Chine, Qianlong (1736-1795). Avec sa dominante rose, cet objet est typique de la « famille rose ». Ce genre de décoration connut une grande vogue en Europe. Le motif de la feuille de tabac fut souvent utilisé pendant le règne de Qianlong.

Ci-dessus : statuette en blanc de Chine représentant Bouddah. 1662-1722. Cette porcelaine unie et translucide, à épaisse glaçure, date des dernières années de la dynastie Ming. Les fabriques de Saint-Cloud et Mennecy, en France, et de Bow et Chelsea, en Angleterre, s'en sont inspirées.

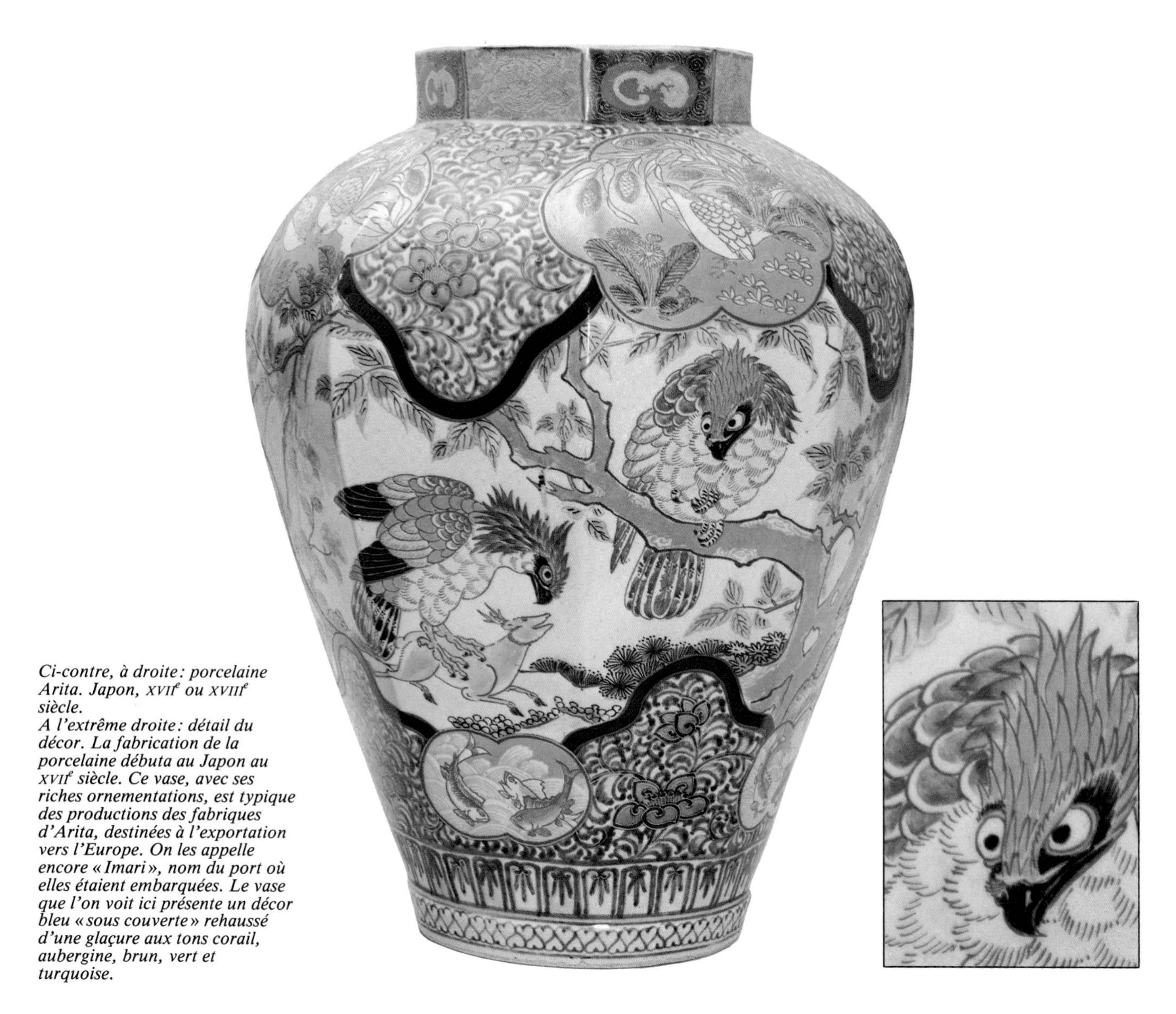

*Ci-contre, à droite: porcelaine Arita. Japon, XVIIe ou XVIIIe siècle.
A l'extrême droite: détail du décor. La fabrication de la porcelaine débuta au Japon au XVIIe siècle. Ce vase, avec ses riches ornementations, est typique des productions des fabriques d'Arita, destinées à l'exportation vers l'Europe. On les appelle encore « Imari », nom du port où elles étaient embarquées. Le vase que l'on voit ici présente un décor bleu « sous couverte » rehaussé d'une glaçure aux tons corail, aubergine, brun, vert et turquoise.*

qu'un million de personnes travaillaient à cette industrie. La porcelaine blanche ou blanc et bleu qui sortait de leurs mains était ensuite acheminée vers Canton, où les capitaines des navires occidentaux en prenaient livraison. Dans cette ville se trouvaient de nombreux artistes spécialisés dans la peinture d'armoiries, de devises ou de motifs en couleur, sur commande. La porcelaine subissait une ultime cuisson puis était chargée sur les bateaux, en même temps que d'autres denrées rares, comme le thé, les épices et les soieries.

La « famille verte », caractérisée par une dominante de verts rehaussés de touches rouges, violettes et bleues, est contemporaine du règne de Kangxi. D'autres styles de porcelaine portent aussi le nom de « famille »: en particulier la « famille noire », avec ses fonds d'un noir profond, et la « famille jaune », avec ses fonds jaunes. Il existait une production destinée au marché intérieur, remarquable par ses vases monochromes à glaçures: les « sang de bœuf », obtenus avec du cuivre et cuits à très haute température, et les « flambés ». On obtenait ces effets de rouges avec du cuivre cuit en atmosphère réductrice, à haute température (v. p. 122). Il y avait aussi de merveilleuses glaçures turquoise, jaunes et aubergine. Pendant le court règne de Yongzheng, on revit des coloris qui avaient été à la mode au début de l'époque Song, tels que « poussière de thé », « poussière de fer », « bleu-œuf de rouge-gorge ». La « famille rose », dont la fabrication continua pendant le règne suivant de Qianlong, avec ses diverses teintes de rose, était particulièrement appréciée en Europe. Cependant, à la fin du règne de cet empereur, ces porcelaines produites en trop grand nombre perdirent de leur attrait, et le XIXe siècle vit le déclin de leur qualité, parfaitement illustré par la surabondance de décors dans le style cantonais.

Les Japonais devaient se montrer d'aussi adroits porcelainiers que les Chinois et, à une époque, leurs œuvres rivalisèrent sur les marchés européens. Arita fut une des premières fabriques japonaises, au XVIIe siècle; et les vases contemporains de la famille Kakiemon sont célèbres à juste titre pour leur palette typique de rouges, turquoise, jaunes et bleus. Les motifs Kakiemon, particulièrement vigoureux lorsqu'ils se détachent sur un fond uni, exercèrent une grande influence sur les porcelainiers français, anglais et germaniques du XVIIIe siècle. Les « Imari » et les « Japons », aux bleus sous couverte et aux rouges, verts et ors sur couverte, étaient encore fabriqués au début du XIXe siècle.

Les pâtes tendres européennes

L'arrivée en Europe des porcelaines chinoises bleu et blanc, aux XVe et XVIe siècles, provoqua une grande effervescence. Si peu semblables aux productions locales, elles devaient paraître tout à fait miraculeuses et c'est sans doute la raison pour laquelle monarques et gouvernants se les disputaient. On rapporte qu'Elizabeth Ire fut tellement enchantée par un vase qu'elle le fit monter avec une garniture d'or. Les princes italiens en raffolaient, et l'un d'entre eux, le grand-duc de Toscane, François de Médicis, réussit à faire fabriquer à Florence les premières porcelaines d'Europe.

Celles-ci, comme toutes les autres porcelaines européennes des débuts, étaient faites à partir des pâtes tendres. Les pâtes dures ne furent utilisées que plus tard, vers 1708, à Meissen (v. p. 112), lorsqu'on découvrit leur secret de fabrication. Auparavant, ignorants des éléments qui entraient dans la composition des pâtes dures, les expérimentateurs se comportèrent plutôt comme des alchimistes à la recherche de la pierre philosophale, rajoutant un peu de ceci, un peu de cela, dans l'espoir d'obtenir de la porcelaine. Entre 1575 et 1613, on parvint à en fabriquer à Florence; seules quelques dizaines de pièces de cette époque, à décor bleu sous couverte, sont parvenues jusqu'à nous.

D'autres villes italiennes, telles Pise et Padoue, tentèrent de se lancer dans la même production, mais sans persévérer dans cette voie. Un demi-siècle plus tard, la France elle aussi s'y essaya, sans doute à cause de la mode grandissante du thé et du café qu'on buvait dans de la porcelaine de Chine. Il n'est donc pas surprenant qu'on ait entrepris des recherches, dans les faïenceries de l'époque, pour découvrir le procédé de fabrication de la porcelaine blanche et translucide. En 1673, une licence fut accordée à Louis Poterat, de Rouen, l'autorisant à faire aussi bien de la porcelaine que de la faïence, mais comme il œuvrait seul et dans le plus grand secret, on sait très peu de choses de son travail. A Saint-Cloud, près de Paris, le faïencier Pierre Chicaneau transmit, à sa mort, une formule de porcelaine à son fils et à sa veuve. Comme la fabrique était située sur les terres du duc d'Orléans, frère du roi, il bénéficia de l'aide de celui-ci et il lui doit en partie sa notoriété. Ses décors étaient soit dans le style de Rouen, en bleu et blanc, soit en coloris pastel, ornés de dorure dans le style des Kakiemon japonais, soit blancs. Cette fabrication se poursuivit jusqu'en 1766.

D'autres fabriques de pâtes tendres s'établirent en France, la plupart sous la protection de l'aristocratie. Il était bien vu, à l'époque, de posséder une fabrique de porcelaine: on contribuait à la fois au progrès scientifique et à la beauté. C'est ainsi que le prince de Condé devait installer la sienne à Chantilly, vers 1726, sous la direction de Sigaire Cirou. La substance de base de la porcelaine qui y était faite restait semblable à celle de Saint-Cloud, mais la glaçure, renfermant de l'étain, possédait une qualité tout à fait particulière. Au début les décors s'inspirèrent souvent des porcelaines chinoises et japonaises de la superbe collection du prince. Par la suite, ils représentèrent des sujets floraux européens. A Mennecy, à proximité du château du duc de Villeroy, une petite faïencerie fabriqua, à partir de 1748, de la porcelaine d'un style très voisin de celui de Chantilly. Après 1768, Mennecy fut rattachée à l'usine voisine de Sceaux. De même, on trouve, en 1751, une fabrique à Tournai, successivement française, puis flamande.

Toutes ces fabriques perdirent leur lustre lorsque la manufacture royale de Sèvres ouvrit ses portes. Les prototypes destinés à Sèvres furent mis au point en 1738 à Vincennes par les frères Dubois de Chantilly. François Cravant reprit l'affaire et, quatre ans plus tard, on lui accorda une licence spéciale. Les pertes financières étaient lourdes et, en 1753, Louis XV devint le principal actionnaire de la « Manufacture royale de porcelaine ». A partir de cette époque on trouve les deux « L » entrelacés, accompagnés d'une lettre correspondant à l'année, la série débutant avec la lettre « A », au centre de l'inscription.

La fabrique fut déménagée à Sèvres, située stratégiquement près du château de Bellevue, propriété de la marquise de Pompadour. Celle-ci exerça une grande influence sur la production de l'usine, qui travailla beaucoup pour elle, en exécutant en particulier un très grand nombre de magnifiques fleurs de porcelaine. La qualité des motifs de Sèvres n'a jamais été surpassée. Des artistes exceptionnels tels que Boucher et Oudry inspirèrent des centaines d'autres peintres. Ceux-ci possédaient leur propre marque et étaient spécialisés dans

Ci-contre, à gauche: ensemble de pâtes tendres de Chelsea. Angleterre, vers 1748. Ces pièces datent des débuts de la fabrique de Chelsea, époque à laquelle on les marquait d'un triangle. La paire de salières ornées d'écrevisses et la cafetière sont directement inspirées de modèles en argent, sujets favoris de Nicolas Sprimont (vers 1716-1771) qui était à la fois propriétaire de la fabrique et orfèvre. Les « Chelsea » des débuts sont souvent blancs.

certains sujets. La faveur grandissante des pâtes dures, puis la Révolution, mirent un terme aux beaux jours de Sèvres.

En Angleterre, les manufactures ne dépendaient pas de la bienveillance royale et devaient survivre par leurs propres moyens. A Chelsea, à partir de 1745, on utilisa une substance vitreuse difficile à traiter pour une multitude d'objets ravissants dont les formes étaient voisines de celles de l'argenterie. La plupart d'entre eux restaient blancs. Puis l'usine fut vendue en 1769 et rattachée à celle de Derby. Celle de Bow, également située à Londres, avait principalement des productions plus ordinaires. On y employait une formule à base de poudre d'os, comme le faisait Lowestoft ; les objets avaient tendance à se tacher de brun et à se craqueler. La fabrique de Worcester fut fondée en 1751, à la suite des expériences menées à Limehouse et à Bristol à partir de la stéatite, de l'argile figuline et du sable de Cornouailles. Cette fabrique est la dernière survivante des manufactures de porcelaine tendre en Angleterre. On devait employer la même formule à Liverpool et à Caughley, dans le Shropshire. Vers la fin du XVIIIe siècle, l'Angleterre mit au point une pâte tendre spéciale. Cette nouvelle formule contenait 50 % d'os animal, 25 % d'argile de Chine et 25 % de feldspath. Aujourd'hui encore des fabriques de grand renom l'utilisent.

Ci-dessus : porcelaine tendre de Mennecy. Vincennes, 1740-1750. La figurine pseudo-chinoise est encastrée dans la monture en bronze d'une pendule décorée de fleurs en porcelaine faites à la main. La manufacture royale se trouvait à Vincennes avant d'être déménagée à Sèvres. Les « chinoiseries » étaient très populaires aux XVIIe et XVIIIe siècles.

Ci-contre : cafetière en pâte tendre de Worcester. Angleterre, vers 1758. Le corps, moulé, fut peint de ramages bleus avant d'être émaillé. On fabrique toujours des pâtes tendres à Worcester.

Ci-dessus : pâte tendre de Chelsea, représentant une chouette. Vers 1750. Le modèle de cet objet plein d'humour a sans doute été relevé sur une gravure.

La porcelaine en pâte dure européenne

C'est à Meissen, ville de Saxe, qu'on découvrit vers 1708 le secret de la « vraie » porcelaine, ou pâte dure. Tant de siècles écoulés entre la première apparition de cette matière miraculeuse en Chine et sa découverte en Europe attestent que ce secret avait été bien gardé. A l'époque, bien des monarques avaient abandonné l'espoir d'être les premiers à découvrir le moyen de transmuer les métaux en or. A ce rêve, allait bientôt se substituer celui de faire de la porcelaine comme les Chinois.

En 1701, un jeune apothicaire du nom de Johann Friedrich Böttger accepta de travailler pour Auguste le Fort, électeur de Saxe et roi de Pologne, lequel l'installa au château d'Albrechtburg afin qu'il découvrît le secret de l'alchimie de l'or. Trois années d'échec le conduisirent à abandonner ce projet et à entreprendre des investigations dans d'autres domaines, aidé en cela par Ehrenfried Walther von Tschirnhausen, célèbre physicien, avec lequel il tenta, entre autres choses, d'obtenir des pierres précieuses à partir de divers minéraux.

Presque par hasard, alors qu'ils travaillaient sur des argiles réfractaires, ils réussirent à obtenir une splendide matière dure et rouge qui ressemblait aux grès rouges chinois et anglais. On la baptisa « jaspe » lors de son exposition à la foire de Leipzig, en 1710. Peut-être ses auteurs nourrissaient-ils l'espoir de la faire passer pour de la pierre véritable car elle était taillée et polie comme du jaspe. Une autre découverte heureuse des deux hommes fut l'émail brun foncé qui permettait d'appliquer de l'or et de la laque sur les pièces traitées.

En 1708, en substituant l'argile blanche de Meissen à l'argile rouge, Böttger obtint la première pâte dure d'Europe, événement qui entraîna la fondation de la manufacture de Meissen par Auguste le Fort. Au-dessus de l'entrée du laboratoire de Böttger, on pouvait lire l'inscription suivante en allemand: « Dieu le Créateur a fait un potier d'un alchimiste ». Les travaux s'y déroulaient dans le plus grand secret. Bientôt toute l'Europe s'extasia sur de merveilleux objets exotiques en porcelaine — vases décorés dans le style chinois ou japonais, figurines blanches à la manière des « blanc-de-Chine » — et sur des curiosités typiquement européennes, comme les nains. Nombre de pièces étaient dorées par des ateliers d'Augsbourg, ce qui lança la vogue des artistes indépendants, spécialisés dans la décoration des porcelaines unies de Meissen. Ces artistes, connus sous le nom de « Hausmalerei », devaient répandre cette pratique en Allemagne, pratique reprise par la suite pour la décoration du verre.

Malgré les précautions, le secret ne put être gardé très longtemps. En 1719, l'année de la mort de Böttger, deux ouvriers, un doreur nommé Hunger et le préposé à la cuisson,

Ci-dessus: cafetière de Meissen, 1725-1730. En Europe, la pâte dure fut inventée vers 1708 par Johann Friedrich Böttger (1682-1719), lequel fut nommé premier directeur de la fabrique de Meissen fondée par Auguste le Fort, électeur de Saxe et roi de Pologne. Cette manufacture, située près de Dresde, fut ainsi la première à produire de la porcelaine en pâte dure en Europe.

Ci-contre, à gauche: groupe en pâte dure de Meissen, « le berger et la bergère », modèle de Johann Joachim Kändler (1706-1775). Allemagne, 1740. A partir de 1736, ce modeleur produisit un grand nombre de figurines et de groupes, destinés au décor de la table.

Samuel Stölzel, abandonnèrent Meissen pour Vienne, où ils aidèrent Claudius Innocentius du Paquier, dignitaire de la cour, à créer une manufacture rivale. Stölzel devait rentrer à Meissen l'année suivante, accompagné du talentueux artiste Johann Gregor Höroldt et de l'incomparable modeleur Johann Joachim Kändler.

La nouvelle équipe permit à Augustus d'élever la production de Meissen à un très haut niveau. Les chinoiseries (décorations occidentales inspirées du style chinois), fleurs orientales, fleurs allemandes furent peintes sur des vases, des services à thé ou à chocolat, par un nombre croissant d'excellents artistes : ils étaient quarante en 1731. Kändler et son modeleur Johann Gottlieb Kirchner produisirent des figurines ornementales d'une qualité grandissante, soit de petites dimensions pour le décor de la table, soit grandeur nature comme les oiseaux destinés au palais japonais d'Auguste. Il y eut une tentative de réalisation d'une statue à l'effigie de l'électeur lui-même, laquelle échoua car le matériau ne se prêtait pas à cet emploi, des craquelures se produisant à la cuisson. Parmi les pièces les plus célèbres de Kändler on trouve les personnages inspirés de la commedia dell'arte : Arlequin, Colombine et d'autres, et également les grands services à thèmes, parmi lesquels le service « au cygne » réalisé pour le comte von Brühl. Celui-ci comprenait plus de mille quatre cents pièces décorées en relief de cygnes, dauphins et autres sujets aquatiques.

Lorsque éclata la guerre de Sept Ans en 1756, le style baroque de Meissen fut repris par les nombreuses manufactures qui s'étaient ouvertes en Europe et entreprirent à leur tour de fabriquer des pâtes dures dans le nouveau style rococo.

Dans la seconde moitié du XVIIIe siècle, on comptait vingt-trois fabricants en Allemagne ainsi que de nombreux autres en Italie et en France capables de faire des pâtes dures, en particulier à Nymphenburg, Berlin, Doccia, Capodimonte et Sèvres. En France, la ville de Limoges créa une industrie de la porcelaine qui rivalisa en importance avec les *Five Towns* en Angleterre pour la terre cuite et la porcelaine à pipe. Les premières manufactures de porcelaine en Angleterre furent celles de Bow et de Chelsea et, en Amérique, André Duché mena des expériences à partir de kaolins de Caroline du Nord et Caroline du Sud. Au Danemark, la manufacture royale de Copenhague, fondée en 1775, existe toujours.

Ci-dessus : chope en pâte dure à couvercle en vermeil, Meissen, vers 1735. Les formes des premières pièces de Meissen ont été inspirées par celles de l'argenterie.

Ci-dessous : pièces d'un service à thé monochrome, 1725-1728, et d'un service à thé polychrome, vers 1730, Meissen. Les premiers services comportaient une petite tasse sans anse, à la manière des modèles d'Extrême-Orient.

Le façonnage à la main

Les techniques de base employées par l'artisan ou l'artiste potier n'ont guère changé au cours de ces deux derniers millénaires. Malgré les terres toutes préparées, les tours électriques et les nouveaux fours qui permettent d'éviter un surcroît de travail et des erreurs d'appréciation à la cuisson, le labeur du potier consiste surtout à faire un pot à partir d'une boule de terre brute. On peut procéder de deux manières : soit par modelage à la main, soit par façonnage au tour. Beaucoup de gens s'imaginent que seul le modelage au tour peut produire une belle poterie. Ils oublient sans doute que bien des chefs-d'œuvre à travers le monde ont été faits à la main. Toutes les grandes pièces précolombiennes du Mexique et du Pérou ont été créées sans tour, outil pourtant très ancien. On peut monter la terre, l'enrouler, l'aplatir ou en faire des plaques qu'on assemble, ou combiner toutes ces opérations pour faire un objet en terre cuite.

On peut façonner un pot à partir d'une boule d'argile qu'on creuse, puis qu'on pince afin d'en réduire l'épaisseur petit à petit pour former la paroi de l'objet et lui donner de la hauteur. En fait le potier agit, en quelque sorte, comme un tour au ralenti, lorsqu'il tourne sa terre à la main. La poterie ainsi obtenue possède une certaine franchise imprimée par la main même, presque visible, du créateur. Bon nombre de bols japonais traditionnels conçus pour la cérémonie du thé, généralement considérés comme des œuvres d'art, ont été réalisés de cette manière.

On peut rajouter un «colombin», boudin de terre, pour élargir ou donner de la hauteur à l'objet. Le potier appuie sur ces colombins pour les faire adhérer tout en les raccordant entre eux. Il peut éventuellement en lisser ou en gratter les côtés pour leur donner une surface uniforme. Avec patience et adresse on parvient à faire des formes amples et compliquées. Les jarres africaines et certaines pièces contemporaines sont autant de preuves de la beauté de ce travail. Bien évidemment ce procédé est beaucoup moins rapide que le façonnage au tour.

On peut aussi employer des nappes d'argile qu'on roule, qu'on

Ci-dessous: «tyg» de Wrotham, Angleterre, 1649. Le «tyg» est une tasse à plusieurs anses. Le corps de cet objet, réalisé en terre locale, a été fait au tour. Les anses, réalisées à la main, ont été fixées à l'aide de barbotine.

A l'extrême gauche: vase gallo-romain en terre cuite, décoré d'écailles, seconde moitié du premier siècle après J.-C. Ne mesurant que 11,5 cm de hauteur, cet objet a probablement été tourné en deux parties. Les écailles, modelées à l'aide du pouce et d'une spatule, ont été appliquées du haut vers le bas.

Ci-contre, à gauche: terracotta *Azandés. Congo du Nord, vers 1880-1920. Ce pot a été fait, suivant la tradition africaine, à partir d'un colombin. Les incisions ont été réalisées sur la terre encore humide.*

FABRICATION D'UN POT
1. On pétrissait un morceau de terre pour en former une boule.
2. On faisait un trou à l'aide du pouce, au centre de la boule.
3. On exerçait une forte pression sur l'intérieur en pinçant les côtés. L'objet prenait forme en perdant de l'épaisseur tandis que le potier le faisait tourner dans ses mains. On ne pouvait fabriquer que des pièces de petites dimensions par ce moyen, à moins d'y ajouter des colombins.

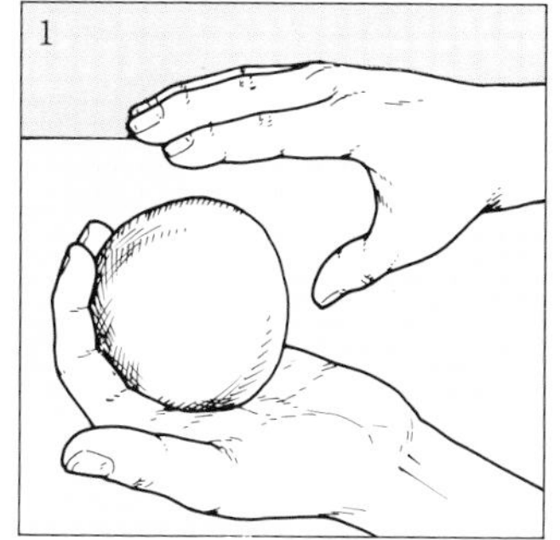

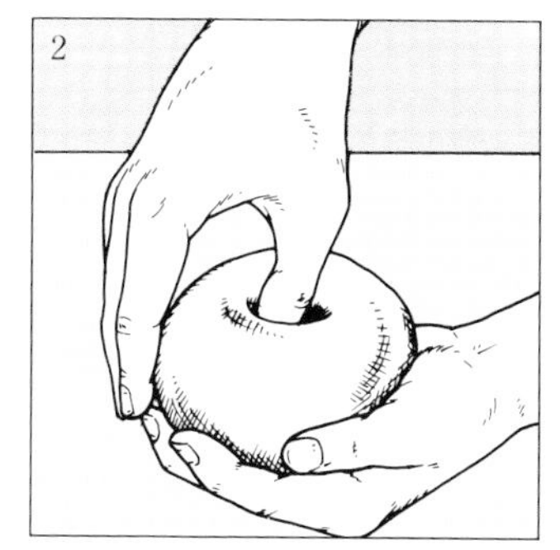

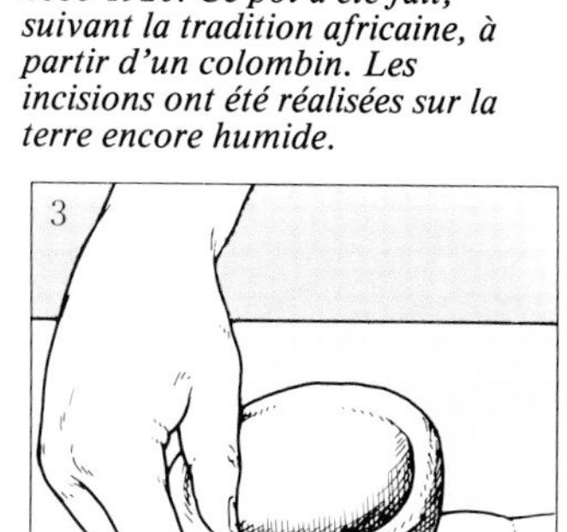

FABRICATION D'UN POT
A PARTIR DU COLOMBIN
1. On roulait un peu de terre en forme de fin boudin.
2. La base du pot était formée soit par modelage soit par aplatissement d'un colombin enroulé.
3. Le boudin de terre était enroulé autour de la base à laquelle il adhérait au moyen d'un mélange de terre et d'eau: la « barbotine ».
4. Avec un lissoir, on régularisait les formes en aplatissant le colombin à l'intérieur comme à l'extérieur pendant qu'il était encore humide.
5. On rajoutait des colombins un à un pour former les flancs du pot en laissant sécher après chaque couche.
On élargissait le pot en augmentant progressivement le périmètre formé par le colombin. Inversement, on le rétrécissait en diminuant ce dernier, ce qui donnait un galbe.
6. Une fois le pot terminé, on attendait qu'il atteigne la « dureté cuir » pour en égaliser la surface et la décorer.

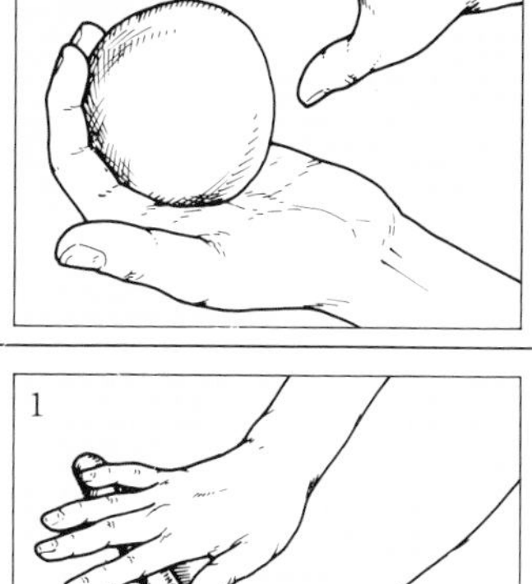

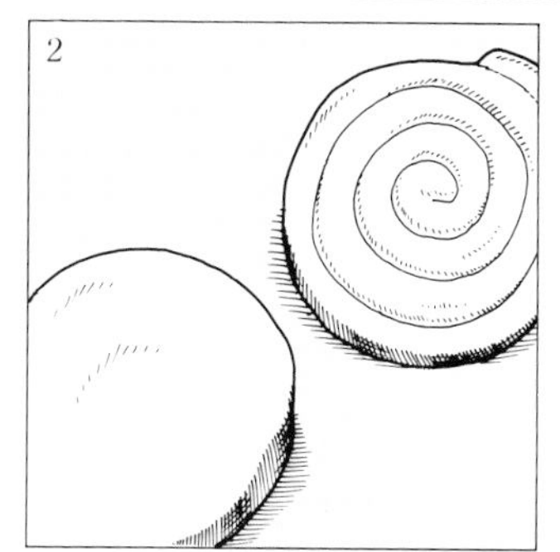

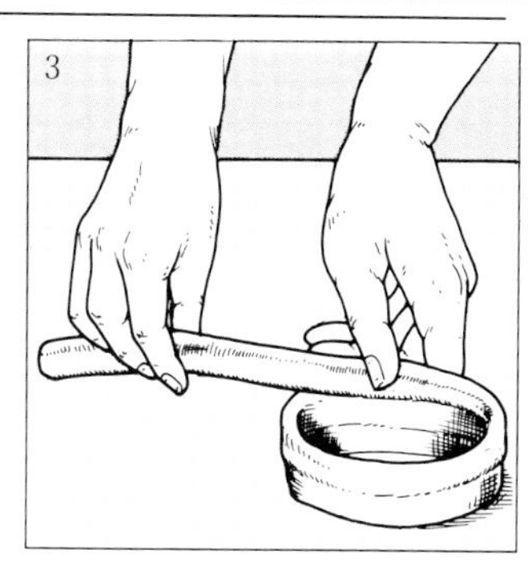

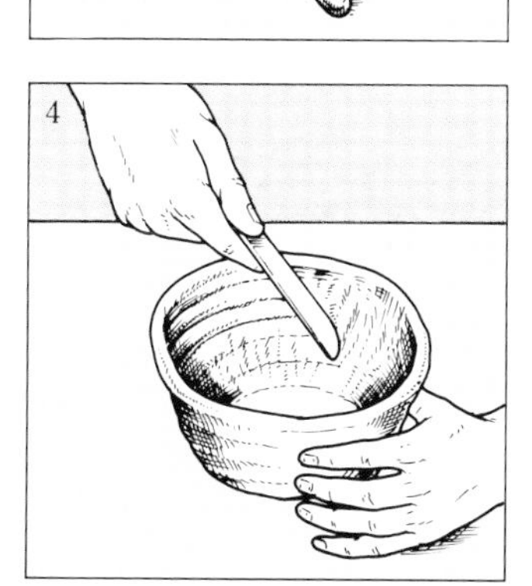

aplatit ou qu'on coupe, que l'on assemble ensuite ou que l'on moule. Lorsqu'on travaille à partir de plaques d'argile, il faut qu'elles aient atteint la « dureté cuir » avant d'être découpées en biseau, puis on les marque avant de les réunir à l'aide de barbotine épaisse. Le moulage par estampage implique que l'on prenne de l'argile encore « verte », c'est-à-dire contenant encore une certaine humidité, pour la mettre dans ou sur des moules, tout en la contraignant doucement, avec les doigts ou une éponge, à épouser la forme du moule. Les bords sont régularisés, le surplus de terre retiré, et, dès qu'il est sec, le pot peut être extrait du moule. Cette méthode est idéale pour faire des plats ronds, ovales ou rectangulaires. Avec des moules plus complexes, en deux parties ou plus, on peut faire aussi bien des sujets simples que des récipients compliqués. On élimine la trace de raccord des moules par grattage, une fois que la terre est suffisamment sèche. Le coulage à partir de barbotine, à l'échelle industrielle, découle logiquement du principe de l'estampage (v. p. 120).

Le façonnage au tour permet d'obtenir des pots symétriques bien plus rapidement qu'à la main. Trois facteurs interviennent lors de ce processus : la vitesse du tour, la plasticité de l'argile et l'adresse du tourneur. La terre est placée au centre du tour ; en l'écartant puis en la comprimant sur le côté, on donne sa forme au pot qui s'élève progressivement lors de la rotation du tour. Les formes qu'on obtient le plus naturellement par cette technique sont celles du bol, du cylindre et de la sphère.

Une fois terminée, la forme est séparée de la tête du tour et mise à sécher jusqu'à la « dureté cuir ». On peut alors la retravailler. On retire parfois de l'épaisseur aux côtés, ou on tourne le pied au moyen d'outils en métal qu'on appelle des tournasins. On ajoute des détails ornementaux ou l'on retire de la matière. On fait adhérer les anses et les becs à l'objet avec de la barbotine. Les applications moulées sont posées lorsque la terre a atteint la consistance voulue. Les incisions ou entailles sont exécutées à l'aide d'outils en bois ou en métal. Quand le pot est achevé et tout à fait sec, il est prêt pour la cuisson. Parfois il ne nécessite qu'une cuisson, parfois on cuit séparément le biscuit, puis on recuit de façon à fixer l'émail sur le matériau de base (v. p. 128)

Ci-dessus : lampe à trois branches de Bida, tribu Nupe, Nigeria. La partie centrale, en forme de boîte, est faite de plaques réunies à l'aide de barbotine.

FABRICATION D'UNE PIECE A PARTIR D'UNE PLAQUE DE TERRE
1. On roulait la terre pour obtenir une épaisseur égale.
2. Lorsqu'elle atteignait la « dureté cuir », on découpait la plaque à la dimension voulue.
3. On coupait la plaque soit à angle droit, soit en biseau suivant le montage désiré.
4. On striait la tranche avant de l'enduire de « barbotine ».
5. Tenues à la verticale, les tranches étaient pressées l'une contre l'autre.
6. On consolidait le raccord en posant à l'intérieur un « boudin » de terre.

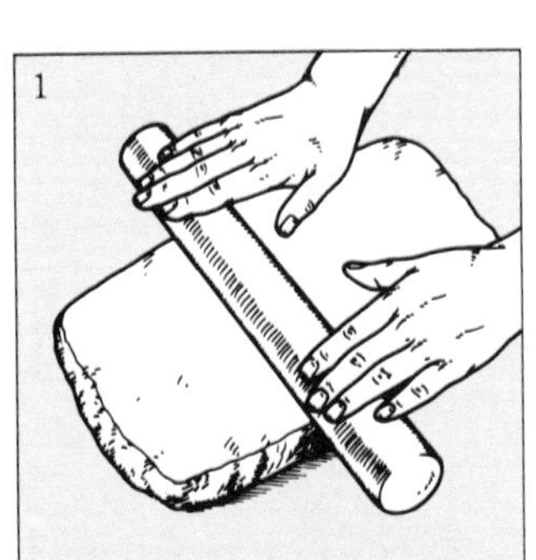

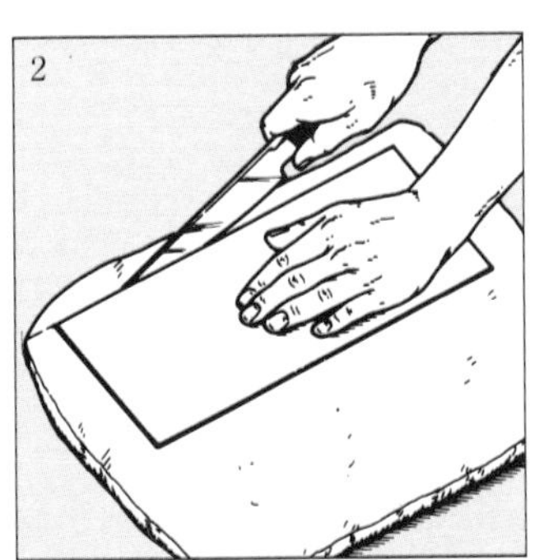

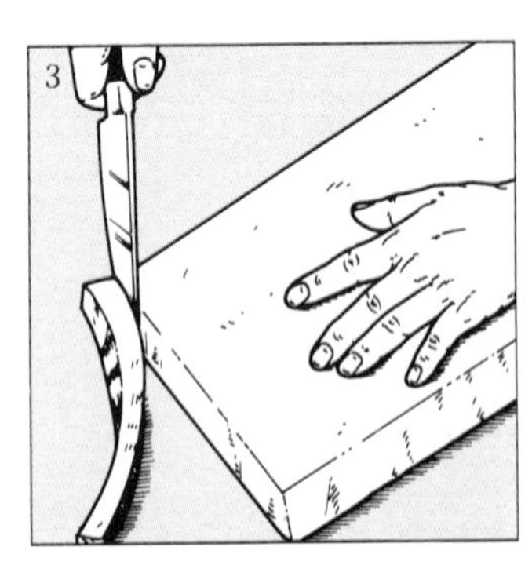

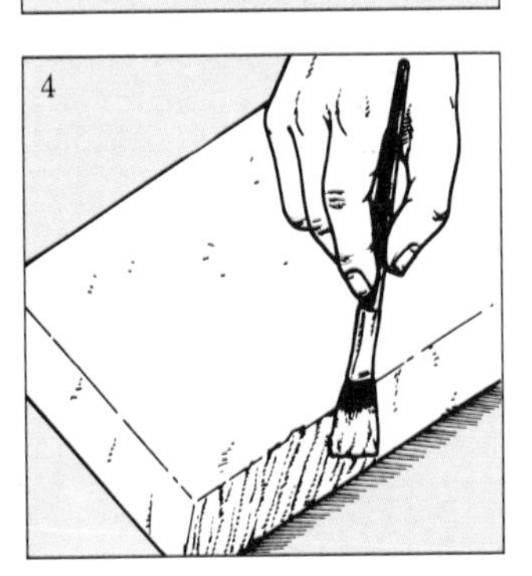

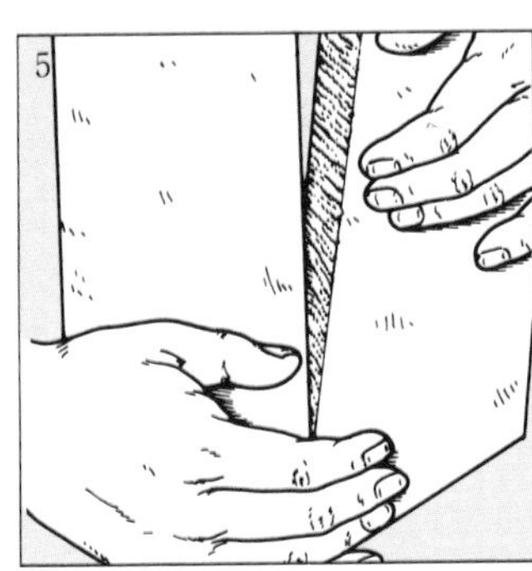

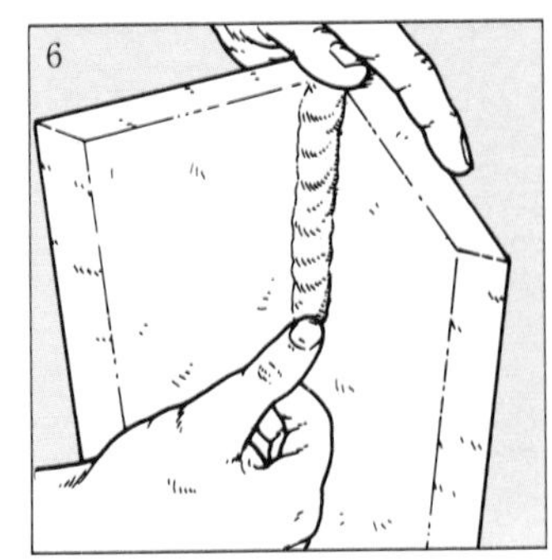

LE TOURNAGE D'UN POT
1. On plaquait une boule de terre au centre de la tête du tour.
2. Pendant la rotation du tour, on centrait la boule sur la plate-forme.
3. En pressant des deux mains, on faisait monter la boule en forme de cône qu'on aplatissait ensuite. Cette opération était répétée jusqu'à ce que la terre fût lisse.
4. On exerçait une pression vers l'extérieur à l'aide du pouce pour former la base et le début des flancs du pot, en se servant d'un peu d'eau comme lubrifiant.
5. On formait les flancs du pot de l'intérieur, tout en maintenant l'extérieur de l'autre main. Là encore on prenait un peu d'eau pour humidifier le travail en cours.
6. On montait les flancs jusqu'à ce qu'on eût obtenu les dimensions désirées.
7. On galbait l'objet en appuyant les phalanges sur la paroi externe.
8. On formait le col à l'aide des doigts, le tour fonctionnant toujours.
9. Le tour étant immobilisé, on en détachait le pot à l'aide d'un fil de fer, puis on le laissait sécher.

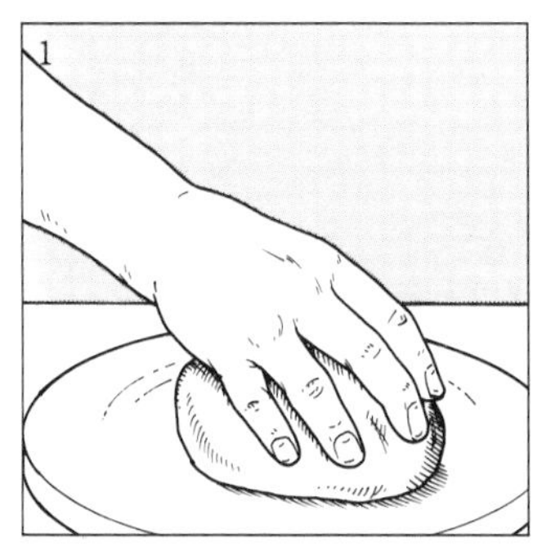

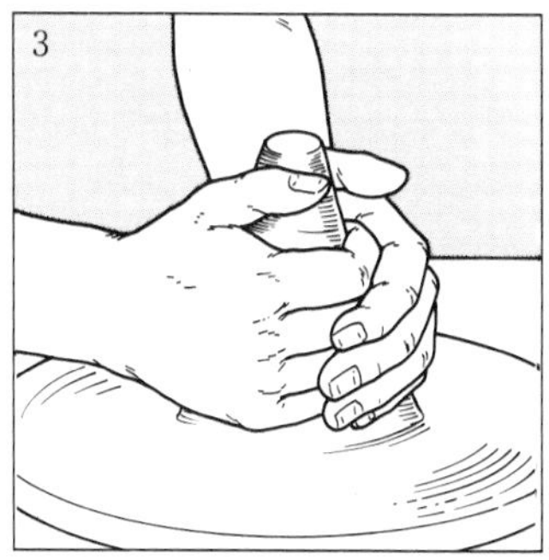

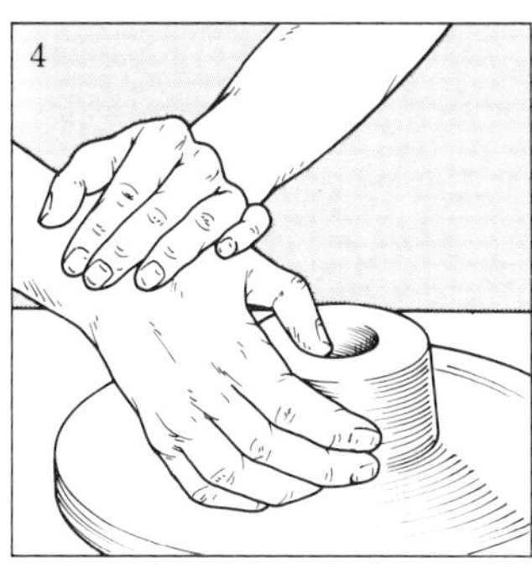

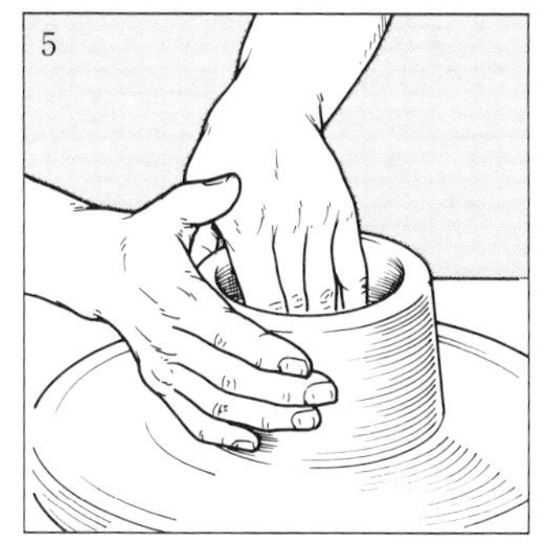

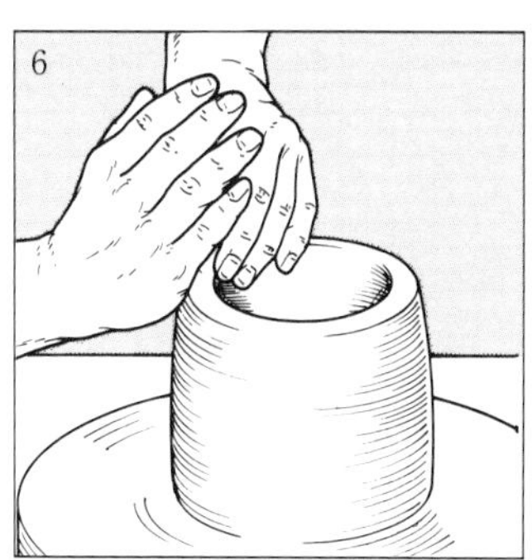

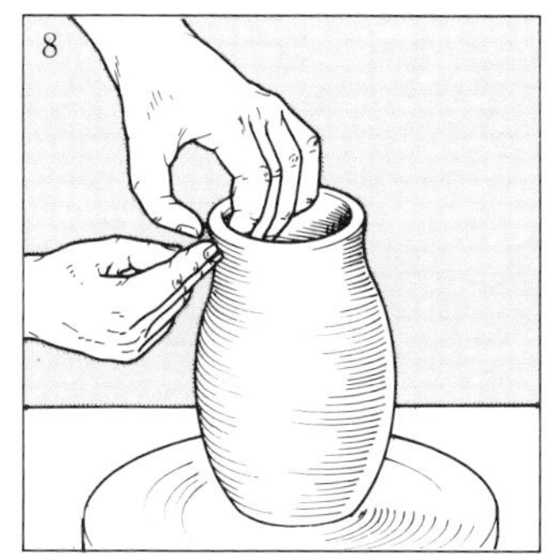

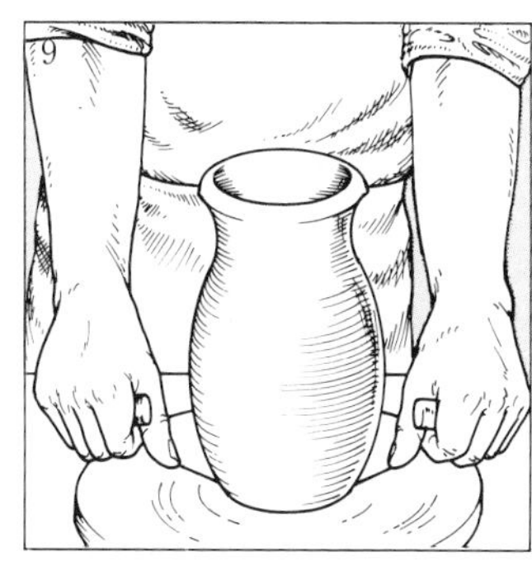

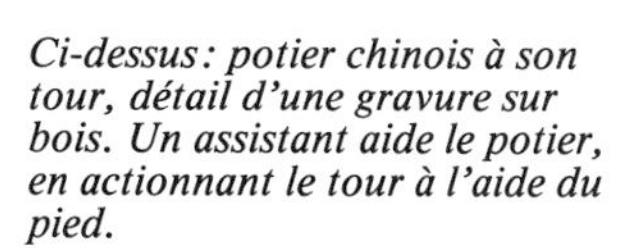

Ci-dessus: potier chinois à son tour, détail d'une gravure sur bois. Un assistant aide le potier, en actionnant le tour à l'aide du pied.

Ci-contre, à gauche: bol chinois, en céladon, dynastie Song (960-1279). Cette pièce de faible profondeur a été faite au tour, technique utilisée, pense-t-on, dès 3500 avant J.-C. Sa courte assise a vraisemblablement été exécutée à l'aide d'un outil plutôt qu'à la main, à la fin de la fabrication, alors que le tour était encore en action. Le céladon est un grès chinois recouvert d'un émail verdâtre obtenu à partir d'oxyde de fer.

Le métier de sculpteur modeleur

Le modeleur était un personnage clé de la fabrique : c'est lui qui créait les modèles devant servir à produire les pièces définitives. Dans un petit atelier d'une ou deux personnes, les pots étaient en général entièrement faits à la main, sans moule. C'était des objets originaux, uniques. Aucun n'était exactement semblable au précédent, élaboré du début jusqu'à la fin par le même potier. Dans une fabrique, chaque ouvrier avait un travail bien déterminé, c'est pourquoi il avait besoin d'un modèle, auquel il pouvait se référer.

Le modeleur exécutait l'original en argile, en cire ou, plus récemment, en plastiline, calculant sa dimension en fonction du fait que la cuisson réduit considérablement l'objet : d'environ un sixième de sa taille. Ce phénomène impliquait qu'un animal, un oiseau par exemple, qui devait être grandeur nature une fois terminé, devait mesurer presque deux fois sa taille lors du modelage. Ce retrait à la cuisson entraînait parfois la disparition presque totale de détails devenus difficiles à distinguer. En raison des difficultés de la cuisson, il fallait s'assurer que le modèle était reproductible. Le modeleur devait également tenir compte du coût de revient de l'article, car plus celui-ci nécessitait de pièces de moule, plus sa fabrication devenait difficile et son prix élevé, ce qui ne conduisait pas obligatoirement à une bonne vente.

Les plus grands modeleurs sont ceux qui ont travaillé pour les fabriques allemandes et autrichiennes au XVIIIe siècle. On vit se succéder à Meissen une série de modeleurs exceptionnels, tous très originaux, qui travaillaient dans le style baroque. On trouve d'abord Kirchner, l'auteur de splendides sujets grandeur nature destinés au palais japonais d'Auguste le Fort, à Dresde, auquel succéda Kändler. Ce dernier créa des pièces extraordinaires (en particulier, en 1731, un héron grandeur nature), qui devaient avoir une influence importante sur le reste de l'Europe. Autant qu'il le pouvait, Kändler travaillait d'après nature et ses œuvres témoignent d'un grand réalisme, allié à une qualité sculpturale évocatrice des bronzes chinois ou de la statuaire de marbre italienne.

D'autres modeleurs se sont distingués dans diverses fabriques allemandes : Simon Feilner à Fürstenberg, Johann Peter Melchior à Höchst, les frères Lück à Frankenthal et Wilhelm Beyer à Ludwigsburg. Franz Anton Bustelli, qui travaillait à Nymphenburg, est peut-être le plus grand des modeleurs du milieu du XVIIIe siècle. Si les figurines de Kändler résument le baroque, les modèles de Bustelli incarnent la nouvelle liberté et le mouvement du style rococo.

On ne trouve pas de modeleurs de même valeur en Angleterre, jusqu'à la seconde moitié du XIXe siècle, avant l'arrivée d'artistes comme James Hadley de Worcester. Le travail de Hadley est caractérisé par un souci minutieux du détail, comme les cheveux, les doigts, les orteils. Au XXe siècle, on retouvera ce même souci dans les chevaux et les taureaux de Doris Lindner, et dans les oiseaux au feuillage de Dorothy Doughty. Ces deux artistes étudiaient leurs modèles avec soin, soucieuses à la fois de la morphologie de l'animal et des traits particuliers à chaque créature. Certaines de leurs œuvres devaient être divisées en dizaines de petites pièces, à partir desquelles on faisait les moules (v. p. 120). Il fallait ensuite réunir les différentes pièces pour obtenir le sujet complet.

Ci-dessous : portrait d'un modeleur au travail, à la fabrique de Spode, Stoke-on-Trent, Staffordshire, Angleterre, vers 1905.

Ci-contre, à gauche : groupe en porcelaine de Frankenthal. Personnages représentant l'astrologie faisant partie d'une série, « Les arts libéraux », Allemagne, vers 1770-1775. L'auteur de cette pièce, Karl Gottlieb von Lück (mort en 1775), modela de nombreux sujets de style rococo parmi les plus populaires de la fabrique de Frankenthal. Fondée en 1755, cette usine ferma ses portes en 1799 ; certains de ses moules furent repris par d'autres fabriques allemandes.

Ci-dessus: figurine de Höchst, garçonnet représentant l'automne. Allemagne, vers 1775. Ce modèle est l'œuvre de Johann Peter Melchior (1747-1825), chef modeleur de la fabrique, de 1767 à 1779. Il est l'auteur réputé d'une série de ravissants sujets pastoraux.

Ci-contre, à gauche: paire de figurines en Royal Worcester, représentant un couple japonais. Modèle de James Hadley (1837-1903). Exécutée en plusieurs parties moulées puis assemblées. Après la cuisson et l'émaillage, les oxydes métalliques et la dorure étaient fondus sur l'objet par des cuissons successives. Hadley, l'un des modeleurs les plus talentueux de l'Angleterre à la fin du XIXe siècle, possédait un sens du détail minutieux. La fabrique de Worcester porte le nom de «Compagnie royale de la porcelaine de Worcester» depuis 1862.

La fabrication de la céramique industrielle

Les procédés de fabrication en usine n'étaient guère qu'une version un peu plus élaborée des méthodes artisanales. La principale différence tenait au fait que chaque ouvrier accomplissait sur la pièce un travail pour lequel il était spécialisé avant de la transmettre à un autre. De sorte qu'une pièce sortie d'usine était le résultat du travail de plusieurs spécialistes et non d'un seul potier. Dans la plupart des fabriques réputées, c'était le chef d'atelier (un directeur artistique ou un créateur) qui était chargé de coordonner les diverses opérations et de veiller à ce que l'objet terminé soit harmonieux.

Le métier de modeleur était celui qui demandait la plus grande qualification. De nos jours la plupart des moules sont faits avec du plâtre à modeler, qui a la propriété d'absorber l'humidité de la matière céramique, ce qui facilite le démoulage. Un des autres avantages du plâtre, c'est qu'il donne des moulages très nets, cependant sa durée de vie n'est pas aussi longue que celle du moule d'argile cuite, qui n'est pas encore vitrifiée et qui reste poreuse, qu'on utilisait auparavant. L'original était divisé en autant de parties qu'il était nécessaire pour qu'on puisse par la suite les retirer des moules sans distorsion. Les moules étaient d'abord réalisés en version négative, puis en version positive. C'était à partir des moules positifs que l'on pouvait travailler. Venait ensuite le tour des façonniers dont le matériau de travail était soit la pâte consistante, soit l'argile liquide. Les pièces plates sont le résultat d'un travail au tour, le calibrage en bosse (la main appuyant sur le tour), et l'artisan s'appelait le «calibreur». Il aplatissait la masse de pâte dans un «tambour» (de nos jours cette opération est faite par une machine) qu'il plaçait sur un moule devant former la partie supérieure de la pièce. Le moule était ensuite disposé sur une tête de tour pivotante et le calibreur exerçait un mouvement de pression sur la croûte avec la main. Puis il utilisait un calibre correspondant à la partie inférieure de l'objet (y compris, dans certains cas, le pied) qu'il disposait de façon que l'espace de séparation corresponde à l'épaisseur désirée. Lorsque la pièce était entièrement façonnée, le moule était mis de côté à sécher jusqu'à ce que la pièce puisse en être détachée. On pouvait obtenir ainsi une plus grande précision que par un travail à la main, cependant l'objet ainsi produit n'avait pas autant de caractère. On pouvait réaliser des plats ou des assiettes à la main en appuyant le tambour sur la croûte posée sur le moule, à l'aide d'une éponge, et en arasant les bords avec un couteau pointu. L'ouvrier chargé de ce travail s'appelait l'estampeur.

On appelait calibrage en creux le procédé par lequel on fabriquait des pièces creuses et mouleur en creux l'artisan spécialisé dans ce travail. C'était exactement la technique inverse du calibrage en bosse : on évasait une boule de terre à l'intérieur d'un moule creux posé sur un tour en mouvement. Ensuite, on régularisait le bord de l'objet et, quand le moule était sec, on pouvait en sortir le pot. Le pied était travaillé par le tournaseur qui, après avoir disposé la pièce sur un mandrin horizontal, la débarrassait de l'excédent de matière à l'aide d'un outil en métal, le tournasin. Selon le besoin, il uniformisait aussi les flancs et le bord de l'objet.

Beaucoup de ces métiers ont été supplantés par le travail à la machine. L'inconvénient de la fabrication industrielle des poteries, c'est que les formes doivent être adaptées à la machine, parfois au détriment de l'élégance et de la qualité.

Dans le procédé de coulage à la barbotine, on employait de l'argile liquide au lieu d'une pâte consistante. On versait celle-ci dans un moule où on la laissait reposer durant un laps de temps précis au cours duquel l'humidité qu'elle contenait était absorbée. Seule restait une pellicule de pâte qui s'accumulait à l'intérieur du moule. Lorsque l'épaisseur était devenue suffisante, l'excédent de barbotine était vidé et l'on pouvait alors la démouler. La majeure partie des objets domestiques creux, comme les théières et les bols, était fabriquée de cette façon (et l'est encore aujourd'hui), mais ce procédé s'imposait véritablement lors de la réalisation de figurines complexes. Celles-ci comprenaient quelquefois des dizaines d'éléments séparés — mains, bras, jambes, corps — lesquels, une fois coulés et retirés du moule par le couleur, étaient nettoyés, les raccords grattés, pour enfin être «collés» ensemble. Ce qui signifiait que l'on devait passer un badigeon de barbotine sur toutes les pièces à réunir pour former un sujet complet, semblable à un puzzle en trois dimensions. L'artisan responsable de l'assemblage était l'héritier de celui qu'on appelait, au XVIIIe siècle, le «réparateur». Celui-ci était également chargé de faire des éléments de même matériau que les pièces auxquelles ils servaient de support dans le four au moment de la cuisson.

Ci-dessous: vue de la fabrique « Wedgwood Etruria », à Stoke-on-Trent, Angleterre. Ouverte en 1769, elle fut construite au bord du canal, pour faciliter l'acheminement des matières premières et des pièces terminées. On aperçoit deux fours en forme de bouteille, sur la droite.

Ci-contre à gauche et ci-dessus: pour faire un moule, on coulait du plâtre de Paris sur un modèle préparé pour obtenir un bloc compact. C'est à partir de ce bloc qu'un moule en creux, la future matrice, était réalisé. On devait parfois diviser le modèle original en plusieurs morceaux pour que leurs moulages ne soient pas abîmés au démoulage.

COULAGE DE LA BARBOTINE

1. La barbotine, ou argile liquide, était versée dans un moule poreux soit en « dégourdi » (argile cuite mais non vitrifiée), soit en plâtre de Paris.
2. Lorsque l'épaisseur coulée était suffisante, l'excès de barbotine était enlevé.
3. On séparait les diverses parties du moule lorsqu'il était sec pour dégager le moulage. On terminait l'objet en assemblant les pièces avec une épaisse barbotine.

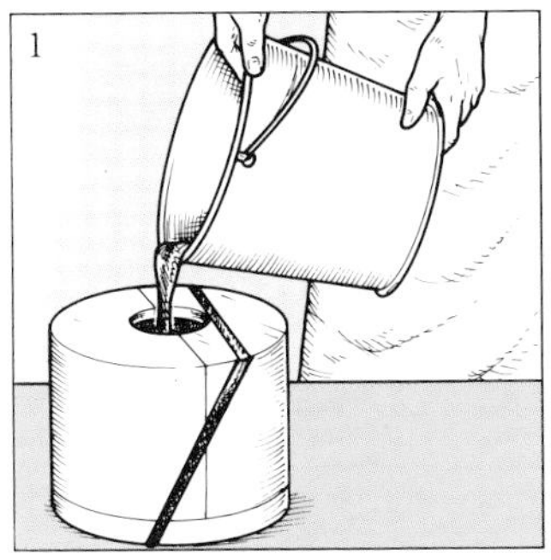

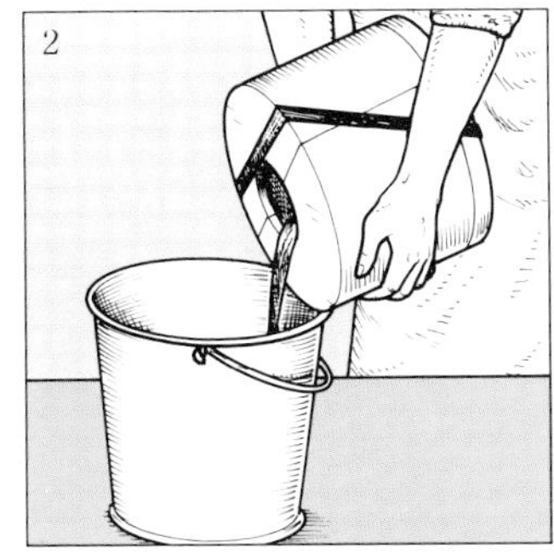

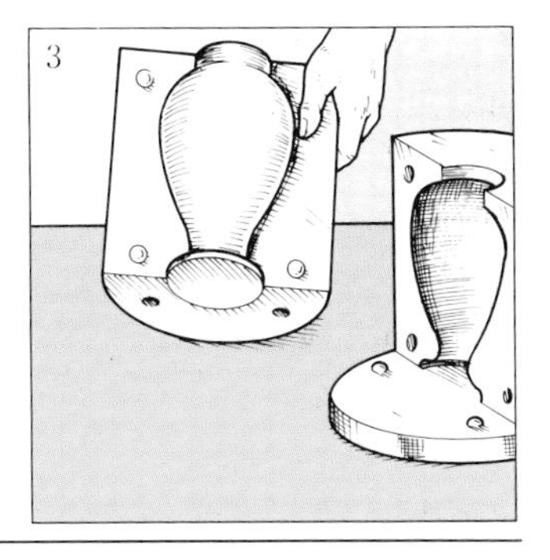

LE CALIBRAGE EN CREUX

1. Le calibre, avec lequel on façonnait l'intérieur du pot, était placé au-dessus du moule en creux destiné à former l'extérieur du pot. Ce moule était humidifié.
2. Une boule d'argile était placée au centre du moule qui pivotait sur une tête de tour.
3. Le calibre était abaissé sur l'argile et le processus de calibrage débutait.
4. En soulevant le bras auquel le calibre était fixé, on pouvait surveiller la formation du pot.
5. On enlevait le surplus de terre pour mettre le pot à niveau avec le moule.
6. On retirait le moule de la tête de tour, on y laissait séjourner la pièce jusqu'à ce qu'elle fût suffisamment sèche pour qu'on pût la démouler.
On pouvait alors la cuire au four. Ce procédé était l'inverse du calibrage en bosse dans lequel le calibre façonnait le profil de l'extérieur du pot. On utilisait le calibre en bosse pour les pièces plates et le calibre en creux pour les pièces plus profondes.

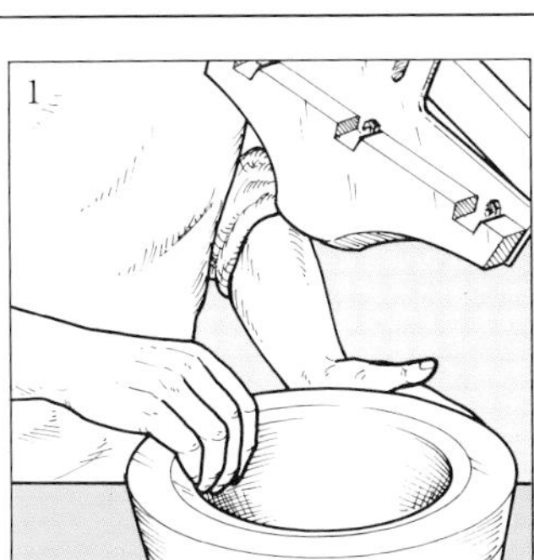

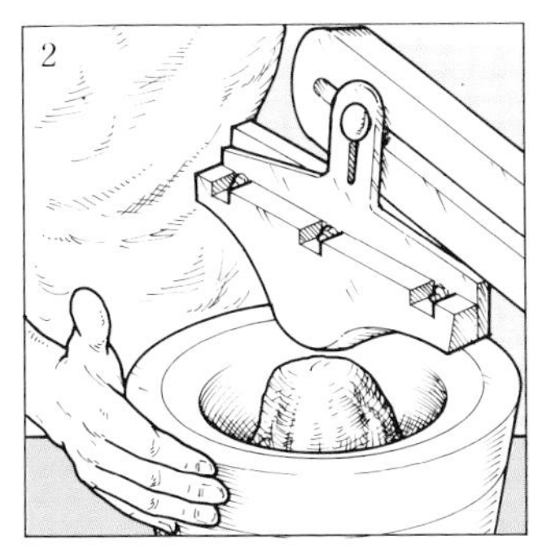

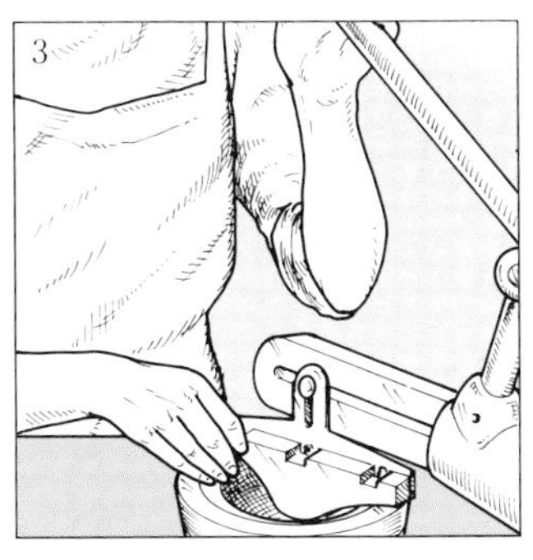

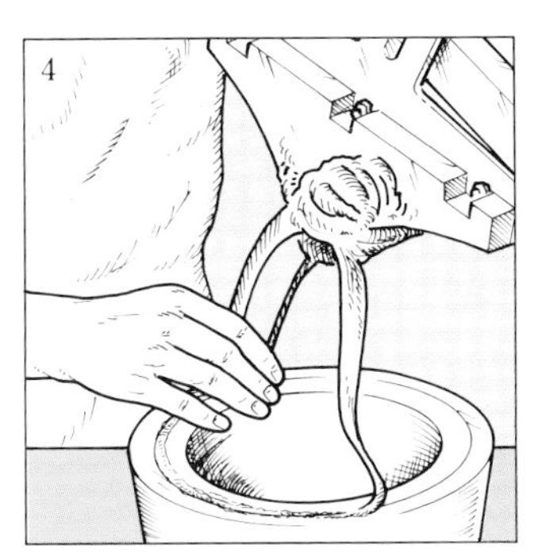

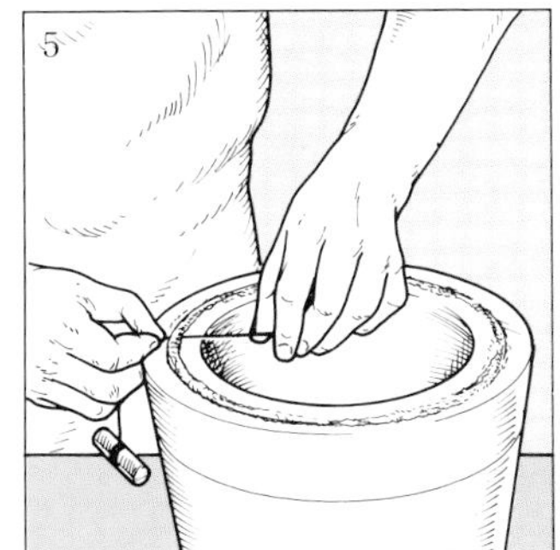

La cuisson

La chaleur permet de transformer l'argile ou le grès cru en une substance céramique dure. Au début les poteries étaient cuites d'une façon très rudimentaire : elles étaient accumulées dans une fosse que l'on recouvrait d'un matériau combustible auquel on mettait le feu. Ce n'est qu'en retirant les poteries des braises qu'on dénombrait celles qui avaient résisté au traitement.

C'est de cette manière que se fabriquèrent les premières poteries en Europe, en Afrique et en Amérique. On a du mal à croire que de très belles pièces ont été faites ainsi. Il fallait que la matière soit préparée selon une certaine recette pour résister à ce genre de cuisson. On faisait tenir les pièces debout en les calant avec du gravier ou du sable. Avec un feu bien oxygéné, à flamme claire, les poteries prenaient une teinte chamois ou brune. Au contraire, avec un feu en atmosphère réductrice, c'est-à-dire avec une ventilation diminuée (ce qui provoquait de la fumée), les objets devenaient gris ou noirs. Bien évidemment les résultats étaient variés, ce qui donnait du charme aux objets.

On se sert de fours un peu plus sophistiqués, construits en brique ou en argile, depuis quelques milliers d'années. Ils ont l'avantage d'être moins gourmands en combustible et d'atteindre des températures plus élevées que les 800 ou 900 °C des feux de cuisson primitifs. Ils étaient de conception très diverse, les amenées de chaleur (ou bouches à feu) se faisant par l'intermédiaire de conduits variés. C'est en Extrême-Orient qu'on trouvait les fours les plus élaborés, construits en hauteur à flanc de colline. Ils comportaient une vingtaine de chambres pénétrées successivement par la chaleur. En Angleterre, les fours à la forme caractéristique de bouteille dominaient le paysage à Stoke-on-Trent. La partie visible n'était que la carcasse extérieure dissimulant la structure interne du four. Ces fours étaient généralement alimentés avec du bois ou du charbon, combustibles auxquels se sont substitués, ces dernières années,

Ci-dessus: « Le four », illustration tirée de Li Tre Libri Dell Arte Del Vasaio *de Cipriano Piccolpasso (1524-1579). 1556-1557. Deux conducteurs s'occupent du feu, sous la surveillance du contremaître assis en face du four, devant un sablier horaire. Le contremaître considérait, disait-on, que le four avait atteint la bonne température quand ses sourcils commençaient à roussir.*

Ci-contre, à gauche: vue d'une fabrique de céramique du XIXe siècle, à Stoke-on-Trent, Angleterre. Les divers bâtiments de l'usine étaient groupés autour des fours en forme de bouteille dans lesquels on cuisait les pièces. C'est sous ces dômes que se trouvait la structure principale du four.

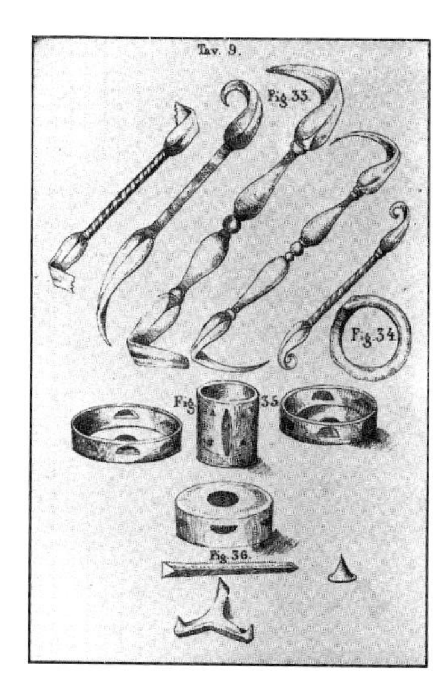

Ci-dessus: les outils du potier: les ustensiles du four et les gazettes ou cazettes, boîtes dans lesquelles les poteries subissaient la cuisson à l'abri de la flamme. Illustration tirée du traité de Piccolpasso sur l'art du potier, XVIe siècle.

Ci-dessous: les pots étaient disposés dans des cazettes réfractaires qui étaient entassées en piles. Dans certaines, des trous étaient aménagés pour le passage de chevilles sur lesquelles les pièces reposaient au cours de la cuisson.

Ci-contre, à droite: les gazettes sont empilées dans le four. Illustration de 1884.

gaz et électricité. De nos jours, les fours présentent souvent une forme de tunnel, les poteries les traversant sur des sortes de wagonnets.

Les fours modernes sont bien sûr beaucoup plus propres et sont moins nuisibles pour l'environnement que les anciens modèles. Dans des centres comme Stoke-on-Trent, il y a environ un siècle, la pollution était si intense que, même par beau temps, on ne pouvait distinguer la ville de la colline voisine. Les gouttières des maisons étaient en bois car les émanations provenant de la cuisson des émaux au sel rongeaient le métal très rapidement.

On courait même de sérieux dangers à travailler près des fours, tout spécialement au moment où l'on retirait les poteries après la cuisson. Des propriétaires de fabrique sans scrupules employaient de jeunes garçons à cette tâche, avant que le four ne fût complètement refroidi, pour pouvoir le recharger et cuire de nouveau, le plus tôt possible. Cela affectait gravement leur santé, ils perdaient leurs cheveux et leurs ongles, et leur voix s'éraillait. Ces constatations figurent dans le rapport de Samuel Scrivens, commissaire de Sa Majesté auprès du Parlement en 1843, qui devait conduire à atténuer la dureté des conditions de travail dans les fabriques.

Le chauffeur-cuiseur était responsable de la cuisson dans l'usine, quelle que soit l'importance de celle-ci. Son poste était très important — sinon le plus important — car de lui dépendait la réussite de la cuisson. Il surveillait le chargement des fours, s'assurant que les poteries étaient placées correctement dans leurs gazettes, et que celles-ci étaient convenablement étagées en énormes piles. Puis on bouchait l'ouverture du four avec de l'argile et on allumait les feux afin d'obtenir la température nécessaire, maintenue selon un temps déterminé avant de laisser le four se refroidir.

Au temps où l'on ne pouvait pas mesurer la température, le chauffeur-cuiseur jugeait de l'évolution de la cuisson à la couleur du feu ou à l'examen de petits échantillons. On disait que le four était prêt lorsque les sourcils de l'homme commençaient à roussir. Un bon chauffeur-cuiseur ne quittait pas son four pendant la cuisson qui durait parfois plusieurs jours et plusieurs nuits. Il prenait ses repas et faisait de brefs sommes auprès des brûleurs par crainte qu'un orage ou un changement de temps n'affecte la cuisson.

Pour les pièces qui demandaient des cuissons répétées à des températures différentes, ou pour le biscuit, la couverte (émail rajouté et cuit sur l'objet), le décor ou la dorure, il fallait parfois jusquà dix passages dans le four. Cependant, la plupart du temps, ils étaient limités à deux ou même à une seule cuisson. Pour l'artisan c'était un plaisir toujours renouvelé que de sortir du four une pièce sans défaut et parfaitement cuite.

Peut-être la disparition des fours en forme de bouteille au profit des tunnels au gaz ou au fuel a-t-elle entraîné celle de la magie des anciennes fabriques de céramique; il n'en reste pas moins vrai que celles-ci ont gagné à la fois en propreté et en salubrité pour les ouvriers qui y travaillent. D'aucuns regrettent les anciennes méthodes et plus d'un vint assister à la dernière mise à feu des fours en forme de bouteille de la fabrique de Stoke-on-Trent.

La fabrication de la porcelaine réticulée

Cette technique consiste à évider de petites cavités dans la céramique lorsqu'elle n'est encore qu'une forme en argile. Le mot «réticule» désigne, à l'origine, un petit sac en forme de résille. L'artisan spécialiste de ce travail était appelé en anglais *reticulator*.

On appliquait déjà ce procédé de décoration en Chine et au Japon il était alors connu sous le nom de «grain de riz». Des ouvertures, de la forme et de la taille de grains de riz, étaient comblées par de l'émail et formaient comme autant de petites fenêtres plus transparentes que le reste de la pièce. De beaux exemplaires de brûle-parfum et de pièces décoratives furent exécutés au Japon, à Hirado, et en France, à Sèvres. On a également fait des assiettes à bord finement découpé à Meissen, qui dégénérèrent plus tard en Allemagne en assiettes dites «au ruban», avec des découpes rectangulaires au moyen desquelles on pouvait attacher un ruban pour les suspendre au mur. En Angleterre, on trouve des corbeilles à fruits en porcelaine décorées de cette façon, en provenance des fabriques de Derby, Worcester, Caughley et Lowestoft. A Leeds, c'est plutôt sur de la faïence *creamware*, plus facile à travailler, qu'on voit ce genre de découpes compliquées.

Ce procédé connut le sommet de sa popularité à Worcester, vers la fin du XIXᵉ siècle. On fabriqua de beaux vases, corbeilles, pots-pourris et autres récipients, soit à partir de formes déjà moulées, soit, ce qui était beaucoup plus difficile, à partir d'une pièce qu'on évidait à la main, au jugé. Quelle que soit la méthode employée, on évidait la pâte au moyen d'un couteau pointu, en général trempé rapidement dans l'eau. Le travail devait être fait sur de l'argile encore «verte». S'il durait longtemps, il fallait humidifier la pièce soit en la recouvrant d'un linge humide soit en la mettant dans une boîte doublée de métal dans laquelle l'humidité était maintenue par des chiffons mouillés ou un bol rempli d'eau. En effet, si on laissait sécher l'objet au-delà d'une certaine limite, il s'effritait dès qu'on le touchait. Lorsque le processus était achevé, on faisait sécher la pièce avant de la cuire jusqu'à la consistance de «biscuit». Si on devait l'émailler, l'émailleur devait veiller à ce que les réticulations ne soient pas obturées par l'émail, à moins qu'on ne veuille obtenir l'effet de «grain de riz». Puis on recuisait pour la glaçure finale.

Cette technique devait atteindre son apogée grâce à George Owen, qui vécut à Worcester jusqu'à sa mort en 1917. Après avoir travaillé de nombreuses années sur des moulages, il avait mis au point un procédé qui lui permettait de travailler au jugé. Malheureusement, il ne permit jamais à quiconque de pénétrer dans son atelier et ne révéla pas son secret, ce qui était courant chez les porcelainiers. Ses œuvres restent uniques, aucune série de réticulations n'étant identique à une autre. Certaines comportent des milliers de motifs compliqués découpés: losanges, hexagones, formes de vases, et elles ont dû demander des semaines d'attention soutenue. Le souci de conserver une certaine humidité à la pièce était constant, et il fallait sans cesse recourir à l'humidificateur. Ce travail délicat exigeait une grande concentration car on risquait en permanence de transformer deux trous en un par un malencontreux dérapage du couteau. Ramener une pièce gâchée au stade de forme brute donnait un résultat insatisfaisant, car les mêmes défauts ressortaient ensuite à la cuisson. «La terre n'oublie jamais» affirme le dicton. A la cuisson apparaissaient des défauts indiscernables auparavant, car la fine cloison de matière séparant deux trous pouvait disparaître à la cuisson. Des tensions pouvaient se produire au moment d'un choc ou de vibrations, au stade où la pièce était encore crue, entraînant des dégâts irréparables ainsi que l'anéantissement de plusieurs jours ou semaines de labeur. Un «vrai» potier acceptait ce risque avec sérénité.

Ci-dessus: corbeille à fruits en porcelaine de Worcester, vers 1770. On évidait les découpes, sur la pièce en argile encore «verte», à l'aide d'un couteau pointu. L'ouvrage devait être humidifié tant qu'il n'était pas achevé. Une fois le décor terminé (ici, en forme de losanges), il fallait laisser sécher la pièce; puis on lui faisait subir une première cuisson jusqu'à obtention d'un biscuit.

Ci-contre, à droite: pot-pourri en porcelaine de Sèvres, 1761. Cette pièce présente un travail de réticulation très élaboré. Son décor est sans doute l'œuvre de plusieurs artisans spécialisés.

Ci-contre, à gauche: vase réticulé en Royal Worcester. Œuvre de George Owen (1847-1917). Chaque petite alvéole était évidée à la main, sans modèle ni moule indiquant le dessin. Owen commençait par le haut de la pièce. Le plus délicat était d'éviter toute chute de morceaux à l'intérieur du vase, d'où il était impossible de les retirer. De la concentration, une grande adresse ainsi que beaucoup de patience étaient nécessaires pour ce genre de travail.

Ci-dessous: pichet « devinette » en Delft, vraisemblablement de la fabrique de Grieksche, 1724. Cet objet prenait le buveur par surprise, l'inondant de bière s'il en ignorait le mode d'emploi. Ce modèle présente des découpes réticulées de forme simple autour du col.

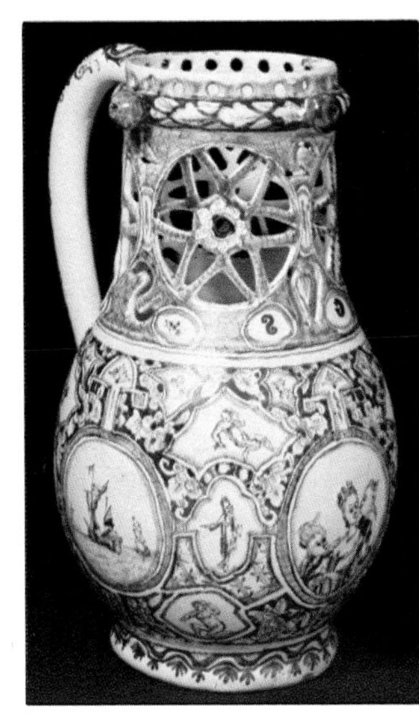

Le décor à la barbotine

La barbotine, argile liquide, est utilisée pour la décoration des poteries depuis fort longtemps. Les cultures péruviennes anciennes étaient expertes en cet art qui consistait à appliquer de l'argile d'une couleur sur une argile de couleur différente. Quelquefois le décor comportait jusqu'à cinq ou six couleurs. Les Grecs et les Romains, eux aussi, ont produit ainsi un grand nombre d'objets peints avec des dessins géométriques ou d'autres motifs plus élaborés.

C'est aux XVIIe et XVIIIe siècles que la décoration à la barbotine eut le plus de succès, lorsque les ateliers de Wrotham dans le Kent et dans le Staffordshire se mirent à fabriquer les plus jolis décors grâce à cette technique. Les potiers de Wrotham se spécialisèrent dans la production de pichets, plats, tasses et pots à boire le « posset » (lait caillé chaud) ainsi que des « tygs », tasses à anses multiples. Celles-ci étaient ornées à la douille, comme un gâteau, de pastilles, de pois, de traits, d'initiales ou de dates qui ressortaient en blanc sur le corps rouge de l'objet. Les barbotines étaient faites à partir d'oxydes métalliques qu'on recouvrait d'un émail transparent au plomb pour leur donner de doux reflets ambrés.

On doit à la famille Toft et aux potiers Wright et Malkin, établis dans le Staffordshire, les plus remarquables de ces pièces décorées, qui portent parfois leurs signatures. Certaines sont particulièrement réussies avec leur bordure en treillis de lignes et leur centre décoré de motifs divers : les armes royales, Adam et Eve, Charles Ier dans un chêne, ou le pélican avec sa piété. Les meilleures pièces de Thomas Toft présentent un caractère à la fois naïf et audacieux, avec leurs touches de brun foncé, de rouge ou de vert contrastant avec l'argile rouge du corps, sous une couverte jaunâtre au plomb. Ces objets étaient vraisemblablement destinés à des fins plus décoratives qu'utilitaires et étaient alors aussi populaires qu'ils le sont aujourd'hui.

On exécutait les dessins les plus compliqués avec une sorte de douille ou un cornet percé. Sur de grands plats, des barbotines de diverses couleurs étaient mélangées en un bariolage de taches ;

Ci-dessus : poterie égyptienne découverte à Coptos, probablement du Ier siècle après J.-C. Décor en barbotine rose et blanc, fait d'argile mélangée d'eau jusqu'à consistance de pâte onctueuse et teintée avec des oxydes de métal.

Ci-contre, à gauche: chouette en barbotine du Staffordshire, formant une tasse, vers 1700. Le Staffordshire et Wrotham, d'où viennent aussi les « tygs » (v. p. 114) furent les deux plus grands centres de fabrication de barbotines en Angleterre, aux XVIIe et XVIIIe siècles.
Ci-contre, à droite: vase en porcelaine de Minton, de Marc-Louis Solon (1835-1913), Angleterre, XIXe siècle. La technique « pâte-sur-pâte » permettait d'élaborer un dessin par superposition de barbotine. Un temps de séchage était nécessaire entre les applications et l'on pouvait sculpter finement la dernière couche.
Ci-dessous: plat en terre cuite, avec décor en barbotine de Thomas Toft (mort en 1689), Staffordshire, fin du XVIIe siècle.

les traits de pinceau étaient étirés, allongés en forme de plumes comme sur le gâteau de Battenburg, ou encore en forme de tortillons ou de serpentins. On trempait quelquefois les pièces dans la barbotine et, lorsque celle-ci était sèche, on l'incisait au moyen d'une pointe suivant les contours d'un motif révélant la couleur originale du dessous, selon un procédé appelé « sgraffite ».

La barbotine fut fabriquée dans de nombreux centres en Angleterre: dans le Derbyshire, le Yorkshire, le nord du Devon, le Somerset et le Sussex. De nombreux Etats du sud et de l'est de l'Amérique se lancèrent aussi dans une production qui reflète l'influence de l'Angleterre. Des deux côtés de l'Atlantique on employait encore ce procédé dans les dernières années du XIXe siècle et, récemment, il est redevenu très à la mode grâce aux œuvres de potiers contemporains.

Tout ce que nous venons de décrire concerne la poterie; c'est sur la porcelaine que la barbotine atteint des sommets. Dans ce qu'on appelle le « pâte-sur-pâte », plusieurs couches de barbotine blanche étaient superposées à l'aide d'un pinceau, sur un biscuit de couleur. Couche après couche, avec des épaisseurs variées qu'on pouvait inciser ensuite, le dessin prenait forme. Les couches les plus minces présentaient un aspect presque diaphane lorsqu'elles étaient recouvertes d'émail transparent.

Utilisée d'abord en Chine au XVIIIe siècle, cette technique fit son apparition à Sèvres au milieu du XIXe siècle et ensuite à Meissen. C'est indubitablement à Marc-Louis Solon, venu de Sèvres à Minton, où il s'installa en 1870, qu'on doit les plus belles pièces. De telles œuvres demandaient un temps de travail considérable et restent certainement parmi les plus difficiles à réaliser sur le plan technique. Cependant on peut les considérer comme les formes les plus pures de décor en pâte-sur-pâte. Solon choisissait en général des sujets classiques dont les personnages en coloris pastel se détachaient sur fond sombre. Ses œuvres, tout comme celles de Toft à leur époque, avaient beaucoup de succès et se vendaient très cher. En comparant le « pâte-sur-pâte » avec la séduisante simplicité de certaines autres formes d'application de la barbotine, on peut constater l'étendue et la variété des possibilités qu'elle offre.

L'émaillage

L'émail est une matière vitreuse dont la température de fusion est adaptée à la nature de la surface qu'il doit recouvrir. Hormis l'aspect décoratif qui lui est propre, il a pour première qualité de rendre imperméables à l'eau et aux autres agents extérieurs les différents supports qu'il recouvre. Il permet également de faciliter le nettoyage des objets. Lorsqu'il s'agit de pâte artificielle ou de pâte tendre, l'émail est posé sur un « biscuit », pâte qui a déjà subi une cuisson, puis passé au four à émailler à une température un peu plus basse, de façon à former une pellicule. Le corps de l'objet est pris « en sandwich » entre deux couches d'émail. Sur les pâtes tendres, l'émail n'est pas très dur, ce qui permet de mieux fondre les couleurs qu'on peut rajouter par la suite. En revanche, sur la « vraie » porcelaine on utilise une couverte feldspathique, cuite à environ 1400 °C, qui se fond avec le corps qui peut, lui, avoir subi au préalable une première cuisson de type « dégourdi ». Il existe une plus grande variété d'émaux pour la poterie que pour la porcelaine.

Ce sont les Egyptiens qui, les premiers, mélangèrent des composés de soude à du cuivre pour donner ces teintes ravissantes de bleu et turquoise qui coloraient leurs perles et leurs figurines. Ces émaux alcalins présentaient cependant un inconvénient : ils avaient tendance à se craqueler et à s'écailler. La technique s'améliora lorsqu'on découvrit que le plomb sous forme de galène (sulfate de plomb), réduit en poudre et passé ou peint sur la poterie, se transformait par fusion en un émail brillant qu'on ne pouvait gratter. Les premières poteries syriennes et babyloniennes, émaillées au plomb, sont très belles, en particulier celles dont les glaçures ont été faites à partir d'oxydes métalliques : de cuivre, de fer et de manganèse.

Les Chinois ont commencé à se servir d'émaux à partir de 500 avant J.-C. Les potiers anglais du Moyen Age perpétuèrent la tradition ; sur certaines de leurs poteries, la galène était pulvérisée par endroits sur la terre humide, ce qui produisait de jolies plages de glaçure verte, jaune moucheté ou brune. L'oxyde de plomb mélangé à du sable et à de la terre rouge donnait un émail généreux, qui devait devenir le matériau de prédilection de la plupart des potiers de campagne en Angleterre et en Amérique. Jusqu'au milieu du XIXe siècle, on ignorait les risques d'intoxication que couraient les artisans travaillant avec du plomb.

Ci-contre, à gauche : vase chinois Dao-Kouang (1821-1850). La pièce, recouverte d'une glaçure à l'oxyde de cuivre et cuite ensuite en atmosphère réductrice, a pris une belle coloration intense de « flambé ». C'est pendant la dynastie Song, en Chine, que l'on découvrit les secrets de l'émaillage. Ci-dessus : plat en terre cuite hispano-mauresque, 1469-1479. Le plat, à glaçure à l'étain et lustrage, représente les armes de Ferdinand et d'Isabelle.

L'EMAILLAGE PAR TREMPAGE
1. Pour émailler une pièce creuse, on remplissait celle-ci d'émail liquide, dont on évacuait l'excès.
2. On trempait la poterie dans un bac plein d'émail pour enduire la partie extérieure.
3. On sortait ensuite la pièce du bac et on la faisait tourner pour bien répartir l'émail.

Ci-dessus: grès de Raeren, à couvercle, vers 1600. La glaçure au sel se développa en Allemagne au XIVe siècle. Au cours de la cuisson, on jetait du sel dans le four où, en se vaporisant, il se mélangeait à la silice de la poterie pour former une mince pellicule d'émail à l'aspect typique de pelure d'orange.

Ci-contre, à gauche: plat en terre de Bernard Palissy (1510-1590 environ). France, vers 1550. Ce genre de poterie émaillée au plomb est toujours fabriqué en Europe occidentale, avec des décors en relief et de forts contrastes de couleurs.

Les émaux alcalins et au plomb sont cuits à des températures relativement basses (jusqu'à 1050 °C). L'invention des fours à haut degré de cuisson permit l'emploi d'émaux fondant à des températures plus élevées. L'émail à la cendre — les cendres de bois contiennent de la potasse, de la soude, de la silice et de l'alumine — permettait d'obtenir des effets splendides. Les Chinois créèrent également des émaux à partir des argiles elles-mêmes, en particulier les rouges contenant des impuretés.

L'émaillage, ou glaçure, au sel fut mis au point par les Allemands au XIVe siècle. Ce procédé impliquait une cuisson de la poterie dans un four classique mais, lorsqu'elle commençait à être «à point», on jetait du sel dans le foyer. Le sel se combinait avec la silice des poteries pour former une mince couche d'émail qui avait l'apparence tout à fait caractéristique de la pelure d'orange. Selon l'argile employée, on obtenait des couleurs différentes, allant du brun terne si la quantité d'oxyde de fer contenue dans la terre était faible, au brun soutenu si, au contraire, elle était abondante. On pouvait aussi obtenir du bleu avec du cobalt. Ce procédé se répandit en Angleterre où il remporta un grand succès auprès de nombreux potiers, tels les frères Martin.

Les émaux à base d'étain, apparus au Proche-Orient, se répandirent en Perse, en Espagne et en Italie, sous le nom de «majolique», en France et en Allemagne («faïence»), en Hollande et en Angleterre («Delft»). L'oxyde d'étain opacifie la glaçure dans laquelle il est introduit. L'émail blanc qui en résulte a le pouvoir de masquer la teinte originelle de la pâte. Bien que cette glaçure ne soit pas translucide et qu'elle ait tendance à s'écailler sur les bords, elle fait ressembler la pièce à de la porcelaine chinoise. Si on ajoutait à la glaçure un peu d'oxyde de cobalt pour le bleu, une petite palette d'oxydes métalliques pour le jaune, le brun, le rouge, le vert et le violet, on avait alors de délicieux décors à la chinoise.

Malheureusement, il fallait peindre directement sur l'émail cru. Comme on ne pouvait pas effacer une faute sans enlever l'émail en même temps, il fallait agir avec sûreté et rapidité. Si cette manière de procéder manquait de précision et de raffinement du moins était-elle vigoureuse et franche. Certaines majoliques étaient lustrées, selon une technique délicate due à la grande habileté des Persans et redécouverte au XIXe siècle par William de Morgan, en Angleterre. Celle-ci consistait à ajouter des pigments métalliques sur la glaçure à l'étain d'un blanc opaque, puis à les recuire en atmosphère réductrice.

Dans les fabriques actuelles, la glaçure est le plus souvent faite à l'aérographe (ou pistolet) également utilisé dans l'application des couleurs sur les fonds (v. p. 131) ou par vaporisation. L'émaillage par immersion est aussi très pratiqué. Il consiste à tremper les pièces biscuitées ou dégourdies dans un bain d'émail à consistance aqueuse. Le séchage de l'émail est pratiquement instantané, d'où la nécessité, pour l'ouvrier trempeur, d'être très habile et de veiller à ne laisser aucune trace (de doigts ou de coulures) sur les pièces.

Les fonds de couleur

Des panneaux ou des bandes d'une seule teinte peuvent décorer soit l'entourage soit la partie principale d'une pièce. La zone laissée libre dans un fond de couleur s'appelle une « réserve ». Surtout employé sur de la porcelaine, le bleu est composé d'oxyde de cobalt appliqué sur le biscuit avant l'émail, ou de l'un des oxydes métalliques employés sur couverte. Les fonds de couleur ont une longue histoire, commencée en Chine sous la dynastie des Ming. En Europe, c'est à Meissen qu'on les utilisa pour la première fois, dans les années 1720; ils furent repris ensuite par la plupart des grandes fabriques.

D'abord, on peignit les fonds de couleur au pinceau. Mais, pour de grandes surfaces, le résultat n'était pas toujours satisfaisant, présentant grumeaux et irrégularités. Malgré tout, parmi les pièces de Meissen, on trouve de remarquables exemples de réussite, en particulier pour les fonds lilas, vert citron, dorés et rouges. Techniquement, c'était le jaune la couleur la plus hasardeuse. En effet, elle a un seuil étroit de tolérance aux températures de cuisson, très difficile à contrôler quand elle passe au four. Elle peut ainsi présenter des variations considérables.

Les plus beaux fonds restent sans conteste ceux qui ont été produits à Vincennes et à Sèvres, autour de 1750, dans lesquels les couleurs ont été fondues sur de la porcelaine en pâte dure où ils créent de superbes effets de profondeur. En 1753 apparurent de merveilleux bleus, comme le lapis-lazuli ou le bleu royal et, en 1755, on utilisa un fond bleu ciel pour un service destiné à Louis XV. A la suite du jaune jonquille et du vert pomme, naquit le rose, associé à Madame de Pompadour qui acquit plusieurs articles de cette couleur en 1757 et 1758. Mais la couleur qui reste la plus admirée fut mise au point à Sèvres : c'est le « bleu céleste », beau turquoise d'une lumineuse translucidité.

On tenta d'imiter toutes ces couleurs dans d'autres fabriques en Angleterre, notamment à Chelsea et à Worcester. Cependant elles n'atteignirent jamais la beauté des originaux, bien que Worcester se soit distinguée par des écailles de bleu, résultat d'une longue et difficile manipulation. Des écailles et des taches de couleur sombre, superposées, étaient peintes sur un biscuit ayant déjà subi une première cuisson, par-dessus un jus clair de cobalt passé sur les zones séparant des « réserves » en relief. On épargnait en effet ces dernières pour y peindre des oiseaux et des fleurs après l'émaillage. Il fallait d'abord cuire les bleus pour les durcir sur le biscuit, afin d'éliminer tout corps gras avant la pose de l'émail, afin d'éviter que celui-ci ne coule au moment de son passage dans le four. Les cuissons supplémentaires, nécessaires pour obtenir ces gammes de bleu, augmentaient encore le coût des pièces, qui étaient fort chères à l'époque.

En plus des peintures qui ornaient les parties centrales ou les réserves des pièces décorées du motif à l'écaille, on pouvait rajouter des dorures au dessin compliqué, sur les fonds de couleur qui portaient des noms aussi évocateurs que « œil-de-

perdrix», «vermicelle» et «caioutte» (cercles de différentes tailles). Une pièce très élaborée avec peintures et dorures pouvait demander jusqu'à quatre cents heures de travail.

On améliora la confection des fonds au XIXe siècle. Selon un nouveau procédé, on protégeait les zones à réserver avec une matière isolante. Puis l'ornemaniste enduisait le reste d'une huile «séchante» qu'il étalait à l'aide d'un gros tampon pour éliminer les traces de pinceau. On saupoudrait la couleur pulvérisée avec un morceau de coton, puis on secouait la pièce pour enlever l'excès de pigments. Après séchage, on retirait l'isolant avec de l'eau tiède. Cette technique, difficile, est abandonnée de nos jours au profit de celle de la lithographie, facile et rapide.

Une des couleurs de fond les plus compliquées à faire était le bleu en poudre. On soufflait le cobalt à travers un tube tendu de gaze, de façon qu'il se dépose en mouchetures sur les zones passées à l'huile. Auparavant on avait pris soin de protéger les endroits à peindre avec des gabarits de papier. Au XVIIIe siècle, il était impossible d'imprégner d'or le vert cuivré qu'on appelle «vert pomme» de nos jours; au XIXe siècle, le problème fut résolu : on employa pour les fonds un vert de chrome qu'il était possible de dorer (v. p. 136). Dans les premiers fonds verts, et aussi dans ceux d'autres couleurs, on ne pouvait utiliser l'or que pour souligner les panneaux.

Ci-dessus : plat en porcelaine de Meissen, vers 1760. Cette pièce présente un fond à mosaïque, le centre est peint d'un semis de fleurs.
Ci-contre, à gauche : boîte à thé en porcelaine de Meissen, vers 1745. Le fond d'une teinte rouge tomate rare met en valeur les vignettes représentant des personnages dans un paysage. C'est à Meissen qu'on vit les premiers fonds colorés européens, autour de 1720. Cette technique s'étendit à d'autres fabriques en Europe.

Ci-dessus : tasse et soucoupe en porcelaine de Sèvres, vers 1760. Elles sont décorées de «caiouttes» dorées de différentes tailles sur fond bleu. Les peintures délicates sont de Viellard.

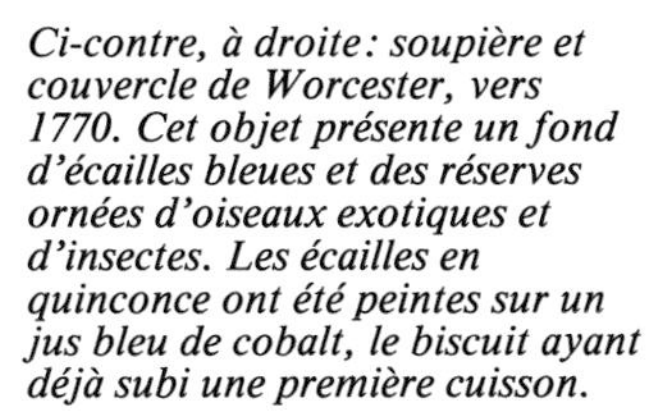

Ci-contre, à droite : soupière et couvercle de Worcester, vers 1770. Cet objet présente un fond d'écailles bleues et des réserves ornées d'oiseaux exotiques et d'insectes. Les écailles en quinconce ont été peintes sur un jus bleu de cobalt, le biscuit ayant déjà subi une première cuisson.

A gauche : broc et bassin en porcelaine de Sèvres. Ces pièces sont admirablement décorées d'un fond «rose Pompadour», avec des réserves de fleurs peintes et de dorures. Cette couleur fut baptisée du nom de la marquise de Pompadour qui, entre 1757 et 1758, fit l'acquisition de pièces de cette même teinte.

Le métier de l'artiste décorateur sur porcelaine

Les pigments utilisés par le décorateur en porcelaine étaient tirés d'oxydes métalliques appelés à tort « émaux ». Ils étaient livrés sous forme de poudres et l'artiste commençait par les écraser au couteau sur une tuile. Plus fine était la mouture du pigment, meilleur était le résultat.

L'artiste se servait comme médium d'une huile épaisse qu'il préparait lui-même dans une « fontaine » : sorte de pyramide, composée de trois ou quatre pots de taille différente, le plus petit étant placé au sommet. On versait de la térébenthine pure dans ce dernier, puis on la laissait s'évaporer jusqu'à ce qu'elle soit réduite à l'état d'huile épaisse. Cette huile coulait dans les récipients inférieurs, devenant de plus en plus épaisse à mesure de sa progression, tandis qu'on continuait à remplir le haut de la pyramide. Cette fontaine constituait un élément essentiel de l'attirail du décorateur.

En ajoutant l'huile ainsi épaissie à des pigments, on obtenait une pâte onctueuse, que l'on gardait à disposition, et que l'on mélangeait à une huile plus légère, comme de l'huile d'anis, la mieux adaptée à cet usage. Celle-ci dégageait une odeur pénétrante qui envahissait tout l'atelier. Certains peintres préféraient parfois se servir d'huiles de lavande ou de citron, moins entêtantes.

L'artiste peignait directement au pinceau sur la pièce émaillée, quelquefois après une esquisse préalable ou un poncif qui laissait de légers contours en pointillé. On pouvait se servir de plusieurs couleurs en même temps à condition qu'elles soient « vieillies » à la même température et on procédait alors à une première cuisson dans le four à décorer. Il fallait en général un minimum de deux cuissons, parfois quatre ou cinq, pour obtenir l'effet désiré.

Tout cela n'allait pas sans complications : certaines couleurs (l'orange, par exemple) ne vieillissaient bien qu'en étant parfondues, la plupart des autres changeaient à la cuisson. L'artiste devait connaître la nature des oxydes métalliques et une grande partie de son apprentissage y était consacrée, de même qu'aux techniques de peinture.

Les couleurs vitrifiables à base d'oxydes métalliques se fondaient à l'émail du support au cours de la cuisson, à une température s'abaissant de 800 à 740 °C. Plus l'émail du support était tendre, plus la couleur s'incorporait. Sur les pâtes tendres et la porcelaine anglaise phosphatique, les oxydes métalliques pénétraient beaucoup plus que sur les pâtes dures.

La température de cuisson des couleurs vitrifiables était trop basse pour leur permettre de supporter une couche d'émail de protection. Ces couleurs étaient donc fragiles : s'usant facilement au lavage avec du savon ou de la soude, trop détergents, et au contact des couverts ou de l'acidité des jus de fruits, elles étaient, de plus, sensibles aux manipulations un peu rudes. En revanche, le cobalt, lui, pouvait supporter une glaçure, car sa température de cuisson était élevée. On en recouvrait donc le biscuit, sur lequel on cuisait ensuite une couche d'émail. C'est pourquoi on trouve certaines pièces décorées de bleu « sous couverte » et d'autres couleurs « sur couverte ». Cette association sur une même pièce nécessitait des cuissons successives.

Ci-dessus : assiette en porcelaine de Worcester, décorée d'un portrait de l'actrice Sarah Siddons, en muse de la tragédie, de Thomas Baxter (1782-1821), vers 1814.

Ci-contre, à droite : détail de l'assiette, sur laquelle on aperçoit les taches de couleurs posées en pointillés à la main, d'après un portrait de Reynolds.

Ci-dessus : paire de butors en porcelaine de Meissen, modelée par Kändler et peinte de couleurs réalistes, vers 1753. Les premiers Meissen étaient souvent blancs, cependant les couleurs rajoutées sur l'émail accentuent indubitablement leur aspect décoratif.

Ci-contre, à droite: vase et son couvercle, porcelaine de la fabrique Grainger, Worcester, vers 1900. Le fond est turquoise et le décor représente des faisans dans la forêt, de James Stinton (1870-1961). Cette pièce est caractéristique des sujets peints par cet artiste. En 1889, la fabrique de Thomas Grainger devait être absorbée par la Compagnie Royale de porcelaine de Worcester.

A l'extrême droite: aquarelle du plus jeune des deux Thomas Baxter, représentant l'atelier de peinture sur porcelaine de son père, situé 1, Goldsmith Street, à Londres en 1810. On voit les artistes prenant appui sur une planche pour mieux assurer leur travail, ainsi que la fontaine, les pots de couleurs, les flacons de térébenthine et les pinceaux.

Ci-dessus: pot à couvercle en porcelaine de Frankenthal, Allemagne, milieu du XVIIIe siècle. Le sujet, classique, est caractéristique de l'art du décorateur Osterspray.

Ci-contre, à gauche: plat en porcelaine chinois, Kangxi (1662-1722), destiné à l'exportation vers la Hollande. La porcelaine en pâte dure présente un aspect blanc brillant, sur lequel tranchent les oxydes métalliques posés sur la glaçure.

La décoration par transfert

Bien que les Chinois aient déjà utilisé la technique de l'impression sur céramique réalisée au moyen de tampons de bois, ce n'est que dans les premières années de 1750 que celle-ci devint courante comme procédé de décoration. A Worcester, l'impression par transfert, à partir de plaques de cuivre gravées à l'eau-forte, à la pointe sèche, ou aux deux à la fois, fut appliquée à la porcelaine. Les premiers transferts représentaient des scènes simples avec des oiseaux, des navires ou des personnages, de couleur brun fumé, tout à fait dans le style des boîtes en émail imprimé de Bilston, Wednesbury et Battersea. Mais c'est en 1757 que Robert Hancock parvint à faire la première impression par transfert réussie : un portrait du roi de Prusse. Celle-ci était d'un noir prononcé, appelé « émail de jais ».

Cette technique consistait à préparer une plaque de cuivre, soit gravée à l'aide de burins, soit recouverte d'un vernis gravé à la pointe sèche puis trempé dans un acide. Gravure et eau-forte employées successivement créaient de forts contrastes de perspective, et on pouvait tracer des lignes plus prononcées au burin. Des calques en papier de soie imprégnés de couleur céramique étaient posés sur la pièce à décorer. Après avoir frotté les papiers décorés sur la pièce, on les en détachait, la couleur seule restant sur l'objet que l'on passait ensuite au four.

Les premières impressions « sur couverte » étaient noires, mais, vers la fin des années 1750, une impression bleue « sous couverte » devint possible, et ce procédé de décoration menaça de supplanter les décors peints, en particulier sur les faïences de couleur crème et les terres de pipe. Vers 1800, un autre procédé appelé « impression au tambour », qui donnait un dessin plus doux, connut une vogue de courte durée. Celui-ci consistait à transférer le dessin à l'huile au moyen d'un mince tambour de colle puis à répandre la couleur en poudre sur l'huile à laquelle elle adhérait avant le passage de l'objet au four. L'impression bleue « sous couverte » atteignit son apogée au début du XIXe siècle, lorsqu'on fabriqua d'énormes quantités de pièces destinées au marché américain, souvent décorées de scènes américaines ou du fameux motif dit « au saule », la « chinoiserie » anglaise la plus répandue.

Ces impressions étaient soit laissées de la même couleur que lorsqu'on les avait posées, soit repeintes de plusieurs couleurs, à la main. On réalisait les premières impressions en couleur en « relevant » les zones de couleurs différentes par fragments, un peu à la façon d'un puzzle, comme on peut le voir sur les couvercles « Pratt ». A la fin du XIXe siècle, on inventa une technique d'impression complète : le transfert lithographique, qui a abouti au système actuel des « décalcomanies » qu'on colle par simple pression sur la pièce avant de la passer au four.

La technique du transfert, déjà vieille de plus de deux siècles, est encore employée de manière traditionnelle dans quelques fabriques où elle donne de très beaux résultats. Elle demande beaucoup de temps et de travail, c'est pourquoi elle est très coûteuse. En effet, il faut parfois plus de cent heures de travail pour réaliser une gravure compliquée. Néanmoins une plaque de cuivre peut être réutilisée plusieurs centaines de fois lorsqu'elle est confiée à un ouvrier soigneux. L'imprimeur est entouré de deux ou trois assistants chargés de découper les transferts, de les poser, les frotter puis de les laver à l'eau. Chaque impression est ensuite vérifiée par l'imprimeur qui « réparera » tous les petits défauts éventuels.

Ci-dessus : un atelier d'impression dans le Staffordshire, Angleterre, en 1884. A gauche, l'imprimeur à son fourneau est occupé à colorer une plaque de cuivre, tandis que son collègue actionne la presse et qu'une jeune femme applique une impression sur un objet.
Ci-contre, à gauche : chope en faïence crème du Staffordshire, vers 1790. Des symboles maçonniques y sont imprimés en noir.
Ci-contre, à droite : boîte et couvercle en faïence de Pratt, Angleterre, milieu du XIXe. La scène, imprimée par transfert, est intitulée « L'école buissonnière ».

Ci-dessus: assiette en faïence de Rogers, Staffordshire, avec impression par transfert bleue, vers 1810-1815.

Ci-contre, à gauche: couvercle de boîte « Pratt », dû à Jesse Austen (1806-1879), milieu du XIXe siècle. Ce graveur qui travaillait pour la fabrique de F. et R. Pratt mit au point le principe de l'impression par transfert. Nous en voyons ici un exemple avec cette scène représentant une naïade chevauchant un dauphin. La faïence présente des craquelures naturelles très différentes de celles des copies modernes plus marquées.

L'IMPRESSION PAR TRANSFERT
1. On faisait pénétrer les couleurs céramiques dans les traits de gravure d'une plaque de cuivre chauffée.
2. On éliminait ensuite le surplus de couleur.
3. On disposait un papier de soie humide sur la plaque de cuivre et l'ensemble passait sous la presse.
4. On retirait de la plaque le calque imprimé du dessin inversé.
5. Un assistant découpait la partie de papier inutile avant de poser soigneusement le calque sur l'objet.
6. Puis, après avoir frotté vigoureusement le calque, on retirait le papier et l'on cuisait le dessin pour le fixer.

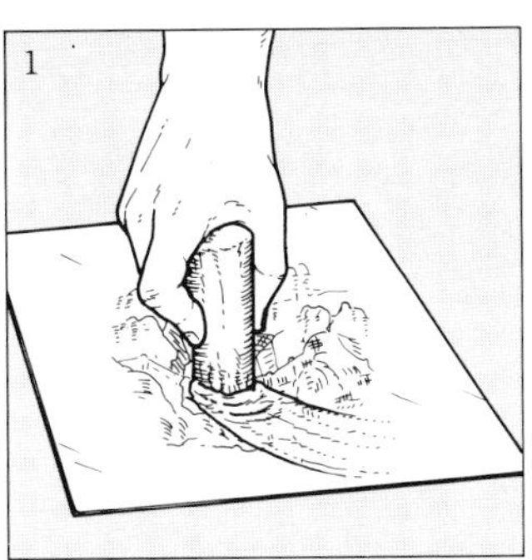

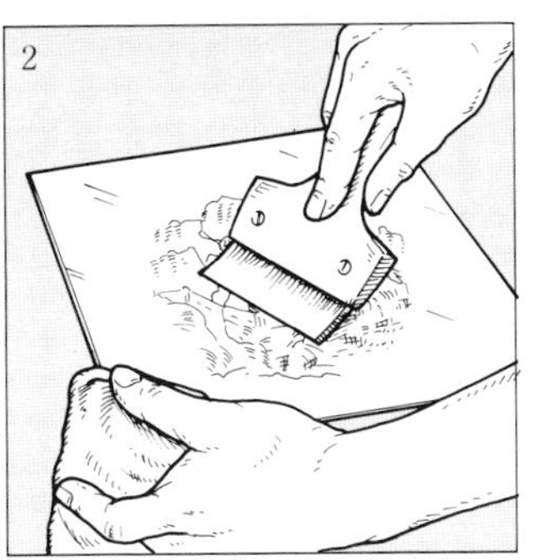

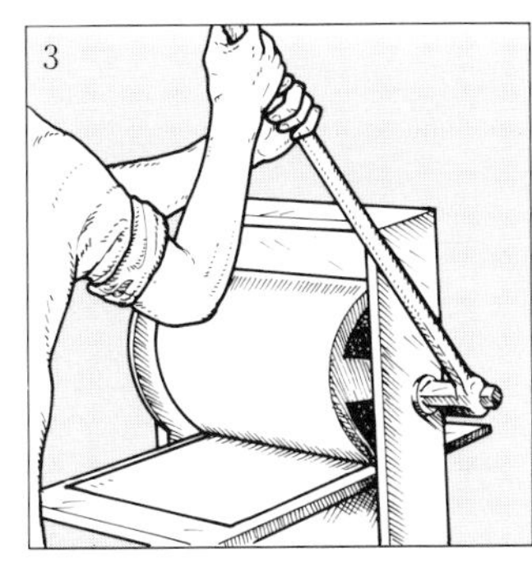

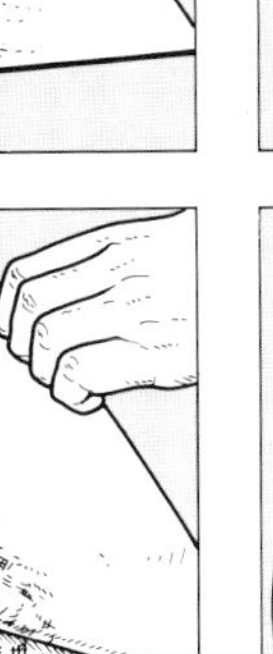

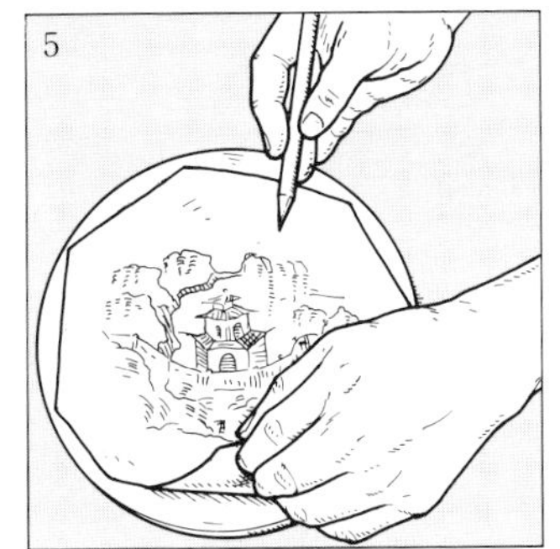

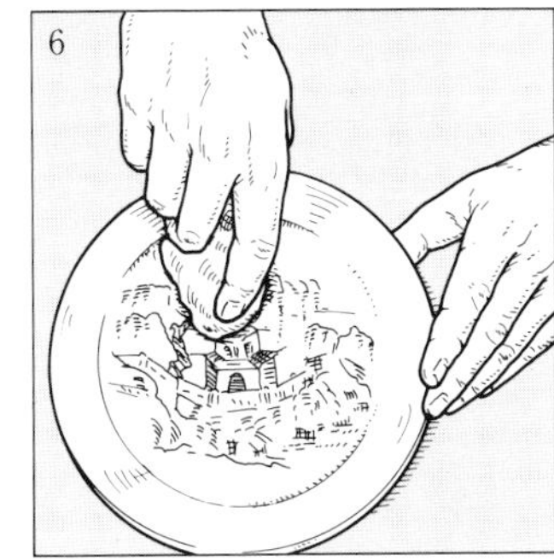

La dorure

Au cours des siècles, on a essayé de multiples façons de dorer la céramique. Dans les premiers temps, on fixait une feuille d'or à froid sur le support. Mais l'or disparaissait à l'usage. Des porcelaines chinoises, des grès anciens de Meissen et de la faïence anglaise furent décorés ainsi, mais peu sont demeurés intacts. On prit conscience qu'il était indispensable de cuire l'or d'une manière ou d'une autre pour le faire adhérer de façon permanente au support ou à la glaçure.

C'est à Meissen, en Allemagne, qu'on mit au point la première technique vraiment réussie. On utilisait un précipité de poudre d'or obtenu par addition d'une solution de sulfate ferreux à une solution d'or dans de l'eau régale ; et on y ajoutait un fondant au silicate de plomb pour abaisser la température de cuisson. A Vincennes et à Sèvres, ainsi qu'à Chelsea et à Worcester en Angleterre, on pratiqua la « dorure au miel ». On écrasait très lentement une feuille d'or dans du miel qu'on faisait disparaître ensuite à l'eau chaude. Après séchage, la poudre d'or était fixée sur la pièce recouverte d'une glaçure, grâce à un produit caustique à base d'huile d'ail, de gomme à l'eau et de vinaigre. La pièce était alors cuite à une température inférieure à celle des décors d'oxydes métalliques, et on obtenait ainsi une dorure résistante. La dorure au miel était d'une douce teinte brune. Lorsqu'on l'examine à la loupe, elle présente des crevasses et des bulles. Elle était limitée à une unique couche, car elle ne supportait qu'une seule cuisson.

Vers 1780, apparut à Sèvres la dorure au mercure, technique très largement utilisée par la suite. L'or, dissous dans de l'eau régale, était précipité par une solution de nitrate de mercure qu'on lui ajoutait. Par ce moyen, on avait une poudre d'or beaucoup plus fine, avec laquelle on obtenait une mince pellicule d'or d'un beau brillant ; une fois cuite et brunie, elle était de loin supérieure à la dorure au miel d'autrefois. De superbes décors à l'or ont été exécutés par des spécialistes, mais aussi par de grands décorateurs, artisans capables d'appliquer l'ensemble des techniques d'ornementation : réalisation des fonds, des peintures, de la dorure et du brunissage.

Lors de son apprentissage, un jeune doreur s'entraînait inlassablement à tracer différents lignes, courbes et traits de façon à les réaliser parfaitement et spontanément par la suite. L'or étant un matériau extrêmement coûteux, il s'exerçait avec des pigments céramiques. La dorure, comme un cadre autour d'une peinture, doit rester discrète. Une dorure est ratée si elle est mal équilibrée ou injustifiée.

On se servait d'une tournette (petit plateau horizontal tournant sur un axe) pour tracer des lignes simples telles qu'on en trouve en haut et en bas d'une pièce. On faisait tourner l'axe d'une main tandis que, de l'autre, on tenait le pinceau chargé d'or. De cette façon on pouvait tracer des filets fins ou épais sur les pourtours intérieur et extérieur d'une assiette ou d'une soucoupe. Lorsque la pièce n'était pas ronde, le doreur devait procéder par petites étapes.

On pouvait ajouter à la main des détails supplémentaires comme des denticules, demi-cercles dorés en forme de dent de chien. On pouvait aussi faire des décors compliqués, allant du simple trait de pinceau terminé par une série de gouttelettes, à des panneaux très élaborés. Les formes les plus élaborées étaient

les précieux reliefs d'orfèvrerie, obtenus par superposition de coups de pinceau ou par taches épaisses de pigments céramiques passées à l'or. Les pièces ornées de cette façon demandaient parfois plusieurs jours, ou même plusieurs semaines, d'un travail beaucoup plus long et méticuleux que la peinture. On se servait d'or de grande qualité, à 22 carats, qu'on fondait à la glaçure à une température de 720 °C environ, plusieurs cuissons étant souvent nécessaires pour les ouvrages les plus complexes.

Le brunissage était la phase finale de la décoration d'une belle pièce. Il consistait fondamentalement à faire briller l'or, terne à sa sortie du four.

La façon la plus simple d'opérer sur les grandes zones planes se résumait à les frotter à l'aide d'un chiffon doux rempli de poussière d'argent finement tamisée. Les bords d'assiettes, de soucoupes et autres objets étaient brunis avec ce qu'on appelle l'hématite, pierre arrondie fixée au bout d'un manche. Cette opération donnait un très beau brillant à l'or. On se servait d'une agate pointue pour les endroits d'accès difficile tels qu'angles, creux de l'intérieur et des extrémités d'anses.

Le travail de l'artisan brunisseur ne se limitait pas uniquement au polissage de la pièce à laquelle il devait souvent apporter une touche finale beaucoup plus artistique. Il se servait alors d'agate pour tracer des dessins sur les parties plates dont les traits brillants tranchaient sur des fonds mats. On parvenait, grâce à ces techniques, à créer des zones très décorées. Au XIXe siècle, c'est souvent le décorateur qui se chargeait de ce travail de repoussé.

LE BRUNISSAGE
1. Les parties planes subissaient un polissage simple, à l'aide d'un chiffon doux et de poudre d'argent soigneusement tamisée.

2. Une agate pointue était utilisée pour polir les endroits moins accessibles ou pour ciseler un motif sur la dorure, ce qui accentuait les contrastes entre parties polies et parties mates.

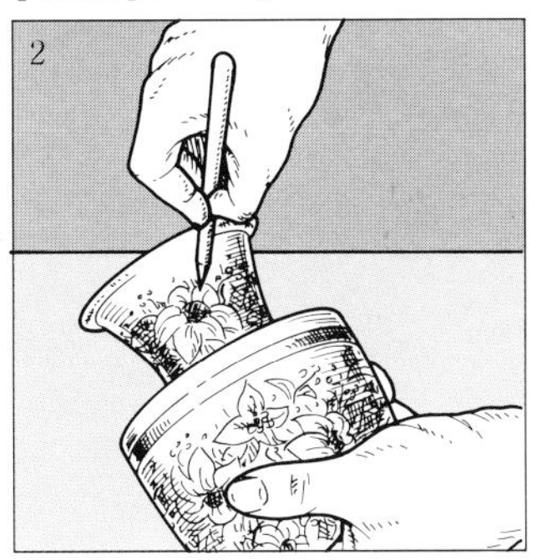

Ci-contre, à gauche: détail d'une assiette en porcelaine de Derby, 1880, montrant le décor ciselé d'or et de platine.

Ci-dessous: théière en porcelaine Royal Worcester, 1887. Sa délicate décoration est due à George Owen pour le décor réticulé, et à Samuel Ranford pour la dorure et les perles. On notera la grande minutie apportée à la réalisation de celles-ci. L'ornementation d'une telle pièce exigeait un long travail.

Ci-dessus: bonbonnière en porcelaine de Sèvres en forme d'œuf, 1762. Une fine dorure, en partie ciselée à l'agate par le brunisseur, se détache du fond bleu. Le brunissage était la dernière étape que subissait une pièce, dont la fabrication nécessitait l'intervention de plusieurs artisans et plusieurs cuissons.

A gauche: partie d'un service à gâteaux de 18 pièces en Royal Worcester, 1921. Les vignettes, au décor de fruits sur fond mousse se détachant du bleu cobalt à rinceaux d'or, furent peintes par Richard Sebright (1868-1951).

Le métal

L'homme franchit une étape décisive dans le domaine technique lorsqu'il découvrit qu'on pouvait, grâce à la chaleur, fondre les métaux et les rendre ainsi suffisamment malléables pour en faire des outils, des récipients et des ornements. Une fois que les métaux étaient chauffés, on pouvait les couper, les mouler, les étirer et les estamper par martelage, procédés employés depuis des millénaires par les artisans.

L'étape capitale suivante fut la découverte de la possibilité de fondre ensemble deux métaux ou davantage, pour obtenir un alliage présentant de nouvelles propriétés. Ainsi le cuivre, l'un des premiers métaux utilisés en alliage, est relativement tendre et ne donne pas une coupe nette; en revanche, associé à de l'étain, métal encore plus tendre, il donne le bronze, qui est trois fois plus dur que le métal de base. De même, l'or et l'argent, métaux qu'on appréciait beaucoup à cause de leur couleur, de leur malléabilité et de leur ductilité, devenaient plus résistants lorsqu'ils étaient alliés à d'autres métaux. Quant à l'or, on pouvait, grâce à ce moyen, en modifier la couleur. On pouvait fabriquer d'autres alliages à partir de l'étain et de ses variantes plus tardives, telles que le métal anglais, le maillechort et le laiton allié au zinc de préférence à la calamine utilisée auparavant. La découverte progressive des alliages et des techniques de travail du métal ne se fit pas de manière uniforme et universelle. On fabriquait déjà de l'acier au Japon et en Inde, dès le premier millénaire de notre ère, tandis que le secret de sa composition restait en partie à découvrir au milieu du XVIIe siècle en Angleterre.

Les techniques variaient considérablement d'une région à l'autre. En Saxe, pays riche en minerais, on utilisait l'énergie hydraulique pour actionner les marteaux de fonderies, deux siècles avant que l'Angleterre n'en fît autant, au XVe siècle. Les méthodes de moulage, introduites par les orfèvres huguenots venus d'ateliers français, étaient plus raffinées que celles qu'on pratiquait en Angleterre à la même époque.

Le matériel de base, pratiquement semblable pour tous les métaux, devait rester sensiblement le même au cours des siècles. Dans chaque atelier, on trouvait un foyer, un four pour fondre ou recuire la matière brute lors du façonnage, un soufflet pour varier la température, des pinces, des enclumes, des tas, des marteaux, des forets, des limes et des emporte-pièce pour travailler la forme à partir du lingot. Partout on utilisait les limes et les poinçons pour la décoration et la finition des objets. Les moules destinés au métal en fusion, les gabarits pour les éléments rapportés, tels que pieds, poignées, becs ou « graines », ainsi que les « appliques » et le tour (pouvant remplacer l'estampage au marteau) constituaient le matériel le plus précieux. En Europe, à partir du XVe siècle, on employait le banc à étirer à manivelle pour transformer le métal en fil.

Le « maître » régnait sur les ateliers où il négociait également avec ses clients. Comme il était responsable de la qualité du métal et des pièces fabriquées, il détenait un poinçon personnel, dont il marquait l'étain, l'argent et l'armurerie. Orfèvres, étameurs et armuriers possédaient en outre une marque de contrôle propre à leurs corporations respectives. Des planches de gravures ornementales circulèrent à travers toute l'Europe à partir du XVIe siècle. Elles furent longtemps diffusées et réimprimées. Les modèles étaient transmis par des « journaliers » qui se déplaçaient d'un centre à l'autre.

Entre le début et la fin du XVIIIe siècle, des innovations en matière d'alliages, de fusion du fer, de moyens mécaniques pour tourner et estamper les métaux, modifièrent à la fois la nature des ateliers et l'échelle de la production en Angleterre, tandis que certaines traditions artisanales continuaient d'être pratiquées dans divers endroits d'Europe. Le traitement extérieur des objets évolua également, avec le placage, l'étamage, le vernissage à la laque, et avec l'invention de la feuille de cuivre et d'argent, le métal anglais ou Sheffield. Avec ce procédé, on put désormais étendre l'utilisation pratique et décorative de métaux bon marché jusqu'alors inutilisables sur une grande échelle à des fins domestiques.

Certaines de ces traditions se sont éteintes. D'autres, évincées par l'industrialisation, ont été redécouvertes, notamment dans les domaines de l'orfèvrerie, de la ferronnerie et de l'émaillage.

A gauche: cafetière en vermeil de Marc Augustin Lebrun, Paris vers 1820. Cette pièce est exemplaire des différentes formes de décoration que pouvait revêtir l'argenterie. Ici, les feuilles de vigne ressortent sur un fond travaillé que met en valeur le brunissage du reste de la pièce.

Ci-contre, à gauche: serrure et clé de Walter Bickford. Travail anglais de la fin du XVIIe siècle. Le mécanisme et la clé sont en acier ciselé, tandis que le boîtier est en laiton doré repercé. Les éléments en acier ont été bleuis pour contraster avec la dorure.

L'or et l'argent

L'or et l'argent sont les métaux de prédilection des arts décoratifs. Ils possèdent une valeur intrinsèque et peuvent être remodelés à l'infini, au goût du jour, sans déperdition de matière. Ils n'ont cessé d'être travaillés depuis 4500 ans avant notre ère, aussi bien sous forme de monnaies que sous forme d'ornements. L'or, beaucoup plus rare que l'argent, a toujours eu beaucoup plus de prix. Des procédés similaires étaient employés pour travailler ces deux métaux car les artisans habitués à façonner l'or travaillaient également le métal moins précieux. Le terme «orfèvre» s'applique donc traditionnellement aussi à l'artisan qui travaille l'argent. Les corporations d'artisans qui prirent naissance dans les villes européennes au Moyen Age les appelaient ainsi quelle qu'ait été leur spécialisation dans le métier: l'affinage, le repoussage (v. p. 154), l'estampage (v. p. 148) ou la gravure (v. p. 156). Les orfèvres étaient soumis à des réglementations très strictes et leurs œuvres étaient marquées (v. p. 162) d'une part pour protéger la pureté des matériaux, et d'autre part pour surveiller leurs mouvements par rapport à la monnaie (v. p. 162), avec laquelle ils étaient interchangeables.

L'or et l'argent sont des métaux trop tendres à l'état pur pour un usage courant, que ce soit en matière de joaillerie ou d'orfèvrerie de table. Dès les époques les plus anciennes, on les a rendus plus résistants en leur ajoutant de petites quantités d'autres métaux, le cuivre donnant les meilleurs résultats.

A l'état brut, quelle que soit sa provenance, l'or, la plupart du temps, contient un peu d'argent. L'or à teneur en argent élevée était connu sous le nom d'«électrum», considéré comme métal précieux dans l'Egypte ancienne, la Grèce et l'Asie Mineure. Depuis le début, les artisans ont pu raffiner l'or pour obtenir un métal relativement pur auquel ils ajoutaient du cuivre pour le rendre plus dur.

L'argent était souvent extrait en tant que sous-produit de l'étain ou du plomb. On trouvait couramment des traces d'or dans l'argent raffiné dont se servaient les Anciens, cela même jusqu'au tout début du XIXe siècle. Ils ne savaient pas extraire l'or d'un mélange comme ils en tiraient les autres métaux, et l'alliaient, au jugé, à une petite quantité de cuivre. Plus récemment, on a tenté d'utiliser des métaux tels que le zinc, le cadmium et l'étain pour obtenir un argent qui se ternît moins.

Le matériau brut dont disposait l'orfèvre était souvent du vieux métal récupéré auprès de ses clients. Il le découpait, le fondait pour recueillir l'or des dorures (v. p. 168). Puis l'argent était fondu en lingot. Avant que les laminoirs existent, l'artisan devait péniblement marteler le lingot pour ensuite lui donner forme. Puis la feuille obtenue à partir du lingot aplati était découpée suivant la forme voulue. Avec les chutes, l'orfèvre fabriquait, par exemple, la base ou le pied d'une tasse. On pouvait souder ces pièces ensemble (v. p. 143) ou les rainurer pour ensuite les raccorder à un corps principal comme cela se pratiquait en Angleterre et en Allemagne.

La préparation du métal fut considérablement améliorée par

A l'extrême gauche: Saint Eloi dans son atelier, de Niklaus Manuel Deutsch l'Ancien (vers 1484-1530). Eloi, orfèvre du VIIe siècle, est le patron des artisans du métal. La peinture illustre la fabrication des calices dans un atelier typiquement germanique du XVIe siècle.
Ci-contre: gobelet avec décor à l'or, à bord uni et bandeau gravé. Liège, milieu du XVe siècle.
Ci-dessous: soupière et son support en argent, signés Juste Aurèle Meissonier (vers 1693-1750). Paris, 1734-1736. Les moules et moulages ont été exécutés par P.F. Bonnestrenne et Henri Adnet. Style rococo.

l'invention du laminage, technique importée d'Allemagne en France, il y a près de 400 ans. Celle-ci resta cependant fort peu répandue jusqu'à ce que le laminoir fût actionné par des chevaux, au début du XVIIIe siècle. On progressait aussi en Europe en matière de procédés d'affinage : vers les années 1750, on comptait de nombreux apprêteurs approvisionnant les ateliers locaux en or et argent prêts à l'emploi et sous forme de feuilles destinées à la fabrication du métal anglais Sheffield (v. p. 171).

De nos jours, l'affinage à l'électrolyse garantit un métal de qualité, de dureté et de couleur constantes, présenté en feuilles d'épaisseur précise et égale, ou sous toute autre forme demandée par l'artisan : tubes, granules pour le coulage, fils et soudures, sans compter les alliages spéciaux pour l'emboutissage au tour (v. p. 146) ou l'émaillage (v. p. 195). Néanmoins, l'orfèvre doit connaître les propriétés des métaux et surveiller en permanence les modifications de leur structure cristalline au cours de son travail et même du polissage (v. p. 152). Le recuit, au cours duquel le métal retrouve ductilité et malléabilité, demeure une opération importante (v. p. 142).

Ci-dessus : une « pomme d'ambre », en vermeil, sans doute d'origine anglaise, vers 1580. Cet objet, que l'on portait autour du cou ou de la taille, comporte six compartiments, dont quatre sont ouverts. Chaque alvéole renfermait du parfum ou une substance aromatique (musc, civette, ambre gris) supposée protéger des infections. On trouve souvent, dans ces bijoux néerlandais ou germaniques, les noms des épices inscrits sur les quatre, six ou, plus rarement, huit compartiments.

Ci-contre, à gauche : la pomme d'ambre refermée. Le travail d'arabesques en repoussé enchâsse de l'émail noir.

Le recuit

L'or et l'argent deviennent cassants lorsqu'on les martèle car ce travail modifie leur structure cristalline. C'est pourquoi il fallait, au cours de la fabrication d'une pièce, effectuer à plusieurs reprises un traitement par la chaleur appelé « recuit ». Le recuit constituait une étape essentielle. Il avait pour but de pallier l'effet des tensions internes qui se produisaient inévitablement au cours des diverses transformations subies par le métal — martelage, cambrage, estampage et étirage — et le durcissaient.

Ce procédé, utilisé depuis des millénaires par les artisans du métal, qui en ignoraient sûrement les raisons scientifiques, peut apparaître comme un procédé primitif. En réalité, il fallait posséder beaucoup de métier et une bonne connaissance de l'alliage travaillé pour réussir le recuit et éviter les défauts tels que cloques, craquelures ou taches dues au feu. Chauffé à l'excès, le métal se mettait, en effet, à présenter des taches noirâtres provoquées par l'oxydation du cuivre contenu dans l'alliage et aggravées par le martelage. Une surchauffe, susceptible d'abîmer l'alliage, une chauffe inégale et une exposition à l'air libre pouvaient compromettre le résultat.

L'artisan disposait les éléments à travailler dans une sorte de lourd chaudron — le creuset — qu'il présentait à la flamme tout en le tournant. L'or ou l'argent était lentement porté au rouge, à une température d'environ 650 °C, puis retiré à l'aide de tenailles et trempé dans un bain de refroidissement. La durée de cette opération était décisive. Elle était évidemment prolongée pour les objets volumineux, plus difficilement pénétrés par la chaleur. Tout comme le potier d'étain humait son métal pour en vérifier la température lors du coulage (v. p. 212), l'orfèvre évaluait à l'œil nu la nuance exacte de rouge à atteindre ; c'est pourquoi le recuit était généralement effectué dans un coin sombre de l'atelier où la couleur était plus facile à apprécier. Quelquefois la pièce à recuire était enduite d'un fondant qui devenait fluide à une certaine température, signalant ainsi qu'il était temps de mettre fin au processus. Après la cuisson, on plongeait l'objet dans un bain décapant, solution d'acide sulfurique dilué, afin de le débarrasser des impuretés ou des oxydes.

Ci-dessus : les outils de l'orfèvre, illustration des « Arts utilitaires » (« Useful Arts ») de Charles Tomlinson, 1867. Dans la technique du recuit, on se servait de pinces pour retirer le métal chauffé du creuset et le plonger dans un bain de refroidissement.

Ci-contre, à gauche : détail d'une invitation à la fête des orfèvres, au « Goldsmith's Hall », maison des orfèvres à Londres, le 6 février 1701. L'illustration représente le martelage et les divers procédés utilisés pour façonner et décorer l'or et l'argent. Tout travail entraînait des changements dans la structure cristalline du métal et le rendait cassant. Pour contrecarrer ces effets, on recuisait la pièce de temps en temps au cours de la fabrication. La première étape consistait à chauffer lentement au-dessus d'une flamme le métal contenu dans un creuset. Le feu que l'on voit sur l'image était utilisé à cet effet.

Le soudage

Le soudage est le procédé qui permet d'assembler différentes pièces entre elles, à l'aide d'une « soudure », alliage d'or ou d'argent. Excepté les formes simples telles que bols et gobelets, presque tous les objets étaient constitués d'éléments rapportés sur une partie principale. Le soudage était donc un travail très délicat car, autant que possible, aucune trace de raccord ne devait être visible sur l'objet terminé. Les applications éventuelles devaient être parfaitement planes, de même que les surfaces à réunir devaient être d'une propreté parfaite.

Quand il s'agissait d'argenterie, le titrage de la soudure, comme d'ailleurs celui de l'objet lui-même, ne devait pas être inférieur à l'argent Sterling (v. p. 162). De nos jours, on se sert généralement d'un alliage d'argent et de zinc, qui donne une soudure résistante dont les points de fusion se situent entre 700 et 778 °C. Autrefois, le métal associé était le laiton, dont le point de fusion est, lui aussi, inférieur à celui de l'argent Sterling. On coulait la soudure — sous forme de bâtonnet au XIXe siècle — dans les interstices de la pièce maintenue au-dessus d'une flamme de charbon de bois. On la plongeait ensuite dans un bain décapant pour la débarrasser des impuretés et des oxydes.

Aux rares endroits où une soudure ancienne est visible, elle présente une couleur particulière, différente de celle des objets modernes. Les défauts légers n'étaient pas aussi radicalement éliminés que sur l'argenterie actuelle. Lorsque la soudure est repérable — généralement à l'endroit du cul d'un pot ou d'une tasse — elle peut fournir un indice utile pour reconnaître une copie. On rencontre sur des objets anciens, en particulier des objets du culte, des réparations grossières faites avec du plomb.

On raccordait la base au corps d'une pièce à l'aide d'un cordon de métal et d'un moulage. Le bec était soudé par la suite sur les théières, cafetières, bouilloires et verseuses. Des ouvertures étaient percées, jouant le rôle de filtres, à l'endroit où la base d'un bec devait être ajustée. Autrement un seul trou suffisait. Des embouts moulés, destinés à recevoir les poignées, étaient fixés de la même manière sur les pots, les tasses, les chopes et les pots à bière. Souvent, dans les pièces d'orfèvrerie les plus anciennes, on trouve des piédouches, et, autour de 1700, une sorte de calice de motifs appliqués (v. p. 160).

Ci-contre, à gauche : illustration montrant le procédé de soudage, tirée du « Penny Magazine », 1844.

Ci-dessus : photographie représentant un artisan soudeur se servant d'un feu de charbon de bois qu'il active en soufflant dans un chalumeau.

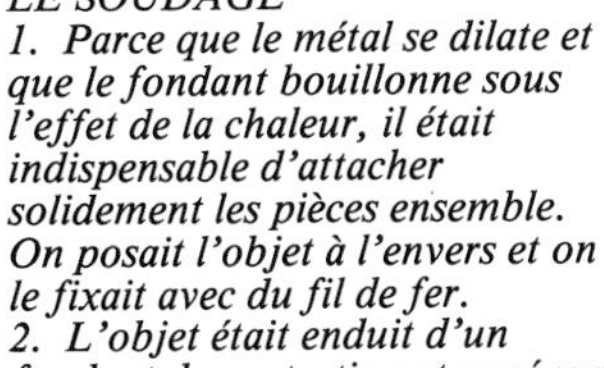

LE SOUDAGE
1. Parce que le métal se dilate et que le fondant bouillonne sous l'effet de la chaleur, il était indispensable d'attacher solidement les pièces ensemble. On posait l'objet à l'envers et on le fixait avec du fil de fer.
2. L'objet était enduit d'un fondant de protection et posé sur une grille, au-dessus d'un foyer tournant.
3. Le bâton de soudure était nettoyé à coups de lime, garni de fondant et introduit entre les parties à souder.

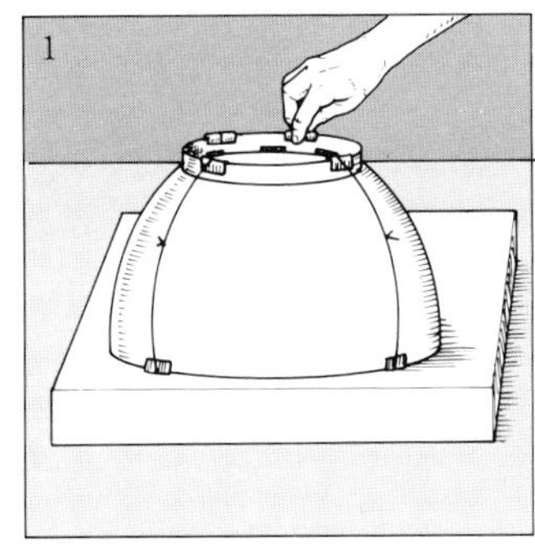

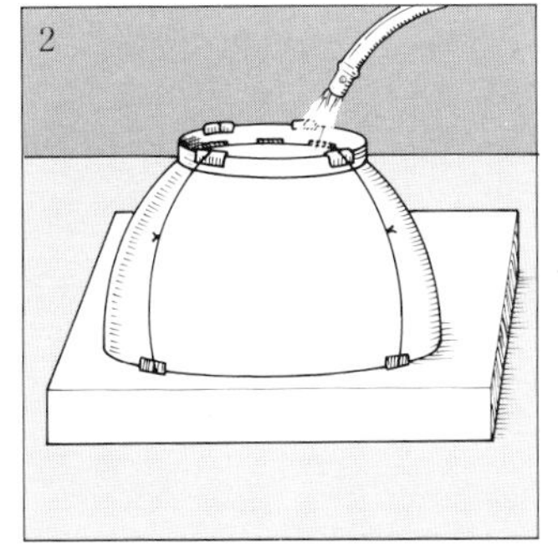

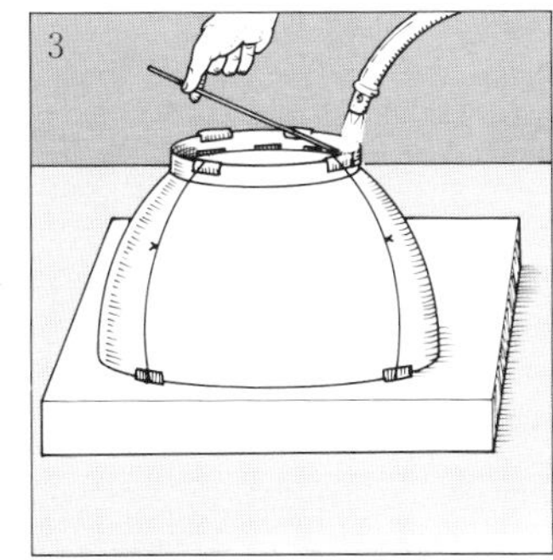

La rétreinte et le cambrage

Rétreinte et cambrage sont les deux opérations les plus simples et les plus couramment employées pour l'or et l'argent. On les utilisait pour faire des objets creux ou des éléments tels que couvercles, pieds ou becs. L'absence de raccord, caractéristique de ces techniques, représente un avantage certain pour la fabrication de théières, cafetières ou gobelets de belle qualité. De nos jours, ces procédés ont été largement remplacés par l'emboutissage au tour (v. p. 146).

Tout d'abord, l'artisan découpait un disque — appelé « flan » — dans une feuille d'argent. La dimension de celui-ci était calculée en fonction du diamètre moyen et de la hauteur de la pièce à fabriquer, comme on le voit sur l'illustration de la page ci-contre. Puis il marquait le centre du disque d'un repère souvent encore visible sur l'objet achevé.

La rétreinte au tour, le plus simple des deux procédés, consistait à travailler le métal à partir d'une feuille, à l'aide de divers marteaux, sur un tour à foncer. La partie du flan destinée à être à l'extérieur de la pièce était maintenue sur le tour. En se servant d'une masselotte ou d'un marteau à tête ronde, on travaillait progressivement l'objet du bord vers le centre, en le faisant tourner pour obtenir un profil semblable à celui d'une soucoupe. Après chaque « passe », il fallait recuire l'ouvrage pour redonner à l'argent sa malléabilité et sa résistance. On achevait de façonner bols et plats en les martelant sur une sellette de cuir remplie de sable.

Il fallait procéder autrement pour des récipients plus profonds. Un pichet, par exemple, était façonné sur une enclumette à cambrer, solidement maintenue par un étau ou, pour des pièces plus petites, par l'étau de l'établi. Le flan était tout d'abord martelé sur une enclume rainurée pour replier le bord. Puis l'artisan retournait le flan en forme de soucoupe et le maintenait d'une main selon un certain angle, sur l'enclumette, tandis que de l'autre il maniait le marteau. Il travaillait la surface horizontalement par bandes, à partir du fond, alternativement dans le sens des aiguilles d'une montre et dans le sens contraire pour éviter toute distorsion. Ici, le repère central était important car l'artisan progressait à partir de celui-ci jusqu'au bord, de façon à obtenir la largeur et la hauteur définitives.

A coups de marteau répétés, bande après bande, en partant du fond vers le haut, le récipient prenait forme peu à peu. A chaque étape, on procédait de nouveau à une recuisson. Au fur et à mesure que le diamètre diminuait, on prenait des enclumes plus petites. Chaque fois qu'il atteignait le haut de la pièce, l'artisan en rabattait le métal à l'aide d'un marteau pour donner de l'épaisseur et de la solidité au rebord, technique appelée « matage ». En revanche, lorsqu'il s'agissait d'un gobelet, le métal était replié vers le fond pour donner une meilleure stabilité à l'ensemble et l'empêcher de verser.

Une fois que la forme était achevée, on unifiait la surface bosselée par le martelage. On réalisait cette opération, du moins en partie, à l'aide de la plane, marteau à tête légèrement convexe,

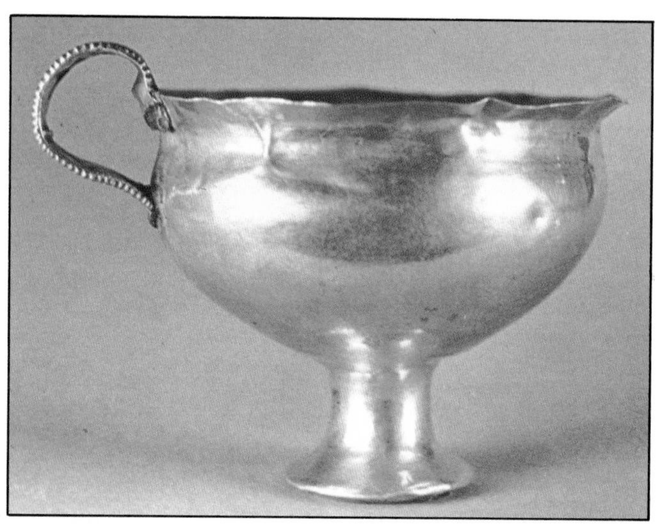

Ci-dessus: gobelet à pied mycénien en or. Vraisemblablement un travail crétois exécuté entre 1600 et 1550 avant J.-C. Le pied et l'anse sont des éléments rapportés.

Ci-dessus: pichet en forme de balustre, manufacture de Whiting, Etats-Unis. Œuvre sans doute réalisée par un artisan japonais à Newark, New Jersey, vers 1880. Dès qu'il s'ouvrit à l'Europe, le Japon fut à la mode en Europe et en Amérique. La surface martelée est garnie d'applications gravées et repoussées, représentant des coquillages, des roseaux, une carpe, un crabe et un lotus rehaussés de cuivre.

Ci-contre: détail des applications de roseaux, rechampis de cuivre.

L'EBAUCHAGE
1. Pour obtenir une forme de coupe, on ébauchait le flan posé sur un sac de cuir rempli de sable, à l'aide d'un marteau arrondi.
2. Pour un objet plus petit, on maintenait le flan suivant un certain angle, sur un bloc de bois évidé, et on le travaillait par bandes concentriques à partir du bord.
3. Au fur et à mesure que l'objet prenait forme, on en vérifiait le profil avec un gabarit.

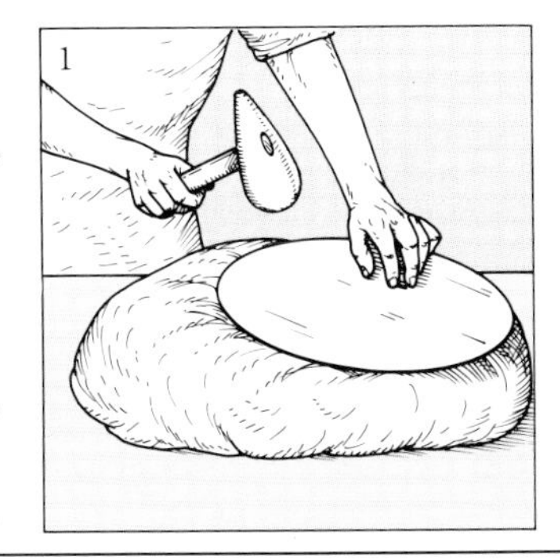

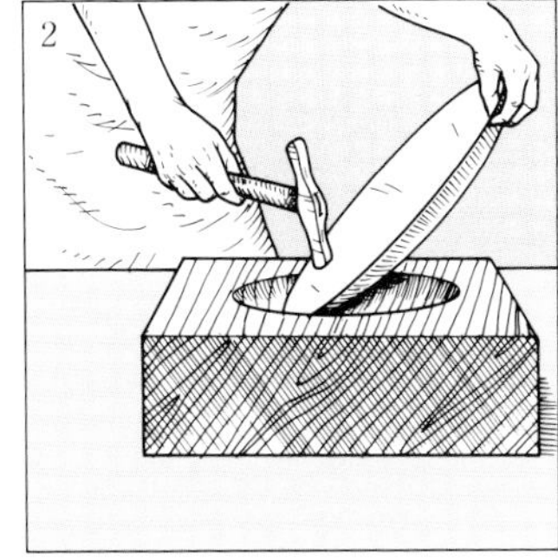

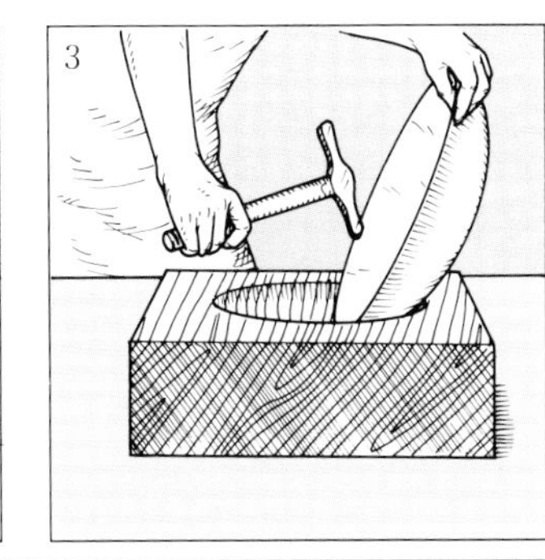

LA RETREINTE
1. Pour obtenir des formes creuses simples, on martelait le flan à l'aide d'un maillet arrondi, au-dessus d'un bloc de bois préformé.
2. Pour façonner le rebord d'une assiette, on se servait d'un bloc de bois dont une partie était évidée.
3. Le flan était alors posé sur la partie incurvée du bloc de bois et les coups de marteau percutaient le métal qui n'était pas en contact avec le bois. Le travail progressait bande par bande en tournant.

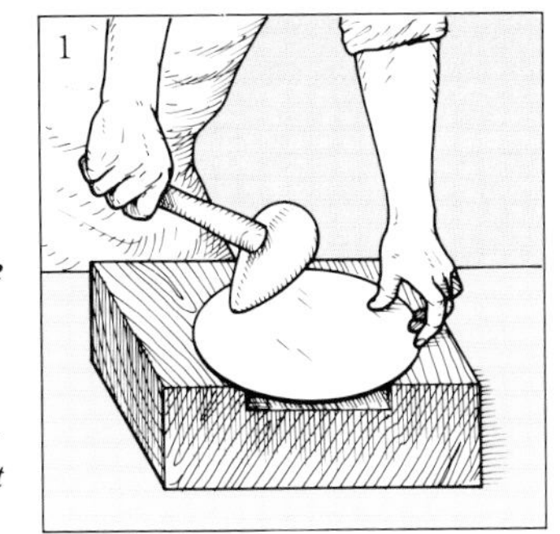

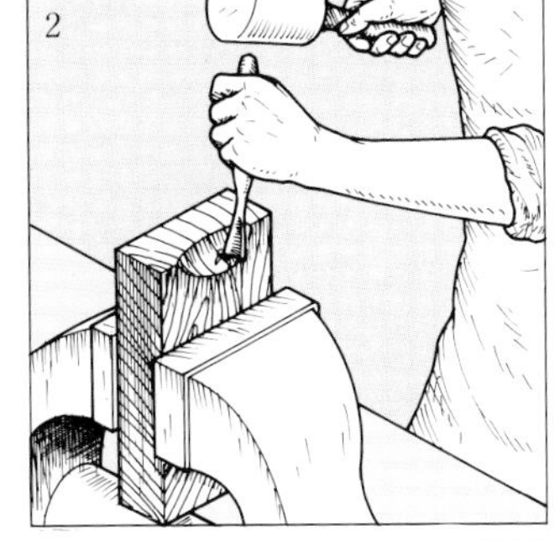

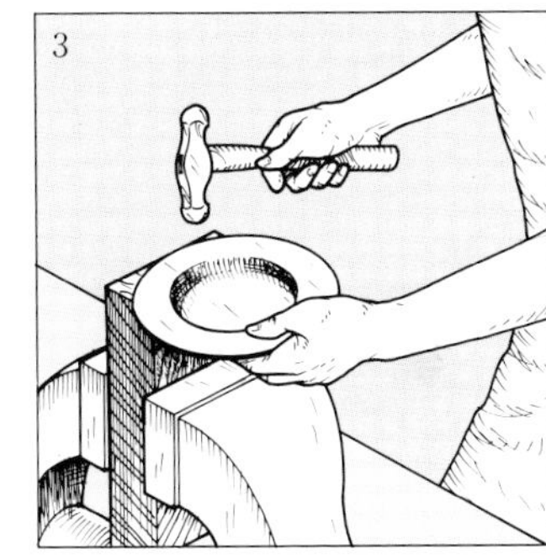

LE CAMBRAGE
1. On martelait le flan avec un marteau à emboutir sur un bloc de bois rainuré. On travaillait de l'extérieur vers le centre pour former un bord plissé.
2. Après une recuisson et un décapage, le flan était martelé sur une enclume convexe en acier, et les plis étaient posés en biais, à l'aide d'un marteau à tête arrondie.
3. La dernière bande était martelée avec un maillet en bois pour bien serrer le bord.

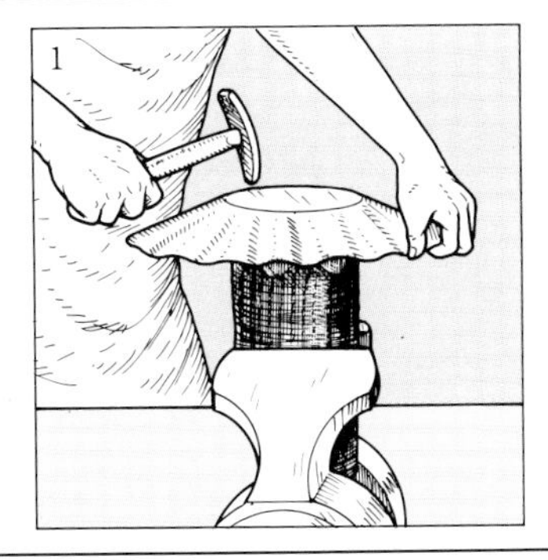

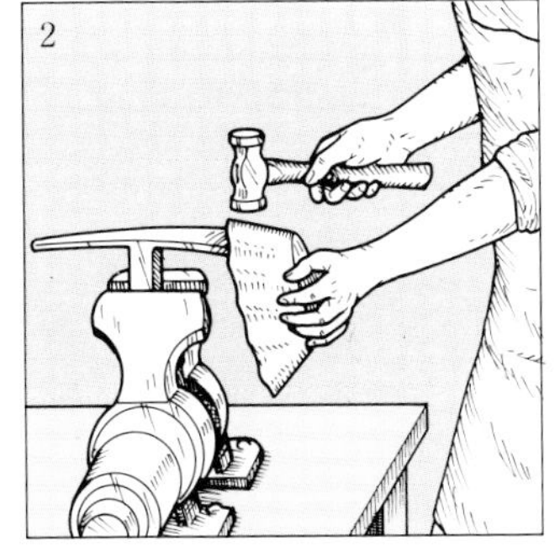

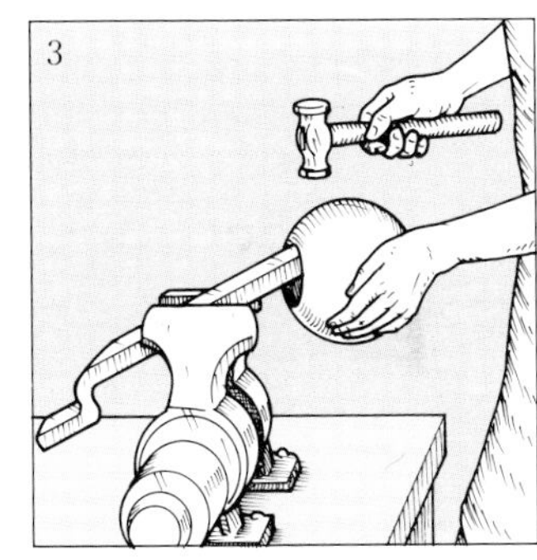

LE PLANAGE
1. On installait le bol à aplanir sur un sac de sable et on en martelait le fond avec un maillet en forme de poire.
2. Quand il s'agissait d'un cône, on posait celui-ci sur une enclume conique et on le martelait de coups successifs à l'aide d'un marteau à section carrée.
3. Pour planer un plateau, il fallait en poser le bord sur un support absolument plan et le marteler régulièrement sur toute sa surface.

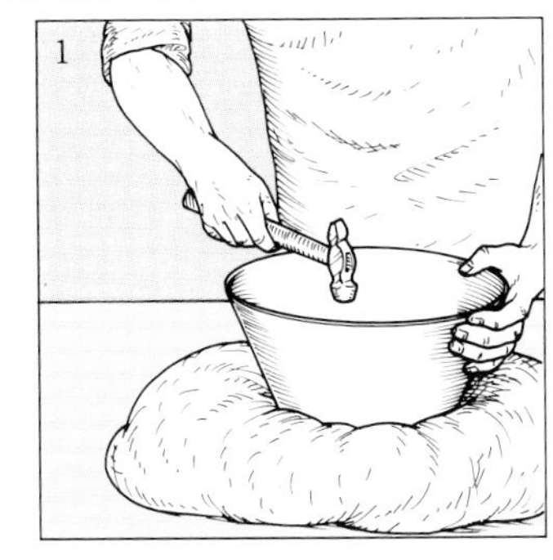

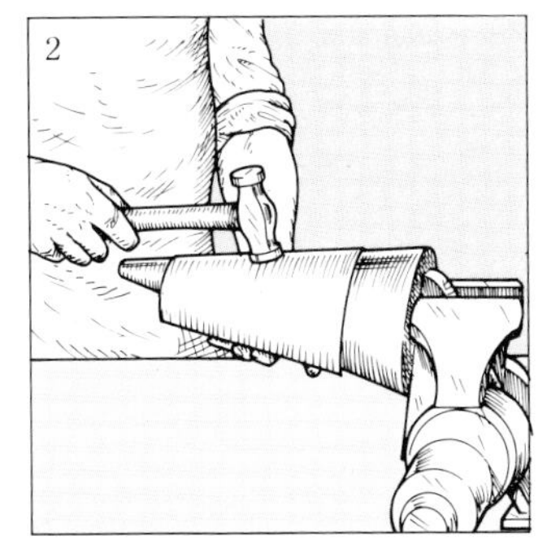

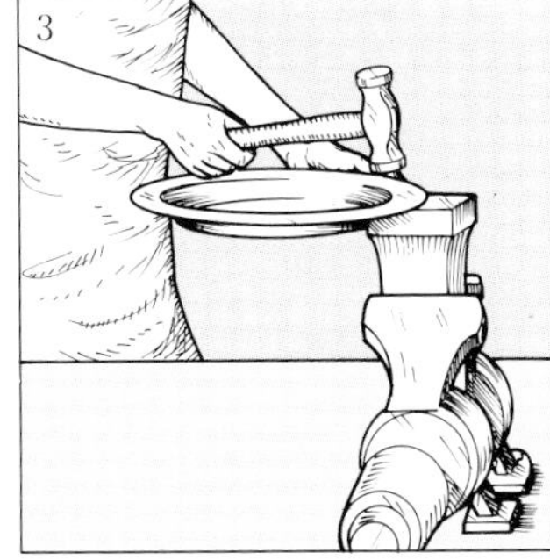

avec lequel on pouvait niveler les légères inégalités de la surface ainsi que les différences d'épaisseur du métal. Tasses, bols, plats étaient traités sur une enclume sphérique tandis qu'il était nécessaire de disposer de surfaces parfaitement planes pour les plateaux et les présentoirs. Comme dans toute forme de travail au marteau, l'artisan s'efforçait d'obtenir une belle uniformité. D'elle, en effet, dépendait la régularité des courbes et des aplats, qui donne la douceur des lignes et la subtilité des reflets de l'or et de l'argent.

La fabrication des plateaux, des dessous-de-plat, des présentoirs et autres supports relevait d'un procédé de cambrage particulier, manuel, qui demandait une grande habileté. Une fois façonnée, la pièce était entièrement martelée : cela permettait de vérifier la solidité de l'argent et d'éviter une déformation à l'usage. Plus les plateaux ou plats étaient grands — certains atteignaient parfois jusqu'à 71 cm de diamètre — plus ils devaient être résistants. C'est la raison pour laquelle on les travaillait avec soin, sur un billot de bois parfaitement plan, à l'aide d'un marteau à large tête plate. Ainsi on tassait le métal sans pour autant l'allonger.

Le tournage et le repoussage au tour

Le cambrage restant malgré tout un procédé lent, difficile et limité dans ses applications, on chercha à le remplacer par d'autres méthodes plus efficaces. L'une d'entre elles consistait, lorsqu'on avait à fabriquer des récipients simples et bon marché, à enrouler une feuille de métal en forme de cylindre ou de cône, dont on soudait les deux bords. Dans le cas des chopes et des cafetières, il suffisait d'y ajouter un fond plat. On en dissimulait la jointure à l'aide d'un anneau qui formait le pied de l'objet. La soudure restait parfois visible, mais le procédé était rapide et se fit bientôt à la machine. Celle-ci comportait trois rouleaux parallèles dont deux fonctionnaient à la manière de tambours de laverie, tandis que le troisième incurvait la feuille à sa sortie des premiers.

Plus spécialement dans des ateliers importants, on employa la technique du repoussage au tour qui permettait une production en série. On l'utilisait déjà dans l'Egypte ancienne pour les vases en cuivre. Tout comme avec la rétreinte, il n'y avait pas de raccord. La feuille d'argent, dont l'épaisseur était déterminante pour un façonnage parfait, était maintenue solidement sur un bloc de bois, ou « mandrin », à rotation rapide, et prenait forme peu à peu sous l'action d'un outil à long manche au bout duquel se trouvait un polissoir à tête sphérique en acier. Cet outil, ressemblant à une défense d'éléphant, était quelquefois appelé « doigtier ». Pour finir, la pièce était brunie à l'aide d'un outil à section plate.

Le principe de l'emboutissage de l'argent au tour s'apparente beaucoup au tournage du bois (v. p. 22). Les outils dont on se servait étaient cependant plus longs, pour être maintenus sous le bras, et beaucoup plus lourds. En cas de besoin, pour le profilage d'un col par exemple, on ajoutait la touche finale à l'aide du marteau à cambrer. Il était essentiel que les mandrins restent solidement serrés dans l'étau et intacts. Il fallait donc qu'ils soient faits dans un bois très dur. Le buis et le gaïac convenaient le mieux. Pour des objets de formes simples, comme un bol, les mandrins étaient d'une seule pièce ; cependant ils étaient plus souvent constitués de plusieurs parties, dans le cas d'une forme en balustre, par exemple, de façon à être facilement retirés.

Comparé à la rétreinte avec laquelle il fallait compter une demi-journée de travail pour le corps d'un pot ou d'une tasse, l'emboutissage au tour est beaucoup plus rapide; pourtant l'ouvrage doit être recuit plusieurs fois au cours de l'opération : six fois à peu près pour un pot à lait. Par ailleurs l'assemblage et la finition restent les mêmes, en dehors du planage, qui est inutile. Plus récemment, les fournisseurs se sont mis à fabriquer des formes tournées toutes prêtes pour les artisans. Il ne reste plus à ces derniers qu'à les terminer ou les décorer dans leurs ateliers: filets décoratifs (v. p. 158), poignées diverses, couvercles et autres détails pouvant être rajoutés par l'artisan.

On reconnaît qu'une pièce a été fabriquée suivant cette technique aux lignes concentriques visibles à l'intérieur. En revanche on n'y trouve aucune des traces de martelage qu'on aperçoit généralement à l'intérieur et à l'extérieur des objets rétreints à la main ou montés au marteau.

Ci-dessous : service à thé et à café, comportant quatre pièces, de Roberts et Belk. Exemple réussi de la rétreinte au tour. Sheffield, 1877. Le mandrin sur lequel on façonnait de telles formes était fait de plusieurs parties, chevillées ensemble, qu'il était facile de retirer une fois l'objet terminé. Les mandrins étaient taillés dans un bois très dur : du buis ou du gaïac.

Ci-dessus: pot à moutarde cylindrique de W.R. Smiley. Londres, 1842. Un tel objet était fait à partir d'une feuille enroulée, soudée sur les bords, au niveau de la poignée. On soudait ensuite la garniture du fond et de l'ouverture.

Ci-contre, à gauche: photographie d'un artisan occupé à rétreindre. On voit ici la façon dont on appuyait sur le métal en train de tourner, avec un outil à long manche, tenu sous le bras.

LA RETREINTE AU TOUR
1. Le flan, ou disque d'argent, enduit de graisse, était fixé sur un axe par une encoche. Le tourneur coinçait son outil contre une cheville verticale, de façon que la partie arrondie de celui-ci incurve le disque entraîné par un mouvement rotatif sur le mandrin.
2. On changeait la position de la cheville pour modifier l'angle d'inclinaison entre l'outil à emboutir et le métal, quand la forme du bol se précisait.
3. On graissait périodiquement le flan pour faciliter le travail de rétreinte.
4. Pour avoir un bord bien régulier, le tourneur maintenait une forme en bois contre le bol qui tournait lentement.
5. Le tourneur brunissait le flan avec le côté plat de son outil à former, pour aplanir les irrégularités.
6. Enfin on retirait du mandrin le bol dont on pouvait désormais souder la base.

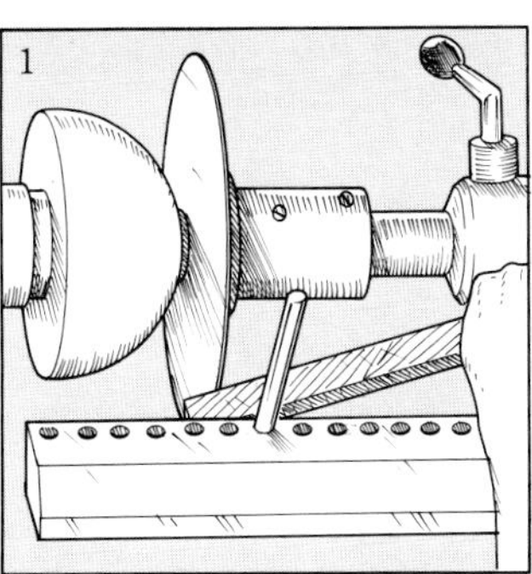

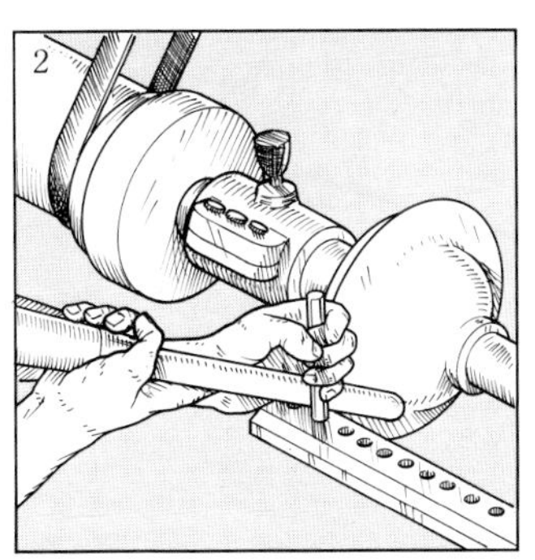

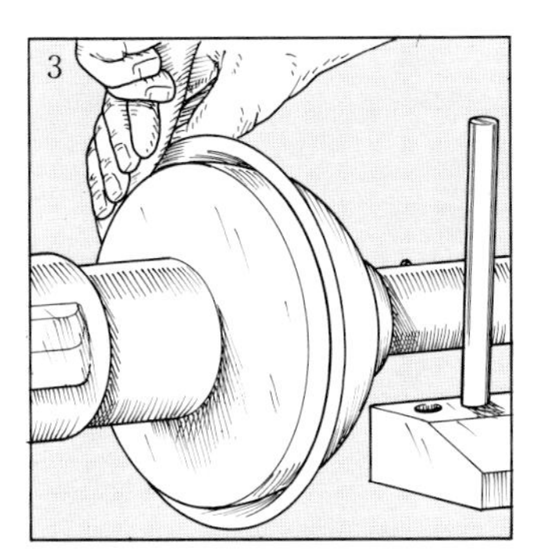

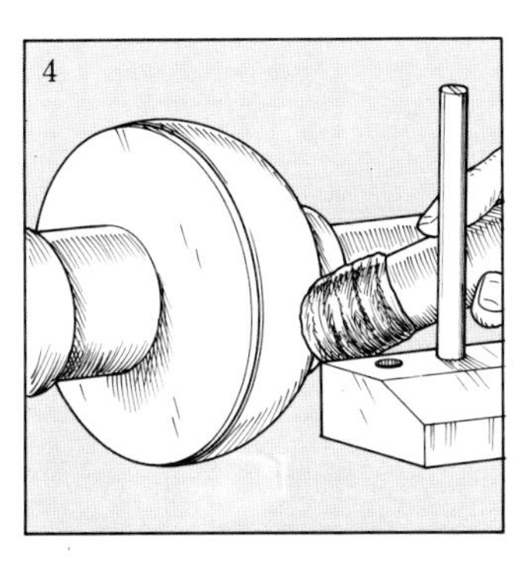

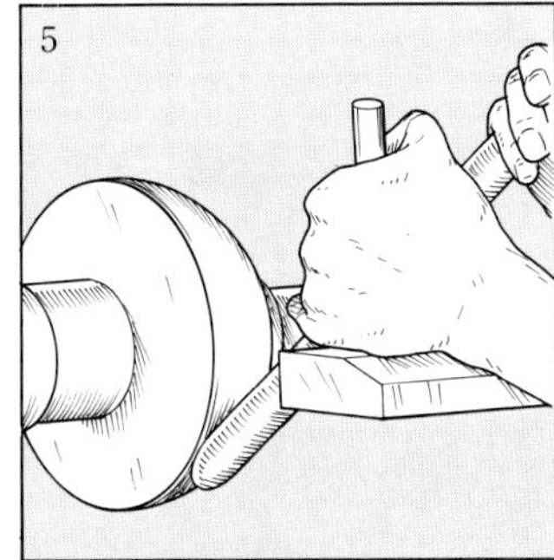

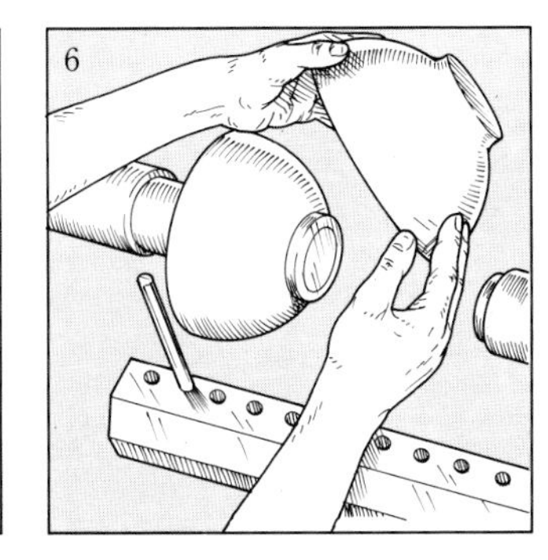

Le matriçage, le pressage et le forgeage à la main

Avant le XVIIIe siècle, l'usage du matriçage était limité à la décoration des cuillerons, manches de couteaux, boîtes, boutons et autres petits objets. Il servait également à fabriquer des éléments de décoration pour les bordures, les fonds ou les couvercles de tasses, flacons et salières. Le métal à façonner était embouti au marteau à l'intérieur d'une matrice en acier, bloc portant une empreinte en creux. Au XVIIIe siècle, dès que l'on put disposer d'argent plus léger, laminé en feuilles, et d'acier trempé pour les matrices ainsi que de l'énergie hydraulique, conditions indispensables pour une fabrication en série, cette opération fut mécanisée. Matthew Boulton, de Birmingham, utilisait de l'argent de faible épaisseur, qu'il matriçait, puis fourrait, pour en faire des chandeliers. Les mêmes matrices étaient employées indifféremment pour l'argent ou le métal anglais Sheffield (v. p. 171).

Les machines à matricer devaient être de très bonne qualité, et l'estampage restait coûteux; en revanche, il impliquait un minimum de finition et de soin, la forme étant « saisie » en une seule fois. Le métal en feuille était estampé dans la matrice par pilonnages répétés à l'aide d'un « mouton » mécanique. Celui-ci était doté d'une tête arrondie qui s'adaptait au moulage en creux. On pouvait reproduire le même modèle en plusieurs exemplaires étant donné la solidité de la matrice, totalement immobilisée durant l'opération. Plus tard, on chroma l'intérieur du moule pour obtenir un poli impeccable. La matrice comportait parfois un décor en relief qui était dégrossi par la suite, ciselé à l'aide d'un marteau et de poinçons (v. p. 154).

Comme il était désormais devenu facile de fabriquer n'importe quel modèle, qu'il soit simple ou compliqué, dès le XIXe siècle on disposa d'une infinie variété de modèles pour les pièces plates. On pouvait utiliser deux matrices différentes pour le devant et l'arrière et des moulages partiels pour les différents éléments de l'objet.

On créa des moules exclusifs pour certains clients, comme l'amirauté britannique, par exemple. Dès 1838, on trouvait sur les petites cuillers de la marine « l'ancre engagée » et la couronne entrelaçées qui existent encore de nos jours, en métal argenté ou en argent massif.

Le pressage était un autre moyen de façonner du métal plus mince en l'estampant dans une matrice. On imprimait un mouvement de balancier à la presse volante qui enfonçait la masse d'argent à l'aide d'un bélier. Dans les petits ateliers, la presse restait un moyen économique de façonner l'argent, épargnant temps et peine, là où l'emboutissage au tour et le moulage s'avéraient impossibles ou inappropriés.

Le forgeage à la main était réservé à la fabrication des couverts de grande qualité. On choisissait une baguette d'argent de longueur et de poids déterminés pour le modèle de cuiller ou de fourchette à fabriquer. On l'ébauchait grossièrement après l'avoir chauffée sur une enclume et avec un marteau tous deux en acier. Puis on tassait le flan dans la matrice soit par martelage, soit par pressage. Ensuite l'artisan prenait sa lime pour retirer le métal en trop, rectifier le cuilleron et découper les « dents » de la fourchette.

Certains motifs — coquille, modèles du « roi », de la « reine » — étaient modelés à l'intérieur de la matrice; d'autres étaient ajoutés plus tard, gravés à la main sur l'objet terminé. On se servait aussi d'un outil spécial formé de deux demi-sphères avec lequel on pouvait obtenir des couverts à bordure perlée. On martelait la première coupole, tandis que la seconde venait s'ajuster à l'emplacement de la perle suivante.

Ci-dessous: service de table en argent, dit « modèle de la reine », de Mary Chawner de Chawner & Co. Londres, 1825-1838. Ce motif est une version plus élaborée du « modèle du roi ». Les couverts sont estampés sur les deux faces.

Ci-contre, à droite: boîte à cigares à décor matricé, avec une vue du Crystal Palace en haut-relief. Travail exécuté par Cartwright & Woodward, Birmingham, 1850-1851.

Ci-dessus: étiquette de carafe en argent matricé d'Emes & Barnard. Londres, 1817. Les lettres sont repercées.
Ci-contre, à gauche: boîte à priser, décor matricé avec vue du château de Windsor, Gervase Wheeler. Birmingham, 1840. Flacon de sels, matricé, avec vue du château de Kenilworth, de Nathaniel Mills. Birmingham, 1837.

FORGEAGE A LA MAIN
1. L'ouvrier découpait une demi-matrice pour former la spatule.
2. Il aplatissait au marteau un lingot d'argent pour former une cuillère. Chaque coup de marteau rendant l'argent plus dur, il fallait le recuire.
3. Le cuilleron était serré dans un collier en acier, sur la matrice inférieure. On plaçait la matrice supérieure par-dessus et on martelait l'ensemble. On donnait ensuite de la profondeur au cuilleron.

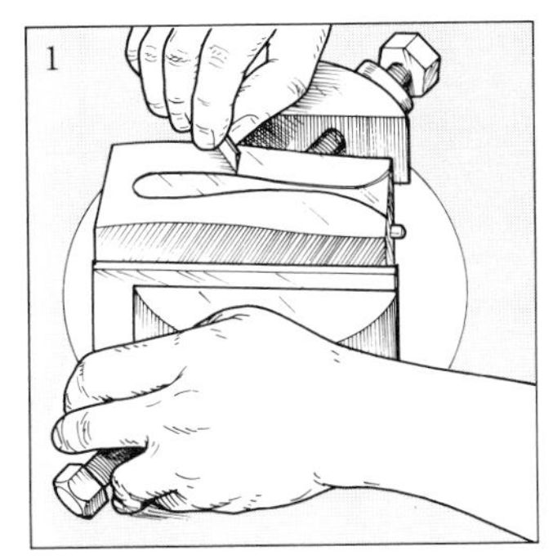

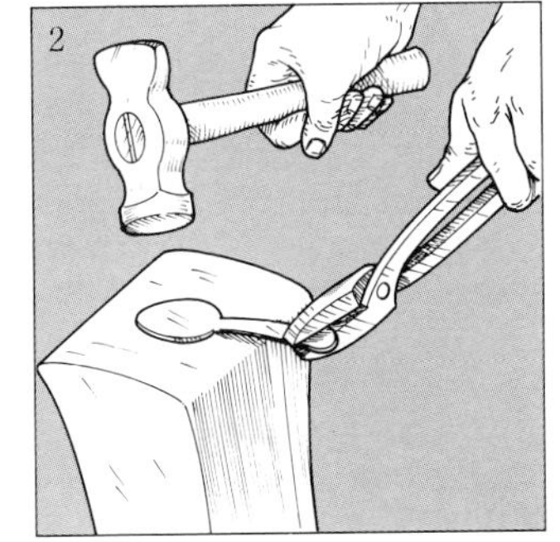

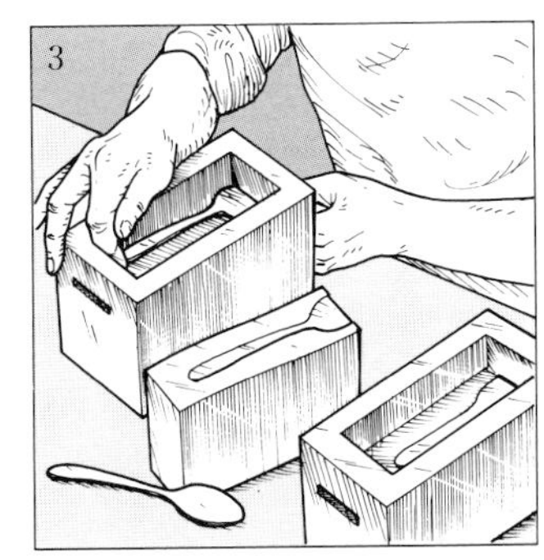

Le moulage

Il existait plusieurs manières de fabriquer des objets, ou parties d'objets, par moulage. Néanmoins, dans tous les cas, le dessin et la précision du modèle et du moule étaient d'une grande importance, de même que la pureté de l'or ou de l'argent utilisé, ainsi que la température atteinte avant la coulée. Grâce à ces procédés, on fabriquait des éléments d'une grande complexité que l'on pouvait reproduire, dans certaines techniques, autant de fois que nécessaire. On peut juger de la perfection de ces techniques dans certaines pièces admirables — chandeliers, cafetières, plateaux, présentoirs et réservoirs à vin — produites aux XVIIIe et XIXe siècles.

La technique du moulage au sable pour l'argent était semblable à celle utilisée pour le fer (v. p. 180). On l'employait quand le nombre d'objets à réaliser était limité. Une partie du double châssis de métal était remplie du matériau de moulage (mélange de sable et d'argile) et le modèle de la pièce à couler y était enfoncé jusqu'à mi-hauteur. La partie supérieure du châssis était ensuite ajustée, puis remplie de matériau de moulage. Des ouvertures, désignées dans le métier sous le nom de « jets » et d' « évents », étaient aménagées dans les moules, les unes destinées à recevoir le métal en fusion, les autres pour permettre à l'air de s'échapper au moment de la pénétration du métal bouillant. Ensuite on séparait les deux moitiés du moule et retirait le modèle. Puis on assemblait les deux parties, on versait le métal chauffé au préalable dans un creuset, et on le laissait refroidir. Enfin on ponçait le moulage afin d'en supprimer les défauts et l'on terminait par repoussage et polissage.

En dehors des matériaux de moulage les plus courants, comme le sable ou l'argile, on utilisait quelquefois d'autres substances comme de l'os de seiche (toujours utilisé), de la stéatite et certains grès. Les modèles eux-mêmes étaient en bois, en métal (en laiton, par exemple), en cire à mouler ou en plâtre.

A partir de la fin du XVIIe siècle, le moulage au sable fut employé en Angleterre avec une virtuosité exceptionnelle, particulièrement par des artisans émigrés de France. Ils s'en servaient non seulement pour les applications, les poignées, les « graines » et les montures, mais aussi pour réaliser de somptueuses pièces telles que candélabres, tasses ou cafetières, composées de plusieurs parties soudées ensemble. Les petits éléments tels que pieds de plateaux, de présentoirs, montures de poignées, boutons et becs verseurs, de même que les personnages, sont encore bien souvent coulés de cette manière.

Le moulage « à la cire perdue » est un procédé très ancien que les Chinois utilisaient pour leurs vases en bronze. Comme pour le moulage de ce métal (v. p. 202), un modèle était réalisé dans une cire spéciale. Puis on en prenait l'empreinte, en aménageant un évent par lequel la cire fondue pouvait s'écouler (d'où le nom de « cire perdue »), cédant la place au métal. A la fin le moule était brisé, et l'on découvrait le moulage. Cette méthode n'était applicable qu'à des objets de petite taille ou à ceux dont on pouvait fondre la gaine de cire à l'intérieur du moule (même lorsqu'ils contenaient un noyau).

Ci-contre, à droite: soupière anglaise ovale, exécutée par Paul Storr (1771-1844) pour Rundell, Bridge & Rundell. Londres, 1807. Cette pièce massive est ornée d'applications et de motifs en repoussé. Des têtes de lions soutiennent les poignées cannelées, enrichies sur les côtés par des feuilles d'acanthe. Une couronne de lauriers entoure le chiffre et quatre griffons supportent le socle.

Ci-contre, à gauche: détail de l'anse d'une tasse à couvercle en vermeil, de John Swift. Londres, 1738. Précieux travail de moulures et de ciselures. L'anse, de style rococo, est en forme de harpe, agrémentée d'un masque barbu placé sous sa crosse. Le couvercle de la tasse est décoré de feuillage appliqué.

Ci-dessous: l'une des quatre salières rondes d'un ensemble exécuté par Paul de Lamerie (1688-1751). 1743. L'intérieur est doré. L'aigle émergeant d'une volute, moulé en plusieurs parties soudées entre elles, les raccords étant dissimulés grâce à un travail de « repoussé », est un tour de force du fondeur.

LE MOULAGE AU SABLE
1. La partie inférieure du châssis en fonte était remplie d'un mélange de sable et d'argile.
2. Le moule, en bois, plâtre ou métal, était enduit de graphite et à moitié enfoncé dans le sable.
3. La partie supérieure du châssis était ajustée sur les chevilles correspondantes du moule inférieur. On recouvrait le modèle de sable qu'on tassait avec un maillet.
4. On retournait alors l'ensemble, puis on soulevait la partie qui était auparavant au fond, découvrant le moule qu'on laissait dans le demi-châssis. On posait un nouveau « creux », on le remplissait de sable tassé et on le retirait.
5. On retirait le modèle et on aménageait des « évents » ou des « jets » dans le sable pour le métal fondu et l'évacuation des gaz et de la vapeur.
6. Les deux côtés du moule étant secs et enduits de suie, on les serrait avec des pinces. L'argent fondu était versé à l'intérieur du moule légèrement incliné.

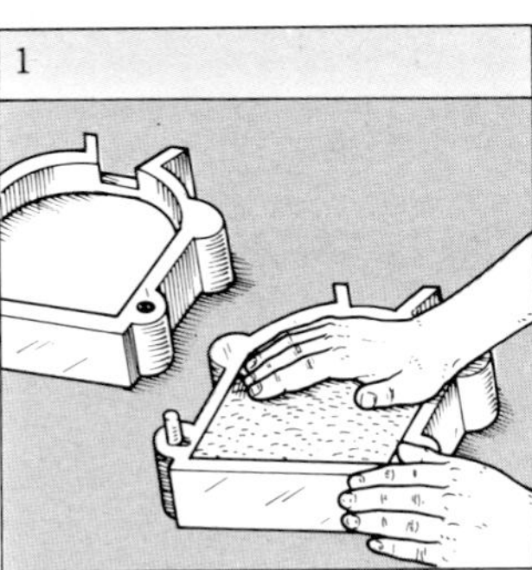

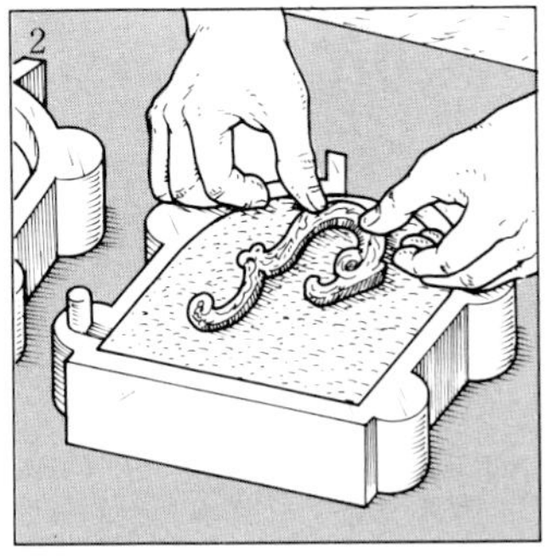

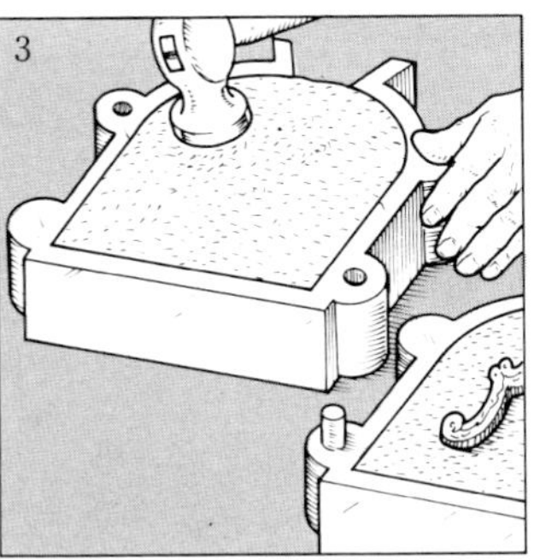

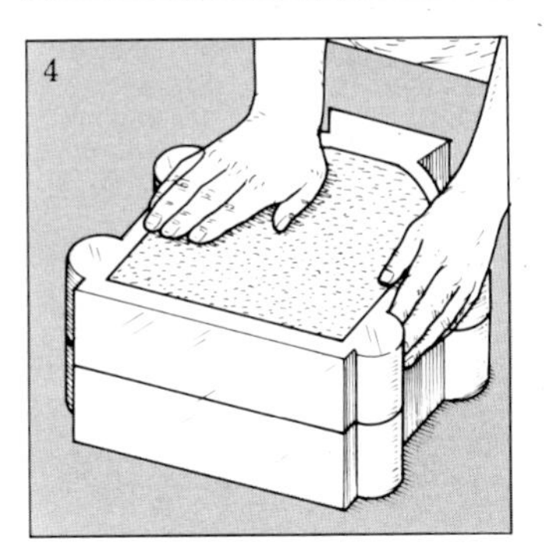

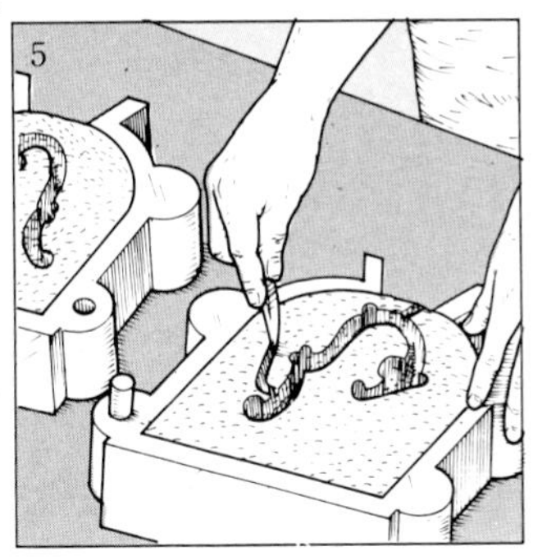

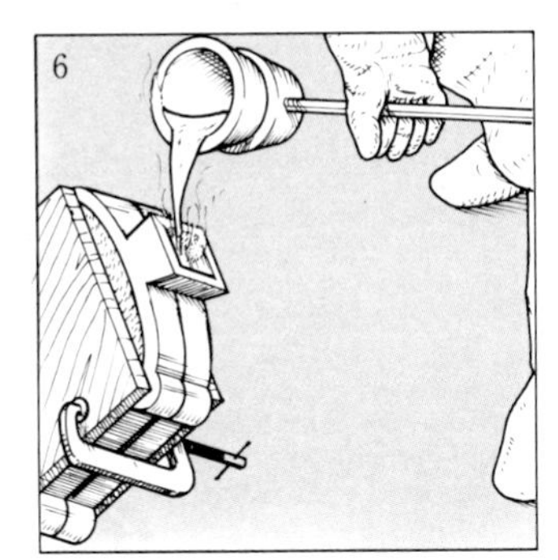

Polissage, brunissage et finition

La réussite d'un objet, quelle que soit la manière dont il avait été fabriqué, tenait pour beaucoup au soin qu'on apportait à sa finition. Avant le montage définitif, il fallait polir et parfaire chaque élément séparément, car il risquait d'être inaccessible par la suite. Il fallait prévoir de faire tester et marquer chaque partie (v. p. 162) avant l'assemblage pour ne pas risquer d'endommager la pièce une fois celle-ci terminée.

Il restait inévitablement des rayures, des coups de lime sur l'objet fabriqué à la main ou à la machine, ou les deux à la fois. Les taches de décoloration, nébuleuses et foncées, qui avaient été causées par le feu, présentaient un aspect très différent de celles du recuit, mates et grisâtres. Supprimer ces taches impliquait un retrait de matière, ce qui diminuait d'autant la couche de métal. Dans un premier temps on effectuait un ponçage avec un abrasif comme de la pierre d'Ayr, ardoise naturelle tendre qu'on achetait sous forme de bâtonnets à humidifier avant l'emploi, de la pierre ponce ou du sable de Trent mélangé à de l'huile de colza. Dans les ateliers modernes on procède parfois par galvanoplastie, opération dans laquelle l'objet est utilisé comme anode, ce qui a pour effet de le décaper. Cependant cette technique, coûteuse, risque de détériorer la pièce.

Dès qu'on avait éliminé les grosses taches, on polissait la surface, puis on l'« avivait » à l'aide d'abrasifs plus fins. Ce frottement faisait fondre légèrement le métal, lequel allait combler les rayures de la surface. Pour cela on se servait de la pierre de Tripoli, du rouge (oxyde de fer rouge mélangé à de la graisse et à de l'acide stéarique) et du blanc d'Espagne. On imprégnait de ce mélange des disques de peau de morse, de buffle ou de feutre, fixés sur des fuseaux de polissage, ainsi que des chiffons d'étamine, de laine ou de cuir doux comme la peau de chamois. Des brosses en soie ou métalliques (en cuivre) étaient employées indifféremment pour l'extérieur et l'intérieur des pièces. Il fallait constamment nettoyer l'ouvrage au cours du polissage pour éliminer coups de lime, ébarbures et même des incidents provoqués par des abrasifs moins fins.

Le brunissage à l'aide d'outils en acier très finement poli, en agate ou en hématite, permettait de préciser les contours de l'objet, d'en tasser le métal, tout en lui donnant un aspect très brillant. Dans certains cas, cela servait à accentuer le contraste entre les zones très brillantes et celles qui avaient été « matées » à la main (v. p. 155) ou satinées par un traitement chimique courant au XIXe siècle. Ce procédé rendait les pièces moins vulnérables aux éraflures.

Une fois qu'on avait obtenu un beau poli au moyen du brunissage, on terminait l'objet. On parvenait à des effets de matières ou de couleurs grâce à un travail de gravure ultérieur.

Ci-dessous: polissage d'un grand plateau dans l'atelier d'Elkington à Birmingham. Illustration tirée de The Illustrated Exhibitor and Magazine of Art, *1852. A ce stade, une impeccable propreté était indispensable car le moindre grain de poussière sur le chiffon aurait rayé le métal.*

Ci-contre, à droite: le brunissage. Illustration tirée de la même revue. L'ouvrière se servait d'un outil en acier poli qui s'adaptait aux contours de l'ouvrage. On le frottait suivant un tracé de parallèles qui chevauchaient. Il était lubrifié avec de la salive. La dernière phase du brunissage se faisait avec un bâton d'hématite.

POLISSAGE D'UN GOBELET A LA MACHINE
1. Une tête-de-loup était fixée sur l'axe, que le polisseur dirigeait vers lui.
2. Le polisseur maintenait l'extérieur du gobelet contre l'écouvillon et travaillait du centre vers le bord.
3. Le polissage du dessous de l'objet s'effectuait avec un polissoir en peau de buffle, taillé sur mesure. A chaque étape, on remettait du rouge à polir sur l'écouvillon ou sur la brosse.

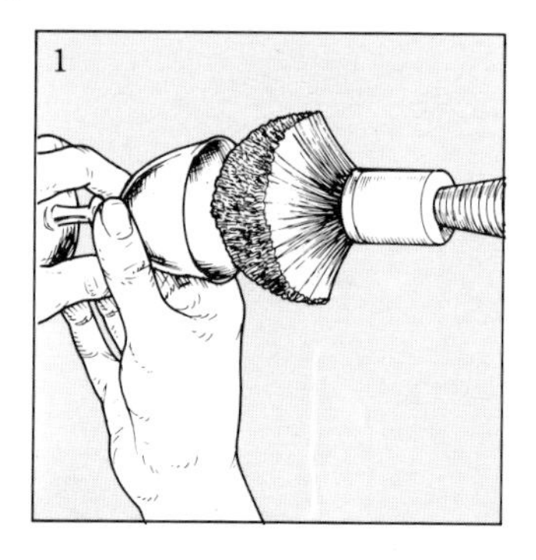

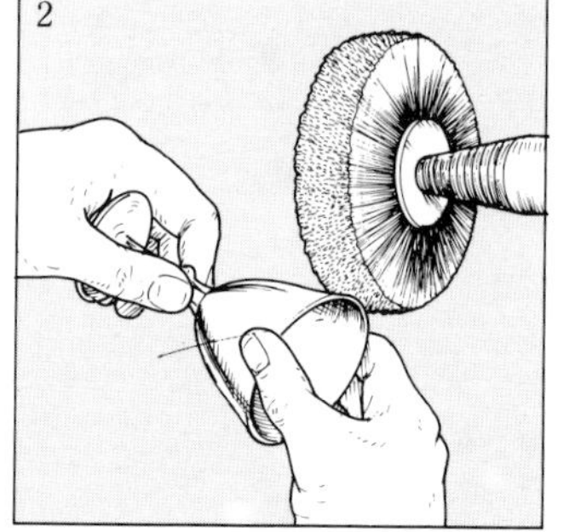

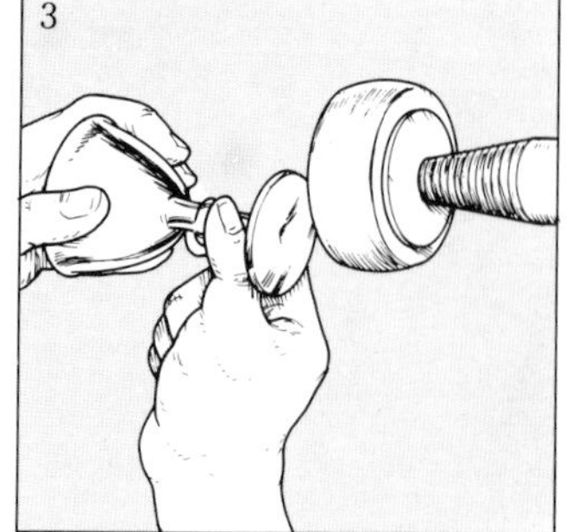

La décoration de l'or et de l'argent

Hormis les contrastes de couleurs avec lesquels ils pouvaient jouer, comme dans la dorure (v. p. 168), les orfèvres disposaient de trois moyens pour décorer leurs pièces : soit ils en travaillaient la surface sans enlever de métal (comme dans le repoussage ou le ciselage), soit ils entamaient le métal en l'évidant ou le gravant, soit, enfin, ils y appliquaient des motifs. Il arrivait qu'ils combinent toutes ces techniques sur un même objet. On pouvait, par exemple, alléger l'apparence massive d'une corbeille à gâteaux du milieu du XVIIIe siècle en la reperçant de délicats ajours. On pouvait rehausser un décor d'entrelacs d'une coupe ou d'un couvercle en matant certaines parties. On pouvait enfin exécuter de fins décors sur les bordures ou des armoiries se détachant par contraste sur les surfaces brillantes.

Le « repoussage » comprend toutes les formes de décoration réalisées à l'aide d'un marteau et de divers poinçons qui n'impliquent pas un retrait de métal. Dans le cas du bosselage, technique la plus simple, le métal était soulevé à partir de l'envers. Des motifs compliqués, de profondeurs différentes, étaient obtenus grâce au « repoussé », procédé combinant bosselage et repoussage sur l'endroit. Le ciselage à plat permettait de créer des décors linéaires, difficiles à distinguer de la gravure. On reconnaissait la compétence du repousseur à son habileté à travailler un motif à la fois de l'intérieur et de l'extérieur.

Ci-dessus : gobelet danois en argent, de Povl Ottesen Kiaerulff (mort en 1716), Ringkobing, Danemark, vers 1713. Cet objet travaillé en bosse et en repoussé est orné de feuillages sur un fond maté. Des initiales et une date figurent sur une réserve entourée d'une guirlande.

Ci-contre, à droite : bouilloire à thé avec support et lampe à alcool, de Joseph Richardson, Philadelphie, vers 1755. En plus des crosses en repoussé, coquilles, fleurs et dépouilles de lion ornant le corps, le couvercle et la lampe elle-même, on trouve des motifs moulés et en repoussé sur le bec, la charnière des poignées ainsi que sur le tablier du porte-lampe monté sur des pieds en forme de coquilles. Les armes représentées sont celles de Mary, veuve de Clément Plumsted, ancien maire de la ville.

Le bosselage et le repoussage

L'artisan repousseur occupait l'échelon le plus élevé dans la hiérarchie des spécialistes en orfèvrerie. Il devait avoir le coup d'œil du dessinateur pour exécuter le tracé de son motif et le savoir-faire nécessaire pour modeler le métal et réussir à lui donner un relief qui parfois tenait de la sculpture. Quant au bosselage, il restait le moyen le plus grossier de façonner le métal à partir de l'envers et demandait moins d'adresse.

La première étape de cette technique consistait, dans le cas d'objets tels que plateaux ou formes en dôme, à disposer l'ouvrage sur un lit de bois tendre, de cire ou de poix, puis, à l'aide de poinçons arrondis et d'un marteau, à étirer le métal de façon à lui donner une forme sphérique ou allongée. Pour des articles plus fermés tels que cruches, coupes à anse double, fontaines, timbales ou cafetières, on devait cependant opérer « à distance » à l'aide d'un repoussoir. Cet outil, longue pièce métallique, était terminé par un embout arrondi. Maintenu par un étau, il supportait la pièce, laquelle était emboutie de l'intérieur par de petits coups de marteau suivant le dessin tracé sur l'endroit, au fur et à mesure que l'ouvrier tournait l'ouvrage.

Certains motifs décoratifs paraissent parfois bruts et mal dégrossis, pourtant ils étaient rarement dépourvus de finition. On emplissait l'objet de poix pour éviter qu'il ne se déforme et on lui ajoutait les derniers détails. Cela consistait parfois à simplement souligner les bosselages. Des œuvres de grande qualité, toutefois, impliquaient une somme considérable d'adresse et de travail : on devait se servir de dizaines, et même quelquefois de centaines de poinçons différents pour réaliser un motif compliqué laissant apparaître des clairs, des différences de profondeur et des détails minuscules tels que traits du visage, étamines de fleurs ou coquilles.

Le bosselage était souvent complété par un repoussage extérieur qui en améliorait les détails et la précision. A partir du milieu du XIXᵉ siècle, on parle de « repoussé ». En France, le terme ne s'applique qu'aux décors effectués sur l'envers d'un objet.

Ci-contre, à gauche : photographie d'un artisan en train de repousser une pièce d'argenterie. Il travaille sa pièce posée sur un lit de poix, selon un dessin déterminé, avec un marteau et divers poinçons. Aucune particule de métal n'est retirée lors de ce travail.

Ci-dessous : plat debout anglais, portant la marque de l'artisan « CB ». Londres, 1631. La partie centrale est ornée d'un décor en repoussé à chaque angle des sections en forme de lobes. Sur la bordure, des masques de chérubins en repoussé entourés d'arabesques se détachent sur des panneaux matés, dans le style « auriculaire », venu de Hollande peu auparavant.

Ci-dessus : cafetière irlandaise de John Wilme. Dublin, vers 1758. Son décor en bosse et en repoussé représente des fleurs, des cosses, des oiseaux, des dauphins et des lions stylisés.

Ci-contre : détail de la cafetière. Le contraste saisissant entre les arabesques du feuillage et les formes animales est obtenu par un travail de matage et de repoussé.

Le repoussage à plat et le matage

On pouvait décorer un objet en le travaillant légèrement en surface selon le principe du repoussage à plat. Les sillons obtenus avec des poinçons étaient caractérisés par des bords moelleux et sinueux, très différents des entailles vives (et qui le restaient, même après un long usage) tracées par les outils du graveur. On disposait l'ouvrage sur un lit de poix, ou parfois on le remplissait de poix. On pouvait aussi utiliser un mélange de poix, de résine, de plâtre de Paris ou de poussière de brique d'une plasticité suffisante pour que l'artisan puisse manier son outil, mais cependant assez solide pour servir d'appui à la pièce quels qu'en soient le poids et la taille. Comme dans la plupart des procédés décoratifs, c'est l'objet qui était présenté à l'outil et non l'inverse. C'est pourquoi, s'il était lui-même empli de poix, il reposait sur un sac de cuir contenant du sable. La poix pouvait également être mise dans une coupe métallique posée sur un anneau de cuir, de sorte qu'il était facile de la faire tourner.

Le décor à exécuter, souvent linéaire, était d'abord ébauché à l'aide d'une sorte de burin ou « traçoir », qu'on frappait avec un petit marteau. Le métal n'était pas attaqué au cours de l'opération, mais délicatement repoussé pour suivre les contours du dessin. La forme des traçoirs variait selon que l'on traitait une courbe ou une droite. Ensuite, avec divers poinçons spécialement conçus pour l'ouvrage, le repousseur repassait soigneusement et uniformément sur le dessin, en veillant à conserver partout une même profondeur de trait. Les parties trop saillantes pouvaient, si cela était nécessaire, être réduites au moyen de lissoirs. On combinait quelquefois un motif repoussé avec un fond travaillé, ou « maté », technique de décoration souvent employée seule sur l'argent, au XVIIe siècle. Elle consistait à donner au métal un aspect rugueux, obtenu par percussion au moyen de petits poinçons. On s'efforçait de répartir uniformément ce mouchetage très dense sur la surface de l'objet qui prenait alors un aspect grenu.

Ci-contre : gobelet anglais en argent, 1784. Bandeaux unis à la base et au sommet. L'unique décoration consiste en un fond maté et des armoiries gravées. A l'extrême gauche : détail du fond et du décor gravé du gobelet. L'aspect grenu du fond était obtenu par percussion régulière d'un poinçon.

Ci-dessous : coffret de toilette anglais en argent, portant la marque de l'artisan « WF, 1683 ». Oiseaux, fleurs exotiques, silhouettes et architectures chinoises (« chinoiseries ») étaient les décors de prédilection de l'argenterie « en repoussé à plat », entre 1680 et 1690.

La gravure

La gravure est incontestablement la plus ancienne des techniques de décoration du métal, de la pierre et d'autres matériaux. Dans certains cas, elle se réduisait à quelques lignes simples, dans d'autres elle révélait un foisonnement de détails pittoresques ou héraldiques.

Les graveurs travaillaient à partir de planches imprimées, qui étaient publiées, reproduites et réimprimées plusieurs années à travers toute l'Europe. Les orfèvres américains, comme Joseph Richardson de Philadelphie, importaient de Londres des albums de dessins et de chiffres. Les graveurs signaient rarement leurs œuvres, mais le style de Simon Gribelin et celui de William Hogarth sont facilement reconnaissables.

Le dessin à graver — lettres, blason, écusson ou autre motif — était soigneusement tracé noir sur blanc, puis placé côté verso sur l'argent revêtu d'une mince couche de cire d'abeille. Puis on frottait vigoureusement la feuille au moyen d'un stylet en os ou d'un piquoir de façon à laisser une empreinte sur la cire. Le graveur pouvait ensuite dessiner les contours avec la pointe de son traçoir. On essuyait enfin la cire, et le graveur disposait alors d'une légère esquisse pour le guider.

On disposait l'ouvrage sur de la poix, ou on le maintenait fermement contre un sac de sable, ce qui permettait de le tourner sans dégât. Le graveur pouvait ensuite présenter l'objet à son outil ; il le faisait pivoter dans le sens des aiguilles d'une montre, sous le ciseau tenu au creux de sa main et dirigé à l'aide du pouce. Il était essentiel d'avoir un excellent tour de main et de bien choisir le ciseau en fonction des nuances subtiles de clair et de sombre désirées.

Un genre particulier de gravure faisant briller le métal, populaire à partir de 1770 et plus tard, était une méthode efficace pour traiter les guirlandes, urnes et autres motifs néo-classiques. On se servait d'un outil très finement poli à l'avant et à l'arrière. L'une des extrémités entamait le métal, tandis que l'autre brunissait l'entaille au fur et à mesure que le métal était arraché. A l'inverse du repoussage à plat, aucun relief n'était visible sur l'envers de l'objet.

Ci-contre, à droite: gobelet allemand, Hildesheim, 1649. Les trois cartouches octogonaux dans lesquels s'inscrivent des armoiries, ainsi que le bandeau portant des inscriptions de la bordure, contrastent avec le fond dont la texture grenue a été obtenue par une multitude de coups de matoir.

Ci-dessous: photographie d'un artisan gravant une plaque commémorative. Le dessin est reproduit à la grandeur exacte, à partir de repères légers tracés sur la plaque.

Ci-dessus: chope norvégienne à cheville, gravée de plantes en fleurs et d'insectes. Trondheim, vers 1670. Des objets de ce style typiquement scandinave furent fabriqués à partir de 1600, et copiés par la suite à York, Hull et Newcastle en Angleterre.

Ci-contre, à gauche: détail du décor de la chope. Les sujets botaniques étaient empruntés aux gravures des livres d'histoire naturelle de l'époque.

Ci-dessus: aiguière allemande doublée d'or, gravée de médaillons illustrant des scènes de la Genèse, XVIe siècle.
Ci-contre, à gauche: détail du décor de l'aiguière. Il révèle la technique de hachures employée pour donner un modelé directement inspiré de la gravure originale. Les graveurs travaillaient indifféremment sur du cuivre destiné au commerce de la gravure ou sur de l'argent pour les orfèvres.

A l'extrême droite: boîte à thé anglaise à entailles vives, de Robert Hennel (1741-1811). Londres, 1785.

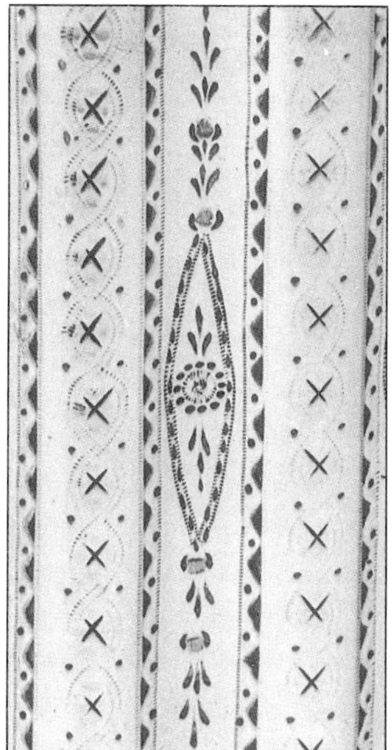

Ci-contre, à droite: détail du décor de la boîte à thé. Pour ce procédé, le métal était poli dans le même temps qu'il était évidé. L'effet de facettes lui donne un aspect extrêmement brillant.

La fabrication du fil de métal et du filigrane

Le fil métallique était utilisé sous bien des formes et à des fins variées, à la fois pratiques et décoratives. Dans le cas le plus simple, il assurait une meilleure solidité aux cols des pots et des pichets, aux bords des coupes, bols, plats et plateaux ainsi qu'aux pieds d'objets de toutes sortes.

On pouvait fabriquer différents gabarits de fils, destinés aux moulures, au moyen d'une « filière » en acier. Cette machine, inventée au XVe siècle, présentait une série d'ouvertures de diamètre décroissant au passage desquelles le fil, étiré, prenait forme tout en perdant de l'épaisseur. A partir du milieu du XVIIIe siècle environ, l'orfèvre travaillant sur le bord supérieur d'un récipient, le couchait et le roulait sur une courte distance de façon à mieux encastrer le fil. Une fois qu'il était en place et soudé, le bord était rectifié pour rester dans l'alignement de la courbe du corps de l'objet.

Il était possible de fabriquer des fils de formes simples, de section carrée, rectangulaire ou semi-circulaire avec la filière. Des profils plus décoratifs étaient forgés, le métal étant martelé sur un « tas » ou « dé », ou coulés. L'usage de ces deux méthodes s'est répandu largement à partir du début du XVIIIe siècle. Il fallait naturellement préciser les contours des fils coulés et en éliminer les défauts par ciselage.

On se servait de fil d'or ou d'argent dans la fabrication de boutons, dentelles, franges, paillettes et épaulettes. Quant au cordonnet d'argent, on le confectionnait à partir d'un fil de métal enroulé très serré autour d'un fil de soie.

Le filigrane est une forme particulière de travail du fil de métal. On le pratique depuis environ 3500 ans, en joaillerie comme en orfèvrerie. Des découvertes remarquables, représentatives de cette technique, remontent à 1500 ans avant l'ère chrétienne. On trouve partout des exemples de nécessaires de toilette, comportant des boîtes et des chandeliers, venant de Norvège, Tchécoslovaquie, France, Portugal, Hongrie et Russie. En Angleterre, au début du XIXe siècle, l'atelier de Samuel Pemberton, à Birmingham, était célèbre pour ses petites pièces de table, telles que des mesures à thé, dont le cuilleron était incrusté de filigrane. En Suède et en Hollande, on fabriquait des objets miniatures destinés au mobilier des maisons de poupées. Il est parfois difficile de connaître avec certitude l'origine des pièces en filigrane, car on ne peut y apposer la marque de l'artisan ni celle du titre.

Cette technique consistait à torsader des fils de métal très fins, pour obtenir du câblé, lequel était ensuite travaillé en spirales, en nœuds, en croissants, en fleurs ou en dessins géométriques. Puis, soit on soudait par intervalles ces motifs à l'intérieur d'une armature légère (en ajoutant parfois de petites perles à l'endroit des raccords) soit on les montait sur un fond lui-même délicatement ouvragé. Tout cela restait à une échelle miniature.

Ci-contre, à gauche: grand plat espagnol en filigrane d'argent, datant probablement de la première moitié du XVIIe siècle. Les ouvrages de ce genre jouissaient d'une grande popularité dans l'ensemble de l'Europe. Ils étaient élaborés à partir d'un nombre incalculable de fils d'argent en tortillons et arabesques.

Ci-dessous: gobelet suédois de forme conique, XVIIe siècle. Des anneaux cordés sont suspendus à un bandeau floral appliqué. Sur la partie inférieure de l'objet, on aperçoit une torsade soutenant des masques.

Ci-contre, à gauche: gravure d'Etienne de Laune, montrant l'intérieur d'une boutique d'orfèvre à Augsbourg. 1576. Toutes les grandes pièces posées sur l'étagère suspendue comportaient des fils d'argent.
Ci-dessus: détail de l'illustration montrant le banc à étirer. Un des ouvriers tenait une des extrémités du fil, tandis que l'autre tournait une manivelle de façon que le métal passe par des trous de plus en plus petits.
Ci-dessous: panier à fruits avec dessus en vermeil, travail anglais de William Pitts et Joseph Preedy, 1799.

Ci-dessous : miroir de poche anglais en filigrane à arabesques, dans le style des ornements gravés de la fin du XVIIe siècle. 1675.

Ci-contre, à droite: détail du miroir, révélant la minutie du travail à l'intérieur des cloisonnements.

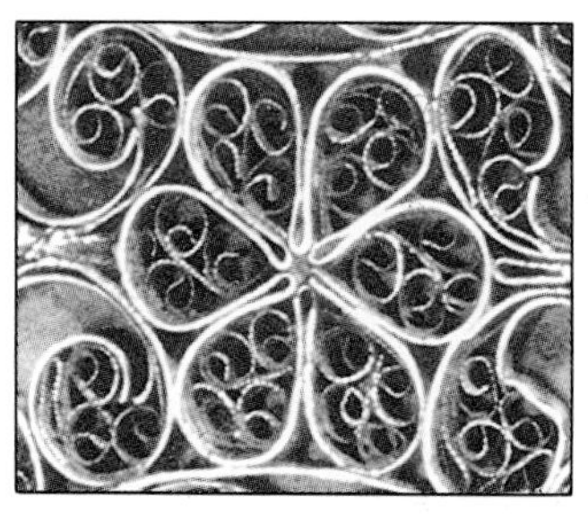

Le reperçage et les découpes appliquées

Une autre technique consistait à évider le métal pour l'embellir. Dans son expression la plus simple, elle pouvait se réduire à une série de perforations, faites à l'aide d'un poinçon sur la partie supérieure d'un saupoudroir, par exemple. En fait, on pouvait obtenir des dessins d'une très grande complexité en se servant du marteau et de divers petits ciseaux. On procédait ainsi avant l'invention du cadre à scie au cours de la seconde moitié du XVIIIe siècle.

Cet appareil était constitué d'une lame très fine, fixée sur un cadre formé de trois côtés, la scie elle-même étant le quatrième côté. On perçait un trou dans le métal à décorer, puis on y introduisait la scie qui s'immobilisait contre la partie haute du cadre. L'artisan pouvait alors exécuter une série d'ouvertures parfaitement à l'aplomb de la pièce. Là aussi, c'est le métal qui était présenté à l'outil et non l'inverse. Les minuscules dents de la scie attaquaient le métal de telle sorte que plus celui-ci était mince plus la lame devait être fine.

Il est facile de voir la différence entre les deux procédés sur un saupoudroir du début du XVIIIe siècle, par exemple : le métal y est légèrement enfoncé autour des ouvertures ; sur celles d'une pièce moins ancienne, on aperçoit nettement les traces de la scie. La même remarque s'applique pour des objets plus importants, comme des corbeilles à fruits ou à gâteaux. Le repercé était souvent rehaussé de détails exécutés à la gravure.

Les feuilles de métal découpées combinèrent l'aspect décoratif du repercé avec celui du motif appliqué. Elles firent leur apparition au cours de la seconde moitié du XVIIe siècle. Très ouvragées durant la première moitié du XVIIIe siècle, elles ne sont plus guère employées de nos jours que sur des reproductions d'ancien.

Ces applications, découpées dans de minces feuilles d'argent, représentaient le plus souvent des feuillages en silhouette qui étaient soudés à plat sur l'argent ou l'or. On les trouvait au bas d'un bol, d'une tasse, autour des embouts de manches de théières, de cafetières, ou encore sur les arêtes de coffrets, d'encriers, à la base des piètements de présentoirs, ou des graines surmontant les couvercles des coupes. Plus le motif était compliqué, plus l'artisan devait être habile, car non seulement il fallait que ces découpes épousent exactement les contours de l'objet. mais aussi que n'apparaissent aucune trace de soudure dans les parties ajourées, ni de vide entre les applications et les bords de l'objet.

Il était essentiel pour l'orfèvre de disposer de feuilles absolument unies pour ce travail. Il utilisait presque toujours,

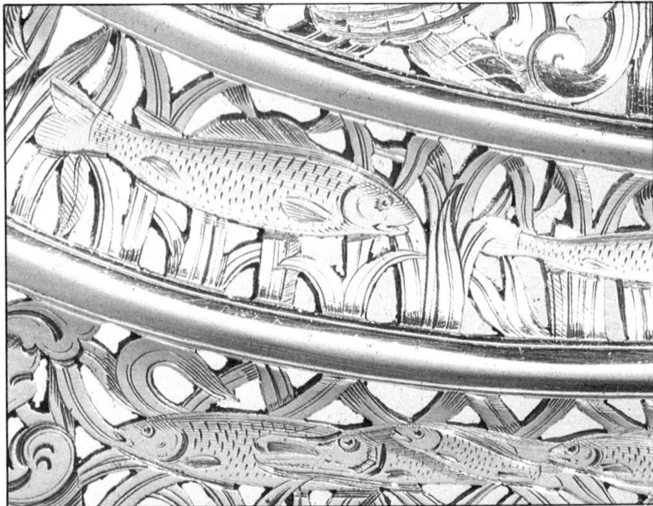

Ci-contre : corbeille d'argent de De Lamerie. Londres, 1739. Les flancs ajourés sont repercés en arabesques de feuillages et de fruits, travail double-face, accompagné de gravure, sous une bordure à coquilles, à moulures appliquées et à bord repoussé. Ci-dessus : détail de la lame en forme d'éventail, de couverts à poisson, de G.W. Adams. Londres, 1855. Chaque compartiment est repercé d'un motif de poissons et de roseaux, probablement d'après un modèle du sculpteur John Bell (1811-1895). Ce type d'ornementation était réalisé avec une sorte de scie à découper. L'examen révèle de petits coups de scie.

LE REPERCÉ
1. L'ouvrier délimitait le dessin à repercer au moyen d'un poinçon et d'un marteau, puis il perçait des trous dans la feuille de métal.
2. Pour entamer le découpage, on introduisait la lame de la scie à repercer dans un trou, vers le bas.
3. Le cadre à scie était actionné de haut en bas pour découper la plaque d'un point à l'autre. Quand le dessin était terminé, on retournait la feuille de métal pour l'ébarber.

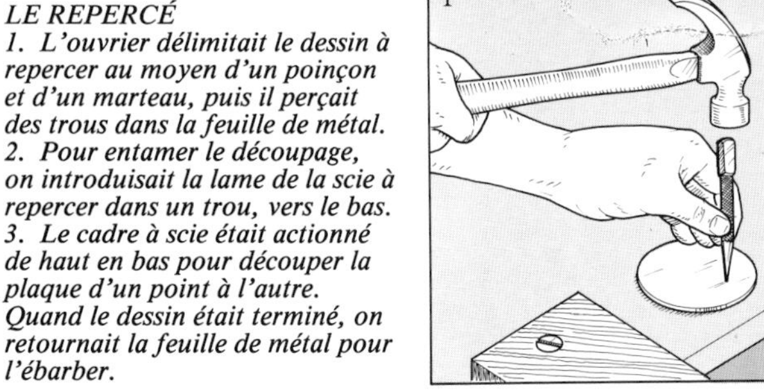

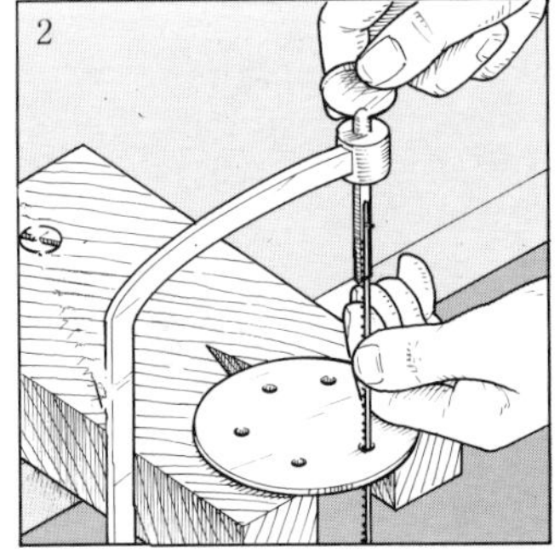

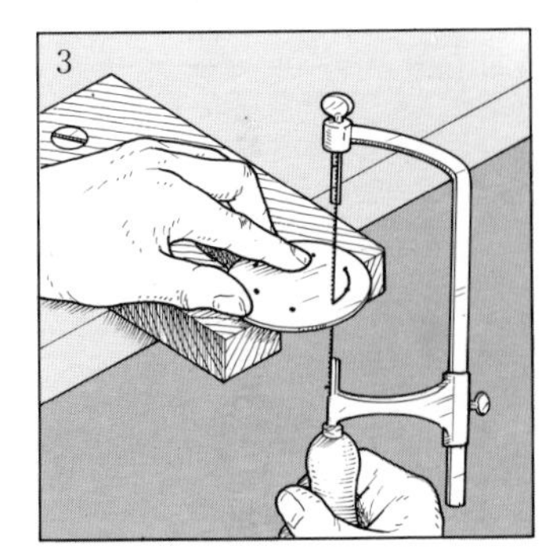

pour découper celles-ci, du métal moins épais que celui de l'objet à décorer. En réalité ce procédé fut rarement employé en province ou aux colonies, en raison de la difficulté pour l'artisan à trouver sur le marché des feuilles de l'épaisseur appropriée, à de rares exceptions près, dont John Coney de Boston, dans le Massachusetts, et John Elston à Exeter, en Angleterre, vers 1700.

Il est pratiquement impossible de distinguer un travail de découpes bien fait d'autres ornementations, moulées ou repoussées, avec lesquelles il se marie harmonieusement, surtout pendant les trente premières années du XVIIIe siècle. Des motifs fort compliqués, en relief, furent repris plus tard, vers 1820, à l'époque de la réapparition du style rococo, et plus récemment dans de bonnes copies d'anciens.

Sur les modèles les plus simples du XVIIe siècle, on suggérait les veines et les tiges des feuillages, en particulier le long des poignées des chopes, à l'aide de perles de métal étirées, ce qui ajoutait beauté et solidité à l'élément ainsi traité.

Ci-dessus : ensemble de trois saupoudroirs anglais en vermeil de Philips Rollos. Londres, vers 1705. Les couvercles ont été repercés avec de petits ciseaux et des marteaux. Au-dessus de la ceinture, une rangée de coquilles moulées appliquées répond au repercé des couvercles. En dessous, une grille d'applications ajourées cerne des godrons moulés. Dans les trois zones décorées d'applications, le fond a été maté pour renforcer le contraste.

Ci-contre, à gauche : détail d'une coupe anglaise en vermeil, 1715. Nous trouvons ici un exemple compliqué d'un travail d'applications.

Le poinçon

Depuis des siècles, il est essentiel à la fois pour les puissances qui frappent monnaie et pour les orfèvres et les joailliers de connaître le degré de pureté de l'or et de l'argent qu'ils manipulent. L'instrument le plus simple et le plus ancien pour contrôler les métaux précieux est le toucheau. A l'aide d'« aiguilles à toucher », d'or et d'argent d'alliages connus, l'orfèvre marque sa pierre de touche de traits dont il compare ensuite la couleur avec celle que laisse le métal testé. Une variante plus tardive de ce procédé fut appliquée à l'or, testé cette fois avec un mélange d'acide chlorhydrique et d'acide nitrique dilué ou « eau régale ». Au XIVe siècle, le procédé de coupellation le plus précis était la détermination du titre par le feu. Ce procédé est toujours pratiqué.

Le titrage et le marquage furent à l'origine imposés par l'Etat qui entendait surveiller l'emploi de l'or et de l'argent et assurer une forme de protection contre des transactions frauduleuses. Ce nouveau système fit son apparition, en France, au milieu du XIIIe siècle. En 1275, à la suite de l'ordonnance de 1260 destinée aux orfèvres de Paris, Philippe le Hardi décréta que tout orfèvre, en province, devrait adopter le poinçon de sa ville. C'est à Montpellier que furent inaugurés la marque du fabricant (en 1427) et le système d'identification alphabétique par année. En quelques années, ces pratiques gagnèrent Paris. Ce changement de lettre périodique permettait d'identifier le responsable du titrage et du marquage des pièces, qui devaient correspondre à un niveau de qualité précis.

Le système de marquage inauguré en France ne tarda pas à gagner progressivement l'Angleterre. A partir de 1300, la tête de léopard, plus tard couronnée, ou le poinçon royal fut imprimé sur de l'or correspondant à la « touche de Paris », d'un poids de 19 1/5 carats (19,2 parts d'or sur 24 parts de métal, soit 80 % d'or pur), et sur de l'argent en conformité avec l'argent fin Sterling (composé de 925 parts, ou 92,5 % d'argent pur). Les membres des corporations d'orfèvres se sont souciés du titrage des monnaies dès le XIIIe siècle au moins ; il ne fut guère difficile pour eux de procéder, par la suite, au contrôle et au marquage de l'or et de l'argent. La surveillance exercée sur ce métier par la corporation des Orfèvres de la Cité de Londres (*the Goldsmiths' Company in the City of London*) se déroulait, et se déroule encore de nos jours, à la « Halle des Orfèvres ».

La marque personnelle du Maître orfèvre fut exigée sur l'argenterie anglaise à partir de 1363. Suivant les époques, un dessin, un jeu de mots sur le nom du maître orfèvre ou sur son enseigne, ou encore ses initiales figuraient à l'intérieur d'un cartouche de forme variable. En 1478, la corporation des orfèvres de Londres nomma le premier contrôleur des titres, créa un bureau permanent de garantie et instaura un cycle d'identification alphabétique annuel, système qui ne fut appliqué que partiellement dans les autres villes d'Angleterre.

Une quatrième marque qu'on rencontre couramment sur l'or et l'argent d'origine anglaise, le lion passant, apparut en 1544, lors de la dévaluation de la monnaie par rapport à la valeur de l'argent fin. Pendant une courte période (de 1697 à 1720), on remplaça l'étalon argent Sterling par celui du Britannia, plus élevé (95,8 % d'argent pur), et représenté par des versions différentes du lion passant et de la tête de léopard couronnée correspondant aux poinçons de l'argent Sterling.

L'étalon officiel de l'or a connu des fluctuations considérables. En 1300, la « touche de Paris » fut imposée. Par la suite on fixa l'étalon anglais, parfois à 18 carats, parfois à 22. A partir de 1854, on autorisa également des étalons de titre beaucoup plus faible, de 9, 12 et 15 carats.

En France comme en Angleterre, l'Etat imposa des taxes sur l'argenterie fabriquée par les orfèvres. Dès 1672, l'argenterie française porta la marque des fermiers généraux, collecteurs d'impôts. En Angleterre, une taxe fut versée à partir de 1720, puis, de 1784 à 1890, on frappa l'argenterie du poinçon de la taxe royale, à l'effigie du souverain.

A gauche : illustration représentant un essayeur en train de peser de l'or, tirée de Description of Leading Ore Processing and Mining Methods, *1574. Ercker fut contrôleur des monnaies à partir de 1567, à Prague, et écrivit le premier rapport scientifique sur les méthodes d'essai. L'essayeur devait déterminer le poids de l'échantillon à titrer, car l'essai par coupellation dépendait de la précision de l'analyse quantitative. L'échantillon était ensuite enveloppé d'une fine feuille de plomb et pressé.*

A droite : illustration représentant la technique de coupellation, tirée de De la Pirotechnia *de Vannuccio Biringuccio, 1540. Les échantillons d'argent, enveloppés dans une feuille de plomb, étaient mis dans des coupelles avec de la cendre d'os. Celles-ci étaient chauffées dans un four à moufle jusqu'à environ 1100 °C. Le plomb et le métal vil contenus dans l'alliage étaient absorbés par la coupe au bout de 15 minutes. Seul restait l'or ou l'argent. Après refroidissement, les petites perles de métal étaient pesées et comparées au poids originel pour qu'on puisse leur attribuer une norme de pureté.*

Le système autonome des guildes ou des corporations, d'inspiration médiévale, selon lequel chaque ville possédait son poinçon et le plus souvent son cycle alphabétique, fut adopté par presque tous les pays d'Europe : l'empire austro-hongrois, l'Espagne, le Portugal, les Pays-Bas, l'Allemagne, la Belgique, le Danemark, la Norvège et la Suède. En Amérique du Nord, en Australie, à la Jamaïque ainsi que dans tous les pays sous domination européenne, ou approvisionnant le marché européen comme la Chine, une certaine forme de marquage apparut. Ce souci d'une garantie (bien que ne correspondant pas à l'étalon) résulta de l'influence directe de certains aspects des systèmes français ou anglais. On a parfois maladroitement imité des poinçons officiels anglais, ainsi au Canada, en Australie et en Chine. Les orfèvres d'Amérique du Nord établissaient une nette différence entre l'étalon Sterling et l'étalon « monnaie ».

En raison de la garantie de titre et de date attachée à leur grande réputation, les poinçons officiels ont parfois été imités, par exemple par des orfèvres de province ou, depuis une centaine d'années, pour tromper l'acheteur en marquant l'argenterie à l'ancienne. Les poinçons officiels, en acier trempé, produisaient une marque très nette, qu'on peut quelquefois discerner de l'autre côté du métal. En revanche, les imitations, souvent relevées sur de l'argenterie ancienne, présentent des contours flous d'usure. Des pièces hollandaises de faible titre de la fin du XIXe siècle portent en vrac des poinçons pris sur des objets plus anciens. Plus tôt, entre 1720 et 1750, les Anglais trouvèrent un autre moyen pour échapper au contrôle officiel. Comme à l'époque la taxe prélevée était proportionnelle au poids, l'orfèvre expédiait un petit objet à titrer et à marquer au bureau de contrôle, puis il découpait le poinçon qu'il intégrait dans une pièce plus lourde. Il arrivait aussi que le maître imprime son poinçon trois ou quatre fois pour donner l'illusion d'un marquage en règle.

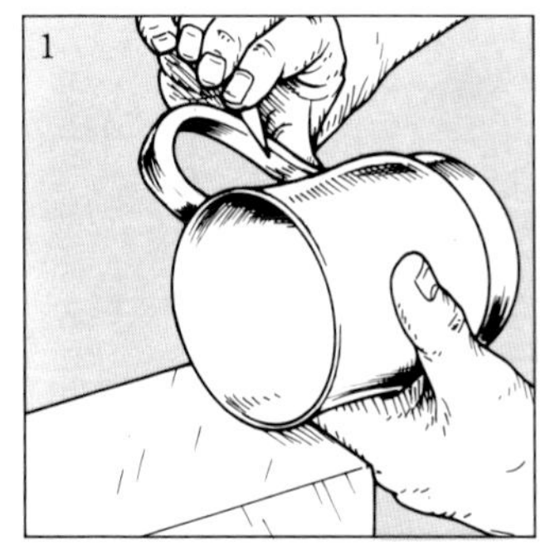

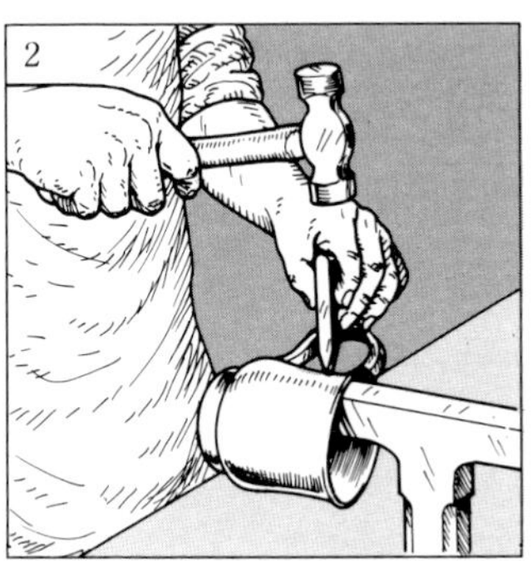

LE MARQUAGE
1. Un échantillon de métal était prélevé sur une chope pour qu'il subisse un test dans un bureau de contrôle.
2. La marque de contrôle était imprimée sur l'objet au moyen d'un poinçon en acier.

Ci-dessous : poinçons de York sur un plat anglais décoré en bosse. 1824. On peut distinguer, à partir de la gauche : le poinçon du fabricant ou du vendeur, « J. Barber & Co », celui du « lion passant », celui à l'effigie royale (correspondant à l'imposition d'une taxe en 1784), la tête de léopard couronnée ainsi que la lettre indiquant la date (ces dernières apparaissent deux fois) et enfin le poinçon de la ville d'York. Barber se fournissait à l'atelier de Barnard à Londres. Il est possible que cet objet ait été à la fois fabriqué et poinçonné à Londres pour être vendu à York.

La joaillerie

Le terme « joyau » englobait tous les petits objets décoratifs en métal précieux, avec ou sans pierres précieuses. Le joaillier devait donc, à une plus petite échelle, maîtriser toutes les techniques de l'orfèvre et, en outre, pouvoir travailler en série. Ses outils comportaient, hormis les nombreuses limes et repoussoirs indispensables à la précision de son travail, un matériel de fonderie. D'autres matériaux précieux étant souvent inclus dans les pièces traitées, l'éclairage était essentiel pour une bonne appréciation de la qualité des pierres et de l'ouvrage. Il devait être en mesure de déterminer le carat (ou poids) et la couleur des pierres, et de faire appel à un lapidaire et à un émailleur.

Certains matériaux de peu de valeur étaient parfois montés en bijoux, en raison de leur vertu magique (amulettes, talismans, par exemple) ou évocatrice (insignes, cachets, reliques ou bijoux commémoratifs en cheveux). Les pierres précieuses, vraies ou fausses, sont utilisées par les joailliers depuis des milliers d'années. En Egypte, des perles de faïence imitaient le lapis-lazuli ; au Moyen Age, les artisans fabriquaient des bagues en métal ordinaire sur lesquelles ils fixaient des morceaux de verre coloré. L'écaille de poisson et la boulette de colle donnaient l'illusion de la perle, la pâte de verre celle du diamant. A partir des années 1770, Josiah Wedgwood et James Tassie créèrent des camées en céramique et en pâte de verre, imitant la pierre naturelle. Après 1870, on fabriqua des pierres artificielles, qui furent largement répandues sur le marché et amplement utilisées. Cependant, au début les sertisseurs rehaussaient couramment la teinte des pierres à l'aide d'un fond de couleur. Au XVIe siècle, Benvenuto Cellini explique comment faire briller un diamant de tous ses feux en le passant au noir de fumée. Pour leurs inclusions, les joailliers utilisaient, outre les pierres précieuses et leurs imitations, des substances organiques comme le corail, l'ambre (résine fossile), le jais (bois fossile), les perles (de mer et d'eau douce), le coquillage et l'écaille de tortue. Depuis une centaine d'années on fabrique des imitations de toutes ces matières. On montait souvent en bijoux d'autres substances organiques, telles que l'œil-de-serpent (dent de poisson fossile), lesquelles, croyait-on, permettaient de révéler la présence de poison. Elles étaient serties de façon à rester en contact avec la peau de la personne qui les portait.

On pouvait réutiliser à l'infini les pierres taillées par le lapidaire : il suffisait au joaillier d'en changer la monture. Comme elles étaient petites et facilement transportables, les joailliers les faisaient venir du Brésil, par Paris ou Amsterdam (pour les diamants), ou de Naples (pour les camées) ; ils créaient des modèles nouveaux autour de pierres anciennes. Jusqu'à ce qu'on exploite les grandes réserves minières d'Australie et d'Afrique du Sud, la majeure partie du matériau brut utilisé par les bijoutiers provenait de pièces anciennes.

Ci-dessus : illustration tirée de Le jeune artisan ou Livre des métiers anglais (The Young Tradesman or Book of English Trades), *1839. Relié à l'établi, un morceau de cuir vient recouvrir les genoux du joaillier. Il sert à recueillir la limaille et les copeaux d'or tombant de son ouvrage. Ceux-ci étaient ramassés, puis fondus dans le four que l'on aperçoit sur la gauche. Le lingot obtenu était ensuite réduit à l'épaisseur désirée, à l'aide du laminoir situé derrière l'artisan.*
A gauche : demi-parures, l'une en émeraudes et diamants, l'autre en rubis et diamants, comportant un collier et des boucles d'oreilles. Travail anglais, vers 1830. La technique de granulation utilisée ici impliquait de fixer à chaud les perles d'or sur un support de même métal, sans soudure. Ces bijoux illustrent également le travail du filigrane.

Ci-contre, à droite: maillon d'un bracelet en émail et or. Genève, vers 1830. On y voit une femme arborant le costume de son canton. La bordure d'or tricolore est décorée de granulations.

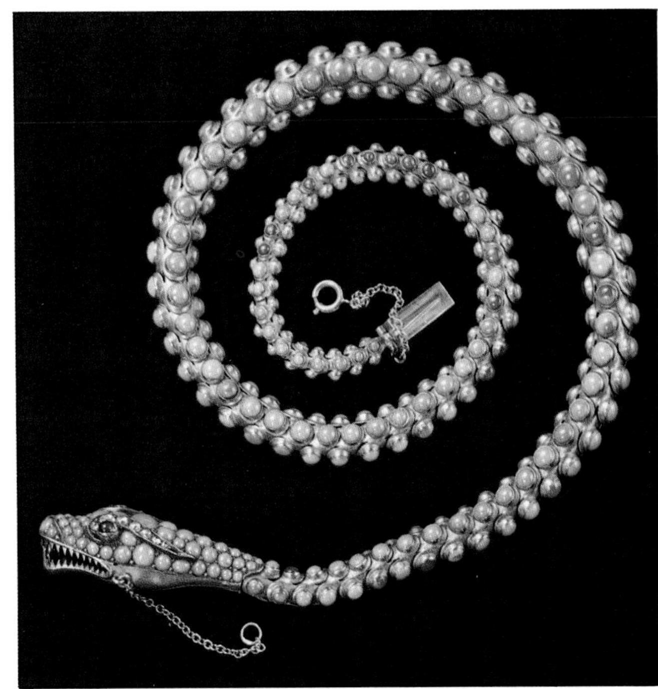

A l'extrême droite: collier en forme de serpent, avec diamants, grenats et turquoises montés en pavés. Angleterre, vers 1844. Les turquoises sont taillées en cabochons, et simplement serties. Des grenats en cabochons et des diamants facettés forment les yeux du serpent.

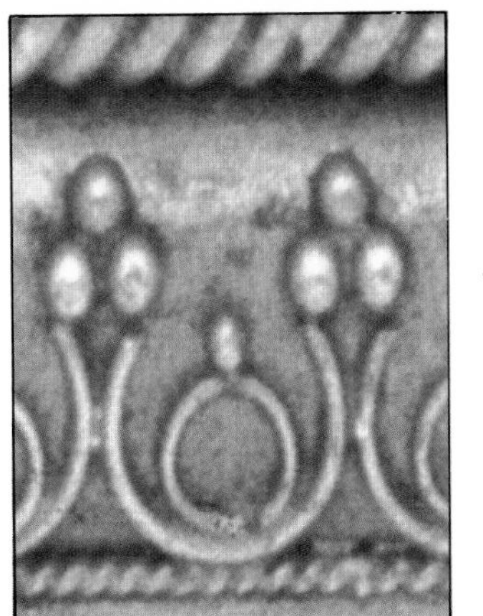

A l'extrême gauche: broche octogonale en or, montée autour d'un camée en jaspé de Wedgwood. Angleterre, vers 1860. Cette plaque de céramique avec sa frise de putti est exemplaire des nombreux modèles imitant la pierre précieuse fabriqués par Wedgwood.

Ci-contre, à gauche: détail de la bordure en or de la broche. Une granulation constitue le décor, tandis qu'un simple fil d'or torsadé est soudé à la base.

La manière de monter les pierres précieuses évolua au fur et à mesure que les techniques de taille devenaient plus complexes et que la beauté et la couleur des pierres prenaient davantage d'importance dans le modèle. Au début, la douille à bords droits, ou sertissure, qui entourait la pierre était soudée sur un fond ou directement sur l'anneau, et la partie supérieure était rabattue pour maintenir la pierre en place. De petites griffes de fil de métal étaient soudées à la sertissure de façon à la fixer solidement. On pouvait également entourer le chaton d'un biseau décoratif à redent quadrangulaire ou hexagonal. Une taille complexe était mise en valeur par une monture ajourée. On ajustait le métal autour de la pierre avec la plus grande précision, en partant de la base.

Entre autres procédés de sertissage, existait également le « millegrain », où la pierre était serrée par de petites perles de métal en saillie sur la monture ou façonnées par un perloir. Pour la technique du sertissage en « pavé », le joaillier perçait une série de trous dans la monture. Le sertisseur n'avait plus alors qu'à introduire des pierres à l'intérieur des griffes soulevées au moyen d'un burin.

On pouvait fabriquer des éléments de joaillerie pendant des périodes relativement longues grâce à l'utilisation de la fonderie. Les chatons étaient quelquefois coulés séparément suivant le procédé de la « cire perdue » (v. p. 202), quelquefois coulés d'une seule pièce avec le jonc de fixation. Cependant, il fallait parfois prévoir un sertissage sur mesure pour les belles pierres. Pour la joaillerie de moins grande qualité, on pratiquait en particulier l'estampage à partir d'un flan. Avec l'avènement de la machine, à l'époque de la révolution industrielle, l'emboutissage devint le meilleur moyen d'exploiter l'invention du doublé or. Celui-ci était constitué à partir d'un bloc d'or et de cuivre, que l'on transformait en feuille ensuite. Un substitut de l'or plus ancien, le tombac, alliage qui en avait la couleur et ne ternissait pas, était utilisé par les joailliers du XVIIIe siècle. On forgea des séries à la main, jusqu'à ce que les machines prennent le relais. Vers la fin du XIXe siècle, le métier était devenu très spécialisé, certains éléments étant usinés, puis assemblés par le bijoutier. Pourtant, aux environs de 1890, il y eut un regain de faveur pour l'artisanat qui continue d'alimenter une importante partie du marché aujourd'hui.

Malgré l'existence de machines spécialisées qui facilitent leur travail dans bien des domaines, les joailliers continuent, dans une très large mesure, à utiliser les méthodes traditionnelles.

Depuis des milliers d'années, on emploie des pierres montées non seulement dans les bijoux mais aussi pour des vases, des gardes d'épées et des ceintures. On mettait en valeur leur couleur et leur éclat grâce au « paillon », à la taille, au facettage et au polissage. La couleur n'étant pas distribuée de manière égale sur l'ensemble de la pierre brute, le lapidaire ou tailleur devait déterminer l'emplacement de la meilleure coupe, contenant le moins d'inclusions possible. Avant qu'on ne découvre le facettage, les pierres étaient polies en forme de cabochons arrondis. Le lapidaire devait aussi être en mesure de tailler des pierres dures de plus grande taille, telles que l'agate ou l'onyx, dont on se servait pour les cuillerons, les petits récipients ou les incrustations.

Les minéraux sont classés en fonction de leur dureté sur une échelle allant de 1 à 10, méthode mise au point par Friedrich Mohs vers 1820. Les diamants sont de loin les pierres les plus dures (10 sur l'échelle) bien que cette dureté varie selon l'orientation du réseau cristallin. A cause de cela, ils sont plus difficiles à tailler. Une coupe idéale, en divisant le spectre lumineux, réfléchira la lumière de toutes ses facettes. On effectue la taille du diamant en trois étapes : le sciage, le débrutage du cristal et le polissage, ou facettage. La taille du diamant sur meule se pratique en Europe depuis au moins six cents ans. Le lapidaire examinait d'abord la pierre à travers un verre grossissant ou « loupe » pour déterminer la ligne de coupe, puis la marquait à l'aide d'encre de Chine. La ligne de clivage d'un diamant est naturellement parallèle à sa section octogonale. Le lapidaire fixait donc la pierre brute sur le chaton du cliveur puis l'entaillait avec le tranchant d'une pierre. Il percutait ensuite vigoureusement l'entaille à l'aide d'un ciseau épointé en acier pour séparer la pierre en deux le long de la ligne de clivage. Ce procédé traditionnel est, de nos jours, remplacé par une scie à diamant.

Pour le débrutage, le diamant était fixé dans un mandrin sur un tour et façonné avec un diamant à l'arête tranchante, fixé sur un manche que l'artisan tenait sous son bras. La forme était créée ainsi par frottement sur la pierre-outil. Cette dernière, arrondie au cours de l'opération, était taillée par la suite.

L'opération suivante, le facettage, révélait l'éclat et les feux du diamant. Le tailleur, ou polisseur, travaillait sur la « meule », disque en fonte fixé sur un pivot. Sa surface portait des incisions circulaires obtenues à l'aide de carborundum et était enduite d'une pâte de poussière de diamant et d'huile d'olive. Les pierres à facetter étaient montées sur des « dops », ou calottes fixées sur un banc par un étau. Un ouvrier habile pouvait travailler jusqu'à six diamants en même temps, en maintenant l'une après l'autre chacune des facettes à abraser contre la meule en marche. La « table » ou facette supérieure était traitée en dernier, de façon qu'elle ne soit pas rayée. Puis on contrôlait les pierres, on les faisait bouillir dans de l'acide sulfurique concentré pour les débarrasser de toute trace d'huile ou de poussière. Elles étaient ensuite lavées dans de l'alcool dénaturé, rincées et séchées. Après tous ces traitements, on ne devait plus les manipuler qu'avec des pincettes, ou brucelles.

D'autres pierres, moins dures que le diamant, étaient coupées d'une manière analogue. Mais dans ce cas, une seconde étape s'imposait : du fait que la pierre, après meulage, présentait l'aspect du verre dépoli, on devait ensuite la polir pour améliorer son apparence.

Les camées et intailles, avec ciselures en relief ou en creux, étaient travaillés à l'aide de fins forets en acier trempé enduits de poussière de diamant mélangée à de l'huile d'olive. L'agate et d'autres pierres ornementales rubanées étaient taillées sur une meule verticale en grès. On cimentait les perles de pierre sur une planche et on les perçait avec une pointe de diamant.

On n'exploita largement le diamant qu'à partir du XVIIe siècle. Ce n'est qu'à cette époque qu'on découvrit la possibilité d'obtenir des facettes multiples. Les mathématiciens de la Renaissance ont largement contribué à cette évolution. Auparavant on estimait beaucoup les pierres de couleur qu'on pouvait polir. La famille des quartz était la plus nombreuse et la plus utilisée. Elle comprenait l'améthyste, la citrine, le cristal de roche et, dans un autre groupe, les agates, la cornaline, la chrysoprase, l'onyx et le jaspe sanguin. Ce groupe des silices comprend aussi les opales. La famille des corindons comporte,

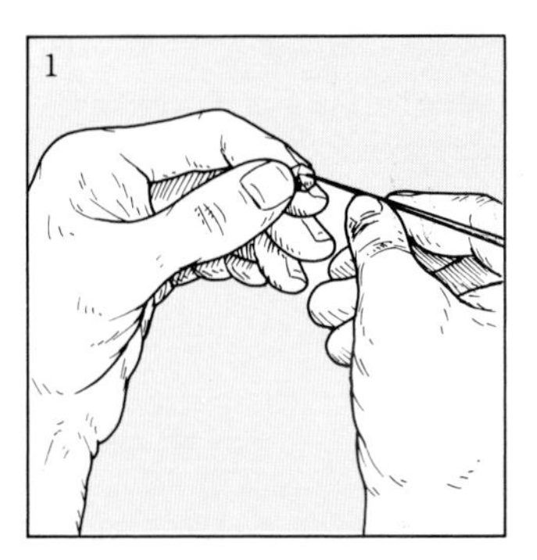

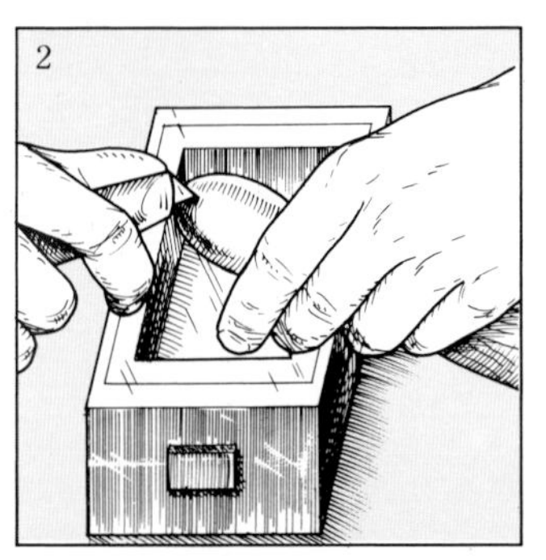

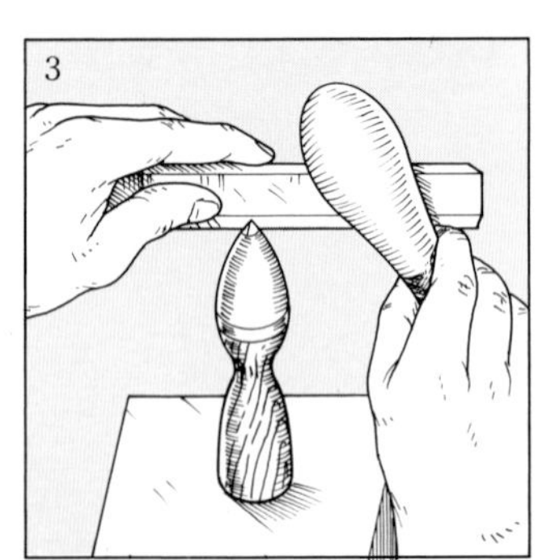

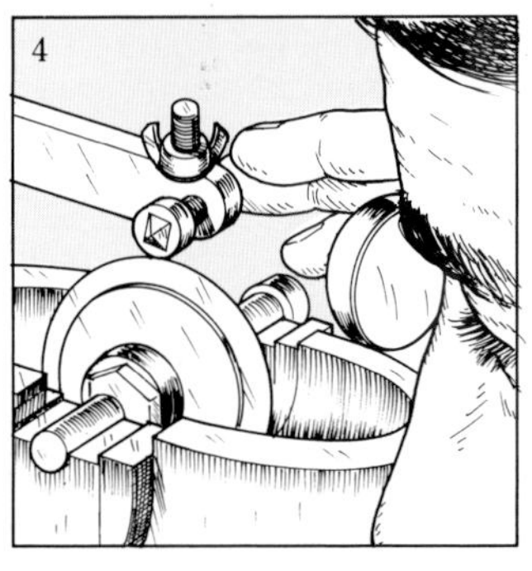

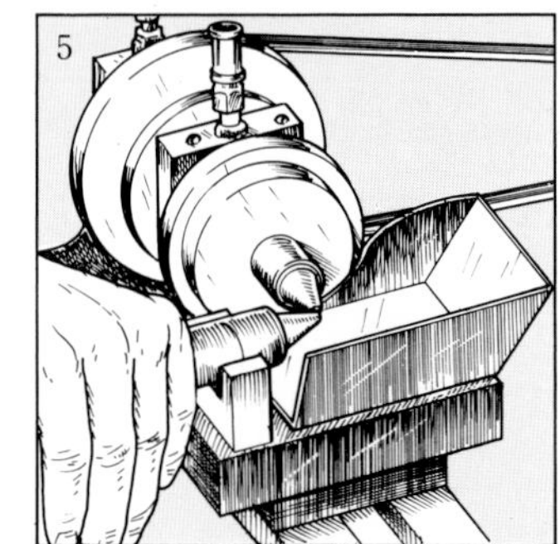

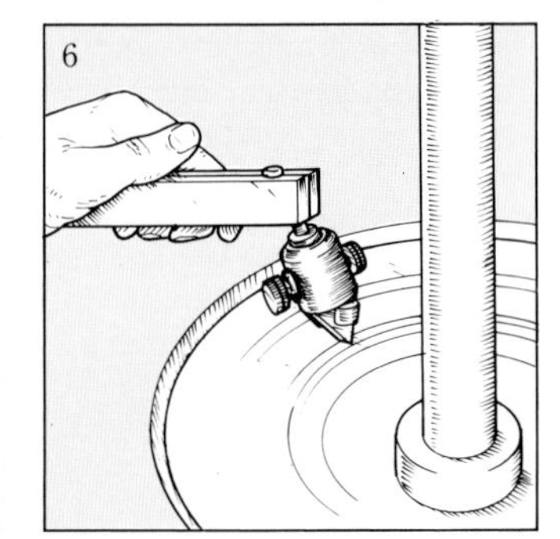

LA TAILLE D'UN DIAMANT
1. La ligne de sciage du diamant était tracée à l'encre de Chine.
2. La pierre brute, montée sur un teneur, était marquée, avec un autre diamant, d'une encoche le long de la ligne de clivage.
3. Lors du clivage traditionnel, on plaçait dans l'entaille ou « kerf » un ciseau en acier épointé que l'on percutait vigoureusement pour séparer la pierre en deux suivant la ligne de clivage.
4. Le sciage était une autre méthode de clivage. Il se faisait à l'aide d'un disque mobile, enduit d'un mélange d'huile et de poudre de diamant.
5. On ébauchait (ou débrutait) la forme du diamant, en le fixant dans un mandrin sur un tour. On en meulait les contours à l'aide du tranchant d'une pierre.
6. Le polissage, ou facettage, constituait la dernière étape. Les diamants, placés dans des calottes ou « dops » étaient maintenus contre le « scaife », meule en fonte aux rainures concentriques et enduite d'huile d'olive et de poussière de diamant.

elle, le rubis et le saphir, remarquables par leur dureté (9 sur l'échelle de Mohs) et par leur couleur, due à des traces d'éléments comme l'oxyde de chrome pour le rubis, et l'oxyde de fer et de titanium pour le saphir bleu.

L'émeraude, qui, elle aussi, doit sa teinte à l'oxyde de chrome, vient en tête du groupe des béryls, ainsi que les aigues-marines. On appréciait le grenat pour sa teinte chaude. Il était souvent utilisé en cabochons ou en incrustations, ou encore dans la monture en «cloisonné» (v. p. 196), qu'affectionnaient particulièrement les Anglo-Saxons. Quant à la tourmaline et à la topaze, ce sont des pierres d'une grande complexité chimique, qui présentent une vaste gamme de couleurs.

Il existe d'autres pierres, comme le jade — jadéite et néphrite —, les chrysobéryls ainsi que la turquoise, le lapis-lazuli et la malachite, qui, elles, sont opaques. A mesure de la découverte et de la conquête de nouveaux pays, on trouvait de nouvelles pierres à exploiter.

La différence que le non-expert fait parfois entre pierres précieuses et semi-précieuses n'a guère de sens pour le joaillier, dont les critères de jugement concernent plutôt leur couleur, leur éclat et leur taille. Notons que l'appellation de «pierre précieuse» est, en France, réservée aux seuls diamant, rubis, émeraude et saphir.

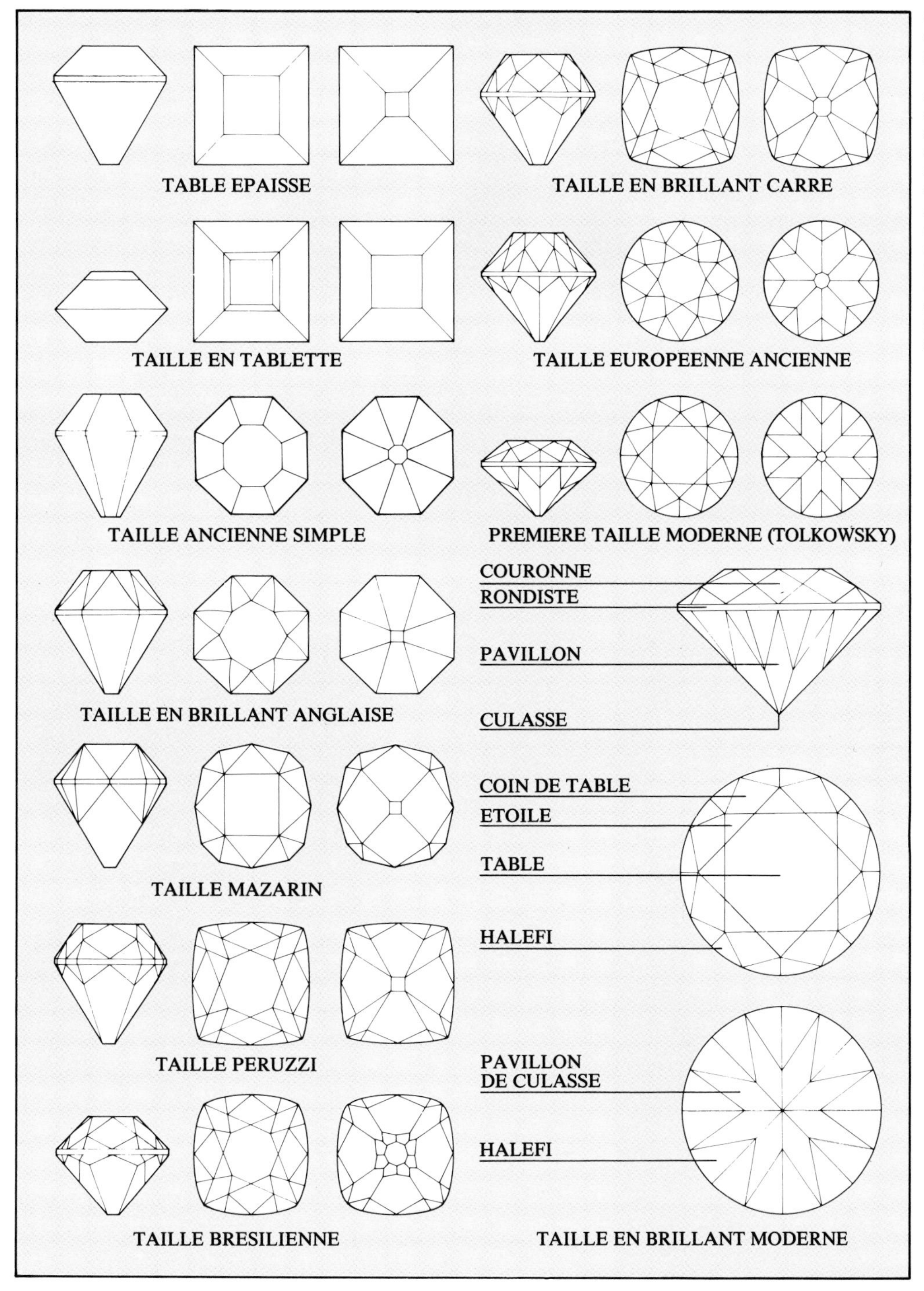

Ci-contre, à gauche: l'évolution de la taille du diamant, de la simple table au brillant actuel. Vues de profil, du dessus et du dessous. L'ordre chronologique dans lequel les différentes tailles apparaissent est le suivant: taille en table, en tablette, taille ancienne simple, taille anglaise en étoile, taille Mazarin, taille Peruzzi, taille brésilienne, taille mine ancienne, taille européenne ancienne, première taille moderne (Tolkowsky) et taille en brillant moderne. Cette dernière est accompagnée du nom des différentes parties de la pierre et de ses facettes.

La dorure

L'or a toujours été le plus cher et le plus rare des métaux. Pour imiter son apparence à moindre prix, on utilisait souvent de l'argent recouvert d'une mince couche d'or. On appliquait parfois une seconde couche de dorure sur les objets de table, à la fois pour les protéger de l'effet corrosif du sel, du vinaigre ou du jaune d'œuf, et pour répondre aux exigences d'un rang social. Parfois, seul l'intérieur de certains objets tels que salières, coquetiers et calices, boîtes et coffrets, était doré, non seulement pour les protéger mais aussi et surtout pour obtenir des contrastes décoratifs.

Les clercs chargés des inventaires et les orfèvres tenaient compte dans leurs factures des différences considérables de coût entre l'argent blanc, le moins cher, les pièces avec dorure intérieure et le vermeil, le plus cher.

Avant l'invention de la dorure par électrolyse (v. p. 174), on utilisait le procédé connu sous le nom de « dorure au mercure » ou « dorure au feu », technique employée également dans la fabrication de l'or moulu (v. p. 204). Mais la dorure au mercure disparaissait après de nombreux nettoyages à la main. C'est pourquoi des pièces anciennes redorées par électrolyse présentent une couleur différente de la teinte originale, généralement d'un jaune citron plus franc. On se servait aussi de cette technique pour faire des incrustations dans l'argent.

La dorure au mercure, quel que soit son emploi, restait un procédé extrêmement dangereux, à cause de ses émanations très toxiques. De nos jours, dans la plupart des pays, l'usage de cette technique est interdit par la loi, sauf dans des conditions de sécurité particulièrement contrôlées.

Les métaux ordinaires étaient dorés à l'or laminé, procédé très semblable à celui qu'on utilise pour la fonte de l'argenterie anglaise (v. p. 171). L'or d'un titrage désiré (9 carats habituellement) était soudé au lingot de base, puis l'ensemble était laminé selon l'épaisseur requise. Le métal ordinaire était généralement un alliage de cuivre et de zinc appelé « métal à dorer », ou du bronze, ou encore un alliage de cuivre et de nickel, qu'on appelle à tort « maillechort » ou « nickel argenté ». L'argent fin doré portait le même poinçon que l'argent.

On se sert de la feuille d'or, couche de métal extrêmement fine, depuis au moins 4000 ans pour décorer le métal ou d'autres supports comme le bois (v. p. 5 2). La feuille était appliquée par brunissage, ce qui lui permettait d'adhérer à la surface traitée tout en expulsant la couche d'air intermédiaire. Selon les besoins, on pouvait utiliser une ou plusieurs feuilles. C'est un procédé « à froid » qui demandait, et demande toujours, une habileté particulière.

L'or de 23,25 carats (presque pur) était laminé en lanières de 32 mm de largeur et de 0,025 mm d'épaisseur. Il était ensuite découpé en carrés, puis disposé entre deux minces feuilles de vélin de 1 mètre de côté. La pile de feuilles de vélin intercalées, appelée « catéchu », ou cachou, était maintenue à l'aide de parchemin et placée ensuite sur un bloc de bois. On le martelait pendant une demi-heure avec un marteau spécial d'un poids de 9 kg.

Ce battage étirait la parcelle d'or jusqu'aux bords du « catéchu ». Chaque unité était ensuite divisée en quatre et mise entre des épaisseurs supplémentaires à l'intérieur d'un « shoder » de 800 feuillets, puis battue de nouveau jusqu'à ce que le métal en atteigne les bords. L'or, fin comme une feuille, était de nouveau extrait à l'aide de pinces en buis, redivisé en quatre et amassé dans un moule d'une contenance de mille couches qui était enveloppé dans des chemises en parchemin et battu pendant environ cinq heures. Enfin la feuille d'or, 250 fois plus mince que la lanière originale, était disposée sur une semelle en peau, découpée en carrés de 8 cm, laquelle était mise dans des chemises de papier de soie passées au rouge et vierges de toute trace de soufre. Elle était alors prête pour le doreur.

Ci-contre, à gauche: gobelet à pied en vermeil. Allemagne, fin du XVIe siècle. Le pied et la bordure, ornés d'un décor repoussé d'entrelacs et de feuillages en relief, révèlent des vides aux endroits où l'usure a été le plus forte.

Ci-dessus: salière en forme de coquille d'un ensemble exécuté par Benjamin Smith. Londres, 1826. L'emploi de la dorure était très fréquent dans les services de table d'apparat à l'époque Regency et plus tardivement. La coquille appartient au répertoire rococo (issu du maniérisme de la fin du XVIe siècle), en vogue à l'époque.

Ci-dessus: récipient à thé en vermeil, faisant partie d'une paire exécutée par Emick Romer, Londres, 1769. La dorure, en excellent état, a sans doute été refaite.

Ci-contre, à gauche: calice, avec intérieur doublé d'or, incrusté d'améthystes et de plaques en émail champlevé, travail de John Hardman et Cie. Birmingham, Angleterre, 1849-1850, d'après un dessin de A.W.N. Pugin (1812-1852). Cet objet faisait partie du thème « Cour au Moyen Age » de la grande exposition de 1851. Les parties dorées ressortent sur un fond en argent, à la manière florentine du Moyen Age.

L'argenture à la feuille et le plaqué

L'argenture, comme la dorure à la feuille, consistait à appliquer une feuille d'argent portée à très haute température, puis à la polir, encore chaude, sur l'objet froid. Souvent, celui-ci était en cuivre, et les fabricants de plaqué Sheffield (v. p. 171) employaient cette technique pour cacher les imperfections de leur travail, dans les recoins ou sur les surfaces externes où la plaque d'argent déroulée n'était pas correctement jointée. C'est en ajoutant une feuille après l'autre qu'on obtenait l'épaisseur désirée.

L'argenture à la feuille n'était pas très résistante, mais elle convenait parfaitement pour de petites réparations ; d'ailleurs, parmi l'importante production d'objets que nous ont laissée les spécialistes des XVIIIe et XIXe siècles, rares sont ceux qui ont conservé leur argenture.

Pour l'argenture des articles en acier tels que lames et manches de couteaux, mouchettes à bougies, ciseaux, pincettes, casse-noix, brochettes, couteaux à poisson et autres ustensiles, les couteliers de Sheffield avaient depuis longtemps mis au point le placage, procédé déjà utilisé au XVe siècle par les armuriers pour plaquer les mors, les éperons et autres accessoires. En pratique, tout métal qui pouvait être soudé pouvait être plaqué, à condition que sa surface soit soigneusement propre et lisse.

Une fois l'objet parfaitement nettoyé, on le trempait d'abord dans du sel ammoniac, puis dans de l'étain fondu. On y appliquait ensuite une feuille d'argent (le titrage de celle-ci avait été fixé en 1327 et renouvelé par les lois de la Guilde des Couteliers de Sheffield en 1625) que l'on pressait fortement, afin d'expulser les bulles d'air. Enfin, on passait un fer à souder chaud sur toute la surface, de façon à faire adhérer l'étain fondu et l'argent.

A l'usage, l'inconvénient majeur de ces articles plaqués est que, à une chaleur excessive, l'argent s'écaille et, par une trop grande humidité, la rouille peut attaquer la base métallique et faire cloquer celui-ci. Et une fois que le métal a rouillé ou que la pièce est abîmée, la réparation n'est plus possible.

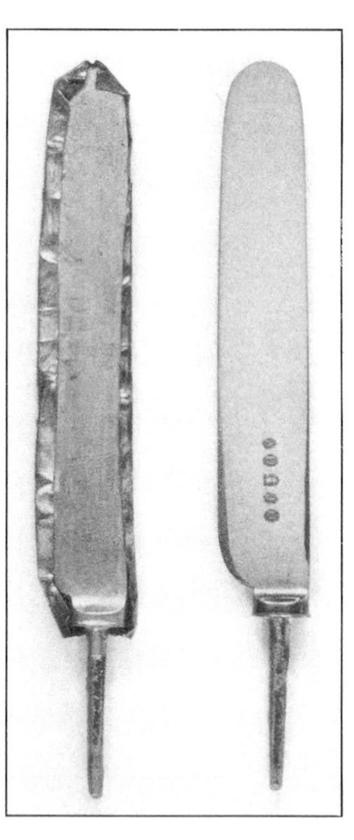

Ci-dessus : les deux étapes de l'argenture d'une lame de couteau. La lame à plaquer était enveloppée dans une feuille d'argent, puis pressée et chauffée avec un fer. Ainsi argentée, la lame était alors estampillée aux poinçons du fabricant (ici, Aaron Hatfield & Son à Sheffield) qui imitaient la taille et la disposition des poinçons officiels de l'argent massif.
*Ci-contre : détail d'une illustration tirée de l'*Encyclopédie *de Diderot, représentant un ouvrier argenteur. Forme et décor étaient les mêmes qu'avec l'argent massif, mais au tiers du prix.*

Le plaqué Sheffield

C'est vers 1742 que Thomas Boulsover inventa le plaqué Sheffield. Sa méthode consistait à faire fondre, dans un four, une feuille d'argent sur un lingot de cuivre et, ensuite, à dérouler le bloc de métal ainsi obtenu en feuilles qui étaient alors travaillées et façonnées. L'argenture par fusion avait déjà représenté un grand progrès par rapport aux anciennes méthodes d'argenture à la feuille. L'invention de Boulsover fut adoptée par les autres couteliers de Sheffield et, bientôt, on vit s'établir dans cette ville une importante industrie de placage. Les bougeoirs et les services de table en étaient la production principale et fournissaient la clientèle des classes moyenne et aisée.

Plus tard, l'industrie du plaqué s'est développée dans quelques villes, notamment Birmingham où Matthew Boulton pose les fondements, en 1760, d'une industrie qui sera florissante au XIXe siècle. On a retrouvé des objets plaqués également en France, en Russie et en Suède.

L'invention, en 1840, de l'argenture galvanique (v. p. 174) démoda la méthode par fusion et, vers la fin du XIXe siècle, on ne l'employa plus guère que pour des articles tels que les boutons ou les chopes, qui nécessitaient l'argenture la plus résistante.

Cette technique consistait à placer une feuille d'argent pur parfaitement nettoyée sur un lingot de cuivre, qui mesurait, en général, 23 cm de long sur 6,5 cm de large et 4 cm de haut. La teneur en argent dépendait des besoins du fabricant, mais la moyenne pour un métal de bonne qualité était 3 mm d'argent pour 40 mm de cuivre. On pressait avec un poids en fer très lourd ; tandis qu'un ouvrier le maintenait, un autre frappait avec un marteau, afin d'expulser l'air entre les deux métaux et de les mettre parfaitement en contact.

On posait ensuite une plaque de cuivre d'environ 3 mm d'épaisseur sur la feuille d'argent, pour la protéger dans le four. Auparavant, la face intérieure de cette plaque avait été blanchie à la chaux pour éviter qu'elle ne fonde avec l'argent. Le tout était fermement lié avec un fil de fer. L'ouvrier appliquait une pâte à base de borax moulu sur les bords de l'argent ; celle-ci agissait comme un flux, en fondant à très basse température et en expulsant l'air qui aurait pu oxyder les deux métaux et empêcher leur contact.

Ci-dessus : plat en forme de coquille, en plaqué Sheffield (Angleterre, vers 1800). Un fil d'argent était souvent soudé sur la bordure pour cacher le centre en cuivre.

Ci-contre : détail d'une illustration d'un atelier de placage, vers 1830. L'ouvrier sur la gauche moule le lingot de base. Celui de droite lime et ponce la surface d'un lingot refroidi pour le nettoyer et le polir. Au centre, on charge le four. Au bout de 15 minutes environ, l'ouvrier regarde à travers le judas de la porte pour surveiller l'éclair de l'argent quand il commence à fondre, puis il sort le bloc du four.

FABRIQUER LA FEUILLE DE MÉTAL POUR UN PLACAGE
1. On plaçait une feuille d'argent sur le lingot de cuivre.
2. Afin d'expulser l'air, on posait un poids sur l'argent et le cuivre qu'on martelait à coups répétés.
3. On posait une plaque de cuivre sur l'argent afin de le protéger dans le four ; cette plaque avait été blanchie à la chaux sur sa face intérieure pour ne pas fondre avec l'argent.

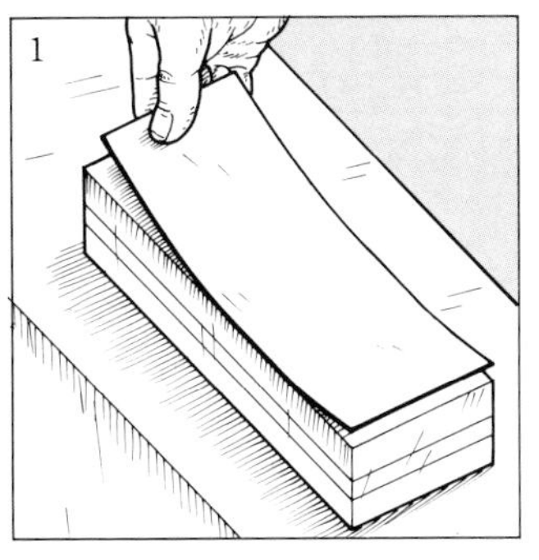

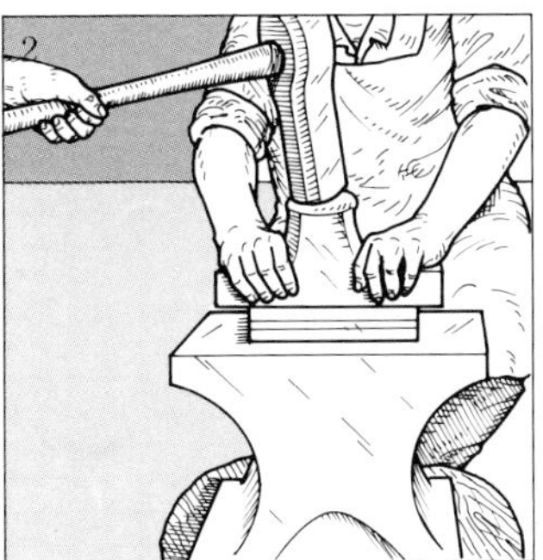

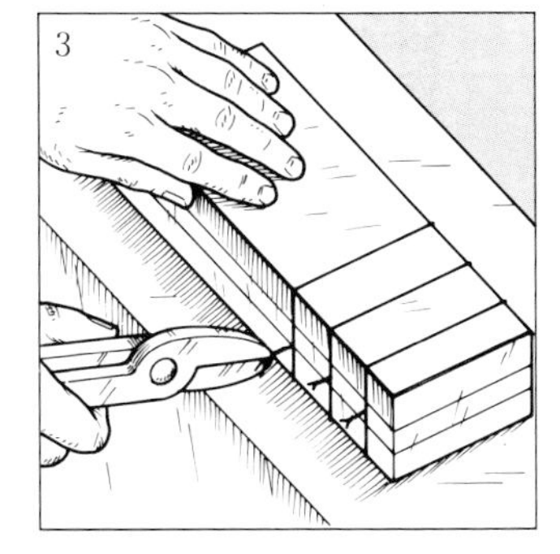

On mettait alors ce bloc au four, directement sur le combustible, en général du coke. Sous l'effet de la chaleur, les surfaces d'argent et de cuivre fondaient, et ainsi les deux métaux s'amalgamaient. Un alliage argent-cuivre s'était déjà formé au point de contact des deux surfaces. Comme le point de fusion de cet alliage était inférieur à celui de l'argent ou du cuivre, ces deux métaux gardaient leurs propriétés tandis que leurs faces internes fondaient et s'amalgamaient. Ensuite, l'artisan retirait délicatement le bloc de métal du four, il coupait le fil de fer et soulevait la plaque de cuivre; puis il laissait refroidir le bloc avant de le nettoyer. C'est vers 1760 que les couteliers de Sheffield commencèrent à plaquer les deux côtés d'un lingot.

On déroulait le bloc d'alliage en une feuille, en le faisant passer à travers des rouleaux métalliques mécaniques. L'argent et le cuivre réagissant de la même façon quand on les déroulait et les façonnait, la plaque d'alliage se comportait comme un métal homogène.

Un grand nombre d'articles en plaqué Sheffield étaient façonnés par repoussage. Les matrices à estampes, qui avaient permis une production massive, étaient une autre méthode et, bien qu'elles fussent onéreuses, on en avait mis au point une grande quantité qui, assemblées de diverses façons, offraient un choix de motifs considérable. C'est vers 1820 que le filetage fut introduit dans la fabrication du Sheffield. Les différents éléments d'un objet de Sheffield étaient assemblés par soudure: généralement une soudure tendre, mélange d'étain et de plomb, quelquefois une soudure forte, à base de cuivre et d'argent. Pour les objets de taille importante, on recourbait la feuille de métal autour d'un tasseau et on en soudait les bords avant le repoussage ou le filetage. Ces derniers, qui étaient souvent en queue-d'aronde ou « agrafés », étaient habilement dissimulés grâce au polissage. Il arrive toutefois que ces joints soient visibles: ils aident alors à identifier le plaqué Sheffield, contrairement aux objets argentés électrochimiquement qui n'ont aucun joint.

Le plaqué Sheffield posait un problème: on voyait le centre de cuivre le long de la bordure. Plusieurs méthodes furent tentées pour y remédier, la plus ancienne consistant à replier les bords, et une autre à souder le long de la bordure une bande ou un fil d'argent ou de cuivre plaqué. La technique du fil de cuivre massif plaqué argent fut introduite vers 1768, puis améliorée en 1780. A partir de 1790, on commença à emboutir des montures décoratives dans de l'argent mince que l'on remplissait de soudure tendre avant de les appliquer sur l'objet. On dissimulait le bord du cuivre en rabattant l'extrémité.

Dans les années 1770 à 1780, les ouvrages repercés étaient très à la mode, mais la méthode des orfèvres qui consistait à travailler avec une scie ne convenait pas au plaqué Sheffield. En effet, la scie avait tendance à déchiqueter les bords, qu'il fallait ensuite

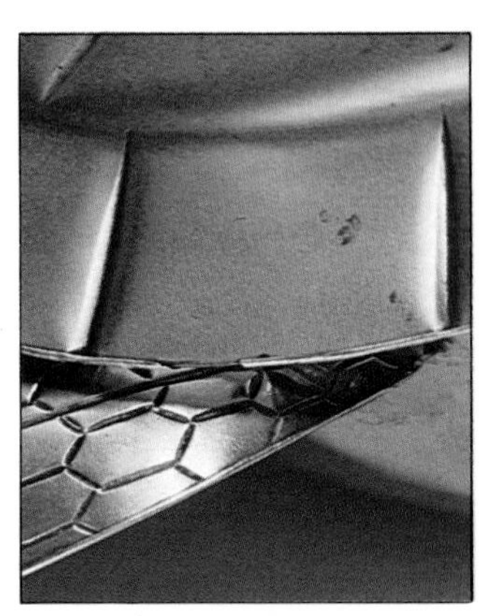

A gauche: soupière en plaqué Sheffield en forme de tortue (Angleterre, vers 1810).

Ci-contre: détail de la soupière montrant le fil d'argent soudé sur la bordure non polie.

A droite: encrier en plaqué Sheffield gravé d'un emblème (Angleterre, vers 1780). L'encrier et les sabliers sont fixés par une petite goupille passant à travers des boucles de la base du socle.

Ci-dessus: plateau en plaqué Sheffield avec une monture en argent appliquée et emplie de soudure tendre (Angleterre, vers 1815).

Ci-contre: bouilloire en plaqué Sheffield avec son socle chauffant (Angleterre, vers 1850). L'orfèvre prenait l'empreinte d'un décor de fruits et de raisin et l'emplissait de soudure tendre avant de l'appliquer.

limer: cela mettait à nu l'intérieur en cuivre. Les artisans de Sheffield utilisèrent donc une presse à la volée équipée d'une estampe en acier à la forme choisie, qui pressait le métal dans la matrice en acier. La puissance de l'estampe plaquait la feuille d'argent sur le centre de cuivre.

La gravure était une autre technique de décor sur le Sheffield. Il était délicat d'exécuter cette opération sans mettre le cuivre à nu, et une des solutions consistait à souder une pièce d'argent ou à plaquer une épaisse couche de cuivre, afin d'avoir une surface suffisante pour graver. Vers 1790, les orfèvres de Sheffield inventèrent une autre méthode: ils découpaient un trou dans l'objet à l'endroit où ils désiraient graver, y soudaient une pièce de cuivre avec un placage épais et dissimulaient les joints par la gravure. Généralement, il fallait retourner l'objet pour voir ces joints.

Vers 1810, cette technique d'application en force fut remplacée par l'application par friction, qui était exécutée en chauffant une petite feuille d'argent qu'on brunissait sur toute la surface. Comme il s'agissait d'argent pur, cette petite pièce ne ternissait pas de la même façon que le reste du plaqué. La présence de ces pièces, qu'elles aient été appliquées en force ou par friction, indique que l'objet est bien du Sheffield.

Plusieurs polissages étaient nécessaires. Le fond ou l'intérieur de la plupart des objets plaqués avec une seule couche était habillé d'étain que l'on faisait fondre pour le couler en une couche uniforme. Cela permettait de cacher le cuivre et d'éviter qu'il soit en contact avec les aliments. Enfin, l'article était nettoyé, bruni et poli avec des outils en acier et en agate.

L'argenture galvanique ou électrochimique

Birmingham était le berceau de l'argenture électrochimique depuis que les frères George et Henry Elkington y avaient déposé leur brevet, en 1840. On disait qu'ils tenaient cette découverte d'un certain John Wright, qui l'avait développée selon les expériences et la mise en application des lois sur l'électrolyse de Michel Faraday en 1833. En 1800 déjà, la pile électrique d'Alessandro Volta avait permis aux artisans d'utiliser des piles pour leurs essais ; et c'est seulement quatorze ans plus tard que les bijoutiers et les orfèvres de la Couronne, Rundell et Bridge & Rundell, avaient annoncé qu'ils avaient produit un gobelet plaqué or « galvaniquement ». Les premiers brevets des frères Elkington, en 1836 et 1837, semblent être les plus anciennes tentatives de protection d'une découverte, et en 1843 la licence de leur procédé fut vendue à d'autres fabricants.

L'argent fut le premier métal utilisé pour le placage électrochimique à une échelle commerciale, et le procédé n'a que très peu changé depuis un siècle et demi. On préparait un bain contenant une solution de cyanure double de potassium (toutefois le cyanure de sodium suffisait) et d'argent et du cyanure de potassium pur. On faisait dissoudre cette solution dans de l'eau pour obtenir une solution transparente dans laquelle on plongeait une anode d'argent pur à 100 % (le seuil minimal étant 99,97 %). On suspendait l'objet à traiter — parfaitement nettoyé et préparé — dans le bain, sur des fils de cuivre. On faisait ensuite passer un faible courant à travers le bain, maintenu à température ambiante, que l'on vérifiait avec un voltamètre : le courant devait osciller entre 1 et 1,5 volt, laissant l'anode propre et blanche.

Comme pour tous ces traitements, le métal de base devait être chimiquement propre, complètement débarrassé d'une éventuelle pellicule graisseuse ou oxydée, et, une fois propre, il ne fallait plus le toucher avec les doigts. Après une immersion

Ci-dessus : miroir à argenture galvanique de la Württemburgisches Metal Fabrik décoré d'un personnage moulé et de feuilles de nénuphar (vers 1900). Cette firme allemande a produit un grand nombre de créations de style Art Nouveau et Art Déco.

Ci-contre : machine à café à argenture galvanique de Padley, Parkin & Stamforth (Sheffield, vers 1855). La firme avait abandonné l'argenture par fusion pour la galvanoplastie en 1851 et, malgré tout, les articles étaient estampillés avec le poinçon « fait à la main » utilisé auparavant sur le plaqué Sheffield.

Ci-contre: aiguière dorée par galvanoplastie d'Elkington & Co décorée de grappes de raisin (Birmingham, 1874). George et Henry Elkington furent les premiers à breveter le procédé électrochimique, en 1840. Presque tous les articles de leur collection étaient disponibles soit en plaqué argent, soit en argent massif.
Ci-dessous: rafraîchissoir à vin argenté par galvanoplastie (Birmingham, 1846). Voici un exemple ancien de l'argenture d'Elkington. La forme et le décor sont caractéristiques de la renaissance du rococo, enrichi de fleurs et de volutes, qui a fleuri en Grande-Bretagne depuis 1820. Ce style a été remplacé par des ornements classiques ou autres styles historiques dans les productions plus tardives.

d'environ 15 secondes dans le bain où passait le courant, on vérifiait l'adhérence. C'était une technique d'argenture faible, et il fallait laver les objets et les frotter énergiquement avec une brosse dure pour en éprouver l'adhérence.

On argentait pratiquement tous les métaux, même le fer, le laiton et le cuivre. Aujourd'hui, on emploie le plus souvent un alliage de nickel et de cuivre, appelé à tort maillechort (celui-ci étant un alliage de cuivre, de zinc et de nickel).

Pendant l'opération, l'artisan avait soin de remuer légèrement les objets afin que le dépôt fût uniforme. L'argent pur se déposait jusqu'à l'épaisseur désirée et, bien sûr, les éléments les plus proches de l'anode recevaient le dépôt le plus épais. L'intérieur des pots et des chopes, par exemple, était moins argenté, sauf traitement spécial, et, sur un même objet, l'épaisseur pouvait varier de un à six. L'argenture la plus épaisse se trouvait souvent au dos des cuillères, qui en recevaient une quantité particulièrement grande. Pour obtenir un bon dépôt, c'est-à-dire environ l'épaisseur d'un mouchoir en papier, il fallait immerger l'objet dans le bain d'argenture entre 1 heure 45 minutes et 2 heures et demie. Quand on le ressortait du bain, il ressemblait à de la porcelaine blanche, à moins qu'il n'y ait eu une électrolyse spéciale contenant du bisulfate de carbone, qui laissait une surface plus brillante et demandait un polissage final moins long. L'objet était lavé et séché, et on le frottait ensuite avec un tampon de coton imbibé d'une pâte spéciale, puis avec du rouge d'orfèvre sur un chiffon de feutre, avant de le polir à la main également avec du rouge.

De nos jours, la dorure est le plus souvent électrochimique. Le procédé est très semblable à celui de l'argenture, avec toutefois quelques variantes, notamment la température du bain (entre 60 et 65 °C) et le voltage (entre 1/4 de volt et 2 volts). En raison du coût élevé des sels de potassium auriques et de l'anode en or pur, on ne dépose que de très minces couches.

On obtenait la dorure complète en déposant plusieurs couches les unes sur les autres et en brossant l'objet énergiquement entre les couches successives. On obtenait un effet givré en saupoudrant du sable sur la surface avant de commencer la dorure. Pour une dorure fractionnée (l'intérieur des coquetiers, des salières ou des cuillères à œuf, par exemple) ou pour un effet décoratif, on empêchait le dépôt de la dorure aux endroits voulus en les protégeant avec un produit imperméable tel que la gomme laque.

Le rhodium, du groupe du platine, métal dur, blanc et brillant, est quelquefois utilisé pour plaquer des bijoux et de la vaisselle, dont le métal de base est du laiton, du bronze, du cuivre ou du nickel. L'anode est en platine, indissoluble. Le placage au rhodium est une protection coûteuse qui donne un résultat un peu rugueux, mais d'un brillant de longue durée.

Le fer

Depuis la nuit des temps, l'homme a travaillé le fer, qui s'est révélé être un métal inestimable. Bien que la plupart des objets en fer aient été et soient toujours purement utilitaires, ce métal s'est également prêté à la fabrication d'articles décoratifs.

Il existe trois sortes de fer : le fer forgé, la fonte et l'acier. Le fer forgé est de loin le plus ancien ; la fonte date de 1400 environ et l'acier, sous sa forme actuelle, de 1856. Le fer forgé n'est plus fabriqué commercialement, mais on peut toutefois retravailler quelques petits éléments de fer ancien, ou employer l'acier doux.

La plus ancienne utilisation du fer forgé remonte à la fabrication d'outils et d'armes élémentaires tels que couteaux et fers de lances. Plus tard, on le destina à d'autres usages, par exemple les clous et les gonds de portes ; puis, peu à peu, d'utilitaire, le fer forgé est devenu décoratif. C'est vers le XIe siècle que l'on transforma les simples charnières plates de gonds de portes en volutes, et que d'autres motifs à plat furent appliqués sur les portes d'église. Aux siècles suivants, l'Eglise commanda des paravents et des grilles ajourés, souvent pour protéger et entourer des tombeaux illustres et des monuments.

A la fin du XVIIe siècle et au début du XVIIIe, l'artisanat du fer forgé décoratif devint un art à part entière, avec ses propres lois, illustré en Angleterre par les œuvres de Jean Tijou, de Robert Bakewell et des frères Davies. Sous le règne de Louis XIV, en France (patrie de Jean Tijou, qui avait fui les persécutions religieuses), il y eut un grand nombre de commandes pour Versailles. Plus tard, en 1750, c'est Jean Lamour qui dessina et créa l'architecture en fer forgé de la place Stanislas à Nancy, où il combina le travail de volutes et la décoration en relief en repoussé. Tijou et Lamour ont laissé leur empreinte aussi bien dans leurs livres de dessins que dans la pratique de leur art.

En Amérique, les premiers fers forgés étaient fabriqués avec de la matière première importée de Grande-Bretagne. Cependant, vers 1750, il y eut un renversement de situation, et les barres de fer qui sortaient des fours de la Nouvelle-Angleterre, de Pennsylvanie ou de Virginie furent exportées vers la Grande-Bretagne, qui, à son tour, exportait les produits finis vers l'Amérique.

Le fer forgé a une structure fibreuse, mais différente de celle du bois. Il est ductile et peut être martelé, pressé, roulé ou recourbé. Il résiste à la tension et à la pression et, la plupart du temps, on le travaille quand il est chauffé au rouge ; cependant, quelquefois, par exemple pour le repoussé sur une feuille, le travail se fait à froid. Si l'on chauffe deux plaques de fer forgé à 1350 °C environ, et si on les martèle ensemble, elles se souderont en une seule pièce.

Le travail de l'artisan du fer forgé ou du forgeron a toujours été soumis à certaines règles fondamentales. Chaque objet en fer forgé provenait soit d'une barre de fer à section ronde, carrée ou rectangulaire, soit, dans le cas du repoussé notamment, d'une feuille plate et peu épaisse. Le forgeron se procurait la matière première chez des marchands de métaux ; comme celle-ci n'était souvent disponible qu'en quantité limitée, aussi bien pour la forme que pour les dimensions, l'artisan devait donc exécuter plusieurs formes préliminaires avant de s'attaquer au travail complexe et délicat qu'était l'ouvrage ornemental. Par exemple, il devait parfois effiler la barre de fer ou bien en transformer la section ronde en section carrée ou vice-versa ; ou encore, la gonfler à une extrémité ou même en son milieu.

Les outils du forgeron étaient peu nombreux mais caractéristiques, de diverses formes et dimensions : un soufflet pour le feu, une enclume, plusieurs marteaux de poids différents, un étau, de multiples outils pour couper, mouler, former (y compris les « estampes » qui étaient aux dimensions des emboutissoirs), ainsi qu'une grande variété de pinces pour

Ci-contre : les grilles en fer forgé de Burghley House, dans le Northamptonshire, probablement exécutées par Jean Tijou en 1710 (actif entre 1689 et 1712). Tijou, protestant français qui avait fui les persécutions religieuses, vivait et travaillait en Angleterre. Son livre A New Book of Drawing, *publié en 1693, est le plus ancien des livres de dessins consacré au fer forgé.*

Ci-dessus : plan d'un escalier du Français Jean-François Forty (1744-1780), vers 1780. Forty était dessinateur, graveur et sculpteur sur métaux. Très renommé, il a publié huit volumes de dessins. Cette superbe balustrade de forme classique allie les volutes forgées, les bordures moulées et, au centre, les motifs de feuillage en repoussé.

maintenir le fer chaud pendant le travail. Le forgeron achetait une grande partie de son matériel (soufflet, enclume, marteaux et cisailles) chez les marchands spécialisés et fabriquait quelques pièces lui-même, comme les tenailles. Un élément de fer chaud martelé à plusieurs reprises au même endroit subissait des déformations et des étirements plus ou moins réguliers, et c'était là tout l'art du forgeron que de les canaliser et de les uniformiser dans le sens et la direction souhaités. Au lieu d'étirer le fer, il pouvait tout simplement le recourber.

La volute, motif courant des portails et des grilles d'ornement, est un exemple de courbure simple. Pour fabriquer une volute, le forgeron choisissait une pièce de fer de la bonne taille et en coupait la longueur nécessaire, en frappant avec un marteau sur un tranchet d'enclume (sorte d'outil en forme de ciseau, muni d'une goupille fixée dans le trou du tranchet, sur l'enclume). Ensuite, il chauffait le fer et le façonnait sur la pointe de l'enclume. Si le forgeron avait besoin d'un grand nombre de volutes, il utilisait un moule à volutes, pièce de fer de forme spéciale autour de laquelle il enroulait le métal à chaud. Les volutes pouvaient former des spirales plus petites et des ramifications, qui étaient forgées séparément et soudées, les deux parties étant chauffées et martelées ensemble.

La ferronnerie ornementale prenait le plus souvent la nature

Ci-dessus: grille en fer forgé appartenant à l'ensemble de la Fountain Screen *au Palais de Hampton Court, exécuté par Tijou vers 1700. Tijou a apporté la virtuosité de l'orfèvre à l'art du forgeron.*

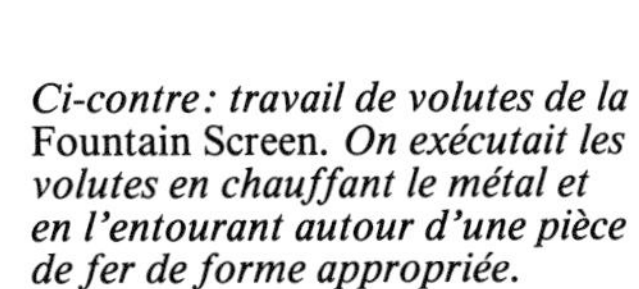

Ci-contre: travail de volutes de la Fountain Screen. *On exécutait les volutes en chauffant le métal et en l'entourant autour d'une pièce de fer de forme appropriée.*

Ci-contre: travail de repoussé de la Fountain Screen. *Pour ce travail, il fallait bosseler la plaque de métal sur l'envers à l'aide de poinçons et de marteaux.*

pour modèle (plantes, oiseaux et autres animaux), et il existait un grand choix de techniques pour sa réalisation. S'il désirait effiler uniformément la barre de fer, le forgeron la martelait sur le dégorgeoir, sorte d'outil à bout rond, maintenu dans le trou du tranchet : cela laissait sur la surface du métal une série de bosses qu'il faisait disparaître en martelant directement sur l'enclume ou sur un banc à étirer, sorte d'outil plat qu'il maintenait pendant que son aide frappait avec la masse.

Pour obtenir une barre ronde, on employait des emboutissoirs aux extrémités creuses qu'on insérait dans le trou du tranchet d'enclume ou bien dans la gorge de l'emboutissoir ; ensuite, on posait un autre emboutissoir à main sur le fer et l'on frappait avec la masse.

Si le forgeron désirait bomber partiellement une pièce de fer à une extrémité, il la chauffait puis la martelait dessus et dessous. Pour obtenir un renflement au milieu du métal, il le chauffait à l'endroit voulu, puis frappait l'extrémité non chauffée sur l'enclume d'une façon répétée.

Cette opération s'appelait « refouler ». Pour exécuter un motif délicat et fin tel qu'une feuille, une fleur ou une figurine (en repoussé), l'artisan posait une feuille de métal sur un sac de cuir empli de sable et frappait avec un marteau spécial.

Pour percer les trous, l'artisan plaçait le métal au-dessus du poinçon de l'enclume ou bien au-dessus d'un des trous de l'emboutissoir, puis il martelait l'emporte-pièce. Pour tordre une barre de fer, le forgeron en coinçait une extrémité dans un étau et la tordait avec une clé. Il pouvait également exécuter d'autres formes en découpant le fer avec un ciseau chauffé sur une enclume. Les finitions se faisaient avec une lime.

Le forgeron travaillait aussi bien d'après ses propres dessins que d'après ceux d'un artiste ou d'un architecte. Il vérifiait les mesures avec des règles et des compas mais, la plupart du temps, il se fiait à son propre jugement aussi bien pour chauffer le métal à la température idéale que pour obtenir la forme désirée.

L'acier présente un grand nombre des caractéristiques physiques du fer forgé et peut être travaillé de la même façon. Autrefois on l'employait assez peu dans un but décoratif ; de nos jours, en revanche, beaucoup d'artisans l'utilisent, travaillant aussi bien selon les méthodes traditionnelles du fer forgé que selon des techniques, plus modernes, faisant appel à la soudure et la torsion à l'arc électrique ou à la découpe au chalumeau. Lorsque le marteau-pilon électrique remplaça le marteau-pilon

A l'extrême gauche : illustration tirée de De re metallica *d'Agricola, montrant une forge typique du XVIe siècle avec son grand soufflet de forge mécanique sur la gauche du foyer.*

Ci-contre : illustration de De re metallica, *montrant la transformation de la fonte brute en fer forgé. A l'arrière-plan, on voit un foyer typique du XVIe siècle. Les travaux d'Agricola sont une importante source d'informations au sujet des outils et des méthodes des artisans. D'autres gravures sur bois sont illustrées à la page 64.*

Ci-dessous : enclume de forgeron du XIXe siècle. L'éperon, le trou du tranchet et le trou d'étampe n'existent pas sur les enclumes illustrées par Agricola.

TROU D'ETAMPE
TROU DU TRANCHET
TALON
SURFACE
TABLE
EPERON
SUPPORT EN BOIS D'ORME

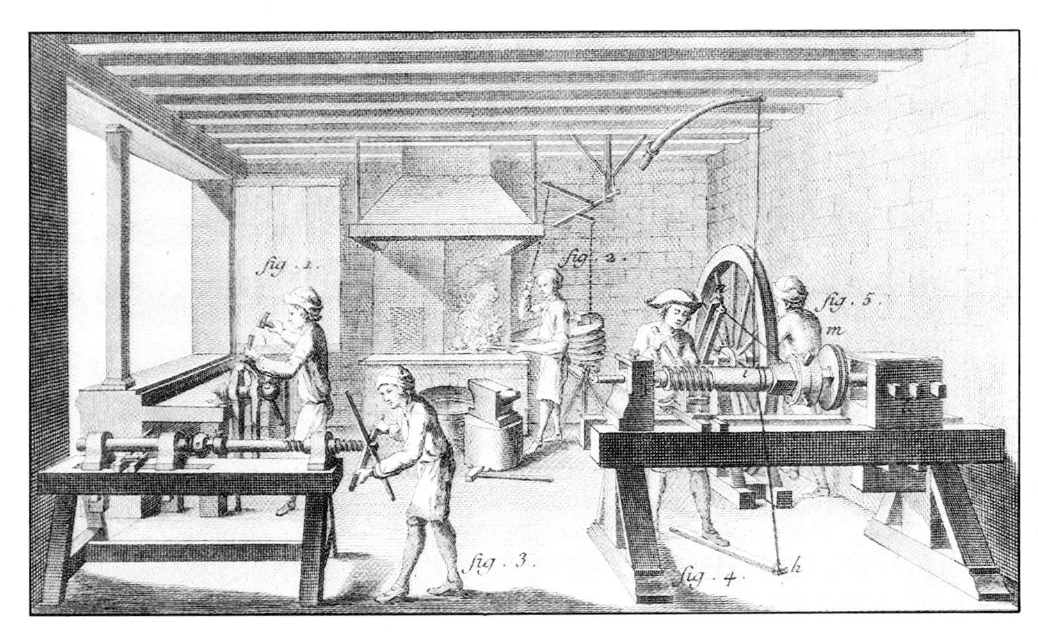

*Ci-contre: illustration d'une fabrique d'outils d'après l'*Encyclopédie *de Diderot, montrant un atelier de filetage. Sur la gauche, un ouvrier trace le modèle sur une tige, tandis qu'à l'arrière-plan un autre utilise un outil à fileter. Sur la droite, on peut voir un tour à fileter mécanique entraîné par une roue.*

Ci-dessous: coffre allemand en fer forgé datant de 1716, composé de barres et de plaques en fer forgé. Ce coffre est le résultat de diverses méthodes de forgeage: cintrage, façonnage de volutes, reperçage, rivetage, soudure et usinage décoratif.

à vapeur, vers le milieu du XIXe siècle, la vitesse à laquelle on put travailler l'acier augmenta considérablement.

La fonte est cristalline mais ductile, plutôt fragile sous tension et relativement cassante. On ne peut pas la travailler avec les méthodes du fer forgé mais, en revanche, on peut la chauffer et la couler dans des moules quand elle est à l'état liquide.

Depuis l'âge du fer et jusqu'au Moyen Age, on obtenait le fer dans un four où brûlait du charbon. Le minerai de fer brûlait en même temps, jusqu'à la formation d'oxyde de carbone et la réduction du minerai à l'état d'une masse métallique spongieuse appelée loupe. Au stade du forgeage, la loupe de fer était renforcée par martelage afin d'en éliminer les défauts ou scories.

Vers la fin du XIVe siècle, l'essor des hauts fourneaux révolutionna la technique de la métallurgie. Le minerai de fer et le charbon étaient brûlés ensemble dans un haut four conique, absorbant le carbone au fur et à mesure que le minerai fondait, et celui-ci était récupéré au bas du fourneau à l'état liquide. Il était ensuite coulé dans un moule fait de sable humide, tassé dans un châssis de bois, de dimensions un peu supérieures à la taille désirée, afin de permettre la contraction. Quand on ôtait le moulage, le moule de sable était brisé, mais le châssis de bois pouvait être réutilisé.

Cette technique, connue sous le nom de moulage ouvert en sable, convenait pour des objets n'ayant qu'un seul côté. Mais dans le cas d'objets « en rond » (par exemple, un épi de faîtage), il existait une autre méthode. On enfonçait à moitié le châssis de bois dans le sable, dans un moule ouvert en haut et en bas, puis un second moule empli de sable — également ouvert en haut et en bas — était placé par-dessus le premier, de façon à envelopper complètement le modèle. On enlevait alors le moule du dessus ou chape, et on soulevait le châssis et le moule du fond. On perçait un trou de coulée dans la chape pour y introduire le métal fondu et on replaçait cette chape sur le fond. Ensuite, on assemblait correctement les deux parties du moule avec des chevilles. On obtenait ainsi une boîte en deux parties dont le creux avait la taille et la forme exactes du châssis, et dans laquelle on coulait le métal.

On tassait le sable humide dans ces moules creux et on fabriquait ainsi un « objet » en sable ou noyau, de la taille et de la forme désirées, afin d'obtenir le creux dans le moule. Ce noyau était introduit dans le châssis inférieur après qu'on avait retiré le modèle, mais avant de replacer le châssis supérieur. Cela laissait une cavité relativement mince à remplir de métal fondu. Pour mouler une colonne cannelée, le procédé était beaucoup

Ci-contre : grille de foyer en fonte et maillechort (Angleterre, vers 1800). La plaque a dû être moulée par le procédé du moule de sable ouvert. On pressait un gabarit de bois imprimé d'un seul côté dans un moule de sable légèrement humide, on ôtait ce gabarit et on versait le métal fondu dans le creux ainsi formé. Quand le métal était refroidi, on retirait le moulage et on ébarbait les bordures brutes en limant, meulant, sciant ou taillant. La partie avant de la grille est en maillechort, alliage de cuivre, zinc et nickel.

Ci-dessous : série de chaudrons en fonte de Coalbrookdale Co. (Angleterre, XVIIIe et XIXe siècle). Dans les usines de Coalbrookdale, dont Abraham Darby prit la tête en 1708, la fonte était directement amenée du haut fourneau dans des moules de sable.

plus complexe, car les cannelures empêchaient de soulever le châssis supérieur et on ne pouvait pas non plus ôter le gabarit du châssis inférieur. Le moule était alors composé de quatre éléments qu'on pouvait retirer et assembler à nouveau.

Les moulages présentaient toujours des bords bruts, surtout à la jonction des deux parties du moule, ainsi que des trous et des ouvertures par lesquels on coulait le métal fondu. Pour les faire disparaître, on taillait, limait, sciait ou meulait : c'était l'ébarbage.

La grande révolution de la métallurgie survint en 1709, grâce à la mise au point du procédé de fusion du coke par Abraham Darby, à Coalbrookdale, qui permit d'utiliser la houille plutôt que le charbon de bois comme combustible. Pendant tout le XIXe siècle, on employa beaucoup la fonte, aussi bien pour fabriquer des cylindres de moteurs, des ponts, des structures d'immeubles ou des coques de navires que pour créer un grand choix d'articles décoratifs tels que des poêles, des plaques et des accessoires de cheminée ou des bancs de jardin. On l'utilisait quelquefois combinée avec du fer forgé pour fabriquer des grilles et des portails ornementaux.

Ci-contre : illustration d'un fondeur tirée de The Young Tradesman or the Book of English Trades, *1839. Les outils du fondeur étaient des pelles, des cribles (afin de retirer des morceaux de fer, ou autres, du sable avant de l'utiliser à nouveau), des poches de coulée (en principe revêtues d'argile) pour récupérer le métal fondu à la sortie du four, ainsi que d'autres ustensiles pour le finissage.*

Ci-dessous : fauteuil en fonte (Etats-Unis, seconde moitié du XIXe siècle). Plusieurs fonderies américaines ont produit des meubles à motifs de fougère. Ces meubles étaient souvent utilisés dans les jardins d'hiver où, grâce à leur peinture, ils supportaient bien l'atmosphère humide.

Ci-dessus : poêle à pétrole en fonte Veritas (Angleterre, vers 1890). Dans le procédé de moulage, le façonnage et le décor de chaque élément étaient une opération unique.

Le métier de l'armurier

Au Moyen Age, l'armure était fabriquée principalement en fer et en acier, sous forme de mailles ou de plaques. La cotte de mailles était une armure défensive constituée d'anneaux métalliques entrecroisés et rivetés ensemble; l'armure en plaques assurait la protection grâce à des plaques métalliques séparées, taillées à la forme du corps et maintenues ensemble par des rivets et des lanières. La fabrication de la cotte de mailles était une affaire de spécialiste. Le fil métallique était passé à travers une filière, comme on le faisait pour le fil d'argent. Ensuite, on l'enroulait autour d'une tige circulaire et on le coupait dans le sens de la longueur afin d'obtenir des anneaux non fermés. L'ouvrier faisait chevaucher les anneaux à l'aide d'un poinçon, puis les emboutissait en utilisant deux filières en acier pour étirer la section des anneaux à l'endroit où ils chevauchaient. C'est à cet emplacement que l'armurier faisait un trou et y enfonçait un rivet, de façon que chaque anneau puisse être relié à un autre pour former un vêtement au modèle désiré et aux dimensions voulues.

La méthode d'étirage et de martelage du fil métallique avait tendance à le rendre raide et cassant, et c'est grâce au recuit qu'il devenait plus souple et pouvait de nouveau être facilement travaillé. On est sûr, d'après les illustrations de l'époque montrant des ouvriers travaillant la maille à mains nues, que le métal était utilisé à froid.

Dans certaines cottes de mailles, surtout celles qui étaient fabriquées en Inde, les maillons étaient aboutés ensemble et non rivetés. Dans un but décoratif, on utilisait parfois des anneaux de cuivre ou de bronze. Quelques cottes de mailles turques et égyptiennes, datant du XVe siècle, comportent des textes arabes gravés en relief sur chaque anneau.

L'essor de l'armure entièrement faite de plaques d'acier date du XIVe siècle. Plusieurs grands centres de production, dont Milan, Augsbourg et Nuremberg, étaient établis dès cette époque et exportaient leurs produits vers le reste de l'Europe. Tout à fait au début du développement de cet art, l'armurier recevait la matière première sous forme de lingots de fer rectangulaires qui devaient tout d'abord être forgés en plaques. Pour cela, il travaillait soit à la main, soit en utilisant de grands marteaux mécaniques à eau. Au XVe siècle, quand la production fut bien établie, les ateliers importaient généralement leurs matières premières, sous la forme de plaques plates, de grands centres tels qu'Innsbruck. Le harnachement complet d'une armure comportait un grand nombre de plaques soigneusement taillées aux mesures individuelles précises et reliées par des charnières, des rivets et des lanières. Les plaques étaient étirées et mises en forme par martelage, sur des tasseaux de fer spécialement façonnés, et l'on procédait fréquemment à l'opération de recuit. Il fallait une grande habileté pour que la plaque soit plus épaisse sur le devant (qui nécessitait une plus grande protection) que sur les côtés, à cause d'un problème de poids. Les casques ou armets étaient fabriqués à partir de feuilles plates qu'on rabattait pardessus une forme en acier. Une fois que le casque et le plastron étaient façonnés, on en retournait les bords tranchants sur un fil métallique. Cette opération se faisait probablement sur un étau spécial, pour que la bordure soit régulière.

Les parties les plus élaborées et les plus délicates d'une armure étaient les protections des jambes ou jambières, principalement à cause du nombre important d'angles et de sections apparentes. Pour faciliter les mouvements, les assemblages étaient faits d'étroites bandes de métal encastrées les unes dans les autres,

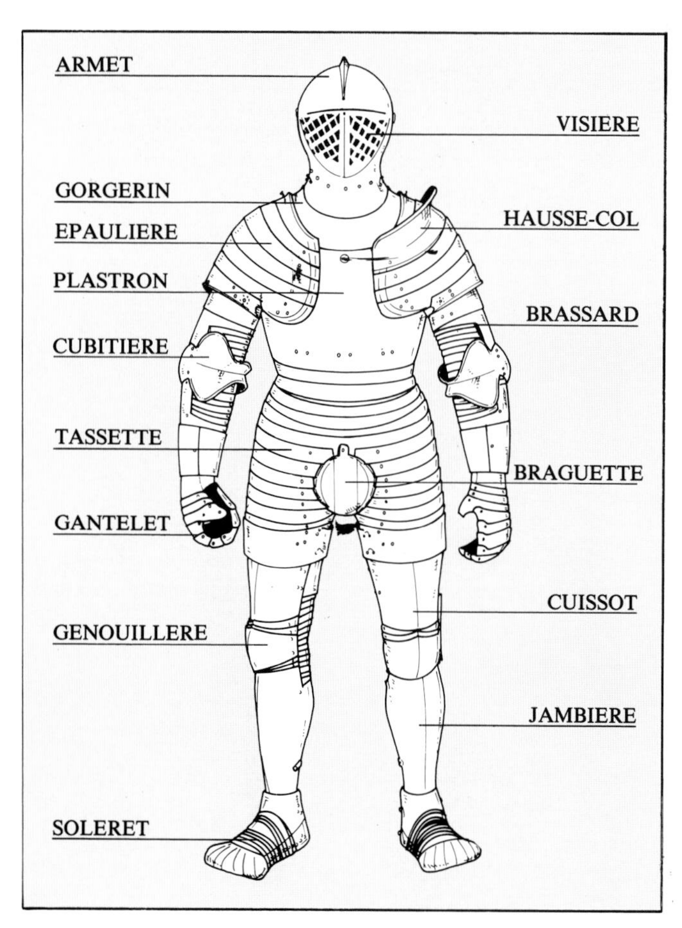

Ci-dessus: illustration tirée d'un livre des métiers allemand de Jost Amman (1568), représentant un fabricant d'armures. On voit l'armurier façonner une plaque sur un tasseau de fer par martelage.
A gauche: l'armure du roi Henri VIII pour les combats au sol, fabriquée à Greenwich entre 1515 et 1520.

Ci-dessus: illustration tirée de Das Hausbuch der Mendelschen Zwoelfbruederstiftung, *1425-1550, représentant un ouvrier en train de fabriquer une cotte de mailles. On voit l'artisan utiliser des tenailles pour riveter les anneaux des mailles. On fabriquait les anneaux en tirant le fil métallique à travers une filière, avant de l'enrouler autour d'une tige circulaire et de le couper.*

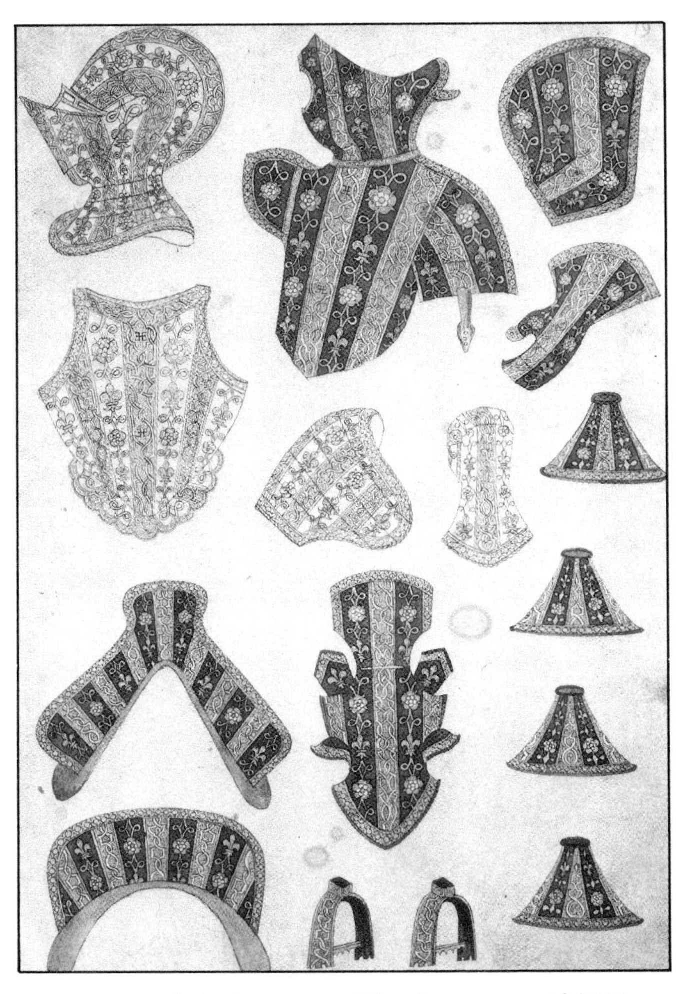

Ci-dessus: page de dessins pour l'armure de droite tirée du Jacobe Album, *probablement en provenance de Greenwich, sous la direction de l'Allemand Jacob Halder, 1556-1587.*

Ci-contre: armure anglaise en acier gravé à l'eau-forte, bleu et or, exécutée pour George Clifford, troisième duc de Cumberland, à Greenwich, en 1590. L'atelier de Greenwich, fondé sous le règne de Henri VIII, employa de nombreux artisans étrangers.

comme sur un télescope. Les plaques ou lames étaient rivetées, par l'intérieur, à des lanières de cuir verticales pour permettre de plier les genoux, les chevilles ou les bras.

Les surfaces étaient minutieusement décorées. Au XVe siècle, le décor se limitait souvent à des cannelures ciselées et à des bordures dorées appliquées à la façon gothique; mais, au fur et à mesure qu'on destinait les armures davantage à la parade qu'à la protection, on inventa d'autres procédés de décoration. Ainsi, on oxydait toute la surface avec une flamme ou avec des produits chimiques, afin d'obtenir un bleu couleur de paon, très brillant: ce procédé s'appelait le bleuissage; on gravait également à l'eau-forte des bandes de décor, puis on les dorait; enfin, on recouvrait les lanières de cuir avec du velours. Dans certaines armures de parade du XVIe siècle, la surface était incrustée d'argent, et on a même retrouvé quelques pièces d'une armure émaillées d'or. Certains harnachements de protection combinaient le métal et le tissu. Par exemple, la brigandine était une sorte de veste courte, composée de petites plaques de fer chevauchant et fixées à un support de tissu. Les plaques étaient souvent recouvertes d'étain pour éviter qu'elles ne rouillent.

L'épée

La fabrication des épées faisait appel à des ouvriers spécialisés tels que les fabricants de lames, les rémouleurs, les polisseurs, les fabricants de poignées et les gainiers pour les poignées et la confection du fourreau de protection. Quand le travail était achevé, l'épée était livrée chez un coutelier pour la revente aux particuliers.

La matière première utilisée pour la fabrication de la lame était une billette, petit lingot d'acier et de fer. La composition de cet alliage garantissait à la fois la dureté et la flexibilité de la lame. Il existait un grand choix de formes de lames, depuis la lame courte jusqu'aux épées longues et étroites destinées à l'estocade, en passant par les lames à un seul côté tranchant utilisées à la chasse. L'artisan étirait la barre de métal jusqu'à la longueur désirée et la façonnait grossièrement avec de grands marteaux à bascule.

La plupart des lames comportent une rainure droite tout au long, près de la garde. On pouvait ciseler cette rainure ou la forger dans la lame, et les artisans allemands avaient mis au point un système de fabrication de lames façonnées mécaniquement avec des cylindres en acier.

Après quelques affûtages préliminaires, on chauffait la lame jusqu'à la température adéquate, qu'on déterminait par la couleur, puis on la trempait dans de l'huile. Ensuite, on la chauffait à nouveau, à température plus basse, puis on la trempait dans un bain de plomb avant de la mettre à refroidir. Toutes ces opérations avaient pour but de réduire les déformations de la lame. Ensuite, soit on soudait une courte saillie pour former la poignée — la soie —, soit on la prenait dans le prolongement de la lame. Enfin, tout était prêt pour le dernier affûtage et polissage, qu'on exécutait sur une série de meules reliées par des courroies à une roue à eau. L'artisan était généralement étendu sur un banc derrière la roue et maintenait la lame à angle droit avec un linge. Il affûtait les lames sur des meules tournantes de tailles différentes, puis terminait l'opération avec un mélange à polir pour donner à la lame un brillant miroir. La lame était alors dorée ou gravée à l'eau-forte. La délicate couleur bleue de certaines lames fut probablement obtenue grâce à des produits chimiques spéciaux ou à des bains de plomb fondu.

Certaines épées étaient pratiquement des bijoux, et la partie la plus décorée était la poignée. Quelques épées faites de métal précieux étaient coulées, élément par élément, dans différents moules. La poignée d'une rapière (épée ornementale des XVIIe et XVIIIe siècles) consistait en une garde en forme de coquille, un arc de jointure, un quillon antérieur et un pommeau dont la poignée en bois était habillée de fil métallique. Les éléments

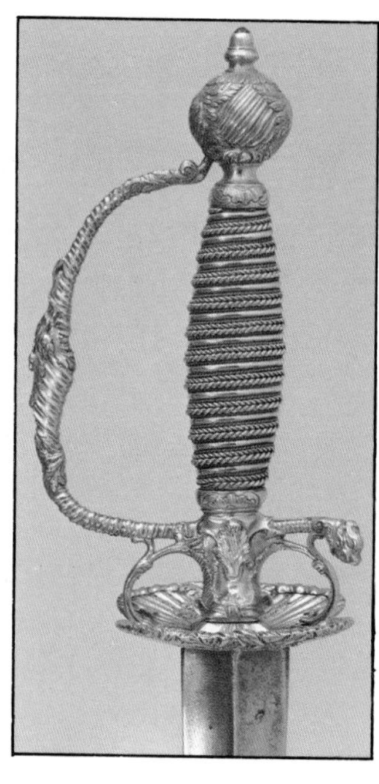

Ci-dessus: rapière anglaise, avec une poignée en argent moulé et ciselé, et portant le poinçon du fabricant: IR, vers 1750. Voici un bel exemple de style rococo.

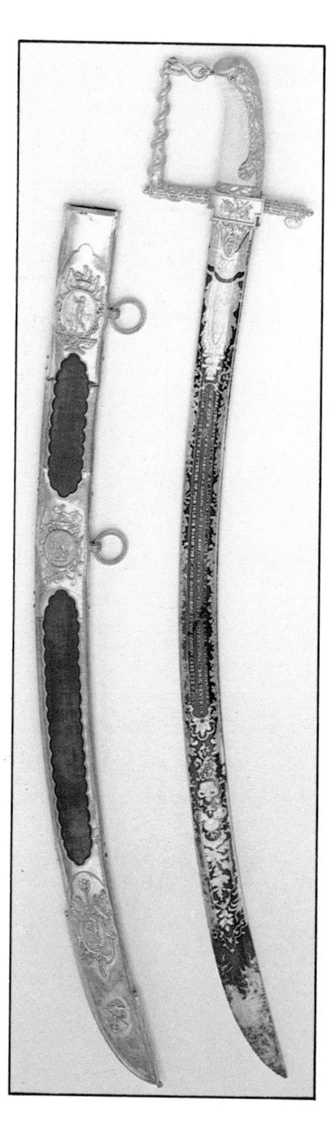

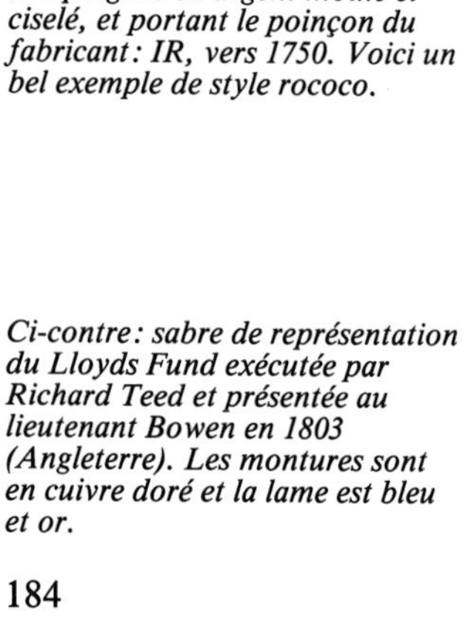

Ci-contre: sabre de représentation du Lloyds Fund exécutée par Richard Teed et présentée au lieutenant Bowen en 1803 (Angleterre). Les montures sont en cuivre doré et la lame est bleu et or.

*Ci-dessus: détail d'une illustration tirée de l'*Encyclopédie *de Diderot, représentant le meulage et le polissage des lames d'épées. L'artisan tenait la lame contre les meules qui tournaient en allant vers le grain le plus fin. Ces roues étaient reliées par des courroies à une roue mécanique unique actionnée par de l'eau. Le détail vraiment intéressant est la façon dont certains ouvriers s'installaient pour travailler, allongés sur une planche ou un banc derrière la meule.*

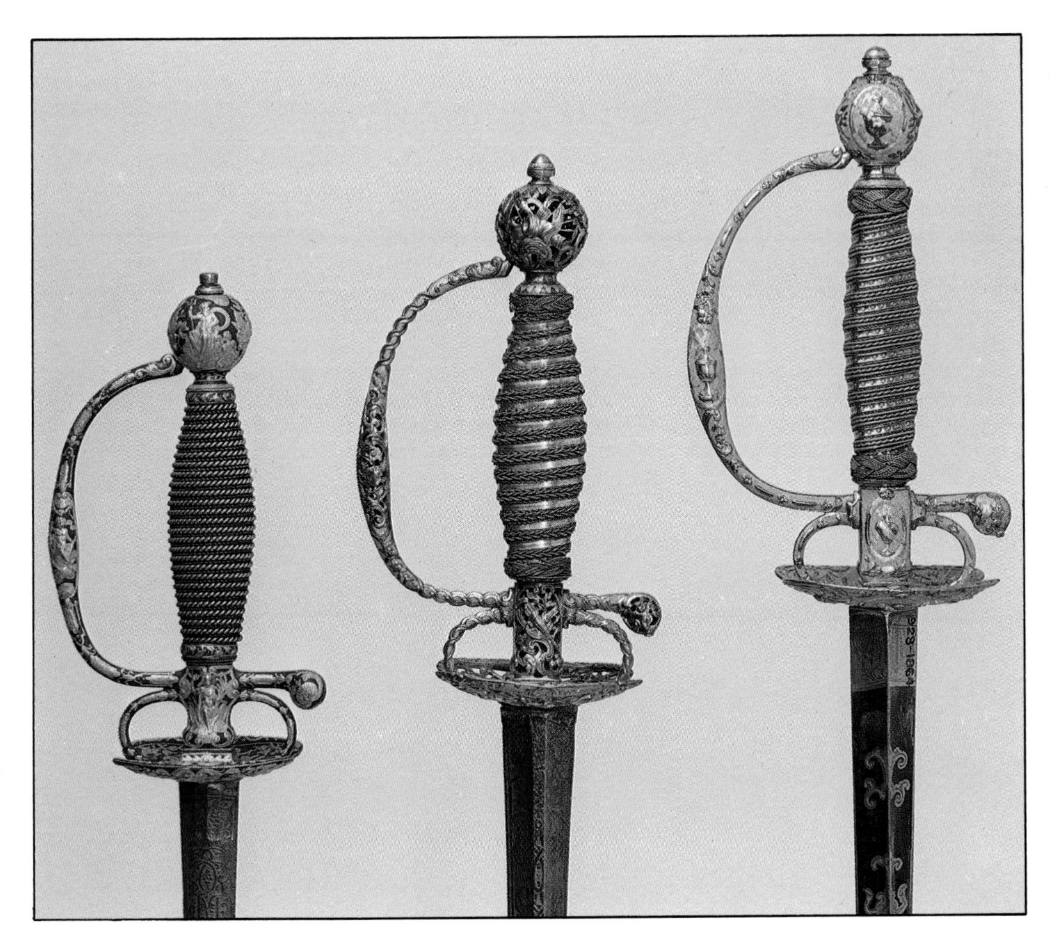

Ci-contre: poignées de rapières françaises en acier, décorées d'or et ciselées (vers 1730-1780). Les lames de ces épées étaient généralement importées d'Allemagne et les poignées étaient le travail de plusieurs artisans spécialisés, chacun fabriquant un élément différent.

principaux étaient coulés dans des moules en deux parties, surtout s'ils étaient faits de métal précieux ou de cuivre. Les poignées moulées étaient presque toujours rehaussées par la suite de filets et de ciselures, le fond du motif étant dépoli avec un poinçon à tête creuse. En examinant une poignée d'épée en cuivre, on s'aperçoit que le même moule était utilisé plusieurs fois, car plusieurs moulages sont très usés.

Parmi les poignées les plus travaillées, quelques-unes étaient en fer et en acier. Il est probable qu'on exécutait les travaux de ciselage, limage et reperçage sur du fer tendre, puis qu'on chauffait tous les éléments ensemble avec du charbon, afin de transformer le fer en acier. Pendant le travail de reperçage, l'ouvrier devait allier la décoration de la poignée avec sa fonction pratique. C'était habituellement un travail de volutes délicates comme de la dentelle, et on n'exécutait le ciselage que sur les plus grands éléments d'une poignée.

On a retrouvé des poignées en or, les plus anciennes étant parmi les armures dynastiques de Dresde et de Vienne. Elles étaient d'abord moulées, puis travaillées avec des ciseaux et des outils à ciseler. Certaines sont décorées d'émaux ou enchâssées de pierres précieuses, travail exécuté en principe par un joaillier, de même que pour celles qui étaient en porcelaine ou en écaille. Les poignées en argent étaient soit unies soit décorées d'une façon très sophistiquée de motifs en repercé ou en relief dans le style rococo.

A la fin du XVIIIe siècle, il y eut une mode pour les poignées en acier très brillant, enchâssées de cabochons à facettes. De ravissants modèles ont été fabriqués à Soho (Birmingham), dans la manufacture de Matthew Boulton. Ce sont des sculpteurs et des médaillistes — dont quelques-uns (par exemple, Gottfried Leygebe, médailliste, sculpteur et fabricant de pièces pour l'Electeur de Saxe) ont signé leur œuvre — qui ont créé un bon nombre d'épées en acier extrêmement ouvragées.

La décoration courante sur de nombreuses poignées était un décor appliqué et incrusté et quelquefois plaqué d'une feuille d'argent gravé. On employait également le damasquinage, terme qui recouvrait deux techniques différentes d'incrustation d'un métal précieux. La première consistait à découper directement sur la surface avec un outil de graveur dont le côté tranchant laissait une rainure en coupe de queue-d'aronde, dans laquelle on fixait solidement le fil d'or ou d'argent. Ce fil métallique produisait un effet superbe, et il n'y avait plus qu'à le polir pour lui donner un fini magnifique. Ce travail d'incrustation était très solide mais très onéreux, car il demandait une grande habileté au graveur et une importante quantité de métal. Cela en explique la rareté.

Le procédé d'incrustation le plus courant était le faux damasquinage ou hachures. D'abord, on bleuissait — soit au feu, soit avec des produits chimiques — la surface en acier, afin de l'assombrir ; puis on y traçait, en travers, une série de lignes très fines à l'aide d'un outil de graveur. C'est sur cette surface hachurée que l'artisan dessinait avec une pointe en cuivre le décor qui ressortait en clair sur la surface foncée. Ensuite, il prenait un fil d'argent ou d'or très fin, qu'il fixait sur la surface, en suivant le dessin ; le fil métallique adhérait parfaitement aux fines lignes découpées. Pour terminer, il polissait son travail. Cette dernière technique ne demandait pas une grande quantité de métal précieux, mais elle avait l'inconvénient d'entraîner une grande fragilité.

Le plomb

On trouve le plomb à l'état naturel sous forme de minerai de plomb: la galène. On obtient le métal par réduction, en le chauffant avec du charbon. Il est de couleur grise et d'un brillant argenté quand on le raye ou l'entaille. Son point de fusion est bas (327 °C) et c'est un métal mou.

Le plomb est utilisé dans la construction depuis l'Antiquité à cause de sa ductilité et de sa grande résistance aux intempéries. Les Romains l'employaient largement pour la fabrication de tuyaux et de cercueils, qui étaient généralement moulés dans du sable ou dans des moules en plâtre. En ce temps-là, le plomb arrivait sous forme de lingots rectangulaires estampillés au nom de l'empereur régnant et indiquant leur provenance. Les tuyauteries romaines étaient cylindriques, d'une longueur et d'un diamètre standardisés; on en a retrouvé quelques spécimens portant des précisions de date et d'origine. Les inscriptions sont presque toujours en relief, ce qui indique qu'elles ont été faites dans le moule avant que le métal y soit coulé.

Au Moyen Age, le plomb fut très largement employé, notamment pour les fonts baptismaux et les bénitiers. D'ailleurs, il est surprenant d'en retrouver autant, surtout en Angleterre. Les plus courants étaient un bassin cylindrique à base plate et quelques-uns mesurent plus de 1,80 mètre de diamètre. Presque tous sont décorés de dessins en relief sur la partie extérieure. D'autres, datant des XIIe et XIIIe siècles, comprennent des personnages entre des arcades soutenues par des piliers. Il y avait également des motifs abstraits tels que des volutes, des guirlandes de fleurs, des rosaces ou des dessins architecturaux. Les motifs répétés semblent indiquer qu'on utilisait des gabarits de bois dans les moules; ceux-ci ont quelquefois laissé une empreinte sur la surface ressemblant à une couture en relief.

De petites plaques de plomb à trous étaient employées au-dessus des fenêtres comme sources d'aération. Elles sont, en général, carrées ou en forme de losange et comportent de ravissants motifs à trous, généralement dans un style gothique

Ci-contre: soupirail en plomb (Angleterre, fin du XVIIIe siècle). La résistance du plomb à la corrosion en faisait un matériau idéal pour les tuyaux, gouttières, soupiraux et autres éléments extérieurs des immeubles.

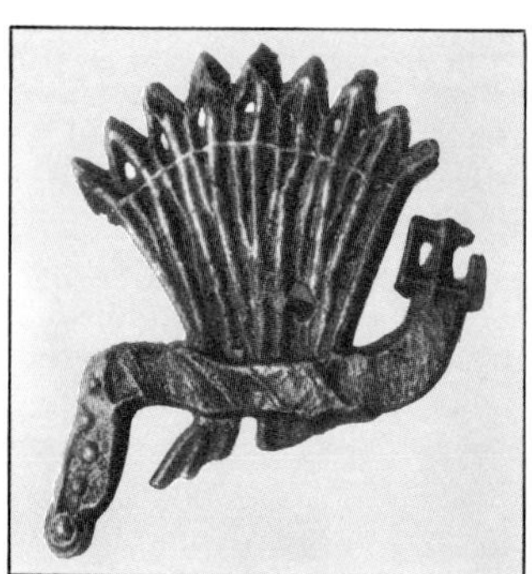

Ci-dessus: insigne en plomb d'une compagnie d'archers (Angleterre, XVe siècle). Cet insigne a été moulé dans un moule de pierre et était probablement porté sur un chapeau.

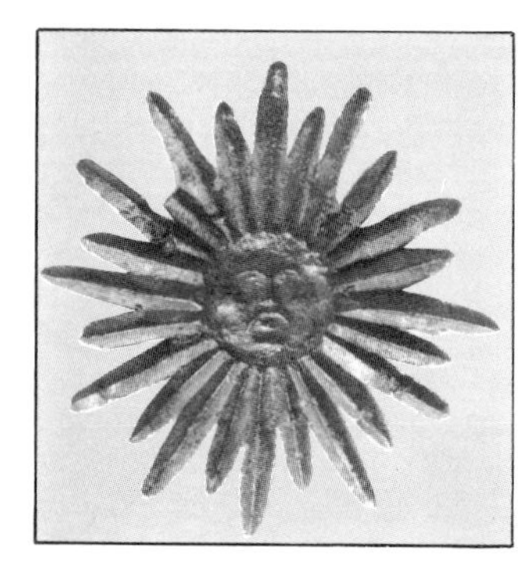

Ci-dessus: insigne en plomb de « Sun in Splendour » porté par les partisans de la Maison d'York pendant la guerre des Deux-Roses, au XVe siècle. Ces insignes ont été retrouvés dans la Tamise.

Ci-dessous: illustration tirée des British Manufacturers Metal *de George Dodd, 1845, représentant une fonderie de plomb. On fondait le plomb dans un four, et les impuretés, plus légères que le métal, remontaient à la surface. En bas du four, il y avait une valve par laquelle le métal fondu s'écoulait dans un moule de fonte.*

très prononcé. Les grilles étaient coulées dans des moules de sable fin et il est tout à fait possible d'identifier les ateliers originaux simplement par le dessin du moulage. Il semble que ces moules aient surtout été utilisés entre le XIVe et le XVIe siècle.

On employait de petits moulages en plomb pour les montures des coffrets et on a retrouvé de jolis objets à décor repercé de style gothique, datant du XIVe siècle. Les moulages faisaient l'objet d'un commerce actif et il existe des exemples d'un même moule ayant traversé plusieurs pays. Quand il était utilisé dans un but décoratif, le plomb était habituellement doré ou peint, souvent par-dessus une couche d'enduit au plâtre (v. p. 48).

Pendant des années, le fond des rivières recelait un grand nombre d'insignes ayant appartenu à des pèlerins et à leur suite entre le XIVe et le XVIe siècle. Cela va de l'insigne très célèbre de Canterbury portant la tête coiffée de la mitre de Thomas Becket, jusqu'à celui des partisans de la Maison d'York, le *Sun in Splendour*. Beaucoup de fausses antiquités fabriquées vers 1840 par « Billie » et « Charlie » — William Smith et Charles Eaton —, copiées sur ces insignes, étaient en plomb coulé dans des moules en plâtre de Paris.

Parmi les objets courants en plomb, il faut noter les gargouilles utilisées à l'extérieur des maisons depuis la fin du Moyen Age, servant à canaliser l'eau de pluie dans les gouttières en plomb également. Elles étaient minutieusement décorées de motifs moulés et repercés, et beaucoup étaient moulées avec des initiales et une date. Les dessins étaient très variés, depuis les boîtes carrées crénelées décorées de découpures gothiques du XVIe siècle jusqu'à celles du XVIIIe qui étaient ornées de colonnes classiques et de feuilles d'acanthe. Les tuyaux de plomb et les gouttières étaient également décorés, généralement de motifs de feuillage et de volutes.

Parmi d'autres objets familiers du domaine de l'architecture, il faut noter les grandes citernes en plomb destinées à recevoir les eaux de pluie. Certaines grandes citernes ovales, décorées de rosaces, sont d'origine française et remontent au XIVe siècle, mais la plupart datent des XVIIe et XVIIIe siècles. Sur ces dernières, le décor est souvent un travail en relief représentant des brides entremêlées de personnages et d'armoiries.

Depuis le XVIIe siècle, on employait beaucoup le plomb dans les sculptures des jardins et pour les fontaines, car on s'était aperçu que ce métal résistait à la corrosion. Ces grands ouvrages étaient moulés en différents éléments qui étaient ensuite assemblés et soudés. Les plus belles œuvres françaises ont été exécutées par des artistes qui sculptaient sur les moulages et obtenaient ainsi une finition exceptionnelle.

Des illustrations anciennes représentant des ateliers où l'on travaillait le plomb montrent des fours et des poches de coulée pour transporter le métal fondu; sont également illustrés différentes formes de moules, de grandes écumoires et des râteaux pour retirer les impuretés à la surface, au moment où l'ouvrier versait le métal fondu. Ces moulages étaient grossièrement usinés à l'aide d'une scie ou ébarbés avec des cisailles. En principe, grâce à la ductilité du métal et à condition d'avoir parfaitement préparé le moule, il n'était pas vraiment nécessaire d'exécuter un usinage complet.

Les orfèvres utilisaient souvent le plomb pour faire les premiers modèles des éléments décorés des coupes et des tasses. Ensuite, les ciseleurs les recopiaient, les conservaient et pouvaient s'en resservir à volonté. L'élasticité et le bas prix de ce métal le rendaient idéal pour le modelage. Bien sûr, la plupart des modèles étaient abandonnés quand le style changeait; néanmoins, on a retrouvé quelques empreintes de bijoux du XVIIIe siècle, des boîtiers de montres et des éléments de boîtes à priser qui ont été réutilisés au XIXe siècle.

Statue de plomb d'un jeune berger et son chien dans les jardins de Canons Ashby (Northamptonshire), probablement par Jan van Nost (début du XVIIIe siècle). Ce personnage a été moulé en plusieurs éléments.

La ferblanterie

L'étain est un métal que l'on trouve à l'état naturel sous forme d'oxyde d'étain ou cassitérite. Il ne ternit pas, résiste aux acides organiques et on peut lui donner l'aspect de l'argent en le polissant. Son point de fusion est relativement bas (231,9 °C) et il peut être plaqué sur une grande variété de métaux.

L'emploi de l'étain en tant que protection du fer contre la rouille était déjà connu des Romains, au début de l'Islam et en Europe occidentale au Moyen Age. Un examen des feuillards de fer forgé utilisés sur les coffres au Moyen Age révèle souvent la surface caractéristique gris argenté. On plaquait également l'étain sur la vaisselle de cuivre pour éviter la toxicité (v. p. 192).

Le fer-blanc, tôle fine recouverte d'étain, a sûrement été répandu en Saxe et en Bohême vers la fin du XVIe siècle ou au début du XVIIe. La production de fer-blanc prit une importance particulière aux XVIIe et XVIIIe siècles, à Pontypool, au sud du Pays de Galles, avec le développement de la métallurgie par la famille Hanbury.

La manufacture de fer-blanc produisait essentiellement de fines feuilles de tôle. Les barres de fer qui avaient été fondues avec le charbon étaient chauffées à nouveau, puis forgées en plaques plates à l'aide d'un grand marteau à bascule à eau. L'ouvrier les posait côte à côte dans un four et chauffait encore. Auparavant, il avait séparé les plaques par un mélange de sable et de charbon, afin qu'elles ne se soudent pas. Les plaques étaient travaillées sous la forme de grandes piles et, grâce aux procédés de chauffe et de martelage, on arrivait à produire de fines feuilles de métal que l'ouvrier découpait aux dimensions désirées avec des cisailles. Après 1728, on fabriqua des feuilles dans un laminoir à tôles qui aplatissait les lingots de fer chauffés entre de gros rouleaux très lourds.

Les feuilles de tôle étaient d'abord frottées avec du grès, puis décapées dans des cuves contenant un liquide en fermentation pour que disparaissent toutes les impuretés. Après ce dernier nettoyage, on les plongeait dans des chaudrons de fonte contenant de l'étain fondu qui s'appliquait uniformément sur toute leur surface. Généralement, on immergeait les feuilles deux fois pour s'assurer d'un revêtement parfaitement égal. Ensuite, l'ouvrier les polissait avec un linge, des flocons d'avoine et de la sciure de bois.

Aux XVIIIe et XIXe siècles, on a fabriqué une grande quantité d'ustensiles en fer-blanc en martelant le métal sur une forme. Les objets les plus connus sont probablement les articles laqués produits à Pontypool et dans les Midlands. Ces centres ont produit un grand nombre de plateaux peu profonds, de formes variées, et décorés de laques colorées. Cette technique décorative connue sous le nom de vernissage au laque est la même que celle qu'on emploie sur le papier mâché (v. p. 58). En France, à la même époque, on produisait également des objets laqués.

Des ustensiles plus simples tels que des chauffe-plats, des bougeoirs, des cafetières ou autres récipients étaient aussi en

FABRIQUER UNE BOITE DOUBLEE D'ETAIN AVEC UN FIL METALLIQUE
1. On découpait le plan de la boîte et marquait les angles à l'aide d'un trusquin sur la surface de l'étain.
2. On introduisait la plaque dans un étau en fer spécial et retournait les extrémités avec un maillet en bois.
3. On retournait les côtés par-dessus une forme rectangulaire à l'aide du maillet.
4. On formait soigneusement les angles des côtés et des coins à l'aide du maillet et de la forme.
5. On soudait les extrémités ensemble.
6. On réservait une bande étroite de métal en haut de chaque bordure, afin de pouvoir y fixer le fil de renforcement.
7. On coupait un fil métallique d'un diamètre adéquat et d'une longueur suffisante pour faire le tour de la boîte.
8. On repliait la bande étroite par-dessus le fil métallique à l'aide du maillet de bois.
9. Le fil métallique était dissimulé avec un marteau de forme adéquate.

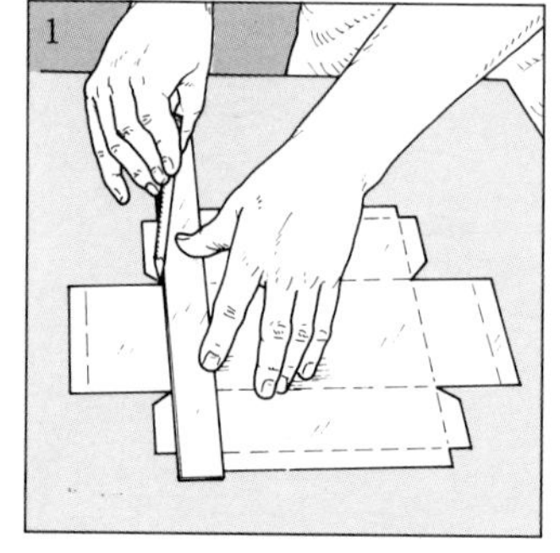

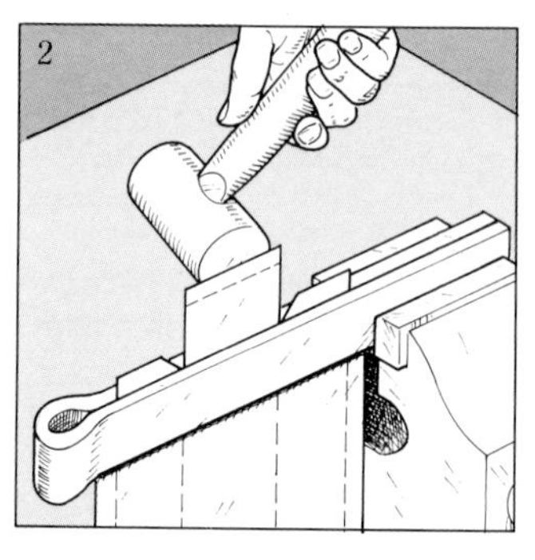

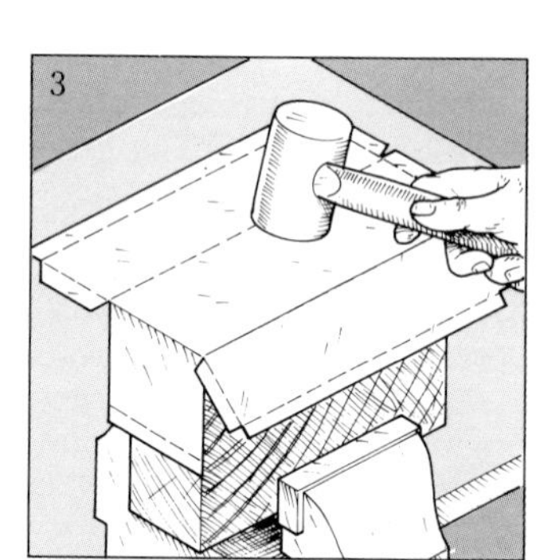

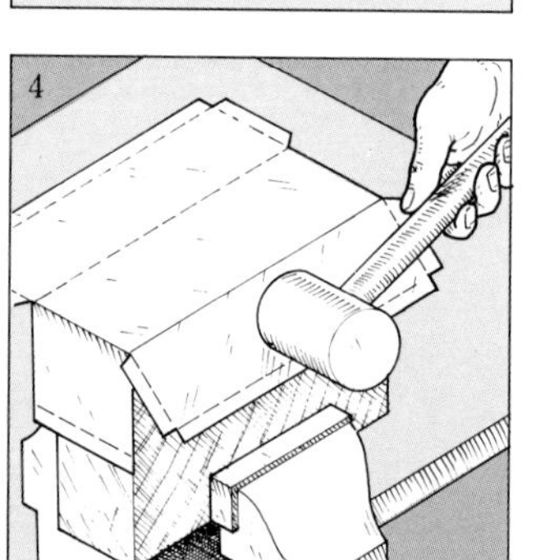

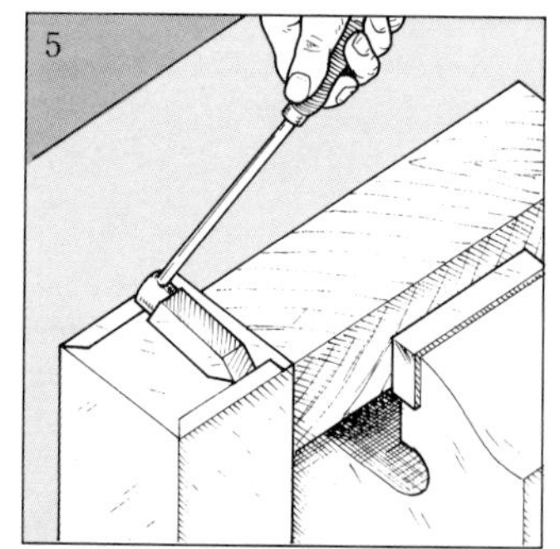

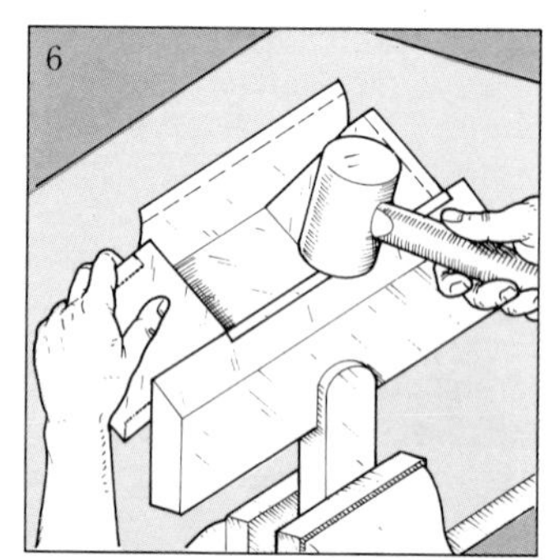

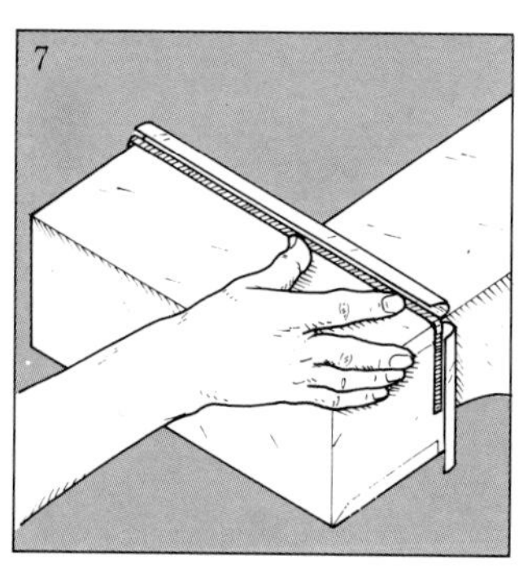

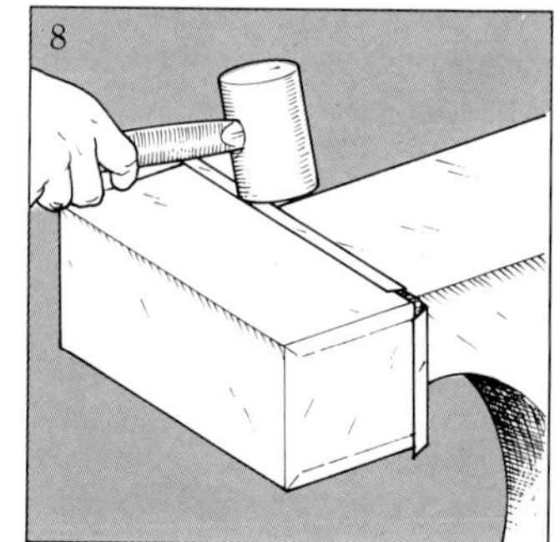

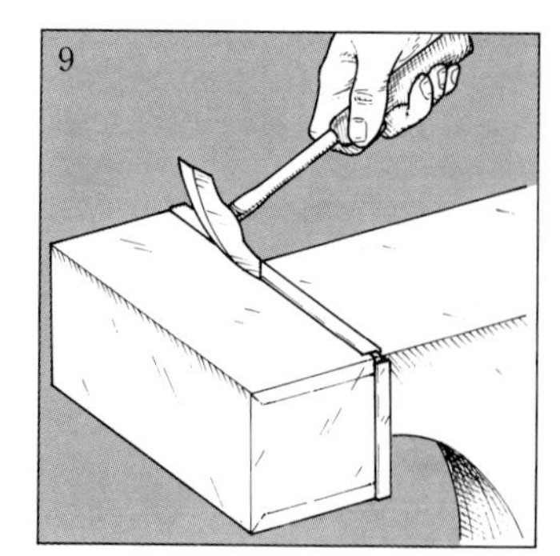

étain. Ils étaient fabriqués élément par élément, qu'on soudait ensuite ensemble; les bords étaient habituellement enroulés autour d'un fil de fer pour renforcer la solidité de l'objet. La manufacture mécanique fut introduite vers le milieu du XIXe siècle.

Aux Etats-Unis, on a retrouvé une quantité assez importante d'ustensiles en fer-blanc, car on en avait beaucoup utilisé pour les objets ménagers au XIXe siècle. C'est Berlin, dans le Connecticut, qui devint le grand centre de production de ferblanterie à la fois unie et laquée, et on peut affirmer que les plus belles pièces ont été exécutées par les membres de la famille Pattison. Il faut reconnaître également que les Allemands de Pennsylvanie étaient aussi des producteurs importants.

Ci-contre: atelier d'étainier tiré des Illustrations of Useful Arts *de Charles Tomlinson, 1867. On voit l'ouvrier, à gauche, en train de couper une feuille d'étain avec des cisailles, tandis qu'un autre, sur la droite, façonne le métal sur une forme. Sur le sol, on voit une enclume de polissage et, au-dessus, un établi présentant une rangée de poinçons, de tasseaux et de marteaux.*

Ci-contre: dessus de coffre en fer-blanc laqué (Etats-Unis, 1874) attribué à Frederick et Louis Zietz. Pour fabriquer un plateau, il fallait une feuille d'étain (ou davantage), dont on retournait les bords. Le vernissage au laque consistait à appliquer plusieurs couches de vernis, ici mélangé à du bitume, en laissant sécher dans un four entre les couches, afin de préparer une base pour le décor au pochoir ou peint.

Ci-dessous: boîte à thé en fer-blanc laqué provenant de Pontypool, avec un décor peint (fin XVIIIe-début XIXe siècle). Pontypool, au sud du Pays de Galles, était un grand centre pour la fabrication des feuilles d'étain déroulées et le vernissage au laque.

Ci-contre: vase en fer-blanc laqué, avec un décor de paysages peint et doré (Pontypool, début XIXe siècle).
Ci-dessus: détail du vase révélant le contraste de l'or par rapport à la couleur foncée du fond.

Le cuivre

On trouve le cuivre à l'état naturel sous forme de minerai, dont on doit l'extraire par fusion. Cela implique que le minerai soit porté à une température suffisamment élevée pour que le cuivre se fluidifie et s'amasse au fond du creuset ou du fourneau. Lorsqu'on le coupe ou le raye, ce métal est d'un rose vif et, sous l'effet de l'oxydation, il vire rapidement au brun chocolat.

Le cuivre présente l'avantage d'être à la fois solide et malléable. Son point de fusion est à 1083 °C et il est facile à travailler bien qu'il acquière de la dureté sous l'effet d'un façonnage à froid. Il entre dans la composition d'un grand nombre d'alliages, parmi lesquels le laiton, le bronze et l'alliage d'étain, sans oublier le Sheffield dont il consitue l'élément principal.

De modestes objets de cuivre tels que perles, épingles, outils primitifs ont été retrouvés au Proche-Orient dans des sites datés des environs de 9000 à 7000 avant J.-C. L'extraction et l'exploitation du cuivre étaient largement répandues dans le monde antique, à Sumer, en Egypte, en Israël, en Asie Mineure, dans la péninsule des Balkans et à Chypre.

Les Romains appelaient ce métal « aes cyprium », ce qui indique l'importance de Chypre comme centre de production. Au Moyen Age, le cuivre provenait de Saxe, de Toscane et de Falun, en Suède ; la mine de Stora Kopparberg, à Falun, était déjà exploitée au début du XIIIe siècle et resta la source principale d'approvisionnement en cuivre de toute l'Europe jusqu'au XVIIIe siècle où on en importa une grande quantité du Japon.

Les mineurs germaniques dominèrent bientôt le commerce du cuivre, sur les plans technique et économique. La majeure partie des affaires étaient traitées, au nord de l'Europe, par la Ligue hanséatique, et au sud à Nuremberg, important centre d'échanges commerciaux. La fortune de la famille Fugger, d'Augsbourg, fut en partie bâtie sur l'exploitation minière et, au début du XVIe siècle, cette famille détenait pratiquement le monopole du cuivre. Les mineurs germaniques jouèrent également un rôle prédominant dans deux exploitations qui détenaient le droit d'extraire ce métal dans le Lake District en Angleterre dans la seconde moitié du XVIe siècle. On implanta une fonderie de cuivre à Neath, au Pays de Galles, en 1582.

En 1800, l'Angleterre était le premier producteur de cuivre du monde. Elle perdit sa place au profit du Chili dans les années 1830, qui la perdit ensuite lui-même au profit des Etats-Unis, puis de l'Espagne. En Amérique, Benjamin Franklin avait noté l'importance du gisement de Schuylers, dans le New Jersey, et, en 1798, Paul Revere (artisan et patriote américain célèbre) offrit de procurer le cuivre nécessaire au doublage des navires. Enfin, Baltimore devait devenir un important centre de raffinement du cuivre au milieu du XIXe siècle.

Les producteurs de cuivre s'efforcèrent de mettre au point et d'améliorer leurs méthodes d'exploitation. Des ouvrages tels que *De re metallica*, écrit par Agricola et publié en 1556, exercèrent une influence déterminante sur la diffusion des techniques.

Ces dernières étaient le moulage, l'estampage, l'emboutissage au tour et le cambrage. Le métal dont on se servait pour les articles façonnés par cambrage (bols et bouilloires) était généralement de faible épaisseur. Il acquérait de la solidité au cours du martelage ; on combinait ainsi légèreté et résistance.

Au Moyen Age, d'innombrables pièces, apparemment produites en série, ont été fabriquées dans des centres comme Limoges, surtout au XIIIe siècle, dont de nombreux objets liturgiques, en particulier croix, reliquaires, chandeliers, nous restent. Ces ouvrages étaient pour la plupart décorés d'émaux de couleur selon la technique du « champlevé » (v. p. 197). Certains présentent des décors ou des personnages en haut-relief fabriqués séparément et ensuite soudés ou chevillés sur la partie principale de l'objet.

Il semble qu'ils aient été obtenus soit par ébauchage au moule suivi d'emboutissage, soit par cambrage à partir d'une feuille de cuivre. En effet, presque toutes les plaques de cuivre, qui représentent une grande partie de la production des ateliers limousins, révèlent des traces de coups de marteau au dos. Traits

*Illustration tirée de l'*Encyclopédie *de Diderot, montrant la fabrication d'ustensiles de cuisine et de récipients en cuivre et en laiton.*

*Ci-dessous: illustration tirée de l'*Encyclopédie *montrant la fabrication d'un cor de chasse. On façonnait le cuivre du cor sur un calibre (fig. 1) puis on y soudait l'embouchure (fig. 2). L'artisan remplissait le cor avec du plomb fondu (fig. 3) pour l'empêcher de se gondoler lors de la réalisation de la partie enroulée (fig. 4).*

Ci-dessus: illustration représentant un dinandier en train de rétreindre une cuvette, tirée d'un livre du XVIe siècle de Jost Amman sur les métiers allemands.

Ci-contre, à droite: lampe de table anglaise en laiton et cuivre tournés et moulés, d'après un modèle de W.A.S. Benson (1854-1924). Vers 1895.

du visage, petits détails étaient rajoutés au ciseau ou à l'«échoppe» (burin à graver) sur le devant de l'ouvrage. Certaines pièces sont grossièrement marquées de lettres ou chiffres romains qui servaient de repères à l'artisan pour le montage. Les encensoirs ou autres objets de culte, comme les ciboires, étaient en plusieurs parties soudées ensemble par la suite. Parfois il semble que le tour ait été utilisé, vraisemblablement pour la finition.

L'émail cloisonné et les émaux peints de Limoges étaient souvent exécutés sur du cuivre (v. p. 196). La dorure au mercure, selon un procédé également employé pour l'or moulu (v. p. 204), était associée quelquefois à l'émail.

Aux XVIe et XVIIe siècles, les dinandiers italiens fabriquèrent une grande variété d'objets en cuivre. Parmi ceux-ci, les aiguières caractéristiques, à haut piétement et bec en saillie, différentes formes de bassins et les grands plats étaient en vogue à l'époque. Cette vaisselle correspondait en fait à une version bon marché des modèles plus raffinés et finement ciselés, en bronze ou en laiton, dont les surfaces étaient invariablement décorées à l'«échoppe».

Les burins ou échoppes étaient généralement en acier ou en laiton. On se servait d'un traçoir pour déterminer les contours du dessin, d'un poinçon à estamper pour mettre certaines parties en relief, de poinçons à planer pour unifier la surface du métal, chacun ayant une extrémité différente. A l'aide du poinçon à mater, on obtenait des fonds très fouillés. Un artisan suffisamment habile parvenait à produire un dessin très net d'un seul coup de marteau.

Les brûle-parfum, les chaudrons, les bassinoires étaient ajourés pour laisser la chaleur s'échapper. Le métal était d'une telle finesse qu'un poinçon effilé suffisait à les perforer. Les trous étaient ensuite agrandis à la bonne dimension à l'aide d'une scie ou d'une lime de forme spéciale.

Le cuivre étant un métal tendre, il est facile à graver. On esquissait généralement une ébauche sur l'objet, puis on le repassait avec un stylet fin comme une aiguille, pour en préciser le dessin. Pour la gravure proprement dite, on passait de la poix ou de la cire à cacheter sur la pièce, posée le plus souvent sur un sac rempli de sable. Ensuite, comme pour l'argent, on entamait le métal à l'aide d'un burin. On pouvait faire des hachures pour le fond avec un burin à lame étroite et bord droit. Cependant, on pouvait plus efficacement se servir, pour obtenir le même résultat, d'un outil appelé berceau dont l'extrémité était marquée d'entailles parallèles. On ponçait le métal pour rectifier une erreur éventuelle.

Très souvent la vaisselle de cuivre était étamée. L'étain étant résistant à la plupart des acides d'origine organique, on en revêtait l'intérieur des récipients destinés à cuire ou à présenter de la nourriture pour éviter les intoxications. On retrouve d'ailleurs des traces d'étain sur beaucoup de marmites ou de bouilloires du XVIIIe siècle, là où n'apparaît de nos jours que l'éclat de cuivre.

Ci-contre, à droite: ciboire de Warwick, travail anglais de la fin du XIIe siècle. Ce vase en cuivre, destiné à contenir les osties, était à l'origine doré, émaillé et gravé. La partie incurvée a été rétreinte au tour.

Ci-dessus: ustensiles de cuisine anglais, en cuivre étamé, du XIX*e siècle. Les objets en cuivre destinés à contenir des aliments ou des boissons étaient doublés d'étain pour éviter corrosion et toxicité.*
Ci-contre à droite: détail d'une plaque de cuivre ornée d'émaux en champlevé, de filigranes en vermeil et de cabochons, provenant probablement d'un reliquaire. France, vers 1290-1310. Exécuté à Paris, dans le style d'orfèvrerie de Limoges. Les applications, représentant la Vierge Marie portant le Christ enfant et saint Jean-Baptiste, ont été coulées dans du cuivre, ciselées et dorées.

A l'extrême gauche: dos d'une couverture de livre en cuivre doré, incrusté de panneaux d'émaux peints en haut-relief, Pays-Bas, vers 1670. Les bords de la couverture sont décorés d'un motif de bandes diagonales alternant avec des cercles sur un fond de gravure.

Ci-contre, à gauche: détail de la couverture du livre montrant le décor floral du dos.

Lorsqu'on voulait étamer une pièce de cuivre, on la nettoyait d'abord avec soin en la trempant dans de l'acide. Puis on la portait à une température supérieure au point de fusion de l'étain (231 °C). On enduisait ensuite sa surface d'un fondant (du chlorure d'ammonium) pour faciliter la fusion, et un bâton d'étain pur était frotté sur l'ensemble de l'objet auquel il adhérait immédiatement. On pouvait également plonger ce dernier dans un bain d'étain fondu qui formait un revêtement encore plus épais. C'était le procédé qu'on employait aussi pour le fer.

Les surfaces étamées ne sont pas, en général, d'une couleur très attrayante, mais elles peuvent ressembler à de l'argent quand elles sont polies. Les artisans du Proche-Orient se montraient particulièrement adroits dans la fabrication de cuivres étamés, merveilleusement ciselés. Pour en rehausser le dessin, ils les badigeonnaient avec un produit de couleur noire, lequel restait incrusté dans la gravure.

Dans le passé, on disposait de plusieurs moyens pour modifier la couleur chocolat que prend naturellement le cuivre quand il se patine. Avec certains produits chimiques on obtient une gamme de coloris divers: par exemple, après un décapage à l'arsenic, le cuivre vire soit au gris, soit au noir, ou encore au brun ou au vert, avec des carbonates de cuivre. On récurait continuellement les ustensiles domestiques tels que grandes casseroles et bouilloires pour qu'ils restent rouges. Les artisans du mouvement *Arts and Crafts*, au XIXe siècle, laquaient les surfaces unies avec un vernis transparent pour leur donner un beau brillant.

La galvanoplastie

On découvrit, à partir du principe de l'électrodéposition, le moyen de reproduire fidèlement un objet par le procédé de la galvanoplastie. Celle-ci est décrite, dès 1838, par le Professeur Jacobi, qui utilisa la batterie inventée par le Docteur William Hyde Wollaston au cours de ses expériences en 1800 et 1801. On raconte qu'un certain Thomas Spencer avait réussi à recouvrir de cuivre une pièce de monnaie de même métal en immergeant cette dernière dans un bac d'accumulateur et qu'il s'était aperçu, en détachant la pellicule déposée, qu'elle était l'empreinte parfaite de la pièce.

On utilisa beaucoup ce procédé à partir de 1850, lorsque Elkington reçut une commande d'un certain nombre de reproductions de pièces d'argenterie historiques, ainsi que d'autres objets d'art, pour le Musée de South Kensington, aujourd'hui le Victoria and Albert Museum. Parmi ceux-ci, il y avait des pièces d'argenterie anglaise fabuleuses, faisant partie des collections des souverains russes, actuellement à Leningrad. Elkington continua à diffuser ses copies d'objets historiques jusqu'à une époque récente, avec des finitions à l'argent, à l'or ou au bronze.

A partir des années 1860, la galvanoplastie est devenue un procédé de fabrication courant en Europe et aux Etats-Unis. Au début on l'utilisa uniquement pour reproduire des objets anciens ou d'après nature, mais peu à peu elle servit aussi pour des œuvres contemporaines comme celles du Français Léonard Morel-Ladeuil, qui travailla avec Elkington de 1859 à 1888.

Cette technique implique l'emploi de matériaux suffisamment plastiques pour garder l'empreinte d'un objet ; c'est pourquoi on se sert de gutta-percha, de cire d'abeille, de cire à cacheter, de plâtre de Paris, de matériel d'imprimeur (en fait, à l'origine, cette technique était destinée à reproduire les caractères d'imprimerie) ou de gélatine. Chaque moule étant « unique », le matériau dont il est constitué doit être de grande qualité et, si les reproductions sont d'une fidélité absolue, elles restent aussi très coûteuses.

Le moule est enduit d'une pellicule de matériau conducteur, puis suspendu à l'aide de fils dans une cuve remplie d'une solution de sulfate de cuivre. Il est relié au pôle négatif d'une batterie, une plaque de cuivre formant l'anode. Le moule se recouvre alors d'une couche de cuivre d'une épaisseur suffisante ; il est ensuite retiré de la cuve, lavé, séché et enfin séparé de la couche de cuivre.

On double l'envers de grenaille de soudure à l'étain pour solidifier la coquille de cuivre, puis on le soude sur un fond. La partie externe est généralement plaquée d'or ou d'argent. On peut ainsi copier n'importe quelle matière à part le métal, y compris des plantes, des coquillages, des poissons et autres objets d'origine naturelle, et cela avec une fidélité parfaite.

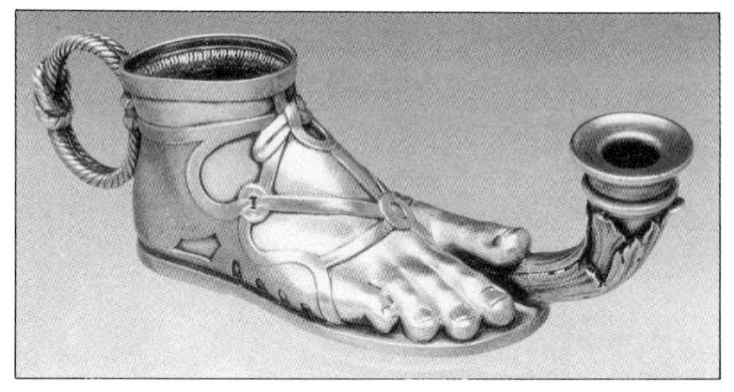

Ci-dessus: copie d'une coupe pompéienne à deux anses, obtenue par galvanoplastie, Elkington, Mason & Co, Birmingham, Angleterre, 1851. Le corps de l'objet est décoré en haut-relief avec putti et centaures sur fond maté. Ce genre de modèle connut une vague de popularité pendant quelques années.

Ci-dessus, à droite: bougeoir en forme de sandale romaine d'après un modèle de Benjamin Schlick, pour Elkington & Co. Birmingham, 1844. Schlick, architecte d'origine danoise, était employé par Elkington l'année de la création de ce modèle qui fut un des plus grands succès de la fabrique.

Ci-contre, à droite: poinçons du bougeoir. Le modèle fut déposé au bureau des brevets, comme on peut le voir sur la partie en losange du poinçon de la fabrique, disposé au-dessous des poinçons de Birmingham de 1844. Ce modèle fut ensuite reproduit en 1857, par galvanoplastie, par l'orfèvre suédois Christian Hammer.

L'émaillage

Ce terme désigne le procédé décoratif selon lequel on applique une substance vitreuse, opaque ou de couleur transparente sur du métal auquel elle adhère par fusion à la chaleur. On utilisait les émaux de la même manière sur le verre (v. p. 94) et sur la porcelaine (v. p. 132). Il suffisait de chauffer l'émail à une température modérée pour qu'il soit parfaitement soudé au métal de base sans que la pièce se déformât. Pour éviter que les couleurs ne se mélangent au moment de la cuisson, on veillait à ce que le point de fusion de chacune décroisse progressivement à chaque application. Pour cette raison, certaines couleurs comme le rose ou le turquoise ne devaient être posées qu'en dernier.

On sait peu de choses de la composition des premiers émaux ; Antonio Neri décrit, en 1612, dans son *Arte Vetraria*, la confection d'un émail opaque blanc. On mélangeait, à peu près en proportions égales, de l'étain et du plomb, qu'on calcinait. Les oxydes ainsi obtenus étaient purifiés puis mélangés à une part égale de fritte de cristaux de soude (v. p. 62) et additionnés d'un peu de tartre pour abaisser le point de fusion de l'ensemble. On cuisait le mélange dans un four pendant dix heures dans un récipient émaillé de verre blanc pour le protéger des impuretés, après quoi il était refroidi et réduit en poudre, prêt à l'emploi. On rajoutait à cette poudre des oxydes métalliques pour obtenir des émaux de couleur. Le mélange était fondu plusieurs fois, plongé dans l'eau après chaque étape, puis il était pulvérisé.

Vers le XIXe siècle, les émaux étaient constitués, pour la plupart, d'une base de verre de borosilicate de plomb, incolore et transparente, désignée sous le nom de « fondant ». Ce dernier, dont le nom prête parfois à confusion, avait un point de fusion variable en fonction de sa composition. Pour un émail dur, à utiliser sur une base en or, on le mélangeait à de la silice, du plomb rouge, du salpêtre et du borax dans la proportion 3/3/2,5/0 tandis que pour un émail plus tendre, les proportions étaient modifiées selon un rapport de 10/15/4/1. Les émaux utilisés sur une base d'argent ou de cuivre renfermaient une plus grande quantité de borax. On trouva bientôt sur le marché des émaux de cinq degrés de fusibilité, mais les artisans préféraient souvent préparer eux-mêmes leurs émaux. On opacifiait le fondant en lui ajoutant de l'oxyde d'étain ou de l'antimoine, ou encore du phosphate de chaux, et on le colorait de la même façon que les émaux durs. Le mélange d'émaux était fondu, refroidi, écrasé et finalement moulu finement avec de l'eau dans un mortier en agate. La poudre ainsi obtenue était lavée avec soin à l'eau courante puis entreposée dans de l'eau distillée dans un récipient fermé.

L'émail était en général appliqué sous forme de pâte humide qui était séchée auprès du four. Pour la cuisson, on se servait d'un four à moufle qui protégeait l'ouvrage d'un contact direct

Ci-contre, à gauche : soucoupe allemande, émail peint sur cuivre, sur monture en vermeil, exécutée par Elias Adam, première moitié du XVIIIe siècle. Adam travailla à Augsbourg, ville réputée au XVIIIe siècle pour ses émaux peints.

avec la source de chaleur. Quant à la cuisson proprement dite, elle ne prenait que quelques minutes; elle était suivie d'un refroidissement surveillé attentivement; l'opération était répétée autant de fois que nécessaire lorsqu'on devait modifier ou corriger le dessin.

L'émaillage est un art qui se pratique par tâtonnements, car l'émail est très sensible aux variations se produisant à l'intérieur du four, qui peuvent entraîner cloques, décolorations ou parfois défauts de soudage. Le verre, la porcelaine vitrifiée et l'or pur sont les matières auxquelles l'émail adhère le mieux. La présence de cuivre dans les alliages d'or provoque des taches d'oxydation sur lesquelles l'émail ne prend pas et qu'il faut donc supprimer par abrasion ou à l'aide de produits chimiques. Les mêmes problèmes se produisent avec l'argent, mais pas avec le bronze. On ébrute la surface au moyen d'un outil pointu pour faciliter le processus d'adhérence. Dans certains cas, une mince feuille de métal (dans les émaux de Limoges, en particulier) était émaillée aussi au verso (désigné sous les termes de « contre-émail »). Les deux couches d'émail empêchaient toute déformation ou craquelure au moment de l'expansion ou de la rétraction du métal au cours de la cuisson ou du refroidissement.

Pour les formes d'émaillage les plus anciennes, le dessin était formé par la répartition naturelle de l'émail en fusion dans des « cases ». Dans ce qu'on appelle le « cloisonné », l'émail était distribué à l'intérieur de « cloisons », petites séparations de métal fixées au support par une soudure, suivant un dessin ou une gravure pré-établis. Lorsque tous les espaces cloisonnés avaient reçu leurs différentes couches d'émail, et après cuisson, on passait l'ensemble à la meule et on le polissait. On dorait la tranche de métal restée visible, afin de renforcer l'aspect précieux de l'objet ainsi décoré.

Les émaux les plus anciens qui nous soient restés ont été réalisés sur de l'or, de l'électrum ou du bronze, métaux qui semblent avoir le mieux résisté au temps. Les artisans mycéniens mirent au point la technique du cloisonné du XIIIe au XIe siècle avant notre ère; elle devint peu à peu si populaire qu'au IIIe siècle elle avait atteint l'Europe occidentale où les Celtes passèrent bientôt maîtres dans cet art.

C'est sous l'Empire byzantin, du IXe au XIIe siècle, que le cloisonné atteint son apogée. On trouve des illustrations de cet âge d'or dans les somptueuses ornementations de l'église Saint-Marc, à Venise. Le maître-autel qui porte le nom de « Pala d'Oro », exécuté en 1105, est considéré comme une pièce exceptionnelle. Tel qu'il se présente à nos yeux, son panneau est décoré de 137 émaux d'époques et de styles différents. Les éléments les plus anciens sont comparativement plus audacieux,

Ci-dessus: paire d'oiseaux à longue queue en bronze doré, cloisonné chinois du XVIIIe siècle. Dans le cloisonné, première forme d'émaillage, l'émail était contenu dans de petites alvéoles de métal soudées sur un support métallique.
A l'extrême gauche: boîte à priser du Staffordshire, vers 1770. Le décor imprimé au transfert brun fut rehaussé d'émaux.
Ci-contre: boîte à aiguilles anglaise, décor peint à l'émail, dorure en relief, Staffordshire, fin du XVIIIe siècle. Une gamme d'objets utilitaires et décoratifs furent fabriqués dans le Staffordshire. Ils étaient décorés soit à l'impression par transfert, soit à la main, ou aux deux à la fois.

Ci-contre, à gauche: coffret laqué anglais, deux boîtes à thé et une boîte à sucre en émail. Birmingham, vers 1770. Chaque pièce émaillée est peinte de bouquets de fleurs et d'insectes d'une grande délicatesse. Birmingham était un centre important de travail du métal. Les modèles étaient soit émaillés sur place soit décorés ailleurs.

Ci-dessous: pendentif allemand, en forme d'oiseau fabuleux, orné de perles et de rubis baroques montés sur or, avec de l'émail en ronde bosse. XVI*e* *siècle. Ce type d'émaillage en incrustation sur des objets en trois dimensions fut surtout utilisé par des orfèvres. Le pendentif, grossi sur la photographie, mesure en réalité 9,5 cm de hauteur.*

moins réticulés, que les ajouts plus récents. Leurs couleurs vives contrastent avec les teintes plus douces de ces derniers.

Il existait une variante de cloisonné dans laquelle les séparations étaient faites de fil torsadé, d'où son nom d'émaillage à filigrane. Ce fil métallique était monté d'une façon toute particulière et ne formait pas une surface continue avec l'émail. Les Grecs de l'Antiquité l'appréciaient beaucoup, de même que les Hongrois et les Russes à partir de la Renaissance.

La technique du champlevé différait un peu de celle du cloisonné car les espaces émaillés étaient délimités par le relief de la base elle-même, sans recours à des éléments soudés. Cela impliquait une plus grande épaisseur de métal (il existe une différence de largeur considérable entre les séparations du cloisonné et celles du champlevé), on utilisait donc de préférence des métaux « vils » pour le support. Les reliefs étaient obtenus par moulage, ciselage, et plus tard on « enleva » le métal à l'eau-forte. Des médaillons de bronze et des broches émaillés furent produits à la période romaine, technique reprise plus tard à Limoges et dans la région de la Meuse, en particulier, au XIIe siècle.

La technique du champlevé se modifia avec l'évolution de la fabrication des émaux transparents, pour donner naissance à l'émaillage de « basse-taille ». Les détails du dessin étaient ciselés sur le fond sur lequel ils apparaissaient en transparence à travers l'émail. Par exemple, pour représenter les plis d'un vêtement, on jouait sur les différences de profondeur de la couche d'émail. L'or ou l'argent ainsi traité prenait un éclat particulièrement vif sous les lumières. Créé en Italie au XIIIe siècle, ce procédé devait par la suite gagner l'Espagne, les pays germaniques, la France et l'Angleterre.

La « plique-à-jour » restait très voisine du cloisonné. Elle en différait cependant en ce que, au lieu d'être appliqué sur un fond de métal, l'émail était réparti temporairement sur un matériau comme de la terre réfractaire, qu'on enlevait par la suite. On arrivait au même résultat par accumulation progressive de l'émail sans support dans les alvéoles.

Cette utilisation de l'émail transparent pour créer en miniature l'illusion du vitrail date de la fin du XIVe siècle. Mais on l'associe plus spontanément aux bijoux du XIXe siècle et à

l'invention créatrice de René Lalique, de Fernand Thesmar et de la famille Falize en France, de Fortunato Pio Castellani et de Carlo Giuliano en Italie, et de Marcus et Cie à New York.

Vers la fin du Moyen Age, d'abord en France, puis ailleurs en Europe, on utilisa la technique de l'émail en ronde bosse pour des objets en trois dimensions, des reliquaires, des autels ornés de personnages ou de détails sculpturaux, par exemple.

Une forme d'émaillage dans laquelle les couleurs étaient simplement juxtaposées, sans séparation métallique, fut pratiquée, dit-on, à Limoges au XVe siècle, mais il semble qu'on l'ait aussi utilisée en Bourgogne et à Venise. Les plaques ainsi ornées étaient légèrement bombées et représentaient des sujets religieux polychromes, généralement sur fond de cuivre ou d'argent. Il nous reste encore des exemples de la technique dite « en grisaille » qui s'apparente au même processus que celui des plaques polychromes, à la différence que la couche d'émail blanc était posée sur un fond de couleur foncée, visible en transparence. On donnait de la profondeur au sujet traité en jouant sur l'épaisseur de l'émail. On rehaussait l'effet décoratif à l'aide de gravure, ou d'un nouveau passage au feu.

Au XVIIIe siècle, on se servit de pinceaux pour émailler des chandeliers, des tabatières, des boîtes à mouches et autres objets

1) LE CLOISONNE
1. On soudait ou collait des fils de métal sur les contours de l'image tracée sur une plaque de métal bombée, pour former les « cloisons ».
2. Des morceaux d'émail étaient réduits en poudre au pilon dans un mortier rempli d'eau.
3. L'émail était rincé plusieurs fois pour en éliminer la poussière.
4. Le dessous de la plaque était recouvert d'émail humidifié, puis on remplissait les cloisons à l'aide d'un pinceau ou d'une spatule. L'émail était ensuite tassé pour former une couche solide dépassant légèrement le niveau des cloisons.
5. On séchait soigneusement l'émail, on le fondait au four pendant quelques minutes seulement. Puis on le sortait du four pour qu'il refroidisse.
6. L'émail était nivelé avec les cloisons puis poli.

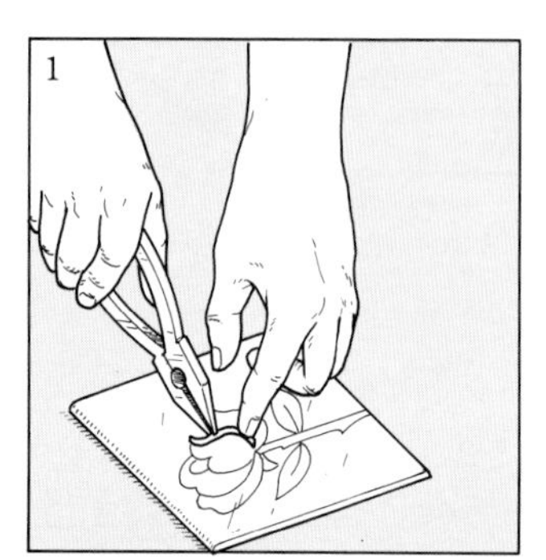

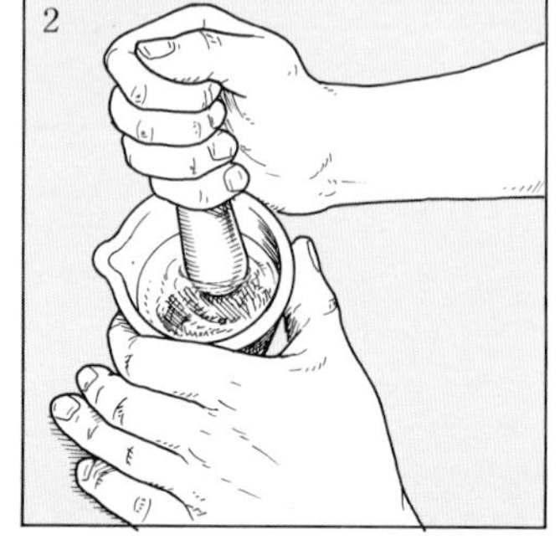

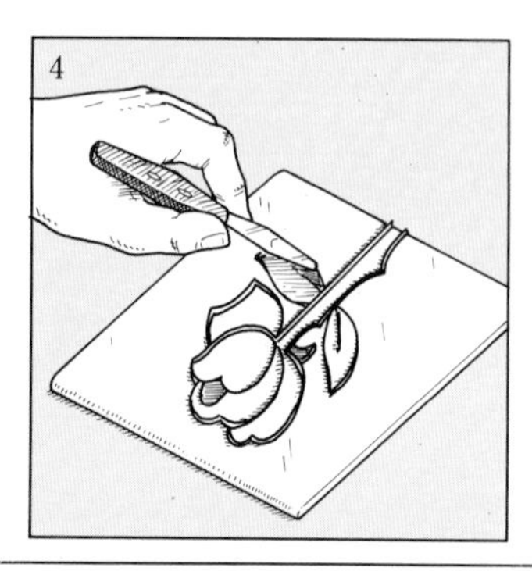

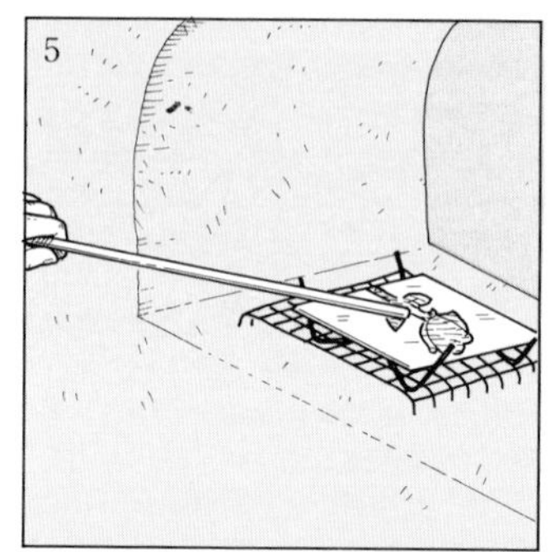

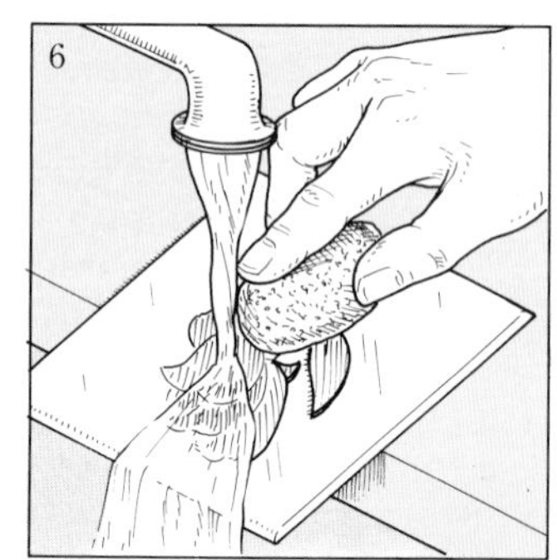

2) L'ÉMAIL CHAMPLEVÉ
1. On creusait le métal à l'eau-forte pour qu'il puisse recevoir l'émail. Les contours du dessin étaient tracés sur une épaisse plaque de cuivre.
2. Un vernis était appliqué sur les traits de séparation des zones, ainsi qu'au dos de la pièce ou autres parties à protéger de l'acide.
3. Les parties de la plaque non recouvertes étaient mordues par l'acide nitrique.
4. On lavait ensuite la plaque et on vérifiait l'action de l'acide. Il fallait parfois recommencer l'opération.
5. On retirait le vernis, et on brossait soigneusement la plaque avant l'émaillage.
6. Les parties attaquées par l'acide étaient remplies d'émail humidifié un peu au-dessus du niveau du métal. Puis on séchait, cuisait, refroidissait et polissait l'ouvrage comme pour l'émaillage cloisonné.

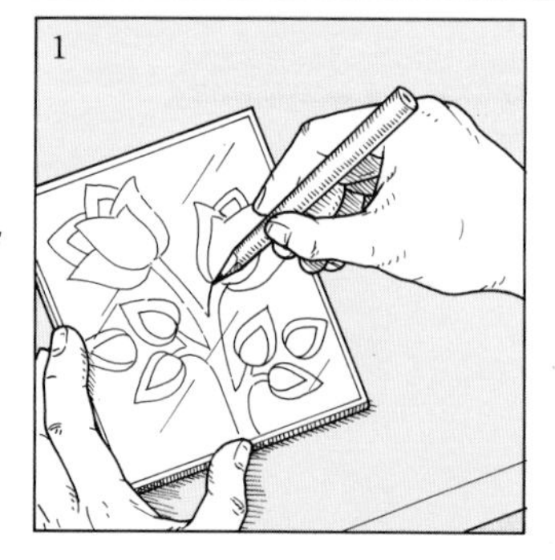

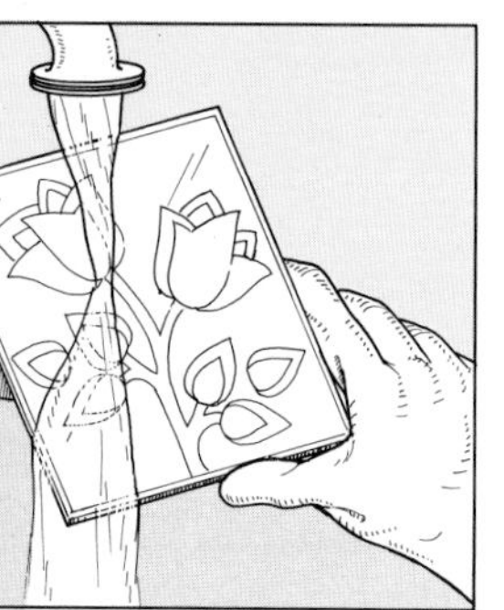

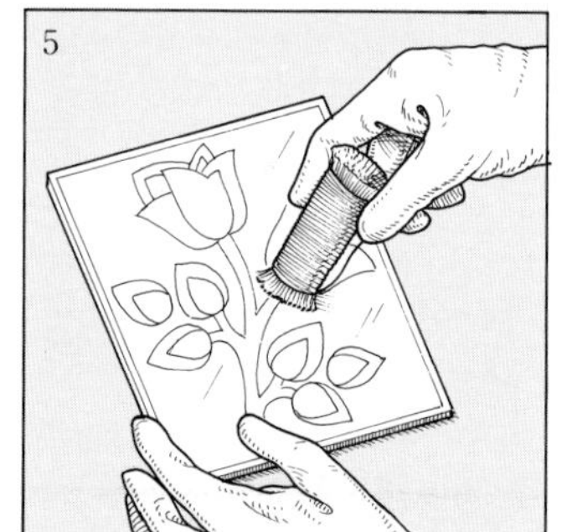

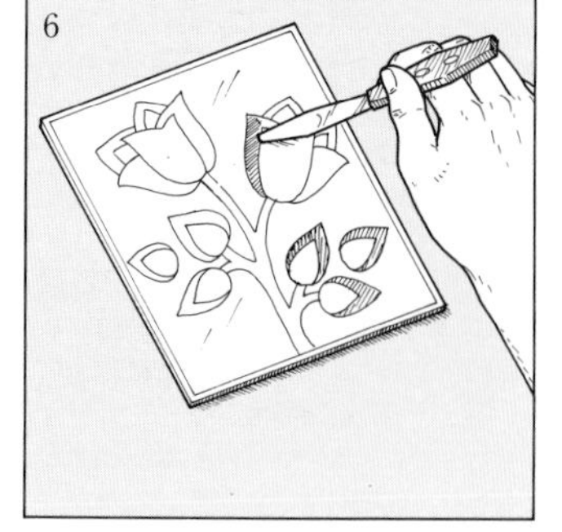

polychromes d'usage domestique très courants en Europe. En Angleterre, des centres comme Battersea à Londres, Birmingham et Bilston dans le Staffordshire, et Augsbourg et Berlin en Allemagne furent réputés pour ce genre de production. Les émailleurs parisiens acquirent aussi une renommée dans ce domaine, de même que Jean Petitot et un groupe d'artisans de Genève, célèbres pour leurs œuvres d'une grande délicatesse. Dès le milieu du XVIIIe siècle, on put diffuser en grand nombre des articles décorés au moyen du transfert sur céramique (v. p. 134). Le dessin reproduit était ensuite colorié à la main.

Le niellage consiste à fondre des alliages en poudre (argent, cuivre, plomb et sulfures) pour les appliquer en décoration sur du métal. C'était un travail comparable à celui de l'émaillage; seule la matière, non vitreuse, était différente. Cette technique fut pratiquée sous deux formes : dans l'une le dessin était gravé sur l'objet avec une pointe sèche et l'on frottait les entailles ainsi obtenues avec le mélange liquide de couleur noire, dans l'autre, c'était au contraire le fond de l'ouvrage qui était niellé, le dessin étant, lui, traité avec de l'argent.

Ci-dessus: coupe française en « plique-à-jour », émail et or, d'après un modèle de Fernand Thesmar (1843-1912), probablement réalisé par la fabrique de Thirné, en 1892. La plique-à-jour était un genre de cloisonné sans support métallique, de sorte que les motifs d'émail étaient transparents. Quand on utilisait de l'émail translucide, on obtenait un effet de vitrail en miniature.
Ci-contre, à gauche: reliquaire d'Eltenburg, Rhénanie, vers 1180. Cet exemple remarquable d'artisanat médiéval est réalisé en chêne, avec une garniture de cuivre et bronze doré, des personnages sculptés dans de l'ivoire de morse et un émaillage champlevé sur les colonnes et les toitures. La technique du champlevé consistait à aménager des parties creuses dans le métal afin de pouvoir y verser l'émail fondu. Plus tard on utilisa l'eau-forte pour creuser ces parties.
Ci-dessous: pectoral byzantin en vermeil, orné de plaques d'or et d'émail cloisonné.

Le bronze

L'emploi du bronze, alliage de cuivre et d'étain, remonte à 3000 ans avant notre ère. Utilisé indifféremment pour des objets aussi divers que des canons de fusil ou des pièces de machines, il est aussi le matériau préféré des sculpteurs. On le retrouve également dans l'architecture, sous forme de chapiteaux, cadres de fenêtres ou garnitures de portes. Dans les bronzes antiques, la proportion de cuivre était très variable, allant de 67 à 95 % ; elle s'est stabilisée au Moyen Age, déterminée désormais en fonction de l'objet fabriqué : on prendra pour les éléments métalliques d'un fusil, par exemple, un bronze composé de huit parties de cuivre pour une partie d'étain.

Les techniques s'appliquant au bronze comprennent à la fois l'emboutissage et le moulage. Le métal en feuille, découpé suivant la forme appropriée, était ensuite façonné, soudé sur les bords, ou riveté lorsqu'on voulait obtenir un récipient. Tout comme dans le travail de l'argent, on pratiquait le cambrage sur un tas au moyen d'un marteau à tête sphérique et d'un mandrin rotatif. De même, on pouvait façonner au tour un disque de métal découpé. La feuille de métal était quelquefois travaillée en bosse avec des poinçons et des marteaux, soit sur l'envers, selon la technique du repoussé, soit sur l'endroit, selon celle du ciselage. On put reproduire des objets ornementés en plusieurs exemplaires par emboutissage de feuilles de métal dans des matrices taillées dans du bois très dur.

Le bronze présente des qualités bien supérieures aux autres métaux en ce qui concerne le moulage, car il a la particularité de se dilater lorsqu'il se solidifie, de telle sorte qu'il pénètre tous les reliefs du moule ; en revanche, il se rétracte légèrement au moment du refroidissement, ce qui facilite le démoulage. Le bronze destiné au moulage contient un peu de plomb ou de zinc, la proportion d'étain étant dans ce cas réduite à une part pour dix.

Ci-contre, à gauche : flacon en bronze émaillé et corail d'époque romaine, Basse-Yutz. France, IVe siècle avant J.-C. Les détails de la poignée, du couvercle et du bec ont été exécutés à l'aide d'un traçoir percuté avec un marteau.

Ci-dessous : statues équestres grecques attribuées à Lysippe. Elles surmontaient autrefois le dôme de Saint-Marc, à Venise ; elles sont maintenant visibles à l'intérieur de la basilique. On suppose que les chevaux ont été ramenés de Rome par Auguste. Emportés ensuite à Byzance par l'empereur Constantin, ils échouèrent à Venise à la suite de la conquête de Constantinople en 1204. Coulés en plusieurs parties, ils ont été soudés puis dorés au mercure.

Ci-dessus : La création de l'homme, *relief en bronze des portes du baptistère de Florence, exécuté par Lorenzo Ghiberti (1378-1455), de 1425 à 1452. L'ensemble des scènes sur ces panneaux présente un faible relief, les personnages étant disposés de manière à donner une impression de profondeur. Pour cette composition, Ghiberti s'est inspiré des découvertes de Brunelleschi et de Donatello en matière de perspective.*

Ci-contre, à droite : détail d'une des portes du baptistère : la vie de Josué. La formation d'orfèvre reçue par Ghiberti l'a probablement beaucoup aidé dans une réalisation d'une telle finesse. Cette œuvre est le fruit d'un travail énorme de l'artiste et des nombreux compagnons de son atelier.

Ci-contre, à gauche: statues en bronze de Bacchus et Cérès, attribuées à Michel Anguier (1613-1686). France, XVIIe siècle. Ces pièces ont été réalisées selon la technique de la cire perdue et présentent une patine brun foncé.

Les premiers bronzes étaient coulés d'une seule pièce dans des moules de pierre ou de terre cuite composés de trois ou quatre parties, selon une technique très répandue en Mésopotamie, 2500 ans avant notre ère. On a retrouvé des moules de pierre, en deux parties, destinés à faire des haches et qui remontent à la première moitié et au milieu du deuxième millénaire avant Jésus-Christ.

Dans le cas d'une amphore à vin en bronze, on modelait le bas de la partie centrale dans de la terre glaise, à l'aide d'un tour, puis on la séchait pour la recouvrir ensuite d'une couche de cire correspondant à l'épaisseur de bronze désirée. La partie supérieure était traitée de la même manière. On gravait en relief la surface de la cire, revêtue de couches d'argile de plus en plus grossières jusqu'à une hauteur de 2 à 4 cm. On y aménageait des divisions verticales et horizontales de façon à pouvoir retirer ce revêtement par morceaux pour avoir accès à la cire. Celle-ci était grattée pour laisser le passage au métal en fusion. Les raccords provoqués par ce genre de moulage étaient égalisés au ciseau au cours de la finition.

Si l'on choisissait de travailler à la «cire perdue», il n'était pas possible d'ouvrir le moule enfermant le noyau et la cire, et cette dernière devait être fondue pour être évacuée. Cette technique était connue des Sumériens, dans la vallée de l'Indus au troisième millénaire et, après 1573 de l'ère pré-chrétienne en Egypte, par la dix-huitième dynastie. La dynastie Chang, en Chine (1523-1028 avant Jésus-Christ), la connaissait sans doute aussi.

On distingue trois formes de moulage à la cire perdue : dans la première on se sert d'un modèle compact en cire, sur lequel on façonne un moulage en terre réfractaire résistant à une forte température. Le bronze en fusion est introduit dans ce dernier, remplaçant peu à peu la cire pour former l'objet définitif ; on peut sécher le moule d'abord, puis on évacue la cire en élevant la température durant la coulée du métal. Dans la deuxième, c'est pratiquement l'inverse : on modèle de la cire sur un noyau en terre réfractaire. Puis on recouvre la cire d'un moule. Le noyau est maintenu en place à l'aide de chevilles de bronze tandis que la cire fondue est évacuée. On peut alors couler le bronze entre le moule et le noyau, lequel est cassé à coups de ciseau. Dans les deux cas, le modèle original est détruit.

Une troisième technique, employée par les Grecs, consiste à prendre l'empreinte d'un modèle initial en bois, en pierre, parfois en argile ou en albâtre. Après avois retiré le prototype, on enduisait la surface du moule d'une couche de cire, puis on l'emplissait d'un noyau en matière réfractaire. On peut faire partir la cire fondue de la même manière que précédemment, chassée par le bronze en fusion. Ici, le moule peut resservir pour d'autres exemplaires du même modèle. Le moule est composé de plusieurs morceaux, qu'on peut détacher facilement à la fin de l'opération.

Ce procédé utilisé à des fins ornementales existait déjà au VIe siècle avant notre ère. Plus tard, on en voit la plus parfaite illustration à la Renaissance italienne, avec Benvenuto Cellini, à la fois orfèvre et sculpteur, dans sa statue de Persée.

La « cire perdue » fut la technique la plus utilisée jusqu'au XIXe siècle pour fabriquer et reproduire des objets en bronze ; elle devait être supplantée par l'invention de la galvanoplastie.

La patine qui s'installe sur les bronzes anciens résulte d'une oxydation qui attaque la surface. Cette patine peut être verte, bleue, brune ou même noire, selon le milieu dans lequel l'objet a été conservé ou enterré. On s'est servi de sulfate de cuivre pour donner au bronze une patine artificielle. Le bronze contenant une forte proportion d'argent ou d'étain prend souvent une teinte noire. De nombreuses recettes de patine ont été mises au point tout récemment.

Ci-dessus : poignée de bronze italienne du XVIe siècle. On utilisait le bronze pour les ferrures de portes, les objets usuels, des statuettes ou des œuvres de plus grande taille.

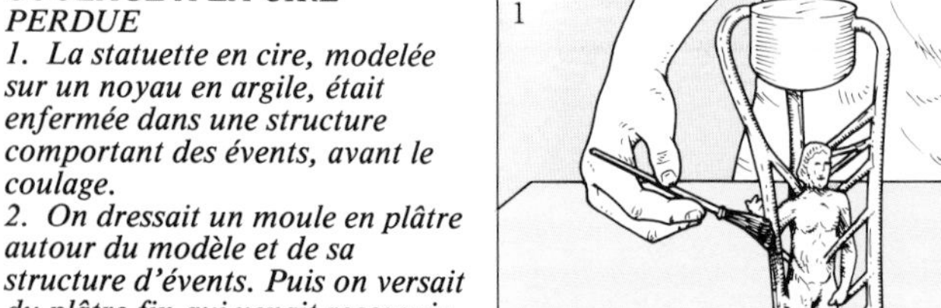

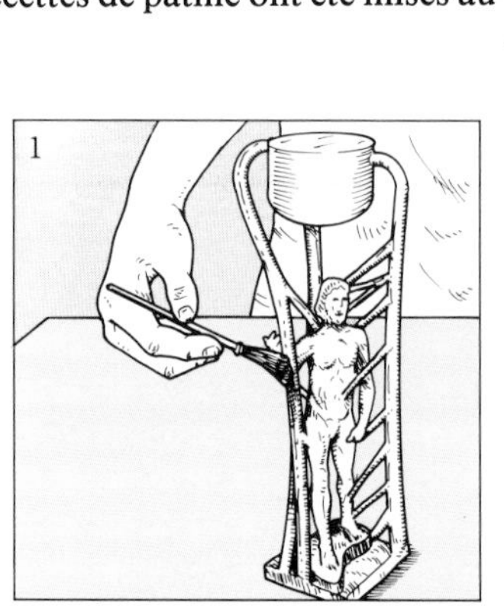

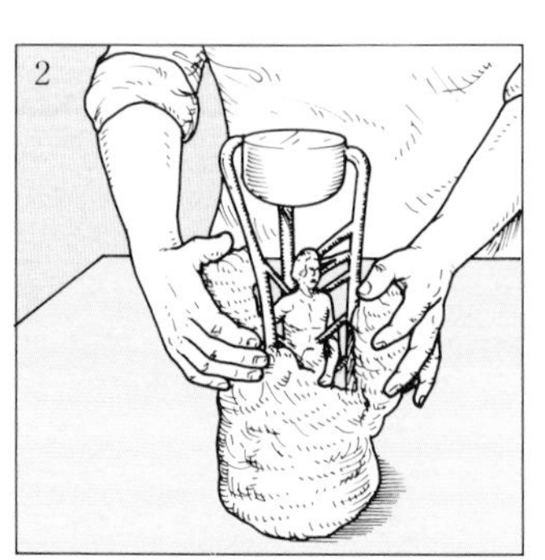

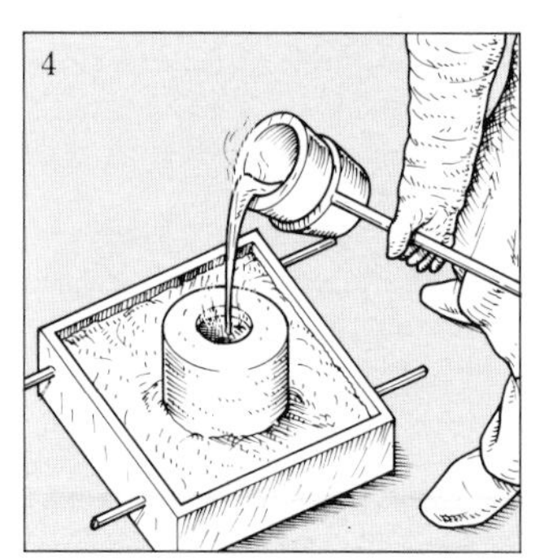

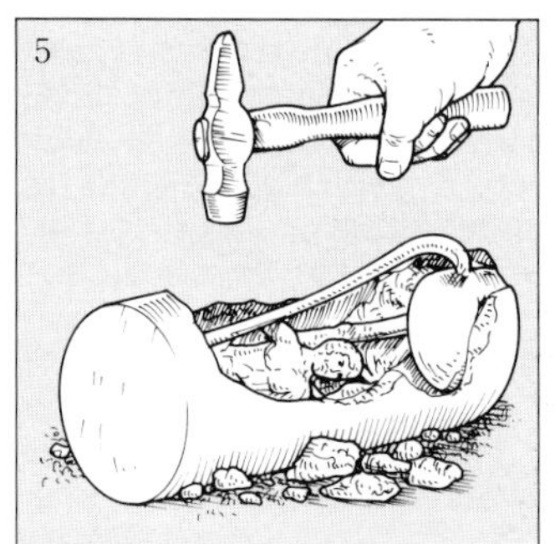

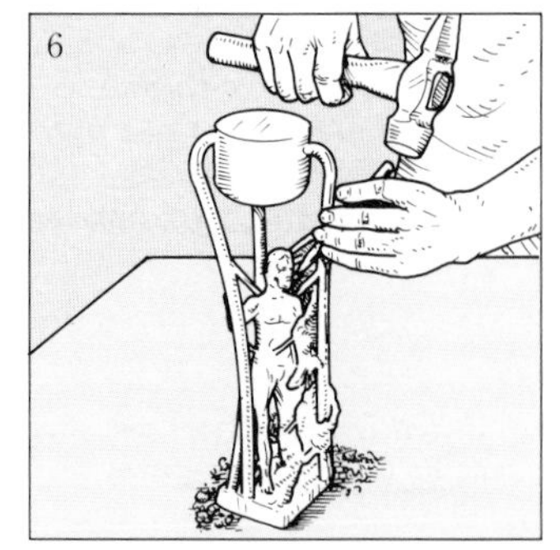

COULAGE A LA CIRE PERDUE
1. La statuette en cire, modelée sur un noyau en argile, était enfermée dans une structure comportant des évents, avant le coulage.
2. On dressait un moule en plâtre autour du modèle et de sa structure d'évents. Puis on versait du plâtre fin qui venait recouvrir le modèle.
3. L'ensemble, consolidé avec du fil de fer, était dégourdi dans un four avant la cuisson définitive, pour éliminer la cire fondue.
4. On versait le bronze fondu contenu dans un petit creuset à l'intérieur du moule, enfoncé dans un châssis rempli de terre.
5. Une fois le métal refroidi, le moulage était dégagé du moule qui était brisé à l'aide d'un marteau.
6. Le montage de métal et les différents évents, devenus inutiles, étaient retirés avec des outils pointus, libérant ainsi le moulage qu'on pouvait sabler, patiner et, enfin, cirer.

Ci-dessus : chiens de chasse en bronze de Pierre Jules Mène (1810-1879). France, milieu du XIXe siècle. Mène faisait partie d'un groupe de sculpteurs spécialisés dans les sujets animaux en bronze de petites dimensions. Comme ils étaient moulés au sable, procédé selon lequel la forme de l'objet était imprimée dans des demi-moules de sable compressé, ils pouvaient être reproduits en grand nombre.
*Ci-contre : illustration montrant le coulage des canons, tirée de l'*Encyclopédie *de Diderot. On mettait le feu sur le sol de l'atelier pour sécher le modèle et le moule, tous deux en argile.*
*Ci-dessous : illustration tirée de l'*Encyclopédie *de Diderot, montrant le moule en deux parties ainsi que les évents par lesquels pénétrait le métal fondu.*

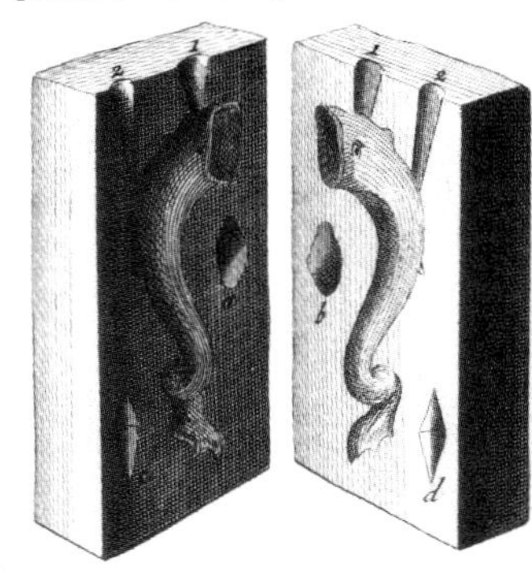

L'or moulu

L'or moulu ou dorure au mercure désigne toute œuvre d'art en métal recouverte de dorure au mercure. L'or utilisé à ces fins décoratives est très finement réduit en poudre, d'où le nom de « dorure d'or moulu ». La dorure au mercure est préparée à base de mercure et d'or, intimement mélangés de manière à présenter la consistance d'une pâte.

Une vaste gamme d'objets précieusement ornementés ont été ainsi produits de la fin du XVIIe jusqu'au XIXe siècle : montures de meubles, poignées de portes, vases, candélabres, appliques, chenets.

La composition de l'alliage dont étaient réalisés ces objets a varié, mais elle semble avoir été voisine de celle du laiton ou du bronze. Elle contient généralement du cuivre en grande proportion, avec du zinc en moindre quantité, et parfois de l'étain. La «générosité» de la dorure, dite «au feu» ou «au mercure», est caractéristique des œuvres traitées par ce procédé. Ce dernier servait à revêtir d'une couche d'or l'argent ou un autre métal, avant l'invention de l'électrodéposition.

On préparait la poche de fonderie (ou creuset) en la recouvrant d'une mince couche de chaux pour éviter que le métal n'adhère à la paroi. On y versait ensuite le mercure qu'on portait à ébullition, à 357,25 °C. L'or, sous forme de feuilles ou réduit en poudre, était chauffé, puis immergé dans le mercure qui l'absorbait immédiatement. L'amalgame ainsi formé était plongé dans l'eau froide, puis filtré à travers un sac de cuir, de manière à retirer l'excès de mercure. L'objet à dorer subissait un soigneux nettoyage avec de l'acide ou avec un abrasif. On préparait quelquefois la surface à l'aide d'un badigeon (dissolution de mercure dans de l'acide nitrique). La pièce était ensuite chauffée et enduite uniformément au moyen d'une brosse métallique humide. On chauffait de nouveau pour retirer le mercure en excès, qui s'évaporait ; l'or seul restait sur le métal. On polissait ensuite la dorure avec un brunissoir en agate, ou en hématite ou avec un abrasif doux.

Les objets à l'or moulu étaient généralement moulés à la cire perdue et travaillés ensuite au poinçon et au repoussoir. Le métal

Ci-contre, à gauche: pendule d'Avignon, d'après un modèle de Louis Simon Boizot (1743-1809), exécutée puis dorée au mercure par Pierre Gouthière (1732-1813/1814). France, 1771. La surface de la pièce a été travaillée avec des outils de finesse croissante, d'où la précision. Lorsqu'on avait déposé une couche d'or sur la pièce suivant le procédé de la « dorure au mercure », on faisait briller davantage certaines parties par brunissage.
Ci dessous: brûle-parfum en jaspe rouge et dorure au mercure exécuté par Gouthière. 1772-1782. La pastille de parfum était placée dans un récipient fixé à l'intérieur du col. Gouthière devint maître doreur en 1758 et, vers 1770, il était reconnu comme le créateur le plus doué de son temps pour ses œuvres décoratives ciselées et dorées, très élaborées.

était embouti suivant la forme désirée, et on le ciselait pour lui donner à la fois texture et fini. Dans certains ouvrages de grande qualité, les surfaces mates présentent de délicates ciselures qui contrastent avec les parties dorées très brillantes.

L'art de l'or moulu reste essentiellement de tradition française car c'est en France que son procédé de fabrication devait atteindre un grand raffinement au milieu du XVIIe siècle. Les objets ainsi fabriqués relevaient d'un métier particulier, exercé par des membres de la Corporation des Fondeurs et de la Corporation des Doreurs.

Certains artisans, parmi les plus habiles, comme Charles Cressent, avaient en outre une formation de sculpteur, ce qui explique que bronziers d'art et sculpteurs aient toujours entretenu des liens privilégiés. L'or moulu était employé dans la fabrication de garnitures de meubles, de caisses de pendules, on l'utilisait aussi pour mettre en valeur porcelaines fines ou laques orientales. Celles-ci étaient fixées dans des montures élaborées, assemblées par des vis ou des boulons. En dépit de la lourdeur du matérieau employé, les meilleurs bronziers réussirent à créer des chefs-d'œuvre d'une légèreté et d'une finesse extraordinaires.

La plupart des grands bronziers, tels Pierre-Philippe Thomire et Pierre Gouthière, ont travaillé, en France, pour la famille royale.

Matthew Boulton jouira d'une notoriété comparable en Angleterre, pour les œuvres, d'une qualité exceptionnelle, issues de sa fabrique de Soho, à Birmingham. La majeure partie de sa production fut consacrée aux garnitures de vases en marbre ou en fluorine bleue — variété de spath que l'on trouve dans le Derbyshire — ainsi qu'aux belles pendules ornées de sujets classiques.

A partir du milieu du XIXe siècle, l'électrodéposition supplanta la dorure au mercure et, bien qu'on ait conservé le procédé de coulage traditionnel dans bien des cas, on peut noter une subtile différence de nature et de couleur dans la dorure, selon que l'on est en présence de laiton doré, de bronze ou de véritable or moulu.

Ci-dessus: détail d'une garniture dorée au mercure d'un bureau plat en bois de violette, attribué à Charles Cressent (1685-1768). France, vers 1735. Le travail de ciselage est ici très nettement visible. Contrairement aux règlements de sa corporation, Cressent employait fondeurs et doreurs dans ses ateliers d'ébénisterie.

Ci-contre: détail de la garniture du pied du bureau. Les surfaces matées tranchent sur les parties brunies.

A l'extrême gauche: applique dorée au mercure, d'un ensemble de quatre pièces exécutées par François Thomas Germain (1726-1791). France, 1756. Ces objets décoratifs sont décrits comme « bronze doré ». Germain occupait quelque quatre-vingts artisans à ce genre de travail.

Le laiton

Le laiton est un alliage de cuivre et de zinc dans lequel la proportion de cuivre peut varier de 55 à 90 % selon le métal désiré. Sa couleur dépend des autres métaux entrant dans sa composition mais elle est en général d'un jaune doré. C'est un métal dur qui prend un aspect très brillant lorsqu'on le polit. On peut soit le mouler, soit le forger à la main.

Dans l'Antiquité, sa fabrication impliquait l'emploi de la calamine qui est du carbonate de zinc. Ce dernier, réduit en poudre, était mélangé à du charbon de bois et à des granules ou à des morceaux de cuivre. On mettait le tout dans un creuset qu'on chauffait à une température suffisamment élevée pour réduire le zinc contenu dans le minerai de calamine à l'état métallique sans pour autant faire fondre le cuivre. Le zinc est volatil et, sous l'effet de la température, le cuivre absorbe les gaz et en particulier la vapeur de zinc avec laquelle il forme le laiton. Le métal ainsi obtenu était chauffé jusqu'à son point de fusion pour être ensuite versé dans des moules.

Les Romains l'utilisèrent les premiers pour leurs monnaies ainsi que leurs plaques commémoratives puis on le trouva communément employé au premier siècle de notre ère. Ils importaient la calamine de divers pays sous leur domination : des Ardennes belges ou de Mendips en Grande-Bretagne, par exemple.

La première description fidèle de la fabrication du laiton apparaît dans un texte du moine allemand Théophile, *De diversis artibus*, qui remonte à la première moitié du XIIe siècle. Il y rapporte comment on faisait chauffer ensemble cuivre et « calamina » dans un creuset. Plus tard, au XVIIe siècle, est décrit le fourneau dans lequel on chauffait le mélange : creusé au-dessous du niveau du sol et muni d'une hotte et d'une cheminée, il comportait plusieurs creusets. Des soufflets activaient le feu pour atteindre une température suffisante. A l'origine on se servait de bois pour alimenter ces fourneaux ; cependant au XVIIIe siècle, on utilisa parfois du charbon, surtout en Angleterre.

On retirait du fourneau le laiton en fusion pour le verser dans des moules en grès ou autre matériau du même genre, composés de deux parties réunies par des pinces en fer. Les plaques de

Ci-dessus : pendule en laiton néerlandaise dans le style « Art Nouveau » réalisée dans l'atelier de Onder Den Saint Maarten à Zaltbommel, vers 1900. La pendule a une fonction plus décorative qu'utilitaire. Le boîtier présente des décorations dues à des techniques variées, parmi lesquelles la gravure, le poinçon et l'estampage.

Ci-contre, à gauche : chope à couvercle bombé en laiton. Angleterre, vers 1720-1730. Le corps et le couvercle ont été réalisés soit à la rétreinte, soit au moule. Les autres finitions, telles que poignées et pied, ont été fixées par soudure au laiton, technique semblable à celle employée pour l'argent.

Ci-dessous : illustration représentant l'atelier d'un dinandier allemand, tirée du livre d'Amman sur les métiers. On voit l'artisan occupé à façonner une bassine au marteau. Le fourneau servait à recuire le laiton au cours du travail.

Ci-contre, à gauche: paire de bougeoirs en laiton anglais, vers 1690-1700, coulés et tournés.

Ci-dessous: bouilloire en laiton et son support. Angleterre, milieu du XVIIIe siècle. Le corps de la bouilloire a été fait à la rétreinte, et le bec a été soudé au laiton. Quant à l'élégant support, il a sans doute été coulé en plusieurs parties assemblées par soudage et terminées au tour.

laiton étaient ensuite façonnées à l'aide de grands marteaux à bascule actionnés par eau. Après l'étape du « battage », il fallait amollir le laiton par un nouveau passage dans le fourneau.

En 1738, William Champion, de Warmley près de Bristol, mit au point une technique pour fabriquer du zinc métallique dans une cornue verticale. Ce procédé se répandit au cours du XVIIIe siècle, sauf pour certains qui continuèrent, jusqu'au milieu du XIXe siècle, à utiliser la calamine donnant, selon eux, une plus belle couleur au laiton.

En Angleterre, Isleworth dans le Middlesex et Tintern dans le Monmouthshire, furent les centres de fabrication du laiton les plus importants, dirigés par la « Society of Mines Royal ». Celle-ci avait vu le jour au XVIe siècle dans la région de Bristol au moment de la découverte de la calamine. Au début du XVIIIe siècle, la région de Baptist Mills, près de Bristol, comptait une trentaine de fourneaux en activité.

Au Moyen Age et plus tard, les centres les plus actifs de la production de laiton se situaient autour de Liège, à Aix-la-Chapelle et Dinant — qui donna son nom à l'ensemble des objets faits dans ce métal: la « dinanderie ».

Avant le XVIIIe siècle, les colonies américaines devaient importer la majeure partie de leurs ustensiles en laiton. Puis des mineurs allemands s'expatrièrent pour exploiter les mines de cuivre du Connecticut et du New Jersey. Il est probable que dès le milieu du XVIIIe siècle on fabriquait du laiton en Amérique. Il est en tout cas certain qu'il existait une industrie de boutons de laiton à Waterbury, dans le Connecticut, au début du XIXe, et vers le milieu de ce siècle Baltimore était devenu un centre important du commerce du laiton.

La fabrication du fil de laiton constituait une part considérable de l'industrie de ce métal, car on l'utilisait pour les épingles et pour la garde des épées. Autrement, il était livré aux artisans sous forme de feuilles. Une des caractéristiques de la production du laiton, c'est qu'elle a, très tôt, été simplifiée par l'emploi du moulage, de l'emboutissage au tour et de l'estampage.

Le moulage était le moyen le plus utilisé pour la fabrication de petits objets. Ainsi pour les boucles de ceinture ou autres articles décorés d'un seul côté, le métal en fusion était coulé dans des moules ouverts comportant une empreinte en creux. En revanche un chandelier, par exemple, était réalisé dans un moule en deux parties, chacune reproduisant la moitié d'un modèle de l'objet sculpté au préalable dans un bois dur, généralement du buis.

On a aussi eu recours à la « cire perdue » pour l'exécution de pièces creuses et compliquées, telles que des pots à eau ou « aquamaniles », comme on le fit pour le bronze ou l'argent.

Au Moyen Age on a produit de minces bandes ornementales au moyen de l'estampage. On trouve notamment ce type de décorations sur des plats et des bassins fabriqués à Nuremberg à partir du XIVe siècle. Cette technique relevait d'une compétence particulière.

Le poinçonnage et le bosselage furent aussi utilisés pour décorer le laiton. L'artisan disposait de plusieurs poinçons de profils différents pour varier son travail. L'objet à façonner était habituellement appuyé sur un bloc de plomb ou de poix sur lequel on pouvait étirer le laiton sans le casser. La technique du bosselage se répandit largement aux Pays-Bas, surtout pendant la période baroque.

Le laiton, facile à couper et à limer, est très adapté à la fabrication de pièces évasées. On en trouve une démonstration dans une variété d'objets qui va de dessous-de-plat finement ajourés, œuvres d'artisans spécialisés de Nuremberg des XVe et XVIe siècles, à des bassinoires et boîtes à thé hollandaises, aux parois ornées de précieux dessins du XVIIIe siècle.

A l'extrême gauche: kursi égyptien en laiton incrusté d'argent et de cuivre dans le style mamelouk. XIXe siècle. Le kursi servait à la fois de support pour le coran et de lutrin. Il est composé d'une armature supportant des feuilles de laiton repercé assemblées à l'aide de rivets.

Ci-contre, à gauche: détail du kursi révélant la finesse du repercé de la porte et le mélange de laiton, d'argent et de cuivre.

Ci-dessous: boîte à thé en laiton néerlandaise, début du XVIIIe siècle. Le décor en repercé et en gravure a été exécuté à la scie, à la lime et au burin.

Avant la découverte de l'électrodéposition, on pratiquait la dorure au mercure sur le laiton. La vaisselle était plaquée d'argent et l'on y voit quelquefois de faux poinçons. Si l'argenture en a le plus souvent disparu, il en reste des traces aux endroits protégés de l'usure.

Aux XVIIIe et XIXe siècles, on recouvrait le laiton de laques qui protégeaient la pièce tout en lui donnant de la couleur. Le laiton doré par électrolyse, tel qu'on le voit dans des pendules ou des garnitures de meubles du XIXe siècle, était revêtu d'une laque teintée qui lui donnait un air « ancien ». Si on retire la laque, on découvre presque toujours le brillant qui est dessous.

On trouve aussi la technique du damasquinage, employée sur du laiton, comme l'utilisaient les armuriers pour les épées. Les artisans du Proche-Orient étaient particulièrement experts dans cet art de nieller le laiton et le bronze tout comme le furent ceux de Venise et de ses colonies, qui produisirent des œuvres de grande qualité au cours de la première moitié du XVIe siècle.

Ci-contre, à droite: insigne pour les chevaux, en laiton, commémorant le couronnement de George V et de la reine Mary. Angleterre, 1911. Ces objets étaient fabriqués au moule.

Ci-dessous: paire de chenets français en laiton, dans le style du XVIIe siècle. On posait les bûches sur les supports en fer, tandis que les ornements compliqués répondaient uniquement à un souci décoratif.

Le métier du serrurier

La serrure est certainement une invention du Proche-Orient. Lors des fouilles de Ninive, près de Khorsabad, on a trouvé une serrure en bois déjà extrêmement perfectionnée, conçue à partir d'un système de chevilles. Une clé, munie elle-même de chevilles, commande l'ensemble. Cet objet a sans doute 4000 ans !

Les serrures les plus anciennes, pour la plupart originaires d'Egypte, sont en bois. Ce furent les Romains qui, les premiers, utilisèrent le métal, en général du fer, pour les leurs. Il est presque certain que ce sont leurs serruriers qui inventèrent les « gardes », protections qui empêchent la serrure de fonctionner si la clé présentée n'est pas la bonne. Le verrouillage était assuré habituellement par un simple verrou carré, mais il n'est pas impossible que certains des systèmes romains aient déjà été munis de mécanismes à ressort. Au Moyen Age, les artisans serruriers travaillaient à peu près de la même façon et leurs outils étaient sans doute identiques.

Au XVe siècle, lorsqu'un serrurier entreprenait la fabrication d'une serrure de coffre, il commençait par prendre une feuille de métal qu'il réduisait au marteau à l'épaisseur voulue, puis il la découpait avec des cisailles. Le mécanisme était ensuite monté sur le dessous.

Ce dernier était le plus souvent fixé à la plaque à l'aide de chevilles métalliques ou de rivets, qu'on ébarbait ou aplatissait à chaque extrémité pour arrimer le tout solidement. A l'exception d'ouvrages de plus grande qualité, l'intérieur de la serrure restait grossier ; en revanche, la partie extérieure visible était souvent richement ornée. Un décor repoussé, repercé, était courant; mais dans certains modèles, on trouve des surfaces entièrement ajourées. Celles-ci étaient évidées à l'aide de limes et de scies, puis fixées sur la serrure, parfois sur un fond de tissu ou de laiton doré. Le loquet de certaines serrures représente des personnages et le trou de la clé est dissimulé sous un cache-serrure.

Vers le XVe siècle, les serruriers mirent au point des systèmes à ressort très sophistiqués et, au XVIe siècle, les coffres comportaient souvent plusieurs verrous. Dans les belles serrures, le mécanisme était fixé à la plaque par des vis, et de petites plaques de protection entouraient les ressorts fragiles.

Les serrures allemandes des XVIe et XVIIe siècles étaient décorées de gravures. Personnages, entrelacs et arabesques minuscules constituaient leurs décors de prédilection. Dans certains centres, comme Nuremberg, il semble que les artisans aient fourni des plaques de fer toutes décorées, découpées sur mesure.

Vers la seconde moitié du XVIIe siècle, les serruriers intégrèrent les mécanismes dans des boîtiers rectangulaires faits à partir d'épaisses plaques de fer. Ces derniers étaient ornés d'un travail de gravure dans lequel figurait le nom du serrurier ou, en France surtout, d'un fin décor repercé ou ciselé. Le dessin

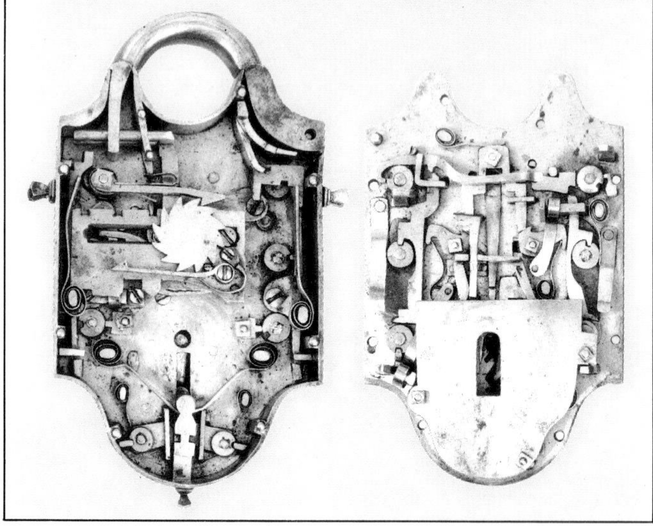

Ci-dessus: cadenas allemand en acier, XVIIe siècle. Cadenas à secret, vraisemblablement un pur exercice de style. En faisant fonctionner différents cadrans disposés à l'arrière, on pouvait dégager la clé et ouvrir le cadenas.

Ci-contre, à gauche: clé en acier anglaise, XVIIe siècle. Le décor en arceaux a été ajouré au foret, puis limé et gravé.

A l'extrême gauche: photographie d'un serrurier dans son atelier. 1905. La partie de la serrure ou de la clé qu'il est occupé à limer est solidement maintenue dans un étau. On aperçoit une petite enclume derrière son établi.

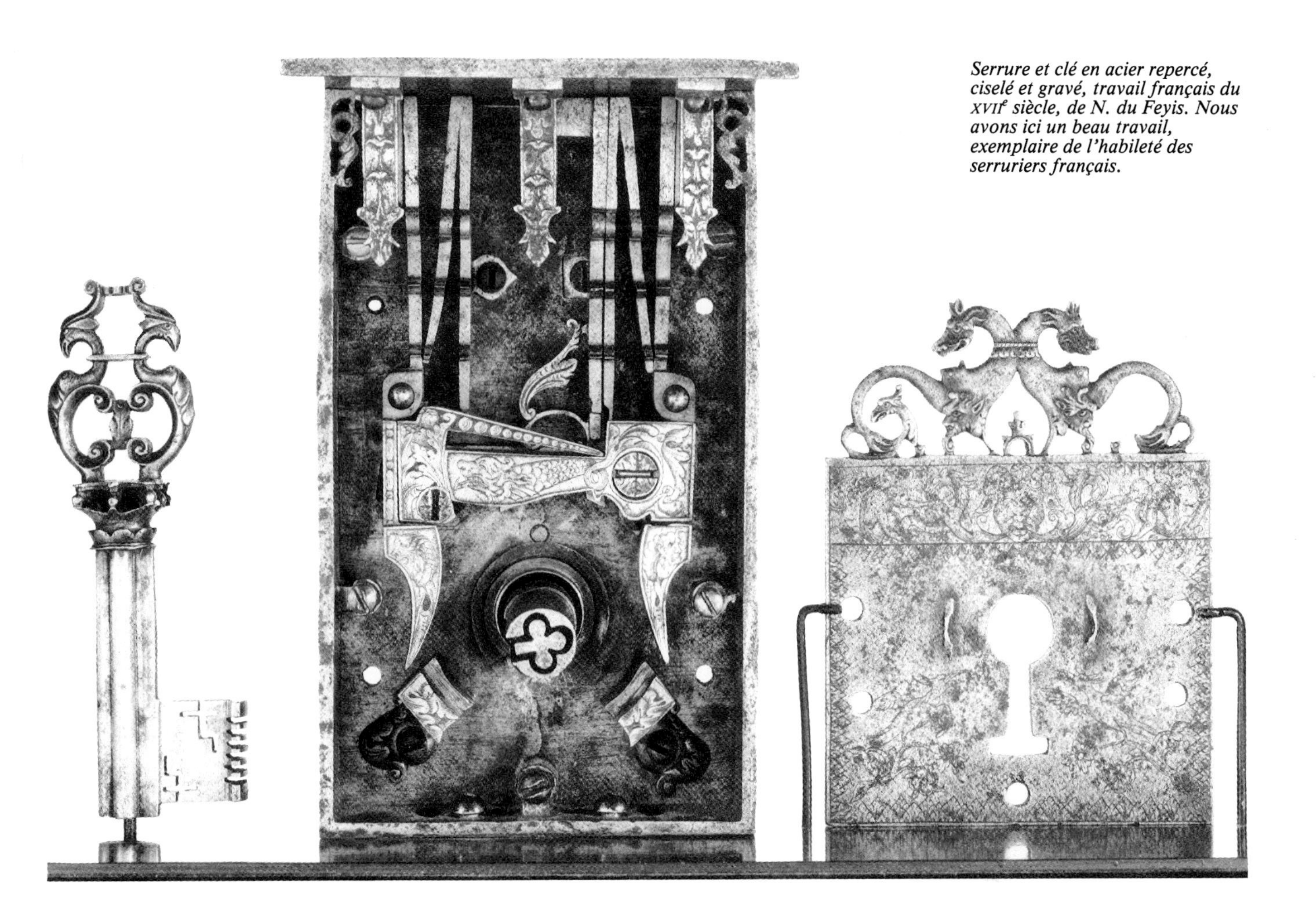

Serrure et clé en acier repercé, ciselé et gravé, travail français du XVII*e siècle, de N. du Feyis. Nous avons ici un beau travail, exemplaire de l'habileté des serruriers français.*

de la clé correspondait invariablement à celui de la serrure. Il semble que les modèles les plus compliqués de l'époque aient été des chefs-d'œuvre créés par des compagnons comme épreuves d'admission dans leur corporation.

Au XVIe siècle, on se servit de laiton pour les cache-serrure et la décoration des serrures. Dans la seconde moitié du XVIIe siècle apparurent les boîtiers en laiton moulé, principalement en Angleterre où ils furent largement employés par Wilkes, fabricant à Birmingham. Les très belles serrures signées du nom de Bickford (v. p. 139) sont remarquables, elles, par leurs ajours en laiton doré se détachant en général sur un mécanisme en acier bleui. Certaines des serrures provenant de ces deux ateliers comportent un cadran qui indique le nombre de leurs utilisations.

La serrurerie actuelle trouve son origine en 1778 avec l'invention du fichet à double jeu par Robert Barron. La serrure était équipée de deux leviers ou « fichets » qui devaient être soulevés pour que le verrou fonctionne. Ce système devait connaître d'autres améliorations, en particulier grâce aux recherches d'artisans tels que Chubb et Bramah. Ce dernier eut recours à la collaboration d'un ingénieur, Henry Maudsley, pour usiner les différentes pièces de la serrure qu'il avait brevetée. Quant à la serrure bien connue, mise au point par Linus Yale en 1848, elle s'inspirait directement des premiers modèles égyptiens : la clé, une fois introduite dans la serrure, relevait la série de chevilles ; lorsque celles-ci étaient correctement alignées, le barillet pouvait tourner. Les artisans serruriers des XIXe et XXe siècles ont porté leurs efforts tout particulièrement sur la sûreté des serrures plutôt que sur leur aspect esthétique et décoratif.

La fabrication des cadenas représentait une part importante de l'activité des serruriers aux XVIe et XVIIe siècles. Il en existait de toutes formes, allant du solide cadenas massif à boîtier au petit cadenas rond. Au XVIIIe siècle, le cadenas en forme d'écusson était fort répandu à travers toute l'Europe. Quant aux modèles à combinaisons, ils furent créés au début par des artisans en veine de distraction ou fiers de montrer leur habileté.

Au Moyen Age, on fondait des clés en bronze dans des moules en deux parties, puis on les terminait grossièrement à la lime. Les premières clés en fer furent aussi forgées sans raffinement, pour être façonnées et percées ensuite. En revanche, les clés en acier fabriquées à partir du XVe siècle sont des chefs-d'œuvre à part entière. Les plus beaux modèles étaient forgés et ciselés, souvent formés au tour.

Les outils traditionnellement utilisés par les serruriers comprenaient une série de petits marteaux, une enclume de petite dimension pour forger les barres et les plaques de fer et un fourneau pour chauffer l'ouvrage. Il y avait aussi des outils contondants comme des forets, des scies et des limes. Poinçons et matrices servaient à faire certaines pièces de la serrure, et une filière était indispensable pour les chevilles d'attache du mécanisme à la plaque. Les clés étaient réalisées au tour, et les ateliers disposaient, comme maintenant, d'une série de clés vierges à couper à la demande. Il fallait enfin des scies très fines pour découper dans une clé les gardes appropriées.

L'étain

L'étain est un corps simple. Son symbole chimique est Sn (*spanum*). Il est extrait de la cassitérite. Sa composition a considérablement varié au cours des siècles, mais des analyses de pots d'étain anciens ont révélé que l'alliage employé pour les plus belles pièces était composé de 92 % d'étain, de 1 % de cuivre et de 3 à 5 % de plomb. La proportion de ce dernier, plus importante dans un étain de qualité inférieure, le rendait d'ailleurs dangereux lorsqu'on l'employait pour contenir des aliments. On lui préféra l'antimoine à la fin du XVIIe siècle, si bien que l'alliage dont nous nous servons actuellement contient 94 % d'étain, 4 % d'antimoine et 2 % de cuivre ou de bismuth.

Lorsqu'il est avivé, l'étain présente un reflet argenté qui, selon le degré de patine, va du gris au noir mat. Ce métal est relativement tendre et son point de fusion, bien que variable selon les alliages utilisés, est bas. On peut le travailler à partir de feuilles avec un marteau, mais plus généralement il relève de la fonderie. Cette dernière fut vraisemblablement une des premières techniques employées pour façonner l'étain et l'on sait de façon quasi certaine que les Romains le coulaient dans des moules en calcaire. Très tôt on s'est également servi de moules de sable mélangé à du plâtre. Plus tard, les matrices furent réalisées en deux parties avec du bronze à canon, alliage de cuivre et d'étain ou de zinc.

On faisait fondre les lingots d'étain dans un fourneau, puis on les coulait dans le moule enduit d'un mélange d'ocre rouge, de pierre ponce et de blanc d'œuf pour empêcher le métal d'adhérer aux parois. Le potier d'étain jugeait à l'odeur si le métal était à la bonne température. On chauffait le moule dans lequel l'étain en fusion était versé à la louche. On l'inclinait dans tous les sens avant de le remettre à la verticale pour que les endroits plus difficiles à atteindre soient remplis, et le métal réparti uniformément. Son point de fusion étant bas, l'étain prend très vite. Après ouverture du moule, l'objet était débarrassé de tout métal superflu appelé « baguette de coulée ».

Certaines pièces de grandes dimensions telles que plats et bassins étaient en général façonnées à partir d'une feuille, mais les petits objets comme assiettes, plats, chandeliers ou salerons étaient coulés, puis terminés au marteau ou au tour. Le travail au marteau tassait le métal, le rendant ainsi plus solide. Les pièces importantes et complexes comme les pots à anse comportaient plusieurs éléments moulés : pieds, poignées, couvercles, fabriqués séparément. On les réunissait au corps principal dans un deuxième temps, selon une technique qui demandait une appréciation exacte de la température pour ne pas les abîmer par une chaleur excessive. Jattes et bols pouvaient, eux, être coulés d'une seule pièce.

Lorsqu'on finissait le travail de l'étain au tour, des outils de formes diverses intervenaient pour le tailler, le façonner suivant l'épaisseur et le dessin voulus. On les appuyait contre l'objet, qui tournait très vite. Le tour était entraîné par une pédale en

Ci-dessus : lampe américaine en étain avec réflecteur à lentilles convexes. XIXe siècle. Objet probablement fait par moulage.

Ci-contre, à gauche : plat en étain à large bordure. Angleterre, vers 1660-1665. Le fond présente une faible protubérance centrale et le bord est gravé d'une frise représentant des scènes de chasse.

bois, comme pour le tournage du bois (v. p. 22). Ce système devait être supplanté, vers la fin du XVIIIe siècle, par le repoussage au tour; on formait la pièce sur le tour en rabattant la feuille d'étain sur un mandrin. Ce procédé rendait rapide et économique la production en grand nombre de formes cylindriques adaptées aux chopes et aux bols.

L'intérêt majeur de l'étain réside dans la pureté de ses lignes et dans sa couleur. Pourtant certaines pièces d'apparat étaient très richement décorées. Au cours de la première moitié du XVIe siècle, apparut, probablement en France, l'« Edelzinn », décor en relief. François Briot, graveur en médailles lorrain, reste un des principaux représentants de cet art maniériste, principalement pour ses aiguières et ses plats. Sur certains de ceux-ci apparaissent des allégories de la « Tempérance », d'où leur appellation « Plats de la Temperantia ».

Casper Enderlein, potier d'étain qui vivait à Nuremberg au début du XVIIe siècle, exécuta aussi plusieurs versions de ces objets ainsi qu'une importante série de chopes. En effet, au XVIIe siècle, Nuremberg devint un centre important de l'étain en relief, dont les plats ronds à l'effigie des sept Grands Electeurs sont parmi les exemples les plus célèbres. Une autre série très connue représente les armes des divers cantons suisses.

On trouve aussi, parmi les pièces uniquement destinées à des fins d'exposition, les coupes des corporations. Elles étaient très hautes et très lourdes et servaient lors des manifestations officielles. Il nous reste des exemples de celles-ci, faites au XVe siècle dans le nord de l'Europe. Ce sont sans doute les objets les plus impressionnants réalisés en étain.

Au XVIe siècle, à Zittau en Saxe, Paul Weise acquit une grande réputation dans la production de ces coupes géantes. Elles étaient ornées de bandeaux en relief inspirés des œuvres de l'artiste allemand Peter Flötner. Il semble d'ailleurs que les plats de Briot et les plaquettes de Flötner aient connu un grand succès car la diffusion de leurs modèles a été poursuivie souvent très longtemps après leur création. Il est vraisemblable que les « Temperantia » étaient encore en vogue au XIXe siècle.

Ci-contre, à gauche: pichet à bière anglais en étain, début du XIXe siècle. Le corps, sur lequel divers éléments ont été soudés, a été fait par moulage.

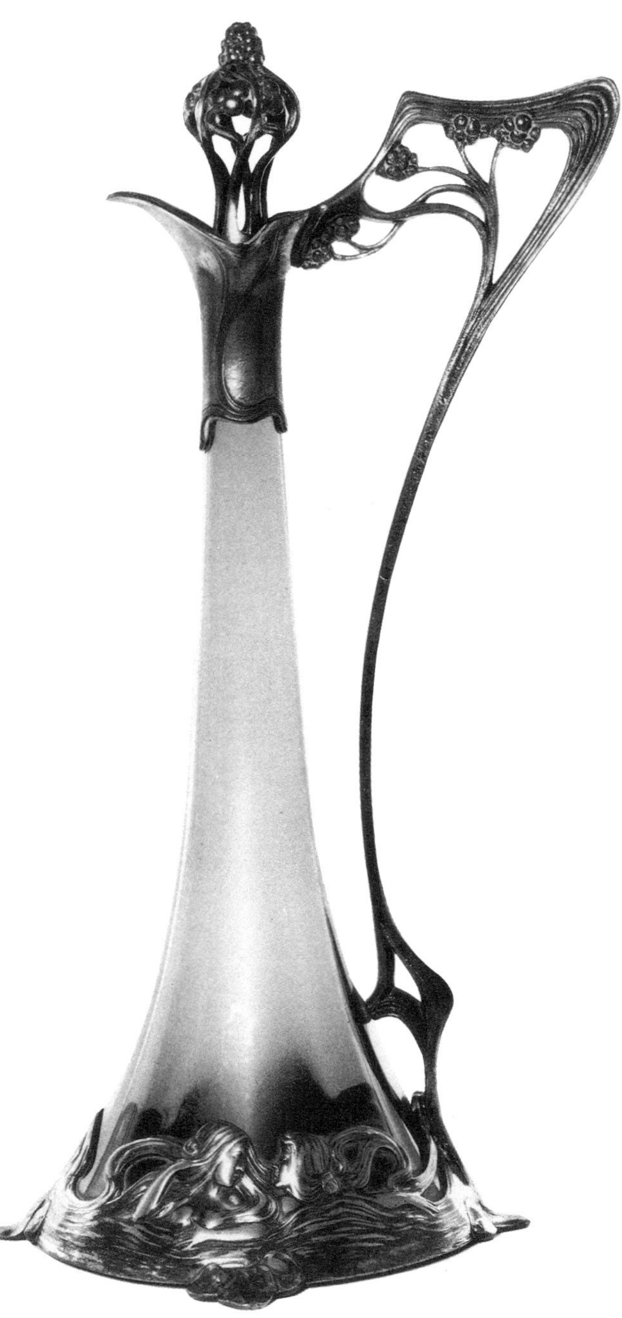

Ci-dessous: carafe en verre de couleur verte, à monture d'étain. Allemagne, vers 1900. Le pied est orné de sirènes et de feuilles de nénuphars en étain moulé. La Württembergisches Metal Fabrik fit de très belles pièces dans le style Art Nouveau.

Ci-dessous: deux mesures en étain. A gauche, mesure anglaise en forme de balustre, vers 1700.

A droite, mesure écossaise à poussoir, fin du XVIIe siècle.

L'étain était parfois combiné avec d'autres matériaux. Le corps d'une coupe ou d'une bouteille, par exemple, était en verre ou en poterie, et son couvercle en étain. On trouve en Allemagne des chopes avec un décor en repercé, exécuté à la lime ou à la scie, qui laisse deviner la partie de l'objet qu'il recouvre. Cette technique était couramment utilisée pour les pots désignés sous le terme de «Pechrug» qui étaient fabriqués, comme des tonneaux, à partir d'une série de douves en bois emboîtées les unes dans les autres.

On voit souvent sur les étains de la fin du XVIIe siècle, tout spécialement en Angleterre et dans l'actuel Benelux, des dessins gravés en forme de tortillons. Ceux-ci étaient exécutés en manipulant une échoppe d'un côté sur l'autre, ce qui produisait une ligne en zigzag. Il s'agit de la gravure au trempé. Nombre de chopes et d'écuelles anglaises datant de 1690 environ portent les effigies du couple régnant entourées d'un décor de feuillage, d'un style délicieusement naïf. On trouve une version plus sophistiquée de ce genre de décoration dans les grands plats commémoratifs, exécutés à Londres par des potiers d'étain dans la dernière partie du XVIIe siècle.

C'est aussi à cette époque qu'apparurent les applications d'émaux colorés sur l'étain. Ces émaux étaient habituellement bleus, blancs et rouges, selon la technique du champlevé où le fond du dessin était évidé, rempli d'émail pour être ensuite cuit et poli. Ce genre de décor était presque exclusivement réservé aux armoiries et n'occupe que la partie centrale des plats.

On a largement employé la fonte pour l'étain à l'époque de l'Art nouveau, au début des années 1900. Les formes douces en relief étaient faciles à réaliser au moule. On en trouve les plus beaux exemples en Allemagne où la « Württembergisches Metal Fabrik» s'était fait une spécialité de ces objets. Les potiers d'étain modernes emploient des moules spéciaux dont le métal en fusion épouse fidèlement les détails les plus fouillés grâce à la force centrifuge.

On a souvent utilisé l'étain pour des objets usuels comme des plats de service, des chopes et des mesures utilisés comme des assiettes, des coupes ou des pots en argent plus précieux. S'il était moins onéreux que l'argent, l'étain était cependant plus luxueux que ses équivalents en céramique ou en bois. Les formes des vaisselles d'étain et d'argent sont souvent voisines car, les artisans vivant très proches les uns des autres, les techniques et les styles circulaient très facilement parmi eux.

L'emploi de la vaisselle en étain se répandit à partir du XIVe siècle. Pourtant seuls quelques exemplaires de cette vaste production sont parvenus jusqu'à nous. On explique cette rareté par le fait que, très tôt, l'étain, relativement fragile, fut couramment refondu lorsqu'il était abîmé, pour être remodelé suivant les formes à la mode. C'est pourquoi on trouve très peu d'étains antérieurs au XVIe siècle.

Des formes et des styles régionaux firent leur apparition au XVe siècle. Auparavant, on retrouve partout en Europe des traits communs caractéristiques du gothique : par exemple des pots à anse, courts et pansus, souvent ornés de facettes.

Dès le début du XIVe siècle, on voit se former des corporations de potiers d'étain dans toutes les villes importantes d'Europe. Leur rôle consistait à réglementer la fabrication et la vente des étains : des échantillons de l'alliage étaient portés à la halle de la corporation et soigneusement comparés avec un poids d'étain pur.

L'étain, tout comme l'argent, était marqué de poinçons indiquant la qualité et le nom de l'artisan ou de l'atelier d'où il provenait. Il existait des contrôleurs chargés d'inspecter les ateliers et de saisir tout ouvrage ne répondant pas à un certain seuil de qualité ou fabriqué par des artisans qui n'appartenaient pas à la corporation.

On peut se faire une idée de l'atelier et du stock d'un potier d'étain en examinant les testaments et les inventaires. Sur ceux-ci, mention était faite des lingots et feuilles de métal ainsi que

*Ci-contre, à gauche: illustration représentant l'atelier d'un potier d'étain, tirée de l'*Encyclopédie *de Diderot. Deux artisans sont en train de tourner une pièce (fig. a et b), tandis qu'un autre façonne une poignée (fig. c). Près du fourneau, on applique une soudure avec un fer chaud (fig. d) et, au premier plan, on verse de l'étain fondu dans un moule avec une louche (fig. e).*

Ci-contre, à gauche: détail de la chope, montrant un personnage du bandeau supérieur. Les reliefs, créés à partir de différents moules, sont inspirés de dessins de Peter Flötner (mort en 1546) dont le personnage de Lucrèce sur l'anse est typique.

Ci-dessous: chope anglaise en étain, 1698. Le dessin en zigzag a été fait en basculant le burin d'un côté et de l'autre pendant la gravure du modèle.

Ci-dessus: chope allemande en étain, recouverte d'une mince couche d'argent, exécutée par Paul Weise (vers 1535-1591). Vers 1570. Sur la poignée apparaît le poinçon de Zittau, en Saxe, à côté de celui du fabricant. Cet objet, fabriqué pour une corporation de bouchers, était destiné à être exposé.

des tours, des moules et d'un banc spécial sur lequel on posait ces derniers. Appelé « chevalet », il était muni de deux montants à chaque extrémité, l'un fixe, l'autre amovible, assurés par une cale et une pince. Le moule était maintenu en position par une tige filetée qu'on pouvait serrer à volonté. On se servait de marteaux spéciaux à tête double, appelés « planes », pour faire disparaître les irrégularités du métal. Un brunisseur arrondi en acier, à long manche, était employé pour aviver la surface après le moulage.

Un des outils les plus importants de l'atelier était le pieu, généralement en bois très dur, sur lequel l'étain était façonné à l'aide de divers marteaux. Il y avait aussi plusieurs types d'échoppes pour décorer les surfaces. Pour lui permettre de fondre et de souder son ouvrage, le potier disposait d'un fourneau et d'un chalumeau. Un ensemble d'outils de potiers d'étain du XVIIIe siècle sont conservés à la maison des potiers, le *Worshipful Company of Pewterers*, à Londres. On peut y voir des brunisseurs, des marteaux à bouge utilisés pour façonner la partie incurvée des plats et des assiettes (le « bouge ») et une « râpe » en fer de lance pour tourner l'intérieur des pièces creuses.

La variété des objets réalisés en étain est considérable. En effet, ceux-ci comportent les pièces les plus humbles comme les ustensiles de cuisine, mais aussi de la vaisselle raffinée destinée aux tables des plus grands seigneurs, et des pièces d'expositions tout à fait remarquables.

Le métal anglais

Le métal anglais est un alliage d'étain dans lequel entre une certaine proportion d'antimoine. On a beaucoup débattu la composition du métal anglais car elle se rapproche de celle d'autres alliages. Une recette de 1837 le décrit comme étant un mélange d'étain, d'antimoine, d'un peu de cuivre et de zinc.

La tradition situe l'origine du métal anglais à Sheffield en 1769. Un dénommé James Vickers, forgeron spécialisé dans la coutellerie, aurait eu en sa possession une recette de métal décrit comme un « métal blanc » avec lequel il fabriquait ses cuillères.

Ce métal était rétreint sur un mandrin et travaillé à froid sous forme de feuille soit par compressage, soit par estampage. Les éléments pleins, comme les poignées, les boutons de porte, étaient coulés dans des moules en bronze puis soudés au corps de l'objet. Les fabricants de métal anglais profitèrent rapidement des progrès que le travail de l'argent fin avait connus. Parmi ces améliorations, on comptait les laminoirs pour transformer les lingots en feuilles, les moutons et les matrices en acier, au moyen desquels on pouvait emboutir le métal.

Les descriptions de documents d'époque indiquent que ces machines, surtout celles qui fonctionnaient à la vapeur, étaient capables de produire des formes compliquées (saupoudroirs, plats, cloches à viande) à partir d'un disque de métal. La feuille de métal pouvait être décorée de godrons ou de cannelures avant l'emboutissage.

Il existe une immense variété d'ustensiles fabriqués en métal anglais. Dès 1787, James Vickers l'utilisait pour des mesures,

Ci-dessus: pot à crème en métal anglais doublé de céramique de Broadhead & Atkin. Angleterre, vers 1840. Le corps a été fait en deux parties par estampage tandis que l'anse et la base sont des moulages appliqués.

Ci-contre, à gauche: boîte à thé en métal anglais, exécutée par Richard Constantine, vers 1800. Ce métal est un alliage à base d'étain, qui présente un aspect beaucoup plus brillant que l'étain, auquel il ressemble. On prétend que l'industrie du métal anglais est apparue à Sheffield avec James Vickers. Constantine fut un de ses principaux concurrents dans la fabrication de pièces de table et autres objets usuels. Le dessin de cette pièce est comparable aux boîtes à thé en argent et en plaqué.

Ci-contre, à gauche: illustration représentant la fabrique de James Dixon & Son sur la Cornish Place, à Sheffield, vers 1825. Cette usine fut fondée en 1805 pour la fabrication de métal anglais et de couverts.

Ci-dessous: flambeaux américains en métal anglais, exécutés par Henry Hopper, vers 1845. Au XVIIIe siècle, les Américains importaient ce métal d'Angleterre mais, vers 1810, ils se mirent à le fabriquer sur place.

des théières, des saupoudroirs, des cadres et des salerons en plus des cuillères. En raison de ses liens avec l'industrie de l'argent, la plupart des formes, notamment pour les chandeliers, étaient directement inspirées des créations des orfèvres.

L'invention du repoussage au tour devait contribuer à faire évoluer les modèles réalisés en métal anglais. Il était impossible de fabriquer par ce procédé les formes ovales et octogonales des débuts. Cependant des catalogues datant du milieu du XIXe siècle révèlent un grand nombre d'objets au corps cylindrique, qui résultent très certainement de cette technique.

En 1840, Elkington avait déposé son brevet d'électrodéposition et, au cours des dernières années du XIXe siècle, les objets en métal argenté supplantèrent les plus belles pièces réalisées en métal anglais. On assista aussi à la généralisation de l'ornementation faite à la machine qui contribua pour beaucoup au déclin de cette technique.

Bien que la fabrication du métal anglais ait été surtout localisée à Sheffield, certains articles tels que cuillères et petites boîtes étaient produits à Birmingham et à Londres. Ces objets furent exportés aux Etats-Unis avant la fin du XVIIIe siècle et, au début du XIXe, des entreprises américaines du Massachusetts et du Connecticut se mirent à produire des théières et d'autres objets de cet alliage.

Comme à Sheffield, on utilisa largement des moyens industriels. Services à thé, crachoirs et chandeliers figurèrent sur les catalogues des plus grandes maisons. Mais, là aussi, cette fabrication devait tomber en désuétude dès l'apparition de l'électrodéposition.

Bibliographie

OUVRAGES GENERAUX

Bourdais, Marcel, *Secrets d'atelier perdus et retrouvés*, Dunod, Paris, 1978.
Fleming, John et Honour, Hugh, *The Penguin Dictionnary of Decorative Arts*, Penguin Books, Harmondsworth, 1979.

LE BOIS

Campredon, Jean, *Le bois* (1947), coll. «Que sais-je?», Presses Universitaires de France, Paris, 1982.
Chevalier, Jacques, *La sculpture sur bois*, J.B. Baillière, Paris, 1978.
Donzelli, Rinaldo, et Munari, Bruno, *Comment travailler le bois*, Nathan, Paris, 1980.
Gairaud, Yves, et de Perthuis, Françoise, *Guide du meuble ancien*, Hervas, Paris, 1984.
Hayward, Charles, et Wheeler, William *Pratique de la sculpture sur bois et de la dorure*, Eyrolles, Paris, 1980.
Honour, Hugh, *Chefs-d'œuvre du mobilier de la Renaissance à nos jours*, Bibliothèque des Arts, Paris, 1971.
Huth, Hans, *Laquer of the West*, University of Chicago, Chicago, 1971.
Janneau, Guillaume, *Le mobilier français: les sièges, le mobilier d'ébénisterie*, 2 vol., J. Fréal, Paris, 1974.
Jarry, Madeleine, *Le siège français*, Office du Livre, Fribourg, Vilo, Paris, 1973.
Joy, Edward, *English Furniture, 1800-1851*, Sotheby, Parke & Benethon, Londres, 1977.
Kjellberg, Pierre, *Le mobilier français*, 2 vol., Le Prat, Paris, 1978.
Maigne, W., et Robichon, E., *Nouveau manuel complet du marqueteur tabletier et de l'ivoirier*, Roret, Paris, 1977.
Merpillat, Marcel, et Jodeau, François, *La tapisserie et la décoration — Les sièges*, Usine Nouvelle, Paris, 1980.
Nickerson, David, *Le mobilier anglais au XVIII*ᵉ *siècle*, Hachette, Paris, 1963.
Ramond, Pierre, *La marqueterie*, H. Vial, Paris, 1983.
Ritz, Joseph, *Mobilier ancien rustique peint*, Société française du livre, Paris, Office du Livre, Fribourg, 1977.
Scott, Ernest, *La pratique illustrée du travail du bois*, Nathan, Paris, 1981.
Stalker, John, et Parker, George, *A Treatise on Japanning and Varnishing (1688)*, A. Tiranti, Londres, 1971.
Toller, Jane, *Papier-mâché in Great Britain and America*, G. Bells, Londres, 1962.
Watin, Jean-Félix, *L'art du peintre doreur-vernisseur (1778)*, L. Laget, Paris, 1977.
Wills, Geoffrey, *English Furniture*, Guiness Superlatives, Londres, 1971.

LE VERRE

Appert, Léon, et Henrivaux, Jules, *Verre et verrerie*, Encyclopédie industrielle, Gauthier-Villard, Paris, 1894.
Arwas, V., *Glass Art Nouveau to Art Déco*, Academy ed., Londres, 1977.
Bloch-Dermant, Janine, *L'art du verre en France*, 1860-1914, Denoël, Paris, 1974.
Bloch-Dermant, Janine, *Le verre en France d'Emile Gallé à nos jours*, éditions de l'Amateur, Paris, 1986.
Charleston, Robert, *Masterpieces of Glass*, H. N. Abrams, New York, 1980.
Daum, Noël, *La pâte de verre*, Denoël, Paris, 1984.
Drahotova, Olga, *L'art du verre en Europe*, Gründ, Paris, 1983.
Duncan, Alistair, et Bartha, Georges de, *Gallé — le verre*, Office du Livre, Fribourg, Bibliothèque des Arts, Paris, 1984.
Duval, Clément, *Le verre*, coll. «Que sais-je?, Presses Universitaires de France, Paris, 1974.
Fontenelle, Julia de, *Nouveau manuel complet du verrier*, L. Laget, Paris, 1978.
Ingold, G., *The Art of Paperweight*, Paperweight Press, Santa Cruz, 1981.
Klein, Dan, et Lloyd, Ward, *The History of Glass*, Orbis, Londres, 1984.
Mannoni, Edith, *Sulfures et boules presse-papier*, Massin, Paris, 1983.
Mariacher, Giovanni, *Il vetro soffiato*, Electa, Milan, 1960.
Carlo Bestelli, *I vetri di Murano*, Milan, 1967.
Morris, Barbara, *Victorian Table Glass and Ornaments*, Barrie & Jenkins, Londres, 1978.
Norman, Barbara, *Engraving and Decorating Glass*, David & Charles, Newton Abbott, 1972.
Philippe, Joseph, *Histoire et art du verre*, E. Wahle, Liège, 1982.
Piganiol, Pierre, *Le verre: son histoire, sa technique*, Hachette, Paris, 1965.
Polak, Ada, *Glass, Its Makers and Its Public*, Weidenfeld & Nicholson, Londres, 1975.
Rousset, H. J., *Travail du verre*, C. Béranger, Paris, Liège, 1949.
Savage, George, *L'art du verre*, Hachette, Paris, 1968.
Vavra, J. R., *Five Thousand Years of Glass-Making*, Artia, Prague, 1954.

LA CERAMIQUE

Beurdeley, Cécile, *La céramique chinoise*, Office du Livre, Fribourg, Vilo, Paris, 1974.
Cushion, J. P., et Honey, W. B., *Handbook of Pottery and Porcelain Marks, 1745-1795*, Faber & Faber, Londres, 1980.
Frégnac, Claude, *Les porcelainiers du XVIII*ᵉ *siècle français*, Hachette, Paris, 1964.
Giacomotti, Jeanne, *Faïences françaises*, Office du Livre, Fribourg, 1977.
Godden, Geoffrey A., *British Porcelain*, Barrie & Jenkins, Londres, 1974.
Rhodes, Daniel, *La poterie — terres et glaçures*, Dessain et Tolra, Paris, 1984.
Savage, George, *Céramique anglaise*, Office du Livre, Fribourg, 1961.
Tardy, *Les poteries et les faïences européennes et françaises*, 4 vol., Tardy, Paris, 1969.
Tilmans, Emile, *Porcelaines de France*, Editions des Deux-Mondes, Paris, 1953.
Weber, Anne, et Goldstyn, Michel, *Guide pratique de la poterie*, Culture, Art, Loisirs, Paris, 1976.

LE METAL

Belloncle, Michel, *Les étains*, Gründ, Paris, 1968.
Cuzner, Bernard, *A Silversmith's Manual* (1936), N.A.G. Press, Exeter, 1979.
Fochier-Henrion, Annette, *Etains populaires de France*, C. Massin, Paris, 1968.
Frégnac, Claude, *Les bijoux de la Renaissance à la Belle Epoque*, Hachette, Paris, 1966.
Frégnac, Claude, et Boucaud, Philippe, *Les étains*, Office du Livre, Fribourg, 1978.
Gentle, Ruppert, et Field, R., *English Domestic Brass, 1680-1810*, P. Elek, Londres, 1975.
Goodison, N., *Ormolu: The Work of Matthew Boulton*, Phaïdon, Londres, 1974.
Gruber, Alain, *L'argenterie de maison du XVI*ᵉ *au XIX*ᵉ *siècle*, Office du Livre, Fribourg, 1982.
Haedeke, H., *Metalwork*, Weidenfeld & Nicholson, Londres, 1970.
Jefner-Altereck, Iacob, *Serrurerie ou les ouvrages en fer forgé du Moyen Age et de la Renaissance*, E. Wasmuth, Tubingen, 1985.
Hugues, Graham, *The Art of Jewelry*, Studio Vista, Londres, 1972.
Krysko, Wladimir, *Lead in History and Art*, Riederer, Stuttgart, 1979.
Lacombe, Paul, *Les armes et les armures*, Hachette, Paris, 1870.
Lanllier, Jean, et Marie-Anne Pini, *Cinq siècles de joaillerie en Occident*, Office du Livre, Fribourg, 1971.
Laurent, G., *Nouveau manuel complet du potier d'étain*, L. Laget, Paris, 1977.
Lecoq, R., *Serrurerie ancienne*, Librairie Gedalge, Paris, 1973.
Michaelis, R. F., *Antique Pewter of the British Isles*, Bell & Sons, Londres, 1971.
Randau, Paul, *La fabrication des émaux*, Dunod, Paris, 1905.
Romain, A., *Nouveau manuel complet du bijoutier-orfèvre*, L. Laget, Paris, 1978.
Rupin, Ernest, *L'œuvre de Limoges* (1890), Librairie des Arts et Métiers, Paris, 1977.
Robertson, Edward et Joan, *Cast Iron Decoration: a World Survey*, Thames & Hudson, Londres, 1977.
Schiffer, Peter, Nancy et Herbert, *The Brass Book*, Schiffer, Exton, 1978.
Schminler, Otto, *L'art du fer forgé*, Office du Livre, Fribourg, 1977.
Southworth, Michael et Susan, *Ornemental Ironwork*, D. R. Godine, Boston (Etats-Unis), 1978.

REMERCIEMENTS

L'éditeur remercie: Roger Dodsworth, Broadfield House Glass Museum, Kingswinford; Rosemary McBeath, Phillips Son & Neale; Roger Keverne, Spink & Son Ltd; Paul Tear et la Wallace Collection; le Victoria & Albert Museum; Colonel William-Thomas, Stevens & Williams Museum; Stan Eveson, Thomas Webb Museum; John P. Smith, Asprey PLC; John Culme, Tessa Aldridge et Sotheby's, et David Beasley, Goldsmiths' Hall, ainsi que Michel Bavo pour ses conseils pour l'adaptation française du chapitre sur le métal.

CREDITS PHOTOGRAPHIQUES

AMB American Museum in Britain; APC Antique Porcelain Company, London; BAL Bridgeman Art Library; BL British Library; BM British Museum; BHG Broadfield House Glass Museum; CMG Corning Museum of Glass, New York; FM Fitzwilliam Museum, Cambridge; HFPW The Henry Francis du Pont Winterthur Museum; NT National Trust, London; SCM Sheffield City Museum; V & A Victoria & Albert Museum; WC Wallace Collection, London; WCG Worshipful Company of Goldsmiths.

Page **6** WC. **8** Scala/Palazzo Vecchio, Florence. **9** City of Edinburgh Museum and Art Galleries. **10** V & A. **11** (h) Museum of Fine Arts, Boston; (g) Bantock House Museum, Wolverhampton; (d) V & A. **12** (g) FM; (d) V & A. **13** WCG. **14** Christie's. **15** A & E Foster. **16** London Library. **17** (h) Philips; (b) Christie's. **18** (g) Smithsonian Institution, Washington DC; (d) Philips. **19** (h) Christie's; (c) Phillips; (d) Sotheby's. **20** (g) Giraudon; (h) Leonard Lassalle/BAL; (b) Sotheby's. **21** Sotheby's. **22** (g) V & A; (d) A & E Foster. **23** (g) A & E Foster; (d) V & A; **24** (g) Sotheby's; (d) BAL. **25** (h) Sotheby's; (b) Christie's. **26** Israel Sack, New York. **27** (g) Christie's, New York; (d) Cheltenham Art Gallery and Museums. **28** (g) Sotheby's; (d) Christie's. **29** (hd) V & A; (bg) Sotheby's; (bd) Temple Newsam House, Leeds/BAL. **30** V & A. **31** (g) Bowes Museum, Barnard Castle; (d) Sotheby's. **32** (g) Sotheby's; (d) V & A. **33** (g) Fratelli Fabbri/Gallery Etienne Levy, Paris; (d) Sotheby's. **35** (hg) FM; (hd) Museum of Fine Arts, Boston; (b) V & A. **36** (g) Asprey PLC; (d) Christie's. **37** (g) Phillips; (hd) Sotheby's; (bd) Christie's. **38** (g) V & A; (d) Sotheby's. **39** V & A. **40** (g) et (b) Asprey PLC; (hd) BAL. **41** (h) Fratelli Fabbri/Palazzo Pitti; (bg) Phillips; (bd) Sotheby's. **42** WC. **43** WC. **44** (g) et (bg) Christie's; (d) Sotheby's. **45** (g) Scala/Ca' Rezzonico, Venice; (b) Scala/Castello Sforzesco, Milan. **46** (h) Sotheby's; (b) Phillips. **47** (hg) NT/Petworth House; (d) Christie's. **48** (hg) AMB; (hd) V & A; (b) Scala/Palazzo Davanzati. **49** (g) et (d) Christie's/BAL; (d) V & A/BAL. **50** (hg) V & A; (bg) Phillips; (d) Smithsonian Museum of Art: Gift of Kenneth O. Smith. **52** (g) et (bd) Sotheby's; (hd) Asprey PLC. **53** (g) et (bd) Sotheby's; (hd) V & A. **54** (g) Sotheby's; (d) Phillips. **55** (g) Christie's; (d) V & A. **56** Christie's. **57** (hd) et (b) Sotheby's; (hd) Phillips. **58** (g) Halcyon Days; (d) V & A/BAL. **59** (h) Phillips; (c) Bantock House Museum Wolverhampton; (d) V & A/BAL. **60** Asprey PLC. **61** Sotheby's. **62** Christie's. **63** (hg) Staatliche Sammlung Ägyptischer Künst, Munich; (hd) Christie's; (b) Sotheby's. **64** V & A. **65** John P. Smith. **66** BL. **67** (g) V & A; (d) BL. **68** (g) Christie's; (hd) CMG; (bd) Delomosne & Son. **69** (g) CMG; (d) BL. **70** David Watts. **71** (g) Durrington Corp (Isle of Man Ltd)/Asprey PLC; (d) BM/BAL. **72** BAL. **73** BM/BAL. **74** (g) BM; (c) et (d) Sotheby's. **75** (d) Sothebey's; (g) Christie's. **76** Sotheby's. **77** (g) Sotheby's; (d) Delomosne & Son. **78** (g) Christie's; (d) Bristol Museum & Art Galleries. **79** CMG. **80** (g) BM; (d) et (bd) CMG. **81** CMG. **82** BM/BAL. **83** (h) Asprey PLC; (b) Christie's; (d) Sotheby's. **84** (c) Stevens & Williams; (g) Science Museum; (d) CMG. **85** (h) CMG; (h) Pilkington Glass Museum. **86** (hg) BL; (d) BM/BAL; (bg) Christie's. **87** (hg) et (c) Christie's; BHG. **88** (b) Thomas Webb Museum; (hg) BHG; (hd) Sotheby's. **89** David Watts. **91** (g) BHG; (bd) Stevens & Williams. **92** Pilkington Glass Museum. **93** Christie's. **94** Sotheby's. **95** (hd) et (bg) Sotheby's; (d) Phillips. **96** (g) BHG; (d) Asprey PLC. **97** (g) Cecil Higgins Art Gallery/BAL; (c) et (hd) V & A/BAL; (cd) V & A. **98** V & A. **99** C. Elsam, Mann & Cooper Ltd. **100** Sotheby's; (hd) Bristol Museum et Art Galleries/BAL; (b) Ronald Inch et Michael Blicq. **101** (d) Christie's; (g) Phillips. **102** V & A. **103** V à A. **104** (bd) Spink & Son Ltd; (bd) Phillips; (g) BM. **105** (d) BM; (bd) V & A/BAL; (g) Christie's. **106** (g) V & A; (d) Phillips. **107** (g) Christie's; (d) Sotheby's. **108** Spink & Son Ltd. **109** Spink & Son Ltd. **110** Christie's. **111** (bg) Phillips; (d) et (hg) APC. **112** (g) APC; (d) Phillips. **113** (hd) APC; (b) Phillips **114** V & A. **115** (g) Bluett & Son Ltd./BAL; (d) Sotheby's. **116** BM. **117** (g) Mansell Collection; (d) Spink & Son Ltd. **118** (g) V & A; (d) Spode Museum. **119** (g) Dyson Perrins Museum, Worcester; (d) V & A. **120** BAL. **121** Josiah Wedgwood & Sons Ltd. **122** Mansell Collection. **123** (hg) V & A; (d et c) Mansell Collection. **124** (d) NT/Waddesdon Manor; (g) Phillips. **125** (bd) Phillips. **126** V & A/BAL. **127** (d) Minton Museum, (g) Alistair Sampson Antiques; (bg) Rouslench Collection. **128** (d) V & A/BAL; (g) Spink & Son Ltd. **129** (d) Phillips; (g) V & A/BAL. **130** Sotheby's. **131** (g) Sotheby's; (hd) et (cd) Phillips. (bd) Private collection, U.S.A.. **132** (hg) et (b) Dyson Perrins Museum; (d) Sotheby's. **133** (hd) V & A; (hg) Dyson Perrins Museum; (hd) Phillips; (bg) Spink & Son Ltd. **134** (hg) Mansell Collection; (bg) Bonhams/BAL; (d) Phillips. **135** BAL. **136** Phillips. **137** (g) S.J. Phillips/BAL; (b) et (d) Phillips. **138** Phillips. **139** V & A/BAL. **140** (g) Kunstmuseum, Bern; (h) Christie's; (b) Christie's/Clevelet Museum of Art. **141** Asprey PLC. **142** (g) WCG; (d) Westminster Reference Library. **143** (g) V & A; (d) Colonial Williamsburg Foundation. **144** (g) BM; (d) Phillips. **146** Christie's. **147** (g) C.J. Veter; (d) Phillips. **148** Christie's. **149** Sotheby's. **150** Christie's. **151** (hg) Bret Inglis; Asprey PLC. **152** V & A. **153** (g) Phillips; (d) HFPW. **154** (hg) et (bg) Phillips; (b) Spink & Son Ltd. **155** Christie's. **156** (hg) Phillips; (hd) et (bd) Christie's; (bg) Judith Banister. **157** Christie's. **158** (g) et (d) V & A. **159** (h) John Freeman/Fotomas; (bg) Bret Inglis; (bd) Christie's. **160** (g) Spink & Son Ltd; (d) BAL. **161** (h) Sotheby's; (b) WCG. **162** WCG. **163** (h) WCG; (c) Phillips; (b) V & A. **164** (g) Sotheby's; (d) London Library. **165** (hg), (bd) et (bd) Sotheby's; (hd) Cameo Corner/BAL. **168** (g) Phillips; (d) Museum of Fine Arts, Boston. **169** (g) V & A; (d) Phillips. **170** (g) Mary Evans Picture Library; (d) SCM. **171** (hg) Sheffield City Libraries; (hd) SCM. **172** (h) SCM/BAL; (b) V & A. **173** (hg) SCM; (d) Phillips. **174** Sotheby's. **175** (g) Sotheby's; (d) S.J. Shrubsole. **176** (g) BAL; (d) V & A. **177** David Pearce. **178** V & A. **179** (h) et (b) V & A. **180** (g) Christie's; (d) Ironbridge George Museum Trust. **181** (g) Science Museum; (d) Metropolitan Museum of Art, Edgar J. Kaufmann Charitable Foundation. (h) London Library. **182** (g) London Library; (d) Stadtbibliothek, Nuremberg. **183** (g) V & A; (d) Metropolitan Museum of Art, Museum Fund 1932. **184** (g) et (d) V & A; (c) Phillips. **185** V & A. **186** (h) V & A; (g) et (c) Anthony North; (d) London Library. **187** NT/Canons Ashby. **189** (h) V & A; (c) HFPW; (bg) Mallett/BAL; (bc) et (bd) BAL. **190** V & A. **191** (hg) London Library; (hd) et (b) V & A. **192** V & A. **193** (hg) Angelo Hornak; (hd) Keir Collection; (b) V & A. **194** (g) Sotheby's; (hd) et (bd) Birmingham Assay Office Collection. **195** V & A. **196** (h) Christie's; (bg) Sotheby's; (bd) Christie's. **197** (h) Sotheby's; (b) S.J. Phillips/BAL. **199** (h) Phillips; (bg) et (bd) V & A. **200** (hg) et (bg) BAL; (hd) BM/BAL; (bd) Scala/St Mark's, Venice. **201** Phillips. **202** V & A. **203** (h) Phillips; (b) V & A. **204** WC. **205** (g) J. Paul Getty Museum; (hd) et (b) Christie's. **206** (g) Phillips; (hc) Alistair Sampson Antiques; (b) London Library. **207**Alistair Sampson Antiques; (d) Mallett. **208** (g) Christie's; (bd) V & A. **209** (h) Phillips; (b) Mallett. **210** (g) Racal Chubb; (d) et (b) V & A. **211** V & A. **212** (g) Phillips; (d) AMB. **213** (g) V & A/BAL; (hd) Phillips; (bd) Sotheby's. **214** V & A. **215** (g) et (d) V & A. **216** (g) SCM (hd). **217** (h) BAL/SCM; (b) AMB.

De grands efforts ont été faits pour identifier les détenteurs de copyright. Toute omission est involontaire.

Index

Les nombres en italique renvoient à des illustrations

Acajou 15, 17, *17*, 18, *19*, *25*, 27, *36*, 37, 44, *44*, 50
Acier *139*, 170, 176, 178, 182, *183*, 184, 185, *185*, 192, *210*, *211*
Adam (Elias) *195*
Adam (Robert) *49*
Adnet (Henri) *140*
Afrique (art de l') 114, *115*, *116*
Agate 166
Agricola (Georgius) *64*, 76, *178*, 190
Aigue-marine 167
Aiguière *157*, *175*
Alabastron *63*, 100
Alliage 139, 143, 168, 172, 184, 190, 204, 206, 212, 216
Amarante→bois de violette 18
Ambre 164
Améthyste 166, *169*
Amman (Jost) *182*, *191*, *206*
Amphoriskos *63*
Anguier (Michel) *201*
Animaux *103*, *109*, *129*, *144*, *165*
  Chameau *104*
  Chat *106*
  Chien *203*
  Oiseau *111*, *127*, *132*, *196*, *197*
  Tortue *172*
Application (de motifs) *150*, 153, 160-161, *160*, *161*, 214
Applique *205*
Arbre à perruque 50
Ardoise 38
Argent 32, 54, 139, 140-141, *140*, 142, 144, *146*, *147*, 148, *149*, 150, 153, *154*, *155*, 160, 162, 168, 173, 183, 185, 194, 200, *208*
  Plaqué 170
  Sheffield 171-173
  Sterling 143, 162
Argenture 52, 209
  à la feuille 170, *170*
  au mercure 99
  galvanique 171, 174-175, *174*, *175*
  sur métal 139
  sur verre 98-99
Argile 103, 104, *104*, 108, 112, 116, 120, 122
Arita (porcelaine) 109, *109*
Armoire *18*, *20*, *21*, *43*, 48
Art Déco 174
Art Nouveau 93, *95*, *174*, *206*, *213*, 214
Armure 10, 139, 182-183, *182*, *183*
Arts and Crafts 193
Assemblage 20-21, *20*, *21*, 27, 34
Assiette *132*, *135*
Astbury 107
Ateliers
  armurier *182*, *184*
  céramiste *117*, *118*, *120*, *122*, *123*, *133*, *134*
  doreur *53*, *97*
  ébéniste-menuisier *16*, *20*, *22*, *35*, *38*, *50*
  joaillier *164*
  métallurgiste *143*, *147*, *152*, *178*, *179*, *181*, *184*, *186*, *190*, *203*, *206*, *214*, *217*
  orfèvre *8*, *13*, *140*, *142*, *154*, *159*, *162*, *163*, *170*, *171*
  serrurier *210*
  tapissier *30*
  verrier *9*, *64*, *65*, *66*, *67*, *68*, *84*, *86*, *98*, *99*
Augsbourg 112, *159*, 182, *195*, 199
Auguste II le Fort 112, *112*, 113, 118
Austen (Jesse) *135*
Aventurine 74
Baccarat (verrerie) 61, 78, 80, *81*
Bacchus et Fils (verrerie) 73, 78
Badcock (W.) *13*
Bakewell (Robert) 176
Barbe (Jules) *96*
Barber (J.) *163*
Barbotine 103, 104, 106, 114, 116, 120, *121*
  décor à la 126-127, *126*, *127*
Baroque (style) *47*, 48, 53, *112*, *113*, 118, 208
Barovier (Angelo) 61-62
Barron (Robert) 211
Bas-relief 44
Basse-taille (émail) 197
Battersca 134, 199
Baxter (Thomas) *132*, *133*
Bear Gardens (verrerie) 98
Beilby (William et Mary) *60*, *83*, 94
Belk (orfèvre) 146
Bell (John) *160*
Bellarmines 106
Benson (W.A.S.) *191*
Berger *112*, *187*
Berlin (porcelaine) 113
Béryl 167
Beyer (Wilhem) 118
Bibliothèque *49*
Bickford (Walter) *139*, 211
Biedermeier (style) *50*
Bijoux *141*, 164-165, *164*, *165*, *197*
Bilston 134, 199
Biringuccio (Vannuccio) 11, *163*
Birmingham *152*, *175*, *194*, *197*, 199, 205, 211, 217
Blanc-de-Chine *108*, 112
Blancourt (Haudicquer de) 96
Bleuet 18
Bleuissage *139*, 183, *184*, 185, 211
Bohême (verrerie) 73, 74, *76*, 77, 78, *79*, 80, *87*, *88*, 90, 92, 93, 94, 99, 100
Böhm (Auguste) *87*
Bois
  courbé 26, 27
  de Brésil 50
  de rose *17*, 18, 19, *37*
  de satin 15, 17, *17*, 18, 48, *49*
  de violette 18, 19, *33*, *36*, *37*, *205*
  doré 52-53, *52*, *53*
  peint 48-49, *48*, *49*
  rouge 50,
  satiné *17*, 18
  sculpté 10, *17*, 18, *19*, *20*, *24*, *25*, *32*, 44-47, *44*, *45*, *46*, *47*, *52*, *55*
  teint 50-51
  tourné *15*, *22*, 23, *24*, 25, *38*
Boîte *55*, *134*, *135*
  à aiguilles *196*
  à cigare *149*
  à priser *149*, *196*
  à sucre *131*, *157*, *189*, *197*, *208*, *216*
  fabrication *188*
Boizot (Louis Simon) *204*
Bol *78*, *108*, 114, *117*
Bonanni (Filippo) 57
Bonbonnière *137*
Bonnestrenne (P.-F.) *140*
Bosselage 153, 154, *154*
Böttger (Johann Friedrich) 10, 112, *112*
Botticelli (Sandro di Mariano Filipepi, dit) 48
Boucher (François) 110
Bouddah *108*
Bougeoir *68*, *194*, *207*
Bouilloire *153*, *173*, *207*
Bouleau 26
Boulle (André-Charles) 9, 32, 33, 40, 42-43, *42*, *43*
Boulsover (Thomas) 171
Boulton (Matthew) 9, 12, 148, 171, 185, 205
Bourdichon (J.) *20*
Bouteille *80*
Bow (porcelaines) 10, 111, 113
Bramah 211
Brescia (Fra Raffaelle da) *39*
Briot (François) 213
Bristol 74, 94, 97, 207
Broadhead et Atkin *216*
Broc *80*, *130*
Broche *165*
Bronze 74, 139, 150, 175, 182, 190, 192, 194, 196, *196*, 197, *199*, 200-203, *200*, *201*, *202*, *203*, 209
Brühl (comte von) 113
Brûle-parfum *204*
Brunissage
  bois 52-53
  métal 152, *152*, 168, 173, 205, 215
  porcelaine 136, 137
  verre 97
Brustolon (Andrea) 44, *45*
Buckingham (duc de) 98
Buis 18, 22, 39, 146
Bureau *17*, *205*
Burges (William) 48
Burghley House *176*
«Burgomeister» 25
Bustelli (Franz Anton) 118
Byzance (art de) 196, *199*
Cabinet *15*, 32, *32*, *33*, *38*, 48, *54*, *56*
Cadenas *210*
Cadmium 140
Cafetière *110*, *111*, *112*, *138*, *154*
Calamandre *17*, 19
Calamine 139, 206
Calcédoine 32, *33*
Calice *169*
Cambrage 144-145, *145*, 146, 190, 200
Camée 89, 90, 92-93, *92*, *93*, 164, *165*, 166
Campêche 50
Canapé *25*, *28*
Cannage 25, *25*
Canterbury *58*
Capitonnage 30
Capodimonte (porcelaine) 113
Caquetoire 25, *25*
Carafe *73*, *84*, *91*, 97, *213*
Caranza (Amédée de) 100
Carcasse (meuble) 15, 34, *34*
Carder (Frederick) 80, 100
Carlin (Martin) 48
Carnival glass 100, *100*
Cartwright et Woodward *149*
Cassone *45*, 48, *48*, 52
  intagliato *35*
Castellani (Fortunato Pio) 198
Caughley (porcelaine) 124
Cellini (Benvenuto) 164, 202
Céramique *165*
  cuisson 122-123
  dorure 136-137
  émaillage 128-129
  façonnage à main 114-117
  impression sur 59, 76, *102*, 103, 134
  industrielle 120-121
  outils 116, 120, *123*
Cerisier *39*, *50*
«Certosina» 39
Chaise *18*, *24*, *25*, *26*, *27*, 24-27, 29, *30*, *44*, *59*
Champion (William) 207
Champlevé (émail) 190, *193*, 197, *198*, *199*, 214
Chantilly (porcelaine) 110
Châtaignier 18
Chaudron *180*
Chawner (Mary) *148*
Chelsea (porcelaine) 9, *110*, 111, *111*, 113, 130, 136

Chêne 15, 18, *18*, *19*, *20*, *21*, *24*, 34, *37*, *39*, *42*, 44, *46*, *53*, 56, *199*
Chenets *209*
Cheville (assemblage) 20-21, *24*
Chicaneau (Pierre) 110
Chine (art de la) 10, *11*, 48, 54, *55*, 56, *56*, 93, *102*, 104, *104*, 105, 107, 108-109, *108*, *109*, 112, *117*, 124, 127, 128, *128*, 129, 130, *133*, 134, 136, 150, *196*, 201
Chinoiseries 48, *111*, 113, 134, 155
Chippendale (Thomas) 32, 33
Chope 94, *94*, *95*, 106, 107, *108*, *113*, *134*, *156*, *206*, *215*
Chrysobéryl 167
Chrysocale *19*, *33*
Chrysoprase 167
Chubb 211
Ciboire *192*
Cire perdue 150, 165, *201*, 205, 207
Cirou (Sigaire) 110
Ciselage
sur métal *139*, 153, 185, 193, 197, 205, *205*, *211*
sur pierre précieuse 166
Citrine 166
Citronnier *44*, *47*, 52
Clé *139*, *210*, 211, *211*
Clichy (verrerie) *61*, 78, *80*
Clifford (George) *183*
Cloisonné 167, 192, 196-197, *196*, *198*
Coalbrookdale *180*, 181
Coffre *19*, 20, *20*, *21*, 24, 39, *39*, 44, 48, *57*, *179*, *189*
Coffret *155*, *197*
Collier *165*
Colombinage 104, *105*, 114, *115*
Colorant
bois 50
opaline 77
porcelaine 130-131, 132-133
verre 74
Commode *35*, *36*, 42, *52*, *53*
Compotier *85*
Coney (John) 161
Congo (art du) *115*
Console *45*
Constantine (Richard) *216*
Cookworthy (William) 74
Copenhague (porcelaine) 9, 113
Copland 12
Coquetier *23*
Coquillage 164
Coquille d'huître (placage) 32, 36, *36*, *38*
Corail 164, *200*
Corbeille à fruits *124*, *160*
Corindon 167
Cornaline 166
Corning 93
Coromandel (laque de) *56*
Couleurs (de porcelaine) 130-131, 132-133
Coupe *15*, *23*, *68*, *74*, *76*, *85*, 94, *96*, *161*, *189*, *194*, *199*, 213
Coupellation 162, *163*
Coupelle à bonbons *100*
Couper (James et Fils) 77
Courbure (du bois) 26, 27
Couverts *148*, *160*
Crane (Walter) 69
Cravant (François) 110
Cressent (Charles) 205, *205*
Cristal 62, 63, 65, *65*, 67, *68*, 69, 70, *70*, *71*, 72, 73, 74, 76, 78, *83*, 84, *84*, *85*, 86, *86*, *87*, *88*
Cristal de roche 32, 61, *88*, 166
gravure en 88, *88*
Cristalleries de Saint-Louis *61*, 62, 78, 90
Cristallo 11, 62, 70, 72, 78, *82*, 86, *86*, 98
Cuisson (céramique) 122-123
Cuivre 32, *37*, 42, *42*, 43, 48, 74, *77*, 128, 139, 140, 142, 165, 171, 172, 173, 174, 182, *184*, 188, 190-193, *191*, *199*, 200, 204, 206, *208*, 212, 216
Cyprès *35*
Cytise *37*
Dagly (Gerhard) 57
Damasquinage 185, 209
Darby (Abraham) *180*, 181
Daum (Jean) 73, 93
Davies (frères) 176
Décor (sur porcelaine) 132-133
au transfert 134-135
sur métal (or et argent) 153
Delft *125*, 129
Den Saint Maarten (Onder) *206*
Derby (porcelaine) 111, 124, *137*
Deutsch (Niklaus Manuel l'Ancien) *140*
Diamant
gravure 86, *87*
pierre 164, *164*, *165*, 166, *166*, *167*
Dinanderie *191*, 192, *206*, 207
Dinant 207
Dixon et Fils *217*
Doccia (porcelaine) 113
Dodd (George) *186*
Dorflinger et Fils (verrerie) *84*
Dorure 52-53, *52*, *53*, 58, 168-169, *168*, *169*, *192*
à la feuille 58, 59, 168
au mercure 204-205, *204*
par électrolyse 168, 174, *175*
sur métal 153
sur porcelaine 130, 136-137
sur verre 96-97, *96*, *97*
Doublé or 165
Doughty (Dorothy) 118
Doulton (poterie) 107
Dressoir *46*
Dubois (frères) 110
Duché (André) 113
Durand (G.) *19*
Dureté des pierres précieuses 166-167
Dwight (John) 12, 106, 107
Eaton (Charles) 187
Ebène 19, 32, *32*, 42, *45*, *50*
Ecaille 32, 39, 42, *42*, 43, 164, 185
Edelzinn 213
Edinburgh Crystal (verrerie) 80
Edkins (Michael) 94, 97
Egermann (Friedrich) *76*, 77, 93
Egypte (art de l') *105*, *126*, 128, 146, 164, 190, 201, *208*
Electrolyse 174-175, 217
Electrum 140, 196
Elers (John et David) 107, *107*
Elkington (George et Henry) 10, *152*, 174, *175*, 194, 217
Elkington, Mason et Cie *194*
Elston (John) 161
Email *60*, 63, *77*, 107, 128-129, *128*, *165*, *169*, 185, 190, 192, *192*, 195-199, *195*, *196*, *197*, *200*
champlevé 190, *193*, 214
sur métal 141, 214
sur porcelaine 127, *132*
sur poterie 126
sur verre 94-95, *94*, *95*
Emboutissage 141, 144, 146, 154, 165, 190, 200, 207, 213, 216
Emeraude *164*, 167
Emes et Barnard *149*
Enclume *178*
Encoignure *19*
Encrier *172*
Encyclopédie (de Diderot et d'Alembert) 11, *30*, 35, *64*, *67*, *170*, *179*, *184*, *190*, *203*, *214*
Enderlein (Casper) 213
Epée 184-185, *184*, *185*, 209
Erable 19, *23*, 36, 48, 50
Ercker (Lazarus) *13*, *162*
Estampage
sur argile 116
sur métal 140, 142, 148, *148*, 165, 190, *206*, 207, 208, 216
Etain 22, *32*, 42, 74, *128*, 129, 139, 140, 170, 188-189, *189*, 192, 193, *193*, 195, 200, 212-215, *212*, *213*, *214*, *215*, 216
Etamage 139, 188, 192-193, *193*
Etrusque (art) *164*
Faïence *104*, 105, 110, 129, *134*, *135*
creamware *104*, 107, 124
pearlware 105
Falize (joaillier) 198
Faraday (Michel) 174
Fauteuil *27*, 28, *28*, *29*, *31*, *48*, *52*, *54*, *181*
Faux marbre *48*, 49
Feilner (Simon) 118
Feldspath 103, 108
Fenton Art Glass Company *100*
Fer 58, 62, 150, 175, 176-181, *176*, *177*, *179*, 182, 184, 188
Fer-blanc 58, 188-189, *189*
Ferblanterie 188-189, *189*
Feyis (N. du) *211*
Figurines (porcelaine) *119*
Filetage (atelier) *179*
Filigrane
émail 197
métal 158-159, *158*, *164*, *193*
verre 72, *72*, 82, *82*
Five Towns (poteries) 107, 113
Flacon *74*, *75*, *76*, *79*, 93, 94, *96*, *101*, *149*, *200*
Flambeaux *217*
Florence *200*
Flötner (Peter) 10, 213, *215*
Fond de couleur 130
Fonte 176-181, *180*, *181*
Ford (William) *9*
Forge 176-179, *178*
Forgeage à main 148-149, *149*
Forty (Jean-François) *176*
Four à verre 64-65, *64*
Frankental (porcelaine) 118, *118*, *133*
Frêne 26, 36, *50*
Fritsche (William) *88*
Furstenberg (porcelaine) 118
Fustet 50
Galène 128
Gallé (Emile) 9, 93, *93*, 94-95, *95*, 100
Galmelli (Luigi) *41*
Galvanoplastie 152, 174-175, *174*, *175*, 194, *194*
Germain (François Thomas) *205*
Gesso 48, 49, 52
Ghiberti (Lorenzo) *200*
Gibbons (Grinling) 44, *47*
Giles (James) 94, *96*, 97, *97*
Gillander (William T.) 78
Gimson (Ernst W.) *27*
Giuliano (Carlo) 198
Glace *52*
Glaçure 106, 107, 109, 110, 124, 128, 132
au sel 107, 129, *129*
Gobelet *60*, *67*, *71*, *73*, *75*, *83*, *86*, *87*, *88*, *89*, *94*, *97*, *140*, *144*, *152*, *153*, *155*, *158*, *168*
Goddard (famille) *17*
Godron *57*, 58, *161*, 216
Gomme-laque→shellac
Gothique *45*, 46, *63*, 183, 186, 187, 214
Gouthière (Pierre) *204*, 205
Graal (verre) 93
Grainger (Thomas) *133*
Gravure
sur bois 54
sur métal 140, 153, *155*, 156-157, *156*, *157*, 160, *192*, *206*, *211*
sur verre 86-88, *86*, 94
— à l'acide 90-91, *90*
— au sable *89*
— en cristal de roche *88*
Grèce (art de la) 104, *105*, 126, *144*, 196, 197, *200*, 202
Greenwich (armures) *182*, *183*
Greenwood (Frans) 86, *87*
Grenat *165*, 167
Grendey (Gilles) *57*
Grès 10, 103, 105, 106-107, *106*, *107*, 112, 122, *129*, 136
Gribelin (Simon) 156
Griekschе *125*
Grille (fer forgé) *176*, *177*
Grille de foyer *180*
Grisaille (émail) 198

Guest frères (verrerie) 90
Hache (Jean-François, dit Hache à Grenoble) *36*
Hadley (James) 118, *119*
Halder (Jacob) *183*
Hammer (Christian) *194*
Hampton Court *177*
Han (dynastie) 104
Handbury 188
Hancock (Robert) 134
Hardman (John) *169*
Hatfiel (Aaron) *170*
« Hausmalerei » 94, 112
Haut-relieF 44, *46*, 190, *194*
Hawkes (Thomas) 90
Heemskerk (William Jacob van) 86
Hennel (Robert) *157*
Herter (frères) *50*
Hêtre 19, 22, 26, 44, *48*, 49, 50, 52
Hickory 26
Hildesheim *156*
Hirado 124
Höchst (porcelaine) 118, *119*
Hogarth (William) 156
Holland (Henry) 9
Hoppenhaupt (Johann Michael) 33
Hopper (Henry) *217*
Horloge *77*
Höroldt (Johann Gregor) 113
Houx 18, 22, 39
Huilier *69*, *97*
Hunger 112
Hyalite *76*
Hydrie *105*
If 18, 26, 27, 36, 39
Imari (porcelaine) 109, *109*
Imola (Giovanni Battista da) *39*
Incrustation
  sur bois 32, *37*, 39-41, *39*, 48, 54
  sur métal 185
  noyée 58
Insigne *186*, *209*
Isleworth 207
Ivoire 32, *32*, 39, *41*, 48, *199*
Jacobi (Professeur) 194
Jacobs (Isaac et Lazarus) 97
Jade 167
Jadéite 167
Jais 164
Japanning *11*, *54*, 56, 139
Japon (art du) 54, *57*, 109, *109*, 114, 124, 139
Jarves (Deming) *68*, 69, *69*
Jaspe *33*, 112, 167, *204*
Jingdezhen (porcelaine) 108
Joaillerie 164-167, *164*
Kakiemon (famille) 109, 110
Kändler (Frederick) 9
Kändler (Johann Joachim) 9, *112*, 113, 118, *132*
Kangxi 108, 109, *133*
Kaolin 103, 108, *108*, 113
Kauffmann (Angelica) *49*
Kiaerulff (Povl Ottesen) *153*
Kirchner (Johann Gottlieb) 113, 118
Kny (F.E.) *88*
Kothgasser (Anton) 94, *95*
Kursi (laiton) *208*
Laiton 32, 58, 139, *139*, 143, 175, 190, *191*, 192, 206-209, *206*, *207*, *208*, *209*, 210, 211
Lalique (René) 198
Lamerie (Paul de) *151*, *160*
Lamour (Jean) 176
Lampe *116*, *191*, *212*
Lapis-lazuli 32, *33*, 164, 167
Laquage *11*, 48, 54-57, *54*, *55*, *56*, *57*, 58, *59*, 188, *189*, *197*, 209
Lauensteiner (verrerie) 70, *70*
Laune (Etienne de) *159*
Leach (Bernard) 105, *106*
Leblanc (Nicolas) 61
Lebrun (Marc Augustin) *138*
Leeds (porcelaine) 124
Lehmann (Caspar) 86
Leygebe (Gottfried) 185
Liebig (Justus von) 99
Lignum vitae *15*, 22, *22*
Limoges 113, 192, *193*, 196, 197
Lindner (Doris) 118
Lit *29*
Lithyaline *76*, 77
Liverpool (porcelaine) 10, 111
Livre (reliure) *193*
Lloyds Fund *184*
Lobmeyer (verrerie) 100
Lock 12
Locke (Joseph) 93
Loetz-Witwe Johann (verrerie) 100, *101*
Louche *85*
Lowestoft 111, 124
Lück (Karl Gottlieb von) 118, *118*
Ludwigsburg (porcelaine) 118
Lysle (Antony de) 86, *86*
Lysippe *200*
Machine à café *174*
Maillechort 168, 175, *180*
Majolique 129
Malachite 167
Malkin 126
Maniérisme 213
Mansell (Sir Robert) 98
Manufacture royale de Sèvres 48, 110, *111*, 113, 124, *124*, 127, 130, *130*, *131*, 136, *137*
Marcus et Cie 198
Marinot (Maurice) 73
Marquage 162-163, *163*
Marqueterie *6*, 18, 32, *32*, 38, 39-41, *40*, *41*, 42-43, *42*, *43*, 54
Martelage 142, *142*, 146, 148, 176, 178, 180, 182, *182*, 188, 190
Martin (vernis) 57
Matage 152, 155, *155*, *161*, *194*, *205*
Matriçage 148-149, *149*
Maudsley (Henry) 211
Médicis (François de) 110
Meissen 9, 110, 112, *112*, 113, *113*, 118, 124, 127, 130, *131*, *132*, 136
Meissonier (Juste Aurèle) *140*
Melchior (Johann Peter) 118, *119*
Mène (Pierre Jules) *203*
Mennecy (porcelaine) 110, *111*
Mennicken (Jan Emens) 106
Mercure
  argenture 99
  dorure au — 168, *200*, 204-205, *204*, *205*, 209
  miroir au — 99
Métal anglais 141, 148, 216-217, *216*, *217*
Métal (fil de) 158-159, *159*, *171*, 172, 182, *182*, 185, *188*, 189, 207
Millefiori *61*, 74, 78-81, *78*, *79*, *80*, *81*, 82
Mills (Nathaniel) *149*
Ming (dynastie) 108, *108*, 130
Minton 127, *127*
Miroir *41*, *42*, *44*, *159*, *174*
  fabrication 98-99
Miseroni (verrerie) *88*
Mitchell (F.S.) 96
Modeleur (sur céramique) 118-119, *118*, *119*
Mohn (Samuel) 94
Mohs (Friedrich) 166, 167
Morel-Ladeuil (Léonard) 194
Morgan (William de) *103*, 105, 129
Morley (James) 107
Morris (William) 48, 103
Morse (G.F.) 89
Mortaise→Tenon et mortaise
Mosaïque de verre 74, 78-81, *78*, *79*
Moulage
  cire perdue 150, 165, *201*, 202, *202*
  céramique 10, *12*, 118, 120, *121*
  galvanoplastie 194
  métal 150-151, *151*, 160, *161*, 180-181, *180*, 185, 187, 190, 197, 200, *203*, 207, *212*
Moulin à café *22*
Mount Washington Glass Company *69*, 76, 93
Murano 62, 64, 78, 82
Nacre *41*, 54, 58
Nash (Arthur J.) 100, *100*
Nazca (culture) *104*
Nécessaire (vernis Martin) *58*
Néo-classique (style) 46
Néphrite 167
Neri (Antonio) *67*, 195
New England Glass Company 78, 93, 99
Nickel 168. 175
Niellage 199, 209
Nigeria (art du) *116*
« Nonsuch » (coffre de) 39, *39*
Northwood (John) 88, 90, 92
Northwood J et J et Guest (verrerie) 90
Northwood (William) *91*
Nöstetangen (verrerie) 97
Notthingham (poterie) 107
Noyer 15, 18, *18*, *19*, 26, 32, 36, *40*, *45*, 50
Nuremberg 10, 182, 190, 208, 210, 213
Nymphenburg (porcelaine) 113, 118
Oiseau
  — butor *132*
  — chouette *111*, *127*
  — cloisonné *196*
  — faisan *133*
  — pendentif *197*
Olivier *38*
Onyx 166, 167
Opale 167
Opaline 74, 76-77, *77*, 80
Or 49, 52, 53, *52*, *53*, 54, 58, 74, 136, 139, 140-141, *140*, 142, 144, 150, 153, 162, *164*, *165*, 168, 183, *184*, *185*, 194, 196, *197*, *199*
Orfèvrerie *8*, *13*, *140*, *142*, *159*
Orme 22, 26, 36
Or moulu *77*, 168, 192, 204-205, *204*, *205*
Orrefors (verrerie) 93
Os 39
Osterpray *133*
Oudry (Jean-Baptiste) 110
Ove 46, *46*
Owen (George) 124, *125*, *137*
Padley, Parkin et Stamforth (orfèvres) *174*
Paillage *27*
Palazzo Vecchio *9*
Palissy (Bernard) *129*
Panier à fruits *159*
Papier mâché 58, *58*, *59*, 188
Paquier (Claudius Innocentius du) 113
Paravent 54, *55*
Pargeter (verrerie) 92
Parker (George) *11*, 49, *54*, 56, 57
Parqueterie *17*, 40
Passementerie 28
Pâte (porcelaine)
  dure 108-109, 112-113, *112*, *113*
  tendre 110-111, *110*, *111*
Pâte-sur-pâte *127*, *127*
Pattison 189
Pellatt (Apsley) 61, *69*, 73, *86*
Pemberton (Samuel) 158
Pendentif (émail) *197*
Pendule *204*, *206*
Perle 164, *197*
Pérou (art du) *104*, *105*, 114, 126
Perrot (Bernard) 98
Perthshire Paperweights (verrerie) 80
Petitot (Jean) 199
Pétunsé 108, *108*
Phyfe (Duncan) 32
Piccolpasso (Cipriano) *122*, *123*
Pichet *76*, *88*, 97, 106, *125*, *144*, *213*
Piédouche 42, 143
Pierres dures→*pietre dure*
Pierres précieuses 164-167, *165*, 185
Piétement
  de cabinet 32, *32*, 53
  de chaise 30
  — de biche 25, 27, 44, *47*, *54*
  — en X 24, *24*, 29

Pietre dure 32,*33*, 48
Pin 15, 34, 44, 49, 52, 56
Piranesi (Giovanni Battista) 33
Pitts (William) *159*
Placage (bois) 17, 18, *18*, 32, *33*, 34, 36-38, *36*, *37*, *38*, 39, 40, *40*, *41*, *49*
Plaqué 139, 170, *170*, *171*, 209
électrochimique 174-175
Sheffield 139, 171-173, *171*, *172*, *173*, 174
Plaque commémorative *156*
de cuivre *193*
Plat *103*, *127*, *128*, *129*, *133*, *154*, *158*, *171*, *212*
Plateau *49*, *59*, *152*, *173*, *189*
Platine 175
Plique-à-jour 197, *199*
Plomb 10, 128, 129, 140, 143, 184, 186-187, 195, 212
cristal de — 62, 63, 65, *65*, 67, *68*, 69, 70, *70*, *71*, 72, 73, 76, 78, *83*, 84, *84*, *85*, 86, *86*, *87*, *88*
Pochoir *11*, *48*, 49, 59
Poële (fonte) *181*
Poignée de bronze *202*
Poinçon 139, 162-163, *163*, 168, *174*, *194*, 209, 214
Poirier 50, 52, 56
Polissage
bois 50-51
métal 152, *152*
Pomme d'ambre (vermeil) *141*
Pompadour (marquise de) 110, 130, *130*
Pontypool 188, *189*
Porcelaine *12*, 48, 103, 105, 128, 185
à décor de barbotine 127, *127*
chinoise *108*, 109
décor sur — 132-133
fond de couleur 130-131
orientale 108-109, *108*, *109*
pâte dure 112-113
pâte tendre 110-111, *110*, *111*
réticulée 124-125, *124*, *125*
Porphyre *33*
Portes du baptistère (Florence) *200*
Pot *104*, *115*, *133*
à crème *216*
à moutarde *147*
Poterat (Louis) 110
Poterie 103, 104, *104*, 105, *105*, 107, 114, *126*, 128, 129
Pot-pourri (porcelaine) *124*
Pratt (F. et R.) 134, *134*, *135*
Précolombien (art) 104, *104*, *105*, 114
Preedy (Joseph) *159*
Preissler (Daniel et Ignace) 94
Pressage 148-149
Presse-papiers *61*, 78, 80, *80*, *81*
Pugin (A.W.N.) *169*
Qianlong 108, *108*, 109
Qing (dynastie) 108
Quartz 166
Queue-d'aronde 34, *34*, *35*, 185
Raeren 106, *129*
Rafraîchissoir *175*
Rais-de-cœur 46, *46*
Rapière 184, *184*, *185*
Ravenscroft (George) 12, *61*, 62, 65
Ravenhead (verrerie) 99
Recuit 141, 142
Regency (style) 168
Reliquaire *199*
Reperçage *139*, *149*, 153, 160-161, *160*, *161*, 172, 185, 187, *208*, *211*
Repoussage 140, *141*, 146-147, *150*, *151*, 153, *153*, 154-155, *154*, *160*, 178, 217
Rétreinte 144-145, *145*, 146, *146*
Rhodium 175
Rhus vernicifera 54
Richardson (W.H.B. et J.) 76, 90, 100, *153*, 156
Riedel (Joseph) 74
Ringkobing *153*
Roberts et Belk (orfèvres) *146*
Rundell, Bridge et Rundell (orfèvres) *150*, 174
Rococo 46, 113, 118, *118*, *140*, *151*, 161, *168*, *175*, *184*, 185
Rodolphe II 86
Rogers *135*
Rollos (Philips) *161*
Romain (art) 78, 126, 186, 188, 190, *194*, 197, *200*, 206, 212
Romer (Emick) *169*
Ronce *17*, 36
Ronde-bosse 44, *45*, 46, *197*, 198
Rossetti (Dante Gabriel) 48
Rotin 25
Roubo (André Jacob) *6*, 36, *38*, 40, 50
Royal Brierley Crystal 72
Royal Doulton 89
Royal Worcester→Worcester
Rubis *164*, 167, *197*
Ruskin (John) 85
Sabellico (Marcantonio) 78
Saint Eloi *140*
Saint-Gobain (verrerie) 98, 99
Saint-Louis (Cristalleries de) *61*, 62, 78, 90
Salière *110*, *151*, *168*
Sang (Jacob) *86*
Saphir 167
Sapin 50, 52
Saucière *12*
Saunier (Claude Charles) *33*
Saupoudroir 160, *161*
Schaper (Johann) 94, *94*
Schlick (Benjamin) *194*
Schwarzlot 94, *94*
Sculpture
sur bois→bois sculpté
sur céramique 118-119, *118*, *119*
Seau *82*
Sebright (Richard) *136*
Secrétaire *14*, *19*, *33*, *37*, *40*, *50*, *53*, *57*
Seddons 9
Seed-lac→Shellac
Sel (glaçure au) 129, *129*
Serrure *139*, *211*
Sertissage 165
Serrurier 210-211, *210*
Service
à gâteau (porcelaine) *136*
à thé *113*, *146*
Sèvres (Manufacture royale) 48, 110, *111*, 113, 124, *124*, 127, 130, *130*, *131*, 136, *137*
Seymour (Thomas) *35*
Sheffield (plaqué) 139, 141, 146, 148, 170, 171-173, *171*, *172*, *173*, 174, 190, 216, *217*
Shellac (gomme-laque) 43, *50*, 51, 54, *55*, 56, 58, 175
Sheraton (Thomas) 33, *35*
Siemens (Friedrich) 65
Smiley (W.R.) *147*
Smith (Benjamin) *168*
Smith (David et Chris) 89
Smith (William) 187
Society of Mines Royal 207
Solon (Marc-Louis) 127, *127*
Song (dynastie) *102*, 104, 109, *117*, *128*
Soucoupe (émail) *195*
Soudage 143, *143*, 146, 170, 171, 172, 194
Souffleur de verre *9*, 66-67, *66*, *67*
Soupière *131*, *140*, *150*, *172*
Soupirail *186*
Sous-main *59*
Spencer (Thomas) 194
Sprimont (Nicolas) *110*
Staffordshire (porcelaine) *12*, 94, 105, *106*, 107, *118*, 126, *127*, *134*, *135*, *196*, 199
Stalker (John) *11*, 49, 52, *54*, 56, 57
Statue *200*, *201*
Steuben Glasswork (verrerie) 80, 100
Stevens et Williams (verrerie) 77, *84*, *88*, *91*
Stiegel (H.W.) 63
Stinton (James) *133*
Stölzel (Samuel) 113
Storr (Paul) *150*
Stourbridge (verrerie) 76-77, 88, *88*, 89, 90, 92, *96*, 100
Stubbs (Richard et Edwin) *59*
Stumf (Johan) *22*
Swift (John) *151*
Sycomore 22, 39, *40*, 50
Table *17*, *37*, *41*
Tabouret 24, *24*, *47*, *48*
Taille
pierres précieuses 165-167, *166*, *167*
verre 84-85
Tang (dynastie) 104, *104*, 105
Tapisserie (d'ameublement) *24*, 25, 28-31, *28*, *30*, *31*
Tasse *131*, *151*
Tassie (James) 164
Tatham (Charles Heathcote) 48
Teed (Richard) *184*
Teinture (du bois) 50-51
Tenon et mortaise (assemblage) 20-21, *20*, *21*, 24, *24*, 34
Terracotta 103, *115*
Terre cuite 104-105, 106, 113, *115*, *127*, *128*
Théière *104*, 107, *107*, *137*
Théophile 97, 206
Thesmar (Fernand) 198, *199*
Thinné *199*
Thomire (Pierre-Philippe) 205
Thomson (F. Hale) 99
Tiffany (verrerie) 9, 93, 100, *100*
Tijou (Jean) 176, *176*, *177*
Tilghman (Benjamin) 89
Tilleul 15, 44
Timbale *63*, *68*, *73*, *89*
Tintern 207
Tiroir 34, *34*
Titrage (or et argent) 162-163, 168, 170
Toft (Thomas) 126, 127, *127*
Tomlinson (Charles) *53*, *189*
Topaze 167
Tourmaline 167
Tournage
bois 15, 22-23, *22*, *23*, 24, 25, *38*, 146
métal 146-147, *147*
poterie 117, *117*, *121*
Townsend (famille) *17*
Tracy (E.B.) *26*
Transfert (décor au) 134-135, *134*, *135*
Trondheim 156
Trophée *47*, 94
Tschirnhausen (Ehrenfried Walther von) 112
Tulipier 19, *37*
Tunbridge (marqueterie) 40, *40*
Turquoise *165*, 167
Twyford 107
Tyg (tasse anglaise) *114*, 126, 127
Uccello (Paolo di Dono, dit) 48
Ustensiles de cuisine *180*, *193*
Val-Saint-Lambert (verrerie) 69, 89
Varnish (Edward) 99
Vasari (Giorgio) *8*
Vase *45*, *62*, *84*, *91*, *92*, *100*, *101*, *102*, 107, *115*, *125*, *127*, *128*, *133*
Vauxhall (verrerie) 98
Venise 10, *45*, 63, 73, 74, *76*, 78, *79*, *80*, 82, *82*, 83, *83*, 86, 94, 98, 196, 198, *200*, 209
Vermeil *138*, *141*, 151, *159*, *161*, 168, *168*, *169*, *193*, *195*, *199*
Vernis *11*, 48, 50, *50*, 58, *189*, 193
au tampon *50*, 51, *51*
«façon de la Chine» 11, 54-57
Martin 57, *58*
Verre *9*, *60*, *61*, 101
à cordial *83*
à filigrane *72*
à jambe en balustre 70-71, *70*, *71*, 72
à lait *77*,
à mosaïque 78-81
argenté 98-99
à vin *83*
Burma *69*
coloré *74*, *75*

craquelé (givré) *73*
de fougère 62
dorure sur 96-97, *96*, *97*
émaillé 94-95, *94*, *95*
en filigrane d'air *72*
givré *73*
graal 93
gravé 86-91
irisé 100-101, *100*, *101*
métallisé 100
moulé 68-69
opaque76-77
outils 66-67
soufflé 66-67
taillé 84-85
torsadé 83
Verrerie *9*, *64*, *65*, *98*
Verzelini (Jacopo) 86, *86*
Vickers (James) 216, *216*, 217
Viellard *131*
Vincennes *111*, 130, 136
Vischer (Anna Roemers) 86
Volta (Alessandro) 174

Waldglas 62, 63, *63*, *94*
Wallace (Robert, Walter, Edwin et Charles) 107
Waterbury 207
Waterford Crystal (verrerie) 68, 84
Webb-Corbett (verrerie) 89
Webb (Thomas et Fils) 76, *88*, *92*, 93, 100
Wedgwood Etruria (porcelaine) *120*
Wedgwood (Josiah) *104*, 164, *165*
Wedgwood (Manufacture de) 10, 12, 48, *104*, 107, *107*
Wednesbury 134
Weise (Paul) 213, *215*
Wheeler (gervase) *149*
Whistler (Laurence) 86
Whiting (orfèvrerie) *144*
Wilkes 211
Wilme (John) *154*
Wistar (Caspar) 63
Wolff (David) 86
Wollaston (William Hyde) 194
Wood (Aaron) 10, *12*
Woodhall (George) *92*, 93
Worcester (porcelaine) 10, 111, *111*, 118, *119*, 124, *124*, *125*, 130, *131*, *132*, *133*, 134, 136, *136*, *137*
Wright (potier) 126
Wright (John) 174
Wrotham (poterie) 126, 127
Württemburgisches Metal Fabrik *174*, *213*, 214
Ysart (Paul) 80
York (poinçon) *163*
Yongzheng 108, 109
Yale (Linus) 211
Zietz (Frederick et Louis) *189*
Zinc 139, 140, 206, 216
Zittau *215*
Zwischengoldglas 97